La Géographie française

POUR LES NULS

La Géographie française
POUR LES NULS

Jean-Joseph Julaud

FIRST Editions

ISBN 2-75400-245-6
ISBN 13 978-2-7540-0245-5
Dépôt légal : 3e trimestre 2006
Nous nous efforçons de publier des ouvrages qui correspondent à vos attentes et votre satisfaction est pour nous une priorité. Alors, n'hésitez pas à nous faire part de vos commentaires :

Éditions Générales First
27, rue Cassette
75006 Paris – France
e-mail : firstinfo@efirst.com
Site internet : www.efirst.com

Production : Emmanuelle Clément
Illustrations intérieures : Marc Chalvin
Cartographie : Guillaume Balavoine
Photos : Corbis
Mise en page : KN Conception
Photo de l'auteur (bandeau) : Francis Demange / Gamma
Imprimé en France

En avant-première, nos prochaines parutions, des résumés de tous les ouvrages du catalogue. Dialoguez en toute liberté avec nos auteurs et nos éditeurs. Tout cela et bien plus sur Internet à www.efirst.com

Sommaire

Introduction *1*

  À propos de ce livre...2

  Comment ce livre est organisé...2

    Première partie : Des creux et des bosses 3

    Deuxième partie : De longs fleuves tranquilles ? 3

    Troisième partie : Sous le soleil…..................................3

    Quatrième partie : Vous êtes de la région ?… (1) 4

    Cinquième partie : Vous êtes de la région ?… (2) 4

    Sixième partie : Soixante-trois millions de consommateurs............4

    Septième partie : Ressources de la maison France.......5

    Huitième partie : La partie des dix.................................5

  Icônes utilisées dans ce livre..6

Première partie : Des creux et des bosses *9*

  Chapitre 1 : Petite histoire de la planète Terre **11**

    Quinze milliards d'années…..11

      Big bang ?...11

      À la soupe !...12

      Poussières d'étoiles..13

    Des continents à la dérive 15

      L'inhospitalier précambrien 16

      L'ère primaire, toute plissée…................................18

      Bienvenue dans la Pangée de l'ère secondaire.......20

      Les fracas de l'ère tertiaire 23

  Chapitre 2 : Là-haut, sur la montagne… **29**

    Les grands ancêtres 29

      Le Massif central : un château d'eau explosif !........30

      Les Vosges en ballons 37

      Le Massif armoricain, plateau, bassin…..................39

      L'Ardenne : Arduina sur son sanglier 41

      Les Maures et l'Esterel : avant Hyères….................43

    La jeune génération 44

      Les Pyrénées : pics et pics 45

      Le Jura, du plus profond des mers…......................47

      Les Alpes : des chahuts en cols blancs 50

      Le continent corse 53

Chapitre 3 : Les plaines et plateaux **57**

Le vaste Bassin parisien 57
Les plateaux de Picardie, leurs limons… 58
Les plateaux de Normandie, en couleurs 59
La Champagne, pouilleuse ou crayeuse ?................61
L'Île-de-France au fond de la cuvette....................62
L'accueillant Bassin aquitain 63
Le Périgord : noir, vert, blanc, pourpre 64
Le Quercy blanc de craie 66
La Guyenne et ses graviers......................................66
La Gascogne en récréation 67
De plaines en vallées 69
L'Alsace aux riches alluvions 69
La plaine de la Saône dégivrée................................71
Le Sillon rhodanien, de Lyon à la mer 73
La Limagne dans le lac 74

Chapitre 4 : Bords de mers **77**

Branloire pérenne..77
Côte, côte, côte… 78
Les rocheuses..78
Les sableuses..79
Les marais maritimes 80
Le joli nom des côtes 81
De l'Opale à la Nacre 81
De l'Émeraude aux Légendes 83
D'Amour et d'Argent..89
De Vermeille et d'Azur..92

Deuxième partie : De longs fleuves tranquilles ? **95**

Chapitre 5 : La Loire, un fleuve de sable parfois mouillé… **97**

La Loire supérieure..97
Les séductions d'une jeunesse 97
Un peu de retenues…...99
L'Allier..101
La Loire moyenne..102
Le virage d'Orléans..102
Le Val de Loire..103
La Loire inférieure..103
Mayenne, Sarthe, Loir et Maine 104
L'estuaire de la Loire 104

Chapitre 6 : La Seine, nonchalante passante 107

De modeste extraction… 108
    Saint-Germain-Source-Seine… 108
    Ex-voto pour Sequana 108
    Le lac d'Orient 109
Une affluence d'affluents séquanais 109
    Du côté de Nogent… 110
    Sous le Chemin des Dames : l'Oise 110
De Paris à la mer : la vallée des méandres 111
    La traversée de Paris 112
    Sous les ponts de Normandie 113

Chapitre 7 : La Garonne 117

Le torrent des Pyrénées 117
    Le val d'Aran : le val de la vallée… 118
    De Fos à Toulouse 119
La Garonne, de Toulouse à Bordeaux 120
    Des affluents complices 120
    Savoureuses rives 121
    Le canal de Riquet et du Midi 121
L'estuaire de la Gironde 122
    La Dordogne des extrêmes 122
    Un bras de mer 123

Chapitre 8 : Le Rhône, petit Suisse et grand Français 125

L'enfance d'un chef 125
    Un compte en Suisse 127
    Le Rhône tombé dans le lac 127
    Naturalisé français 128
    La balade jurassienne du Rhône 128
    Saône, épouse… 129
Tout droit vers la mer 131
    Le Rhône, de Lyon à Avignon 131
    La Camargue 132

Chapitre 9 : Courts et longs cours 137

Vers la mer du Nord 137
    Le Rhin des ondines 137
    La Meuse de Jeanne 140
    L'Escaut et le Plat Pays 141
Au nord, la Somme ; au sud, l'Aude 142
    La Somme tranquille 142
    L'Aude et sa blanquette 143
Vers l'Atlantique 143
    La Vilaine de Melaine 143
    La Charente des François 144
    L'Adour d'Yvette 145

Les fleuves côtiers 145
    La mer du Nord et ses petits...............................145
    La Manche et ses deux douzaines........................146
    L'Atlantique et sa neuvaine 150
    Vers la Méditerranée : onze petits fleuves 152
    Des crues historiques 154

Troisième partie : Sous le soleil… *157*

Chapitre 10 : Les douceurs d'une mer **159**
Deux temps, trois mouvements 159
    Le chaud et le froid...159
    Les prévisions météo 162
Le climat de type armoricain 164
    De la Vendée à la Somme… 164
    Les raisons de la douceur 165
Le climat de type aquitain 165
    Sous influences...165
    Le bel été...166
Le climat de type parisien 167
    De Paris…...167
    … et d'ailleurs 167

Chapitre 11 : Méditerranée, c'est une fée… **169**
Les côtes méridionales...169
    Beau et chaud..169
    Mistral et tramontane..170
La Corse...171
    Chaud et beau 172
    Notes alpines 172

Chapitre 12 : Les contrastes continentaux **173**
Le climat lorrain 173
    Tonnerre de Nancy ! 173
    Très tendance...174
Le climat alsacien 174
    Pas de précipitation ! 174
    À l'abri 175
Le climat des Vosges..175
Le climat auvergnat..176
    Rude en haut 176
    Complexe en bas 177
Le climat alpin 177
    Alpes et paramètres 177
    Vents de Savoie 178

Le climat pyrénéen 180
    La tendance océanique 180
    Là-haut, sur la montagne 180
    L'attrait méditerranéen 181

Quatrième partie : Vous êtes de la région ?... (1) 183

Chapitre 13 : L'Ouest 185

La Bretagne 185
    29 – Le Finistère et sa pointe du Raz 186
    22 – Les Côtes-d'Armor, et non du Nord...........189
    56 - Le Morbihan, la petite mer 192
    35 – L'Ille-et-Vilaine, rivière et fleuve 194
La Basse-Normandie 197
    50 – La Manche, son cap, sa pointe 198
    14 – Le Calvados, l'ancien et le nouveau 201
    61 – L'Orne à cheval 204
Les Pays de la Loire 207
    53 – La Mayenne, terre qui élève 207
    72 – La Sarthe, les bolides de Bollée...............210
    44 – La Loire-Atlantique, sa fleur de sel 212
    49 – Le Maine-et-Loire, châteaux de tuffeau 216
    85 – La Vendée, Venise verte 219
Le Poitou-Charentes 221
    79 – Les Deux-Sèvres, nantaise et niortaise 222
    86 – La Vienne, entre deux massifs 224
    16 – La Charente, Cognac, Jarnac… 226
    17 – La Charente-Maritime, îles et ports...........229

Chapitre 14 : Le Nord 233

La Haute-Normandie 233
    76 – La Seine-Maritime, écrite à la craie 234
    27 – L'Eure, sur la route de Louviers 237
La Picardie 239
    80 – La Somme, Ponthieu, Santerre 239
    60 – L'Oise, tracteurs et Chanel 241
    02 – L'Aisne, de Vermandois en Tardenois 244
Le Nord-Pas-de-Calais 246
    62 – Le Pas-de-Calais, natif d'Arras................247
    59 – Le Nord, correspondance pour..................249
L'Île-de-France 253
    91 – L'Essonne, villes nouvelles 253
    92 – Les Hauts-de-Seine en un méandre 256
    75 – Paris, évidemment… 259
    77 – La Seine-et-Marne, du Gâtinais à Mickey.....263

93 – La Seine-Saint-Denis, petite et grande couronnes 266
94 – Le Val-de-Marne, le ventre de la France 269
95 – Le Val-d'Oise, villes et Vexin 272
78 – Les Yvelines, au soleil du Château 273

Chapitre 15 : L'Est 277
La Champagne-Ardenne 278
08 – Les Ardennes, et le bonjour d'Arthur 278
51 – La Marne, Champagne ! 280
52 – La Haute-Marne, un caprice des dieux… 283
10 – L'Aube de l'andouillette 285
La Lorraine 288
55 – La Meuse, Verdun, Douaumont… 289
57 – La Moselle, ses mirabelles… 291
54 – La Meurthe-et-Moselle de Stanislas 293
88 – Les Vosges, Epinal… 295
L'Alsace 298
67 – Le Bas-Rhin, cœur de l'Europe 298
68 – Le Haut-Rhin, en voiture ! 301
La Bourgogne 303
89 – L'Yonne, de Colette à Guy Roux 304
58 – La Nièvre, bolides, bois et labours 307
21 – La Côte-d'Or, côte d'argent… 309
71 – La Saône-et-Loire, l'effet bœuf 311
La Franche-Comté 314
70 – La Haute-Saône, t'as voulu voir… 315
90 – Le Territoire de Belfort, du lion ! 317
25 – Le Doubs ; « Alors, dans Besançon… » 319
39 – Le Jura, son étonnant vin jaune 321

Chapitre 16 : Le Centre 325
Le Centre 325
28 – L'Eure-et-Loir, il était une foi… 326
45 – Le Loiret, Orléans, Beaugency… 329
41 – Le Loir-et-Cher au cœur des rois 331
37 – L'Indre-et-Loire, le Chinon de François ! 334
36 – L'Indre pour Aurore 336
18 – Le Cher pays d'Augustin 338
Le Limousin 339
87 – La Haute-Vienne, avec l'argile de Saint-Yrieix… 340
23 – La Creuse, son bœuf, sa tapisserie 343
19 – La Corrèze fait salon 345
L'Auvergne 347
03 – L'Allier 348
63 – Le Puy-de-Dôme, fromages et pneus 350
43 – La Haute-Loire, son film… 354
15 – Le Cantal, son silence de Plomb 356

Cinquième partie : Vous êtes de la région ?... (2) 359

Chapitre 17 : Le Sud-Est **361**

  Rhône-Alpes 361
    42 – La Loire, « Un pays nommé Forez... » 362
    01 – L'Ain, le poulet de Bresse… 365
    74 – La Haute-Savoie, le top !..367
    69 – Le Rhône, beaujolais et logiciels 370
    73 – La Savoie : « Ô temps... » 373
    38 – L'Isère, pleine d'énergie 376
    26 – La Drôme, panier de fruits 379
    07 – L'Ardèche, « …brin de bruyère... » 381
  Provence-Alpes-Côte d'Azur 384
    05 – Les Hautes-Alpes, Serre-Ponçon le titan 384
    04 – Les Alpes de Haute-Provence, le grand Canyon... 386
    84 – Le Vaucluse, la cerise sur le Ventoux 388
    13 – Les Bouches-du-Rhône, 1er de la PACA.......................392
    83 – Le Var, frégates et porte-avions 396
    06 – Les Alpes-Maritimes au parfum 399
  Corse 402
    2 B – La Haute-Corse, criques, baies et monts 403
    2 A – La Corse-du-Sud, comme son chapeau… 406

Chapitre 18 : Le Sud-Ouest **409**

  L'Aquitaine 409
    24 – La Dordogne, grottes et truffes....................................410
    47 – Le Lot-et-Garonne, « Voici des fruits... » 413
    33 – La Gironde, capiteuse…..415
    40 – Les Landes, de sable et de pins 419
    64 – Les Pyrénées-Atlantiques, « Paraissez, Navarrais... »............421
  Le Midi-Pyrénées 425
    46 – Le Lot ; dans les grottes de Rocamadour ? 426
    12 – L'Aveyron ; sur le pont de Millau...................................428
    82 – Le Tarn-et-Garonne, les raisins de Moissac..................431
    81 – Le Tarn, Gaillac et son vin… 433
    31 – La Haute-Garonne, le pays du géant 436
    32 – Le Gers, foie gras et Madiran… 439
    65 – Les Hautes-Pyrénées, la grotte au bord du Gave 442
    09 – L'Ariège, le souvenir cathare 444
  Le Languedoc-Roussillon 447
    48 – La Lozère..448
    30 – Le Gard, un travail de Romain 451
    34 – L'Hérault, la voilà la jolie vigne… 454
    11 – L'Aude, les Corbières et La Mer… 457
    66 – Les Pyrénées-Orientales, Perpignan, sa gare… 459

Chapitre 19 : Les DOM-TOM **463**

   Bordés par l'Atlantique 463

      975 – Saint-Pierre-et-Miquelon, un archipel 463

      Saint-Martin, Saint-Barthélemy, collectivité partagée 466

      971 – La Guadeloupe, banane et canne à sucre 467

      972 – La Martinique, canne à sucre et banane 471

      973 – La Guyane, Ariane – rime parfaite .473

   Dans l'océan Indien 476

      976 – Mayotte, vanille et cannelle 476

      974 – La Réunion, canne à sucre et pitons 477

   Terres australes et antarctiques françaises - 984 479

      Saint-Paul et Nouvelle-Amsterdam, deux volcans inactifs 480

      Les Îles Crozet : Cochons, Pingouins, Apôtres 481

      Les Kerguelen, trois cents îles 481

      La Terre Adélie, la marche de l'empereur 482

   Dans le pacifique 483

      L'Océanie 483

      988 – La Nouvelle-Calédonie, le caillou 485

      986 – Wallis et Futuna, plus Alofi, l'inhabitée 486

      987 – La Polynésie française, cinq archipels 487

Sixième partie :
Soixante-trois millions de consommateurs *493*

Chapitre 20 : Histoire d'une lente croissance **495**

   Des chiffres et de l'être 495

      De Cro-Magnon à la Révolution 495

      La faute à Napoléon ? 496

   Les tragédies du XXe siècle 497

      La saignée de 1914-1918 498

      L'épuisement de 1939-1945 498

   La France terre d'accueil 498

      L'immigration en deux époques 499

      Les étrangers au travail 500

Chapitre 21 : Photo de famille **501**

   Les cinquante dernières années 501

      Ils quittent un à un le pays… 502

      La population ouvrière 503

      La croissance accélérée 503

      Chômeurs et précaires 504

   La France n'est plus jeune… 505

      Baby-boom et baby-flap… 505

      Les ogres modernes 506

      La pyramide des âges 506

      Où sont les Français ? 507

Septième partie : Ressources de la maison France 509

Chapitre 22 : Terre et mer 511
L'ancien paysan, le nouvel agriculteur.................................511
  J'ai deux grands bœufs… 511
  J'ai un gros tracteur...513
  La Politique agricole commune 515
Prémices et autres fruits de la terre................................516
  Veaux, vaches, cochons, couvée.............................516
  Faire du blé ! 517
  La voilà, la jolie vigne ! 518
  Les chênes qu'on abat 518
Les travailleurs de la mer...519
  La mer toujours recommencée.............................519
  Quotas batailleurs...520

Chapitre 23 : France industrielle et industrieuse 521
Industrie : faisons le point !..521
  Dans le peloton de tête ? 521
  Un avenir industriel encourageant.........................523
Les quatre piliers 523
  La sidérurgie mute...524
  Le textile bute...525
  L'automobile lutte..527
  Le quatrième pilier : les services...........................530
Les deux phares 531
  L'aéronautique 531
  L'agroalimentaire...533
Les transports...534
  Par le fer...534
  Sur la route… 536
  Sur l'eau...537
  En l'air 540
Le nucléaire...542
  Êtes-vous au courant ?..542
  Réinventer l'eau chaude.......................................542

Chapitre 24 : Bleu, blanc, vert : le tourisme 545
Le tourisme vert..545
  Parfum capiteux..545
  Bonne promenade !...546
Le tourisme bleu...547
  Né au XIXᵉ siècle...548
  De la ruée de 1936 à celle de 2006........................548
Le tourisme blanc 549

Dans les montagnes...549
La Mer de Glace...550
Stations thermales...550
La palette culturelle...551
Palmarès des sites les plus visités en 2005....................................551

Huitième partie : La partie des dix 553

Chapitre 25 : Dix parcs nationaux 555

Les dix parcs nationaux 555
Une étasunienne idée 555
Une loi de 1960...556
La Vanoise : bouquetins et chamois...557
Port-Cros : de Porquerolles au Cap Lardier 557
Les Pyrénées aux 6 000 isards 558
Les Cévennes au patrimoine mondial...558
Le parc national des écrins 558
Le Mercantour et ses Merveilles, parc national 559
La Guadeloupe, l'île aux belles eaux, parc national......................559
Les Hauts de la Réunion 560
Le parc amazonien en Guyane 561
Les Calanques de Marseille-Cassis..561

Chapitre 26 : Dix parcs régionaux 563

Dix parcs régionaux 563
12 % du territoire français 563
Le Parc naturel régional de Scarpe-Escaut................................564
Le parc naturel régional naturel d'Armorique.............................564
Le parc régional naturel du Pilat..565
Le Parc naturel régional du Vercors...565
Le Parc naturel régional de Corse 566
Le parc naturel régional de la Brenne..567
Le Parc naturel régional de Martinique......................................567
Le Parc naturel régional du Perche..568
Le Parc naturel régional de la Forêt d'Orient 568
Le parc naturel du Vexin français...569

Chapitre 27 : Dix vins divins ! 571

Le choix d'Eric Beaumard..571
Les cinq très grands vins blancs 572
Le Montrachet...573
La Coulée de Serrant 573
Le Château-Grillet 573
Le Château-Chalon...574
Le Château d'Yquem...574

Quatre grands vins rouges...575
    La Romanée-Conti..575
    Le Château-Latour..576
    L'Hermitage..576
    La Grenache de Châteauneuf 577
Un grand vin blanc d'Alsace...578
    Le Riesling du Rangen de Thann................................578

Chapitre 28 : Dix des plus beaux villages de France **579**
Riquewihr en Alsace...579
Sarlat-la-Canéda en Dordogne 580
Locronan en Finistère...581
Clisson en Loire-Atlantique...582
Les Baux-de-Provence en Bouches-du-Rhône 583
Sant Antonio 584
Pradelles et la bête du Gévaudan 585
Gerberoy, la cité des roses...586
Ars-en-Ré, Charlotte et Amandine... 587
Bonjour Montrésor...588

Annexe **591**
Connaissez-vous vos départements ? 591
    Des mots pour comprendre 591
    Liste des départements, de leurs préfectures et
    de leurs sous-préfectures. 592

Lexique **597**

Index alphabétique **601**

Introduction

Qu'est-ce que la géographie ? Bien embarrassante, cette question ! Aujourd'hui, surtout ! Il fut un temps où la définition du mot ne posait aucun problème : faire de la géographie, c'était apprendre et retenir le nom des fleuves, de leurs affluents, celui des montagnes, de leurs points culminants, la liste des grandes villes, des grands ports, ce que les terres produisaient dans les riches plaines, le temps qu'il fait au nord, au bord de l'océan, sur les flancs du mont Blanc... Bref, c'était acquérir la possibilité de se situer, de se définir précisément dans l'espace, par rapport à d'autres régions, d'autres pays.

Discipline de l'observation et de la mémoire, cette géographie des récitations redoutées a été contestée par tous ceux qui l'avaient subie – ou presque. Certains d'entre eux, devenus spécialistes en la matière, ont décidé de se venger. La monumentale géographie a été détruite. Disparues, toutes les salles de torture où il fallait ingurgiter, de force, les débits des cours d'eau en crue, les préfectures et les sous-préfectures, les plaines débordantes de blés, les sommets indigestes, comme des gâteaux de Savoie chargés de chantilly... Finie, la douleur infligée par l'instituteur !

À nous la belle vie ! Demandez le programme !

Le voici : à la place du monument géographique, les réformateurs décidèrent de construire... un carrefour. Lieu idéal pour toutes les rencontres possibles, source d'enrichissement, espace de liberté, ouverture vers de nouvelles connaissances ! Alors, de tous les horizons affluèrent la sociologie, l'économie, la démographie, la climatologie, les statistiques, la géomorphologie, la pédologie (l'étude des sols), l'histoire... Certaines de ces disciplines étaient en terrain connu, mais d'autres l'étaient moins, et tentèrent de s'imposer. Ainsi se multiplièrent les données chiffrées, les schémas, les courbes, les histogrammes, les études thématiques... La géographie devint une géographie de carrefour ! Multidisciplinaire ? Transdisciplinaire ? Interdisciplinaire ? Bien malin qui pouvait le dire... Et bien malin qui peut en décider aujourd'hui : la géographie a perdu son image d'antan, sans définir vraiment son nouveau profil.

Certains disent qu'elle est morte, d'autres la définissent par défaut, par ce qu'elle n'est pas, ce qu'elle n'est plus, ce qu'il eût fallu qu'elle fût... Le monument géographie était utile. Excessif ? Peut-être... Le carrefour qui l'a remplacé fut le bienvenu, mais a-t-on jamais vu bâtir sur un croisement de routes ?... Il a pourtant tout lieu d'être, car la géographie est le cœur de tous les départs.

Cependant, on a oublié d'y placer l'essentiel pour en justifier l'existence : une présence ! Votre présence, celle d'un être qui n'est pas fait de chiffres ou de nombres, de schémas ou de statistiques, d'études thématiques, mais d'un être qui s'émeut d'apprendre, de découvrir, un être qui sourit, un être plein d'appétit pour les produits de la terre, une imagination toujours avide, une curiosité insatiable ! Au carrefour des savoirs, vous êtes l'invité de *La Géographie française pour les Nuls*, une géographie du cœur, des saveurs et du terroir. Une géographie qui est aussi votre histoire…

Jean-Joseph Julaud

À propos de ce livre

La terre écrite. En grec, cela donne : géographie – de *gé*, « la terre », et *graphein*, « écrire ». L'objectif de ce livre est de vous proposer une écriture de la terre, de votre terre, celle sur laquelle vous vivez en ce moment, à moins que vous y soyez de passage (de toute façon…) ou que vous projetiez de vous y installer : la terre de France ! Vous allez voir ses montagnes, ses fleuves ; vous allez sentir le souffle de ses climats ; vous allez partir à la rencontre de ses régions, traverser ses départements, faire halte dans une ville, un hameau peut-être, où on va vous parler de celui qui en partit un jour pour connaître la gloire ! Ou bien on va vous donner quelque recette, vous faire goûter, avec modération, les meilleurs crus de l'année, à moins qu'on vous chante quelque chanson… Bref, vous l'avez compris, cette géographie vous conduit dans le cœur battant du pays, battant et conquérant grâce à son agriculture, son artisanat, son industrie. Grâce à tous ceux qui lui donnent la vie, de quelque façon que ce soit. Grâce à tous, grâce à vous…

Comment ce livre est organisé

Zoom arrière. Loin, plus loin encore. Stop ! Partons du champ le plus large, la formation de l'univers, pour en arriver à ce qui nous intéresse : la planète Terre. Zoom avant sur la France. Ses montagnes, ses plaines et ses plateaux. Voilà pour la première partie. La deuxième partie est celle de l'eau : grands et petits fleuves, côtes aux jolis noms… La troisième partie vous présente la météo générale – les climats ! Zoom plus important pour les quatrième et cinquième parties : vous allez découvrir dans le détail toutes les régions, tous les départements de France, cartes à l'appui ! La sixième partie est celle de la démographie (D'où venons-nous ? Combien sommes-nous et pourquoi ? Où allons-nous ?…). De quoi vivons-nous ? La réponse à cette question se trouve dans la partie numéro sept. Si vous êtes un habitué de la collection, la huitième partie – partie des dix – n'a pas de secret pour vous.

Première partie : Des creux et des bosses

Vous effectuez une marche arrière de quinze milliards d'années. Quel bond, quel saut fantastique : l'univers vient de naître d'un big bang dont on vous dira tout ! Tiens, dix milliards d'années viennent de s'écouler – que le temps passe vite… Et voici le système solaire qui se met en place. Encore quatre milliards et demi d'années et nous pouvons parler de la planète Terre – il y a cinq cents millions d'années ! Elle gouverne difficilement ses continents à la dérive, ses océans… Jusqu'au jour où nous apparaissons, nous, Terriens, observateurs de ce qu'elle a réussi à nous aménager pour que nous y posions nos pieds ! Voyez, en particulier, la France, l'objet de cet ouvrage… Suivez, en léger différé, le surgissement de ses massifs anciens, de ses montagnes jeunes, voyez se creuser ses vallées…

Deuxième partie : De longs fleuves tranquilles ?

… Voyez couler ses fleuves, longs ou courts. Inscrivez dans votre imagination et dans votre mémoire leurs méandres, les villes et les régions qu'ils traversent ! Suivez du doigt et des yeux le tracé sinueux de leurs affluents de gauche et de droite – un petit résumé vous permet de retenir l'essentiel de la Loire, de la Seine, de la Garonne, du Rhône… Découvrez les fleuves de longueur moyenne, penchez-vous aussi sur les tout petits, ceux qui courent en quelques heures seulement de leur naissance à leur mer…

Troisième partie : Sous le soleil…

Apprenez ensuite à prévoir le temps qu'il fait dans la région qui n'est pas la vôtre. Bien sûr, on devine que plus on grimpe vers le nord, moins la chaleur est torride ; on sait que plus on s'éloigne de l'océan, moins l'humidité et la douceur enveloppent les jours et les nuits ; mais vous serez surpris des nuances qu'il faut apporter à ces acquis trop schématiques. La Bretagne n'est pas davantage une région de pluie que Paris… et la montagne vous étonnera dans sa diversité étagée. Quant à la Méditerranée, c'est une fée qui lui a donné le décor, la beauté de ses étés…

Quatrième partie :
Vous êtes de la région ?... (1)

L'Ouest, le Nord, l'Est et le Centre de la France. Seize régions administratives : la Bretagne, la Basse-Normandie, les Pays-de-la-Loire, le Poitou-Charente, la Haute-Normandie, la Picardie, le Nord-Pas-de-Calais, l'Île-de-France, la Champagne-Ardenne, la Lorraine, l'Alsace, la Bourgogne, la Franche-Comté, le Centre, le Limousin, l'Auvergne ! Voilà votre programme de visite en cette quatrième partie : d'abord la présentation de chaque région, puis la plongée dans chacun des départements qui la composent, où vous croiserez quelque célébrité du cru, quelque cru exceptionnel, des curiosités, des spécialités, des recettes, les performances de l'agriculture, celles de l'industrie... Du passionnant, de l'étonnant, du succulent vous attendent...

Cinquième partie :
Vous êtes de la région ?... (2)

Le Sud-Est, le Sud-Ouest, les DOM-TOM, les terres Australes et Antarctiques françaises... Routes terrestres d'abord avec les régions Rhône-Alpes, Provence-Alpes-Côte d'Azur, Corse, Aquitaine, Midi-Pyrénées et Languedoc-Roussillon. Larguez les amarres ensuite pour naviguer vers Saint-Pierre-et-Miquelon si vous aimez la fraîcheur d'été, les neiges de l'hiver. Puis descendez vers le sud, vers les Antilles, Saint-Martin, Saint-Barth, la Guadeloupe, la Martinique, où le soleil vous enchantera. Plus au sud encore, en changeant d'hémisphère, faites halte sur la côte nord-est de l'Amérique du Sud : vous êtes en Guyane française. Dans l'océan Indien, vous ferez escale à Mayotte, puis à La Réunion. Faites un détour par les terres Australes et Antarctiques françaises – Saint-Paul, les îles Crozet, les Kerguelen, la terre Adélie – avant d'entrer dans le majestueux Pacifique où vous visiterez la Nouvelle-Calédonie, Wallis-et-Futuna, pour terminer sous l'azur de la Polynésie française !

Sixième partie : Soixante-trois millions de consommateurs

Combien sommes-nous ? Soixante-trois millions, ou presque, métropole et DOM-TOM. Voulez-vous revivre l'histoire du peuplement de la France ? Vous allez remonter jusqu'au temps de Cro-Magnon pour arriver à Napoléon, en passant par la Révolution. Vous allez assister au ralentissement démographique du XIXe siècle, aux tragédies guerrières du XXe siècle qui ont épuisé le pays. Vous allez observer la progression démographique due au baby-boom, aux deux époques de l'immigration. Vous allez analyser dans le détail les cinquante dernières années, assister à la transformation de la France paysanne en France ouvrière, puis en France du tertiaire, une France dynamique mais atteinte, malgré tout, par le chômage et la précarité.

Septième partie : Ressources de la maison France

De quelles ressources la France dispose-t-elle ? Son agriculture, après une mutation en profondeur, a su devenir compétitive, se mécaniser, améliorer ses rendements. La pêche, malgré les quotas qui lui sont imposés, conserve sa marge de rentabilité. L'industrie a réussi sa modernisation. Dans un contexte international sans concessions, elle se situe dans le peloton de tête et son avenir est encourageant. La sidérurgie, après avoir subi d'importantes restructurations, s'est adaptée aux données nouvelles ; le textile tente de se maintenir ; l'automobile intègre les données d'une concurrence impitoyable et poursuit sa progression ; l'aéronautique se fixe des objectifs toujours plus élevés ; l'agroalimentaire a trouvé son régime de croisière, pendant que le nucléaire nous donne plus des trois quarts de notre courant ! Autre ressource de la maison France : le tourisme aux trois couleurs – vert pour les terres, bleu pour la mer, et blanc comme neige… Sans oublier les services qui emploient plus de 70 % de la population active.

Huitième partie : La partie des dix

Vous connaissez – ou allez connaître – cette partie qui permet d'approfondir quelques thèmes particuliers en relation avec le thème général de l'ouvrage. Ainsi, vous êtes l'invité privilégié des parcs naturels nationaux de France, de la Vanoise à la Guadeloupe, en passant par La Réunion ! Vous allez visiter dix des quarante-quatre parcs naturels régionaux du territoire français, de l'Armorique à la Martinique ! Moment privilégié pour lequel a été sollicité le vice-champion du monde des sommeliers : la présentation de dix vins divins, parmi tous ceux qui font la renommée du vignoble français à l'étranger ! Enfin, le voyage qui vous a été proposé au fil de ces pages se termine par un séjour dans dix des plus beaux villages qui pourront devenir pour vous le point de départ de mille autres découvertes sous le soleil de France !

Icônes utilisées dans ce livre

 Avez-vous déjà vu du granit rose ? Savez-vous que le canal de Bourgogne comporte… un tunnel de 3 333 mètres ? Quel est le département qui est le premier producteur d'aiguilles à coudre ? Des dizaines de géo-curiosités vous attendent !

 Le cambrien possède-t-il quelque rapport avec le verbe cambrer ? Une surrection désignerait-elle une sorte d'insurrection de l'écorce terrestre ? Quelle est la différence entre la côte, le littoral et le rivage ? Quel lien (mesdames…) peut-on établir entre le verbe démaigrir et la plage ? Qu'est-ce que la seiche lorsqu'elle ne désigne pas un mollusque céphalopode ?… Réponses dans les pages qui suivent !

 En Alsace, il existe une recette originale si on désire avoir un bébé : on doit d'abord… Il est aujourd'hui possible de relier le Rhin au Rhône par un grand canal, mais… Entre l'île de Ré et l'île d'Oléron se situe le pertuis d'Antioche qui porte ce nom parce que… Vous ne saviez peut-être pas tout cela. Vous le saurez…

 Est-il possible de retenir les principales régions de France sur les doigts de la main ? Comment comprendre la formation des causses en achetant un morceau de craie ? Des trucs simples vous sont livrés afin de faciliter la tâche de votre mémoire.

 Poussez la porte du merveilleux en lisant cette formule magique : il était une fois… Vous apprendrez alors comment la lune devint lune, pourquoi la déesse Arduina devint l'Ardenne, pourquoi Jeanneton n'a rien à voir avec le mont Gerbier-de-Jonc où naît la Loire, ou comment on peut raconter, pour s'enchanter, la naissance de la Gironde… Et, tout conte fait, vous ornerez votre savoir de ces récits charmants…

 Voulez-vous connaître l'identité du prisonnier de Sainte-Marguerite, dans les îles de Lérins ? Voulez-vous revivre tous les temps forts de la chasse à la bête du Gévaudan en Lozère – et la connaître au point de savoir… qui elle était ? Prendrez-vous, à Tahiti, le parti des révoltés du *Bounty* ?… Pour vous, de petits récits, dans ce qui suit…

 Des pics, des monts, des plaines, des fleuves et leurs affluents, le nom des régions, celui des départements, de leurs villes principales, tout cela en vous repérant sur les cartes proposées, et tout cela entrant dans votre mémoire peu à peu… Rien de mieux pour connaître ou reconnaître les repères dont vous avez besoin en chemin vers des horizons prochains, ou en conversation chez vos voisins…

Combien de kilomètres de routes, d'autoroutes la France compte-t-elle ? Quel est le monument le plus visité de la capitale ? Combien de touristes visitent l'hexagone chaque année ? Combien sommes-nous qui vaquons à nos occupations quotidiennes, en métropole ou outre-mer ? Quelle est la superficie de chaque département ? Quel est le nombre d'habitants de chaque préfecture, sous préfecture ?... Les réponses dans les pages qui suivent, comptez sur nous !...

La France est une immense cuisine où mijotent sans cesse la tradition et l'imagination pour le bonheur de tous ceux qui aiment faire bonne chère. La France est une immense cave où sont élevés, dans un silence recueilli, les nectars qui ensoleillent – avec modération – les palais ! Du cru, du cuit, des crus, la recette de la chantilly, de l'andouillette, de la fougasse, de la brandade, de la tapenade... Quatre cents fromages... Un paradis ! Bon appétit...

En France, tout commence et finit par des chansons. Oui, mais ces chansons-là ne peuvent vivre que si elles passent du livre que voilà – celui-ci – aux lèvres que voici : les vôtres ! Installez-en une dès le matin parmi vos mots, comme un refrain – « La Complainte de Mandrin », ou bien « À Joinville-le-Pont, pon, pon »... Ou bien encore, l'inénarrable « J'ai deux grands bœufs dans mon étable »...

Écrire, c'est d'abord regarder autour de soi, intégrer dans la page un paysage ; c'est observer en géographe l'environnement ; c'est se rappeler de doux moments au bord d'un lac qui devient alors garant de la profondeur du propos... Vous allez rencontrer, au fil des pages, Lamartine, Péguy, Colette... Géographes de leurs territoires intimes, et des terres de France...

Fulgence Bienvenüe – le père du métro parisien – dans les Côtes-d'Armor ; Dumont d'Urville – le découvreur du pôle Sud – à Condé-sur-Noireau ; Jules Verne et Jean Rouaud, les grandes plumes de Nantes ; Jean Monnet – le père de l'Europe – en Charente ; Charles Trenet en Roussillon ; le petit Larousse galopant dans les rues de Toucy, arrondissement d'Auxerre, dans l'Yonne... Et près de chez vous, savez-vous qui devint célèbre ainsi ? Ou qui le deviendra ? Vous ?...

Première partie
Des creux et des bosses

Dans cette partie...

Pour observer et expliquer les trous et les bosses de l'Hexagone, nous allons d'abord prendre le recul nécessaire : un recul dans le temps, lorsque la planète Terre se met en boule, forme son continent unique puis le divise, sous les rayons du soleil ardent. Nous allons ensuite faire connaissance avec la vieille génération des montagnes, puis avec la génération montante – les Alpes, par exemple, qui grandissent toujours, tout doucement... Nous nous promènerons à travers plaines et plateaux, avant de flâner le long des côtes aux jolis noms...

Chapitre 1

Petite histoire de la planète Terre

Dans ce chapitre :

▶ Assistez en direct à la naissance de l'Univers

▶ Voyez sous vos yeux la Terre se former

▶ Suivez ère par ère la formation des continents

*L'*Univers dans lequel nous vivons est né voilà quinze milliards d'années. Le soleil – notre soleil, car il en existe des milliards… – a commencé à briller il y a cinq milliards d'années. Et la Terre ne tourne vraiment rond que depuis cinq cents millions d'années. Facile à retenir, tout cela ! Voyons maintenant dans le détail la petite histoire de notre planète Terre…

Quinze milliards d'années…

… et peut-être même quarante milliards ! L'âge de l'Univers n'est pas annoncé à la légère puisqu'il nous vient d'un spécialiste particulièrement bien informé – et qui a certainement bénéficié de renseignements confidentiels de la plus haute importance… – : l'abbé Lemaître (1894-1966) ! Astrophysicien, mathématicien, ce prêtre belge imagine, en 1929, la théorie suivante : il y a quarante milliards d'années, un petit nuage solitaire d'atomes extrêmement lourds et resserrés naît puis se promène, pépère, dans l'Univers complètement vide, lorsque, tout à coup, voilà quinze milliards d'années…

Big bang ?…

… Bannnnnnnnnng !… Le nuage explose, emplissant l'espace d'innombrables points brillants toujours en expansion, qui ont donné les galaxies, les étoiles, les soleils, les terres (pluriel hardi…) et, un peu plus tard, la vie, les êtres, les hommes et les femmes, vous qui tenez en main ce livre et qui venez de vous découvrir bien plus âgé que vous ne le pensiez, et solidaire d'un grand mystère – qu'y avait-il avant le nuage pépère ?... L'abbé Lemaître ferraille un temps contre le grand Einstein (1879-1955), père de la relativité, qui affirme que l'Univers fut toujours statique, rempli d'une matière qui n'a pas varié dans le temps. Mais, en janvier 1933, à la suite d'une conférence donnée par Lemaître à l'observatoire du mont Wilson, en Californie, Einstein, qui se trouve dans la salle, se lève et applaudit chaleureusement ce qu'il juge la plus belle et la plus satisfaisante des explications de la création !

À la soupe !...

Qu'Einstein approuve les propositions de Lemaître – relayé par le Russe Alexandre Friedmann (1888-1925) – ne représente qu'une étape dans la théorie du big bang.

Le rayonnement fossile

Les astrophysiciens et les mathématiciens multiplient leurs observations, font et refont leurs calculs : ce nuage d'atomes initiaux ne les satisfait pas. Puis, en 1949, un savant américain d'origine russe, George Gamov, avance l'hypothèse suivante : s'il y a eu une explosion initiale, il doit en rester des traces sous la forme de radiations magnétiques communes à tout l'Univers. Seize ans plus tard, en 1965, deux radioastronomes américains découvrent ces radiations – le rayonnement fossile – qui permettent alors au plus grand théoricien de l'astrophysique contemporaine, Steven Weinberg, d'affiner la théorie de Lemaître en la plongeant dans la soupe !

Bang, bang !

Oui, vous avez bien lu : dans la soupe ! Au lieu d'un noyau d'atomes, Weinberg propose cette image d'une soupe initiale composée des quatre particules élémentaires, réunies deux par deux : les électrons et les positrons, les neutrinos et les photons. Attention, la soupe est brûlante – cent milliards de degrés ! Écartez-vous un peu, ça va exploser… Bannnnnnnnnng ! Il s'agit bien du même bang que celui de Lemaître, situé, vous vous en souvenez, il y a quinze milliards d'années. Les quatre particules

This is the big bang man…

Le mot composé anglais *big bang* désignant l'explosion initiale de l'Univers est employé pour la première fois par un astrophysicien anglais, Fred Hoyle (1915-2001), qui, en 1960, lors d'un congrès scientifique à Pasadena, accueille Lemaître par un ironique : « This is the big bang man ! » Hoyle estime si puérile cette théorie qu'il est allé puiser dans le vocabulaire enfantin pour la désigner ! Il faut croire que les astrophysiciens sont de grands enfants peu rancuniers puisque, aucunement affectés par cette moquerie, ils l'ont reprise à leur compte, estimant qu'elle résumait parfaitement une situation admise depuis par tous les scientifiques, ou presque…

élémentaires deviennent huit : protons, électrons, neutrinos, neutrons, photons, positrons, antiprotons et antineutrinos – celles de Michel Houellebecq n'exploseront que beaucoup plus tard…

La valse de l'Univers

Trois minutes et quarante-six secondes passent : la soupe est quasiment froide – neuf cents millions de degrés… –, occasionnant des déséquilibres entre les particules élémentaires d'où protons (86 %) et neutrons (14 %) sortent privilégiés. Pendant que l'Univers se laisse emporter dans le tourbillon d'une valse gigantesque qui n'en finira plus, ils se marient et vont donner naissance, après trois cent mille ans de gestation – bien plus qu'une éléphante – à des atomes stables d'hélium et d'hydrogène ; lesquels s'épousent aussi, afin que viennent au monde, au fil des milliards d'années qui suivent, les millions de galaxies en expansion, leurs milliards d'étoiles, puis la touchante fascination de ceux qui les regardent parfois, inquiets et comblés de tant de beauté.

UNE GÉO-CURIOSITÉ

Big crunch…

L'Univers va-t-il poursuivre sans fin son expansion ? Non, selon les astrophysiciens adeptes de la théorie du big bang. Pour eux, les galaxies ralentiront leur croissance, puis tout fera marche arrière – ce sera le big crunch ! – devenant une masse d'incandescence dantesque à la concentration si dense et si puissante qu'elle sera suivie d'un nouveau… big bang, début d'un autre univers. Ils affirment aussi qu'en ces temps-là – dans cinquante milliards d'années – un beau violet sombre sera visible ! Par qui ? Par personne : pour le big crunch, nous sommes déjà tous chocolat…

Poussières d'étoiles

D'une étoile morte, une autre est née, voilà cinq milliards d'années. De cette étoile, vous êtes né…

Mamie supernova…

Imaginons que, par extraordinaire, vous ayez vraiment vécu le big bang… Eh bien, il vous faut en contempler les conséquences pendant plus de dix milliards d'années avant qu'il se passe quelque chose qui vous intéresse, vous, bipède civilisé muni d'un cerveau utile en toute circonstance, ou presque. Et dix milliards d'années, c'est long, surtout vers la fin. Pourtant, votre attente n'était pas inutile : regardez, au bord de la galaxie nommée (bien plus tard…) Voie lactée, une supernova a explosé – non pas une mamie imposante chargée d'une cargaison de yaourts, mais une grosse étoile en fin de vie qui s'était mise à émettre une lumière intense. Il n'en est resté qu'une sorte de nuage de poussières minuscules composées de quelques atomes : une nébuleuse. Cette opération s'est étalée sur un ou deux milliards d'années...

Une star !

Qui sommes-nous, d'où venons-nous, où allons-nous ? Voici – peut-être – quelques éléments de réponse : les poussières d'étoiles sont en grande partie composées de quatre atomes : oxygène, hydrogène, azote et carbone. Et vous, être vivant, ouvrez grands vos yeux, retenez votre souffle, vous êtes aussi composé, à 99 %, des mêmes éléments ! Nous sommes des étoiles, nous venons d'elles, et nous y retournerons sans doute... Bref, vous le saurez désormais : même si vous brillez moins qu'Adjani ou Depardieu, vous êtes, sur terre comme au ciel, une vraie star !

Lumière !

Voyez maintenant, au centre de cette nébuleuse : des poussières se sont agglutinées sous l'influence de la gravité ; et, s'agglutinant, elles se sont échauffées. La boule qu'elles forment dépasse les dix millions de degrés ! À cette température, les poussières d'hydrogène entrent en fusion nucléaire, donnent de l'hélium... Lumière ! Une étoile vient de naître. D'abord hésitante

Bonsoir, madame la Lune...

... que faites-vous donc là ? Je fais mûrir des prunes pour tous ces enfants-là !... Allons, madame la Lune, soyons sérieux ! Nous ne sommes plus des enfants, que faites-vous donc là ? Eh bien, je dois dire que je n'en sais trop rien ! Mon histoire est singulière : il y a plus de quatre milliards d'années, après avoir enfilé mon manteau sur mon noyau, je me promenais, ivre de vitesse et de liberté à travers l'Univers, lorsque j'ai senti un choc, mais alors un choc inimaginable ! Je venais de heurter une grosse boule molle qui m'a fait éclater : mon manteau a volé dans les airs et mon noyau est entré dans la boule ! Depuis, j'ai su que cette boule, c'était votre Terre ! Mon noyau, après l'avoir traversée de part en part, plutôt sur la tangente, en est ressorti puis, retombant sur elle, a disparu en son centre. Il ne me restait que mon manteau. Vexée, je me suis mise en boule – moi aussi – et depuis ce temps, mélancolique et pâle, je tourne autour de votre planète ; j'attends cette partie de moi-même qui me manque, je voudrais repartir ! Régulièrement, je soulève les mers – vous appelez cela les marées – pour tenter de libérer mon cœur captif...

Voilà mon histoire, ou du moins celle que les scientifiques m'ont racontée. J'aime les scientifiques : ils m'ont dit aussi que, dans cinq milliards d'années, le Soleil aura épuisé ses réserves d'hydrogène, et qu'avant de rendre son dernier soupir d'hélium, il grossira démesurément au point d'englober la Terre qui disparaîtra ! Alors, juste avant qu'elle meure, peut-être que je retrouverai mon unité et que je pourrai continuer mon voyage sans fin, sans limites, vers partout, vers nulle part...

– elle va clignoter pendant quelques millions d'années – puis triomphante, même si les astronomes lui donnent le nom peu flatteur de « naine jaune » (elle est née d'une géante morte), elle s'ajoute aux milliards de ses semblables. Mais pour vous, elle est unique au monde et porte ce nom entre tous éclatant : Soleil !

Une sphère singulière…

Faisons le point : l'Univers a explosé voilà quinze milliards d'années. Le Soleil brille depuis à peine cinq milliards d'années. Et la Terre alors ? Elle vous a échappé ? Il suffisait de regarder ce que sont devenus les restes de poussières de la nébuleuse : certaines, loin du Soleil tout neuf, ont formé des planètes de gaz au noyau de glace, de faible densité ; ce sont Jupiter, Saturne, Uranus et Neptune, avec leurs nombreux satellites ou leurs anneaux – au-delà de Neptune se trouve Pluton et son noyau de roche recouvert de glace ; cette planète, découverte en 1930, possède un satellite : Charon. Plus proche du Soleil, des éléments lourds, formés des masses rocheuses qui se sont agglutinées, ont donné naissance aux planètes dites telluriques (du latin tellus : « la Terre »…) : Mercure, Vénus, Mars et… la Terre !

UN GÉO-TRUC

Mais, vêtez ma jupe !

Voulez-vous retenir dans l'ordre les planètes du système solaire, en partant de la plus proche du soleil ? Retenez cette phrase un peu bizarre… : « *Mais, vêtez ma jupe ! Ça urge ! Flûte !* » qu'il faut immédiatement modifier de la manière suivante : « *Mais vêtez ma jupe ! Ça urne ! Plute !* » Ainsi, on reconnaît successivement : **Mercure** (mais) – **Vénus** (vê) – **Terre** (tez) – **Mars** (ma) – **Jupiter** (jupe) – **Saturne** (ça) –

Uranus (ur) – **Neptune** (ne) – **Pluton** (plute). Il y a bien sûr une autre phrase mnémotechnique : « *Ma vieille Torpédo m'a jeté sur un noble passant* », mais il faut avouer qu'elle est nettement moins précise. On peut aussi entendre « *Me voici tout mouillé, je suivais un nageur pressé !* » Et si aucune de ces phrases ne vous convient, inventez-en une !

Des continents à la dérive

Le planisphère que vous connaissez (oui, le planisphère, et non la planisphère…) représente le monde d'aujourd'hui, avec ses continents dentelés et massifs, aux formes si familières, si identifiables que vous les imaginez nés ainsi, prédécoupés, dès le début du monde ! Détrompez-vous : ils ont voyagé sur toute la surface du globe, et même s'ils vous paraissent immobiles, ils bougent toujours ! Remontons dans le temps, attachez vos ceintures…

L'inhospitalier précambrien

Période géologique qui dure plus de quatre milliards d'années, le précambrien, n'offrant aucun confort, n'est habité par aucun organisme vivant ou presque. Des plates-formes continentales apparaissent.

Pas de couche d'ozone...

Invivable ! Inutile d'espérer être accueilli sur la sphère terrestre voilà quatre milliards et demi d'années – début du précambrien –, on s'y enfonce encore dans une espèce de liquide d'inégale densité d'où émergent de temps en temps des masses qui se dérobent pour réapparaître quelques millions d'années plus loin... D'ailleurs, les jours d'à peine dix heures sont trop courts pour espérer y faire de longues balades en mer et puis, surtout, l'atmosphère y est irrespirable, pleine de gaz carbonique, dépourvue de son manteau d'ozone, de sorte qu'à peine arrivé, vous mourez !

GÉO-MOTS

Cambré, le cambrien ?

Le précambrien, comme son nom l'indique, précède le cambrien qui est la première période de l'ère primaire. Et que signifie donc ce mot : cambrien ? Serait-ce l'aimable contraction de cambrure et de reins ?... Point du tout ! Il y a longtemps, le pays de Galles s'appelait Cymry. Transformé en latin, il est devenu Cumbria. De Cumbria est né Cambria dont le géologue anglais Adam Sedgwick (1785-1873) s'est inspiré pour nommer la couche géologique qu'il a découverte au pays de Galles, étudiée, et datée... du cambrien !

L'acide désoxyribonucléique

Un milliard d'années plus tard – voilà trois milliards et demi d'années –, la Terre peu à peu ralentit sa rotation, les jours allongent, les nuits aussi. Les balbutiements de la vie laissent leurs premières traces grâce à l'ADN (acide désoxyribonucléique), capable de conserver en mémoire les informations nécessaires à la création et à l'existence d'un organisme – chacune des milliers de milliards de vos cellules contient un noyau bourré d'ADN... Les plates-formes continentales émergent des eaux de façon stable, s'y replongent en partie. Mais pas question encore de flâner au clair de lune, l'oxygène vous manquerait, quoiqu'il soit en train de se répandre dans l'atmosphère, grâce à la photosynthèse : des organismes séparent l'hydrogène et l'oxygène contenus dans l'eau.

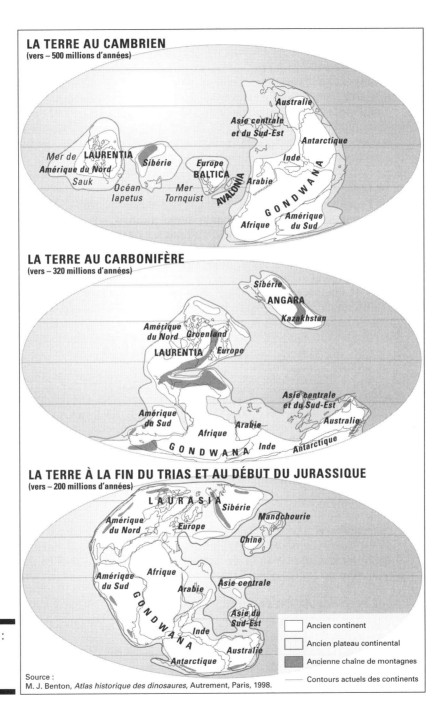

LA TERRE AU CAMBRIEN
(vers – 500 millions d'années)

Australie
Asie centrale
et du Sud-Est
Antarctique
Mer de LAURENTIA
Sibérie
Europe
Inde
Amérique du Nord
Sauk
BALTICA
Arabie
Océan
Iapetus
Mer
Tornquist
AVALONIA
G O N D W A N A
Afrique
Amérique
du Sud

LA TERRE AU CARBONIFÈRE
(vers – 320 millions d'années)

Sibérie
ANGARA
Kazakhstan
Amérique
du Nord
Groenland
LAURENTIA
Europe
Asie centrale
et du Sud-Est
Amérique
du Sud
Australie
Arabie
Afrique
Antarctique
G O N D W A N A
Inde

LA TERRE À LA FIN DU TRIAS ET AU DÉBUT DU JURASSIQUE
(vers – 200 millions d'années)

L A U R A S I A
Sibérie
Mandchourie
Amérique
du Nord
Europe
Chine
Afrique
Amérique
du Sud
Asie centrale
Arabie
G O N D W A N A
Asie du
Sud-Est
Inde
Australie
Antarctique

Ancien continent
Ancien plateau continental
Ancienne chaîne de montagnes
Contours actuels des continents

Figure 1-1 :
Les continents à la dérive.

Source :
M. J. Benton, *Atlas historique des dinosaures*, Autrement, Paris, 1998.

L'ère primaire, toute plissée...

Voulez-vous un terme qui puisse vous valoriser dans quelque conversation mondaine où il sera question de l'ère primaire ? Un mot qui fasse plus scientifique que ère primaire, un peu scolaire, un peu simple pour les esprits compliqués ? Alors voici, pour la période qui s'étend de - 570 millions à - 230 millions d'années (ère primaire, donc), utilisez ce vocable équivalent : le paléozoïque. N'est-ce pas que c'est chic ? Première période du paléozoïque : le cambrien.

La France au fond des mers...

Au cambrien (entre - 570 et - 500 millions d'années, début de l'ère primaire), l'oxygène s'est peu à peu répandu dans l'atmosphère. Vous respirez bien ! Parvenu au bord de l'eau, vous contemplez des organismes marins à coquille, à squelette, des trilobites (ce qui signifie « organismes à trois lobes »), des échinodermes, grands-parents de l'oursin, des mollusques... Oui, mais la question que vous vous posez est celle-ci : suis-je bien en mon pays de France, est-il reconnaissable, même si aucun humain n'existe encore pour le nommer ? Eh bien, non ! Votre pays de France, comme tous les autres pays, n'est encore qu'une utopie, très vague, sans amorce de contour ou de frontière ! Votre pays de France se situe quelque part au fond des mers !

La Sibérie sous l'équateur !

Au fond des mers, la France ? Oui, pour l'instant, mais elle en sort de temps en temps... La Terre du cambrien est étonnante : les continents sont aux trois quarts rassemblés dans l'hémisphère Sud. Ils sont au nombre de trois :

- le Gondwana – Afrique, Amérique du Sud, Antarctique, Inde et Australie soudés ;
- la Baltica – minuscule partie de l'Europe émergée ;
- la Laurentia – Amérique du Nord.

Et regardez mieux : l'Australie se trouve dans l'hémisphère Nord, au niveau du trentième parallèle, à l'emplacement de la Californie d'aujourd'hui ! La Californie est au niveau de l'Argentine... La Sibérie, l'Antarctique et l'Europe se situent sous l'équateur ! Quel monde !

Les périodes du paléozoïque

L'ère primaire ou paléozoïque est divisée par les géologues en six périodes. Au cambrien vont succéder :

- l'ordovicien (- 500 millions à - 435 millions d'années) – algues, invertébrés ;
- le silurien (- 435 millions à - 400 millions d'années) – plantes, poissons ;

- ✔ le dévonien (- 400 millions à - 360 millions d'années) : fougères, requins ;
- ✔ le carbonifère (- 360 millions à - 280 millions d'années) : grands arbres, insectes ;
- ✔ le permien (- 280 millions à - 230 millions d'années) – reptiles.

Voyage gratuit !

Voulez-vous voyager ? Point besoin de vous construire un radeau en joncs ou un canot taillé dans un tronc : le continent sur lequel vous décidez de séjourner va se mettre à dériver, tout seul ou presque, tout doucement, pendant toutes les périodes du primaire (puis du secondaire, du tertiaire…) vous n'avez rien à faire, et c'est gratuit ! Le seul problème est la longueur du voyage : des millions d'années avant que la France soit à la place de la France… C'est à vous de voir ! Donc, poussés par les gigantesques assauts du magma présent sous la croûte terrestre, les continents — Gondwana, Baltica, Laurentia – dérivent. De plus, ils sont soumis à des pressions telles qu'ils se plissent comme un tissu ou bien éclatent en laissant surgir leurs entrailles sous la forme d'immenses chaînes de montagnes aux altitudes impressionnantes.

Plis selon plis

Deux longs cycles de plissements vont se succéder au cours de l'ère primaire, ou paléozoïque :

- ✔ le cycle calédonien, entre - 500 millions et - 400 millions d'années
- ✔ le cycle hercynien ou varisque : entre - 400 millions et - 230 millions d'années (il se termine par une période d'intense activité volcanique qui dure trente millions d'années)

Complètement raboté, le calédonien !

Le cycle calédonien plisse, replisse et soulève des zones qui vont de l'Amérique du Nord à la Scandinavie, en passant par l'Écosse. Le vent, la pluie, les orages, les tempêtes, le temps patient surtout – bref, l'érosion – viennent à bout de ces élancements du relief. Et, vers - 400 millions d'années avant nous-mêmes, il ne reste de ces hérissements qu'une sorte de plaine complètement rabotée !

Le varisque : du phare d'Eckmühl à Austerlitz

C'est alors que, le long d'un arc situé plus au sud – un arc immense aussi, qui va du pays de Galles à la Russie méridionale, en passant par l'Ardenne, de la Bretagne aux massifs de Bohême et de Moravie, en passant par le Massif central – commence le cycle de plissements hercyniens, appelé aussi varisque. Une chaîne de montagnes géantes apparaît de Penmarch à la Tchéquie (du phare d'Eckmühl à Austerlitz…), en passant par Clermont-Ferrand, bordée dans sa partie sud par le géosynclinal vendéen et cévenol, et dans sa partie nord par une succession de plis et de synclinaux – ne vous laissez pas impressionner par le vocabulaire : le synclinal, c'est une pente en creux, le géosynclinal aussi ; quant au terme anticlinal que vous rencontrerez dans ce livre, il désigne une pente aussi, mais plutôt bombée…

GÉO-MOTS

Calédonien, hercynien, varisque

Pourquoi *calédonien*, le plissement ? Le mot est apparu en 1886, désignant les caractéristiques géologiques de l'Écosse, région que l'historien romain Tacite désigna, il y a fort longtemps, sous le nom de Caledonia – le 4 septembre 1774, l'Anglais James Cook découvre une île qu'il nomme New-Caledonia (Nouvelle-Écosse), île devenue française le 24 septembre 1853, sous la traduction de… Nouvelle-Calédonie. Pourquoi *hercynien*, l'autre plisse-ment du primaire ? Parce que Ludwig von Buch, un géologue allemand, nomme ainsi le massif ancien du Harz, en Allemagne, orienté ouest-nord-ouest et datant de la fin de l'ère pri-maire. Le géologue français Alfred Bertrand (1847-1907) importe ce mot et lui fait désigner tous les plissements de la même époque, quelle que soit leur orientation, alors que le mot *varisque* avait été proposé par Edouard Suess (1831-1914)

Bienvenue dans la Pangée de l'ère secondaire

Rien ! Il ne reste rien des chaînes calédoniennes et hercyniennes à la fin de l'ère primaire, seulement quelques élévations modestes par-ci par-là, mais rien qui puisse permettre d'user d'un autre vocable que celui de *pénéplaine* (plaine ondulée, après l'érosion) pour désigner le paysage ! Et cette pénéplaine est unique, continue, car il s'est passé un phénomène étonnant : tous les continents – Gondwana, Laurentia et Baltica – se sont rassemblés en un immense ensemble qui commence à occuper les deux hémisphères : la Pangée (ce qui, en grec, signifié « toutes les terres »…). La Pangée est entourée d'un immense océan appelé la Panthalassa (ce qui, en grec, signifie « toutes les mers »…). Vous pouvez donc aller à pied de l'Australie – qui a migré dans l'hémisphère Sud – à la Sibérie – située dans l'hémisphère Nord – en passant par l'Antarctique, l'Afrique et l'Amérique. Bon voyage, mais attention : d'étranges créatures vous guettent, dès le début de l'ère secondaire, ou mésozoïque (de - 230 millions à - 65 millions d'années) : les dinosaures !

Le mésozoïque – ère secondaire – en trois temps

Le mésozoïque dure 165 millions d'années.

- ✔ le trias (230 millions à 200 millions d'années) – le mot *trias* est emprunté au bas latin et désigne les trois terrains sédimentaires (les sédiments sont des dépôts marins, fluviaux, glaciaires…) de cette époque : le calcaire coquiller, le grès et les marnes irisées – mélange de calcaire et de glaise ;

- ✔ le jurassique (200 millions à 145 millions d'années) – le *jurassique* tire son nom du… Jura dont les terrains se sont constitués à cette époque ;

- ✔ le crétacé (145 millions à 65 millions d'années) – *crétacé* vient du latin *creta* qui désigne la craie, roche sédimentaire calcaire, blanche et tendre qui s'est formée à cette période.

Cyclones, orages

L'Europe ! Vous cherchez l'Europe, en ce début de trias ? Ne cherchez pas : l'Europe est sous l'eau, complètement ! Toute l'ère secondaire est marquée par ce qu'on appelle des transgressions marines : les mers recouvrent les terres et y déposent d'impressionnantes couches de sédiments. Fait-il beau ? Oui et non : tantôt le climat est aride, tantôt une sorte de mousson apporte des cyclones et des orages observés par les gros yeux globuleux des nothosaures au long cou ou des platéosaures aux grosses pattes et aux petites mains pleines de griffes qui coupent comme des rasoirs – regardez aussi ce tout petit premier mammifère, tout timide, comme une petite souris avec un drôle de nom : le mégazostrodon ; et puis là-bas, le premier reptile volant : l'eudimorphodon. Craaac ! Craaaaaac ! Que se passe-t-il ?…

Trois bus de longueur…

Craac ! La Pangée est en train de craquer en ce début de jurassique ! Elle se divise en deux énormes continents : Laurasie au nord et Gondwana au sud, séparés par une mer très étendue, Téthys. Ces continents vont se morceler. L'Amérique du Nord, soudée au Groenland, devient une île, de même que la Scandinavie, la Sibérie, la Chine. L'Asie centrale lambine encore dans l'hémisphère Sud, alors que le quintette gondwanien – Afrique, Amérique du Sud, Antarctique, Inde et Australie – vit toujours en étroite union libre de part et d'autre de l'équateur ! Météo ? Beau, très beau et très chaud. Humidité ? Maximale ! Et cela presque partout sur le globe – point de glace aux pôles, point d'icebergs, mais de titanesques animaux. Justement, parlons-en de ces vilaines bêtes : des tortues géantes, des oiseaux géants, des dinosaures gigantesques qui font plus de trois bus de longueur et un airbus de hauteur ! Ce n'est quand même pas rien ! Tenez, faites donc attention, l'un d'eux pourrait bien vous inclure dans une goulée de sa nourriture où vous auriez l'air aussi surpris qu'une fève dans la galette des rois…

GÉO-MOTS

Dinosaure, le lézard terrible !

Le terme *dinosaure* a été créé à partir de deux mots grecs : deinos qui signifie « effrayant », et sauros, le « lézard », le reptile quadrupède. Deinos-sauros, dinosaure signifie donc : « lézard terrible » ! Les plus connus de la famille sont, dans les mers, l'ichthyosaure (lézard poisson) et le plésiosaure (lézard voisin) ; sur terre, le diplodocus (« deux poutres », à cause de ses vertèbres…) et le brontosaure (« lézard-tonnerre ») ; et dans les airs, le ptéranodon (« l'ailé édenté ») et le ptérodactyle (« doigts ailés »).

Charognard ou prédateur ?

Affreux ! En traversant le crétacé, ne le regardez pas, ou bien faites semblant de rien… C'est un *tyrannosaurus* rex ! Quelle laideur : ces énormes pattes écartées, ces petits bras griffus, et surtout, ces énormes mâchoires pleines de dents interminables, cette peau verdâtre, cette gorge rougeâtre, cette panse jaunâtre… Charognard ou prédateur ? La question demeure. Carnivore en diable, en tout cas ! Le tyrannosaure n'est pas le seul reptile effrayant ; en cette fin de crétacé, des centaines d'autres, de toutes tailles, de toutes formes – des monstres – pullulent sur les terres émergées, herbivores pour la plupart.

L'île franco-espagnole

Dans le ciel volent les archéoptéryx, dans les eaux nagent des téléostéens de 4 à 5 mètres, pendant que les continents dérivent encore : l'Afrique apprend la solitude, l'Inde stationne au large de Madagascar, la Chine grossit, l'Amérique du Nord liée au Groenland, est coupée en deux dans le sens nord-sud, alors que l'Espagne et une partie de la France se sont isolées en pleine mer, pour prendre des vacances… Quant au reste de l'Europe, il poursuit sa plongée sous-marine !

Où sont-ils passés ?

Où sont-ils ? Mais où sont-ils passés ? Plus de dinosaures ! Plus un seul ! Et pourtant, ils étaient là et bien là, depuis 165 millions d'années, au moins ! Où êtes-vous passés, *ornithomimus, nodosaurus, parasorolophus, drolosdegugus* ? Que vous est-il arrivé à la fin de l'ère secondaire pour que pas un seul de vous ne demeure en vie ? Émettons des hypothèses avec les scientifiques :

✔ En 1980, Lius Alvarez, professeur à l'université de Californie, publie avec ses collègues un article où il affirme que la disparition des dinosaures est due à la chute d'une énorme météorite sur la Terre. Cette chute aurait engendré un nuage de poussières si dense qu'enveloppant la Terre, il l'aurait privée de sa lumière et de ses végétaux. Et comme les dinosaures étaient presque tous herbivores, ils en seraient morts.

✔ Pour d'autres spécialistes, des volcans en éruption auraient émis dans l'atmosphère de tels nuages de cendres qu'il aurait fait nuit des siècles durant, tuant toute végétation et, partant, les êtres vivants qui s'en nourrissaient.

✔ En 1990, l'hypothèse d'Alvarez est appuyée par une découverte spectaculaire : celle du cratère qu'a laissé une météorite chue au Mexique à la fin du crétacé – à Chicxulub, exactement, un nom de lieu qui sonne comme un petit bruit fossile... Cette météorite aurait mesuré plus de 10 kilomètres, provoquant un cratère de 200 kilomètres et un raz de marée phénoménal.

✔ Cependant, beaucoup de spécialistes accueillent avec réserve ces explications. Pour eux, l'extinction des dinosaures qui s'est étalée sur plusieurs millions d'années n'a pu être provoquée par un événement ponctuel, mais par une lente dégradation des conditions climatiques, les forêts de conifères remplaçant les forêts luxuriantes. Et les gros dinosaures seraient morts de faim, à petit feu...

Les fracas de l'ère tertiaire

Quel bruit ont-elles dû produire, les Alpes, en s'élevant ainsi, dans leur majestueux fouillis de roches de toutes sortes ! À moins que, tout doucement, elles soient sorties de terre avec la contrariété sommeilleuse des élégantes qui détestent être bousculées et le font sentir à leurs voisins et voisines... La vérité doit emprunter aux deux hypothèses, car tant de roches n'ont pu s'élever en silence, et tous les massifs voisins des Alpes ont subi le contrecoup de cet éveil hérissé... Mais voyons d'abord tout ce qui s'est passé avant cet événement.

Cénozoïque = tertiaire + quaternaire

Attention, nous entrons dans une période revue et corrigée par les géologues au cours de plusieurs congrès de la fin du siècle dernier. Nous étions accoutumés de parler de l'ère tertiaire comme d'une unité achevée, à laquelle avait succédé l'ère quaternaire, autre unité en cours d'achèvement – on ne sait pas quand, puisque nous la vivons... Aujourd'hui, on peut parler

GÉO-MOTS

... zoïque

Vous avez sans doute remarqué que l'élément commun au paléozoïque, au mésozoïque et au cénozoïque, c'est zoïque ! En grec, *zoïque* désigne l'être vivant, animal ou végétal. Le paléozoïque (paléo = ancien), c'est donc l'époque des *anciens êtres vivants*, le méso-zoïque (*méso* = milieu), celle des *êtres vivants au milieu des deux époques*, et le cénozoïque (*céno* = récent), l'époque des *êtres vivants récents*. Si tout cela n'était en grec, ce serait à la fois plus compréhensible, moins impressionnant, et singulièrement touchant...

de l'ère tertiaire et de l'ère quaternaire, certes, mais elles sont englobées dans ce qui fait suite au paléozoïque et au mésozoïque (que vous connaissez déjà) : le cénozoïque.

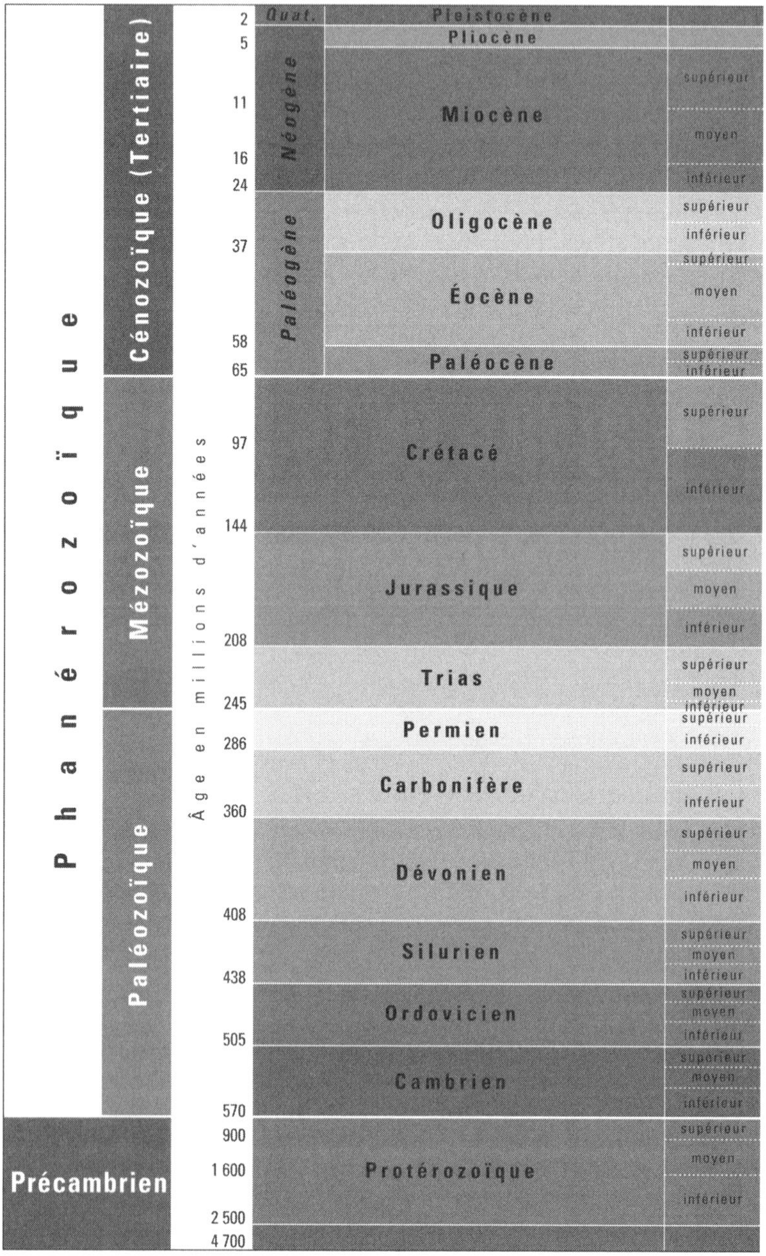

		Âge			
Phanérozoïque	**Cénozoïque (Tertiaire)**	2	*Quat.*	Pléistocène	
		5	**Néogène**	Pliocène	
		11		**Miocène**	supérieur
		16			moyen
		24			inférieur
		37	**Paléogène**	**Oligocène**	supérieur
					inférieur
				Éocène	supérieur
		58			moyen
		65			inférieur
				Paléocène	supérieur
					inférieur
	Mézozoïque	97		**Crétacé**	supérieur
		144			inférieur
				Jurassique	supérieur
					moyen
		208			inférieur
		245		**Trias**	supérieur
					moyen
		286		**Permien**	inférieur / supérieur
	Paléozoïque				inférieur
		360		**Carbonifère**	supérieur
					inférieur
				Dévonien	supérieur
					moyen
		408			inférieur
		438		**Silurien**	supérieur
					moyen
					inférieur
		505		**Ordovicien**	supérieur
					moyen
					inférieur
		570		**Cambrien**	supérieur
					moyen
		900			inférieur
Précambrien		1 600		**Protérozoïque**	supérieur
		2 500			moyen
		4 700			inférieur

Âge en millions d'années

Figure 1-2 : Les périodes géologiques.

Les périodes du cénozoïque

Deux grandes divisions marquent le cénozoïque qui consacre le triomphe des mammifères : le paléogène (*gène* signifiant « origine », le paléogène, c'est l'« ancienne origine »), et le néogène (« la nouvelle origine »). Chacune de ces grandes divisions comporte plusieurs parties :

Le paléogène dure de - 65 millions à - 24 millions d'années et comprend :

- le paléocène (« l'ancien récent »…) qui dure 8 millions d'années – apparition des marsupiaux, des pangolins, des tatous, de multiples rongeurs ;

- l'éocène (« la récente aurore ») qui dure 21 millions d'années – il fait chaud, même aux pôles, le niveau des eaux monte, la flore est riche, variée, de type tropical. Des forêts de conifères se développent. En fin de période, vif refroidissement, l'Antarctique devient glace. Les équidés poussent leurs premiers galops ;

- l'oligocène (« un peu récent ») qui dure 12 millions d'années – météo : il fait plus frais, on voit apparaître des tapirs, de bizarres rhinocéros, et puis un de leurs cousins, le plus gros, le plus grand mammifère que la terre ait jamais porté, le baluchiterium, 6 mètres au garrot – la hauteur de deux étages –, 10 mètres de long, 15 tonnes !

Le néogène dure de - 24 millions d'années à nos jours (on y arrive enfin !...)

- le miocène (« le moins récent ») : 18 millions d'années – d'abord agréable, la température devient de plus en plus froide : les calottes polaires s'épaississent. Le niveau des mers s'abaisse de plus de 50 mètres. Les mammifères supérieurs se développent de façon considérable. L'Amérique du Nord est peuplée de… chameaux, l'Europe et l'Asie de cervidés et bovidés ;

- le pliocène (« le plus récent ») : 4 millions d'années – réchauffement du climat puis glaciations, de quoi donner un gros rhume à Lucy, notre ancêtre australopithèque, découverte en Éthiopie et datée de 3,5 millions d'années ;

- le pléistocène : (« le très récent ») : c'est le début de l'ère quaternaire, le paléolithique qui dure 2 millions d'années – des périodes de glaciation se succèdent et rendent très difficiles la vie de l'homme de Tautavel (- 500 000 ans), celle de l'homme de Neandertal (- 135 000 à - 35 000), celle de l'homme de Cro-Magnon (- 35 000 à - 3000) et enfin, la nôtre ;

- l'holocène (« le récent actuel ») : le néolithique, l'âge des métaux, l'A380 – Cro-Magnon disparaît peu à peu, d'autres types d'hommes venus du nord le remplacent, puis d'autres encore, venus de l'est – ce sont les grandes invasions. Voici Charlemagne, Napoléon, de Gaulle, vous enfin !

GÉO-MOTS

La tectonique des plaques

Alfred Wegener (1880-1930), géophysicien et météorologiste allemand, l'avait imaginée, la science moderne l'a prouvée, les tremblements de terre la confirment : la dérive des continents existe bien, vous venez d'en suivre l'évolution depuis les origines de la Terre ! Mais cette dérive porte un nom technique depuis les travaux du géologue autrichien Eduard Suess – que vous avez déjà rencontré. Imaginant l'imbrication des continents, il parle, en 1875, de *tektonik*, terme allemand emprunté au grec *tektonikê*, et désignant l'art du charpentier qui assemble aussi des pièces aux contours complexes. Ce mot est repris par les scientifiques modernes qui ont identifié une douzaine de plaques composant la croûte terrestre et s'ajustant continuellement comme mues par un charpentier. Donc, lorsqu'un tremblement de terre surprend les populations, c'est que le charpentier, sans prévenir, s'est remis au travail.

Stop, la plaque africaine… stop !

Stop ! Stop, la plaque africaine, stop ! Cessez d'avancer ! Sinon, vous allez entrer en collision avec la plaque européenne ! Stooooooop ! L'ère secondaire est terminée, le cénozoïque – l'ère tertiaire – vient de commencer, n'en profitez pas pour accélérer votre déplacement vers le nord ! Si vous poursuivez votre route, mettant en avant votre éperon – la sous-plaque italo-dinardique qui porte l'Italie et une grande partie des Balkans – les dégâts vont être énormes, gigantesques, de Gènes à Vienne, en arc de cercle… !

Vous en parlez à votre aise ! Moi, je n'y peux rien, c'est mon destin, et puis, je n'ai pas de freins ! Je vais heurter la plaque européenne, oui, et alors ? En ce moment, l'Inde qui a franchi l'équateur se prépare à enfoncer l'Asie. Elle n'y peut rien, elle non plus, mais peut-être que vont surgir de cet accident les plus belles montagnes du monde ! Alors, moi, je voudrais, avant elle, toucher mon but, commencer mon œuvre…

Debout, les Alpes !

Certes, c'est votre destin et vous n'avez pas de freins, mais voyez la tranquille mer de Téthys, ses eaux tièdes au bord sud du continent européen ! Imaginez les milliers de mètres de sédiments qui se sont accumulés en ses profondeurs ! Si vous poursuivez votre route, non seulement la Téthys va se vider, se fermer, mais l'action de votre éperon italo-dinardique va soulever ces sédiments comprimés, les mettre au jour, sous le soleil ; les calcaires mélangés au sable vont donner des grès très durs et les argiles vont devenir des schistes noirs ! Des montagnes, d'énormes montagnes vont surgir ! Peut-être même que le vieux socle cristallin, situé sous les couches sédimentaires, va être propulsé dans les airs et se couvrir de neiges éternelles, si votre poussée persiste jusqu'au pliocène !

Puissiez-vous dire vrai, et que mon œuvre soit réussie – j'aurai mis plus de soixante millions d'années pour la réaliser ! Mais je continuerai toujours d'avancer, de vous faire trembler !... Vous savez bien que je ne m'arrêterai jamais !

Aujourd'hui La France...

- ✔ 551 602 km² – superficie comprenant les îles côtières et la Corse
- ✔ 543 998 km² – superficie donnée par les services du cadastre, sans les lacs, étangs et glaciers de plus de 1 km²
- ✔ 675 417 km² avec les Dom-Tom
- ✔ 5 663 km de frontières (dont 2 970 de frontières terrestres)

Chapitre 2

Là-haut, sur la montagne…

●●

Dans ce chapitre :

▶ Comprenez comment se sont formés les massifs anciens

▶ Devenez un familier du Massif central, de ses causses et de ses volcans

▶ Explorez les autres vieux massifs : Vosges, Massif armoricain, Ardenne…

▶ Laissez-vous conter le passé et le présent des montagnes jeunes : Alpes, Jura, Pyrénées…

●●

*L*es montagnes ! Il y a celles que nous voyons aujourd'hui, reliefs hardis que nous pouvons escalader, dévaler à skis. Il y a celles qui s'élevèrent, tout aussi fières, à l'ère primaire – les grand-mères… –, aujourd'hui usées, rabotées, mais pleines des souvenirs du temps passé ! Écoutons-les d'abord, ces ancêtres : le Massif central, les Vosges, le Massif armoricain, les Ardennes, les Maures et l'Esterel. Puis observons la jeune génération : les Pyrénées, le Jura, les Alpes et la Corse.

Les grands ancêtres

Les montagnes anciennes sont nées de plissements gigantesques qui ont une première fois modelé la planète en général, et le territoire que nous appelons France en particulier, il y a plusieurs centaines de millions d'années. Aujourd'hui, leurs formes sont arrondies, voûtées par l'âge. Le Massif central et les Vosges offrent de superbes paysages tout en douceur, en rondeur, qui mélangent le vert des résineux ou des prairies au blanc des neiges. Le Massif armoricain et les Ardennes, aplanis, gardent un charme infini. Les Maures et l'Esterel, bousculés dans leur sommeil au tertiaire, en conservent des souvenirs pittoresques…

Le Massif central : un château d'eau explosif !

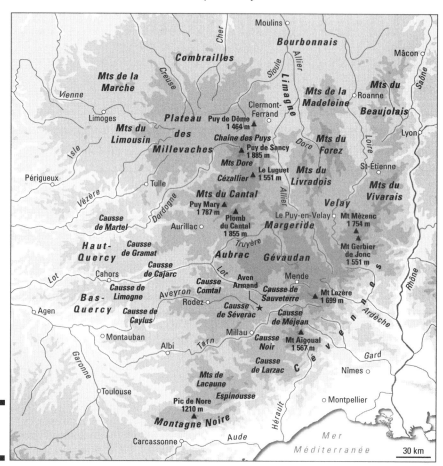

Figure 2-1 : Le Massif central.

En colère ! Furieux, le Massif central ! Furieux d'avoir été réveillé par les Alpes après plus de trois cents millions d'années d'un sommeil ininterrompu ! Rappelez-vous : c'était au dévonien et au carbonifère, au milieu de l'ère primaire. Le plissement hercynien avait fait surgir de terre une immense chaîne de montagnes qui coupait la France en deux dans le sens ouest-est. Et puis l'érosion obstinée avait eu raison de ces fiers élancements rocheux, les transformant en pénéplaines. C'est à ce moment que le Massif central s'était endormi, tirant sur lui, pour mieux rêver, la chaude couverture des océans du secondaire. Et voici qu'au tertiaire la plaque africaine éperonne l'Europe du Sud ! Tout est bousculé, tout bascule un peu partout, tout bouge, glisse, se casse…

UN GÉO-TRUC

Prenez la France en main !

Cent fois vous avez regardé la carte du relief de la France, cent fois vous l'avez oubliée, ou presque ! Voulez-vous un moyen sûr de l'emporter partout, de la tenir bien en main ?... Justement, votre main, la gauche, posez-la sur la carte du relief de France, la paume sur le Massif central – vous constatez qu'il n'est pas si central que vous le pensiez, qu'il est même bien installé dans la partie sud ! Attention, maintenez bien la pression de votre paume, on ne sait jamais, si un volcan de la chaîne des Puys se réveillait... Maintenant, que votre regard fasse le tour de votre main, dans le sens des aiguilles d'une montre : votre poignet, ce sont les Pyrénées. À gauche de votre paume : le Bassin aquitain. Votre petit doigt, lonla lonlère, danse une maraîchine en Vendée, et pourrait s'endiabler dans un fest-noz, en Bretagne ! Votre annulaire cherche la Normandie, le Cotentin, comme le doigt d'un gant... Votre majeur est pointé droit sur le cœur du Bassin parisien : Paris – et vers le Nord ! Votre index titille le Morvan ; il va même toucher ou presque la Bourgogne – regardez la perle de rubis qui s'enfle sur votre ongle : n'est-ce pas de ce vin divin qu'on appelle le gevrey-chambertin ?... Votre pouce pousse le Jura, et dans son prolongement, les Vosges. À droite de votre paume, les Alpes ! Et maintenant, rangez la carte du relief, conservez votre main gauche que vous posez sur une feuille blanche. Allez-y: écrivez ce que vous avez retenu... Facile, non ? Et délicieux, ce gevrey-chambertin…

Le branle des Poitevines

Cul par-dessus tête, le Massif central ? Pas tout à fait… Mais un petit peu quand même. En effet : le coup de boutoir de la plaque africaine le soulève dans sa partie sud-est, les Cévennes, qui culmine aujourd'hui à 1 699 mètres, au mont Lozère. Regardez maintenant l'ensemble de ce massif : ne dirait-on pas une sorte de double amphithéâtre où pourraient s'installer des géants, les yeux tournés vers le nord-ouest, afin de se divertir en contemplant les Berrichonnes dansant une bourrée, ou les Poitevines un branle – le branle du Poitou fut à la cour de Louis XIV ce que le twist fut aux années 1960 !

Deux rangées de sièges

Donc, la rangée de sièges la plus éloignée correspondrait aux Cévennes où s'installent deux géants ; celui de gauche pose ses pieds sur l'Aubrac et le Gévaudan, celui de droite sur la Margeride et les monts du Velay. Sur la rangée de sièges la plus proche – les monts d'Auvergne –, deux géants aussi, les pieds installés, de gauche à droite – du sud-ouest au nord-est –, sur les monts du Limousin, le plateau de Millevaches, les Combrailles et le Bourbonnais. Et que la fête commence…

La couette déchirée

Oui mais… Tout n'a pas été dit : pendant le long sommeil mésozoïque du Massif central (eh oui, habituez-vous à parler grec, comme les savants…), au fond de la mer tiède, il a pu faire frais, parfois. Voilà pourquoi s'est déposée sur lui une épaisse couette de calcaire, que les spécialistes appellent des sédiments. Et cette couette de calcaire, toute déchirée, est bien visible aujourd'hui : c'est ce qu'on nomme les causses (d'une racine indoeuropéenne : cal signifiant « caillou » ; on retrouve aussi cal dans calanque, crique escarpée et rocheuse).

Les six Grands Causses, au sud du Massif central

Voyons ces bouts de couverture, épars, souvent blancs ou blanchâtres, ou roux, creusés par le ruissellement des eaux ! Voici les Grands Causses, au sud du Massif central – les Causses du Quercy viendront lorsque nous arriverons… en Quercy – :

- ✔ le causse de Sauveterre – un paradis pour les spéléologues, à cause de nombreuses grottes et rivières souterraines ;

- ✔ le causse de Séverac – il donne naissance à l'Aveyron ;

- ✔ le causse Comtal – riche de nombreux mégalithes ;

- ✔ le causse Méjean – 330 km^2, il est creusé des impressionnantes gorges du Tarn et renferme l'aven Armand, découvert en 1897 par… Louis Armand et exploité depuis 1927. Vous y marchez dans une forêt de quatre cents stalagmites (la stalagmite monte, contrairement à la stalactite qui tombe…), et parmi elles, la plus haute au monde : 30 mètres ;

Grottes et croûtes des karsts des Causses

Achetez un morceau de craie au rayon fournitures scolaires de votre supermarché ; achetez aussi du vinaigre. Et si vous êtes un esprit pressé, curieux de tout découvrir immédiatement, n'attendez pas de rentrer chez vous pour faire cette expérience qui va vous faire comprendre la formule un peu rocailleuse du titre ci-dessus… Donc, dissimulé derrière la portière ouverte de votre voiture, afin que personne ne vous surprenne (les savants sont toujours moqués…), versez du vinaigre sur la craie. Regardez ce qui se passe : le calcaire (la craie – au fait, le crétacé, c'est rentré ?) se dissout, mais pas uniformément. De petites dépressions se forment, des ravins apparaissent, et si quelque petite grotte existe dans le morceau de craie, on sent que des stalactites pourraient se former ! Vous venez de réaliser ce que Dame Nature provoque avec sa pluie froide sur des reliefs calcaires, ceux des Causses ou d'ailleurs, en plusieurs milliers d'années. On a nommé le paysage résultant de ce phénomène de dissolution inégale du calcaire un karst (du mot slovène kras, passé à l'austro-hongrois).

- ✔ le causse Noir – qui n'est plus noir, les forêts de pins qui le recouvraient ayant disparu ;
- ✔ le causse du Larzac – le plus vaste : 1 000 km² de plaines arides et immenses, dépeuplées ; leur altitude varie de 500 à 900 mètres.

Le vocabulaire des karsts des Causses

Le relief karstique (un peu rude, cet adjectif, propre à dissoudre aussi, du paysage décrit, la poésie…), à cause de la dissolution inégale du calcaire, offre une physionomie variée dont chaque détail porte un nom spécifique – applicable aux Causses ou à tout autre relief calcaire :

- ✔ le **lapiaz** ou **lapiez** désigne un rocher couvert de rainures sur sa superficie ;
- ✔ La **doline** est une dépression fermée, circulaire, qui s'étend sur quelques centaines d'ares (un are = 100 centiares ou 100 m²) à quelques centaines d'hectares (un hectare = 100 ares ou 10 000 m²). Le fond de la doline est souvent composé de terra rossa (terre rouge) argileuse qui retient l'eau et permet de faire vivre une végétation abondante. Plus ample que la doline : le **cloup** ;
- ✔ l'**ouvala** ou **sotch** est un ensemble de dolines ;
- ✔ le **canyon** ou **gorge** dont vous ne fréquenterez pas les bords si vous avez le vertige : leurs versants sont souvent des à-pics impressionnants. Une gorge peut se terminer sous un plateau, formant, en reculée, un amphithéâtre, appelé aussi « bout du monde » ;
- ✔ l'**aven** est un gouffre ouvert à la surface d'un plateau (aven en Rouergue, igue en Quercy) ;
- ✔ le **poljé** est une grande dépression, allongée et fermée, dont le fond est plat. Ses bords rocheux sont rectilignes. Parfois on y trouve un aven : le **ponor** ; ou bien un relief en pyramide, résultant de l'érosion : un **hum** ;
- ✔ la **vallée sèche** : elle est enclavée dans le karst, privée de tout écoulement ;
- ✔ la **résurgence** est l'endroit où paraît à l'air libre une rivière jusqu'alors souterraine.

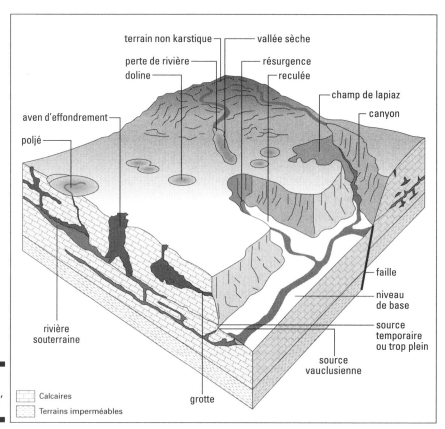

Figure 2-2 :
Les Causses,
schéma.

Les cinq causses du haut Quercy

De la daube aux morilles, de la galantine de dinde truffée, de la poularde en estouffade, du foie gras, du magret de canard, du magret au foie gras, une fricassée d'ablettes, un civet de lièvre… En est-ce assez ? Résistez-vous à l'envie de partir immédiatement vers un supermarché, rayon produits du sud-ouest, spécialités du Quercy ?… À moins que vous soyez du Quercy, que vous viviez dans le Quercy, que, caviste (chercheur de truffes amateur), vous soyez en train de vous préparer une de ces omelettes aux truffes… Chanceux ! Donc, vous vivez dans le Quercy, mais dans quel Quercy ? Est-ce le haut Quercy ? Ou bien le bas Quercy ou Quercy blanc ? Rivaux pendant les guerres de Religion – le haut Quercy était catholique, le bas Quercy protestant – ils furent séparés par Napoléon qui créa, pour le bas Quercy, le département du Tarn-et-Garonne !

Des moutons à lunettes…

Des igues – des avens – des combes – vallées sèches, cela vous rappelle-t-il un type de relief déjà décrit ? Celui des Causses ! Voici donc les Causses du haut Quercy où nous venons de faire halte. Regardez ces caroubiers robustes, ces petits chênes assoiffés, ces sobres cornouillers, tous ces arbres qui révèlent la rareté de l'eau, absorbée en profondeur par le sol calcaire, au point que les ruisseaux sont rares mais les rivières souterraines nombreuses. Voyez dans cette combe, de l'aubépine, du genévrier, et… des moutons à lunettes, non qu'ils soient myopes, mais leurs yeux sont cerclés de poils noirs. Du nord au sud du haut Quercy, cinq causses se succèdent :

Les cinq causses en détail

✔ Le causse de Martel : une altitude de 300 mètres, des creux et des bosses, et beaucoup de cloups fertiles, ces dépressions tapissées de terres rouges amendées ; des bois de chênes, de charmes, de hêtres ; des troupeaux de chèvres, de moutons ; et, dans le sud, des ensembles de dolines, les ouvals.

✔ Le causse de Gramat – peut-être y croiserez-vous un certain Gérard Blanchard qui chantait dans les années 1980 : « Mon amour est parti avec le loup dans les grottes de Rocamadour… » Car Rocamadour, la cité du vertige, est l'une des plus visitées de la région. Tout près vous descendez dans le gouffre de Padirac où vous pouvez naviguer sur une rivière souterraine.

✔ Le causse de Cajarc – c'est le plus petit des cinq causses, mais pas le moins lumineux avec ses champs de tournesol.

✔ Le causse de Limogne – des champs de lavande, de safran, et des mégalithes ici et là, installés sur une surface dénudée.

✔ Le causse de Caylus – aride, mais fort beau !

Les volcans : les raisons de la colère

Venons-en aux volcans du Massif central ! Tentons de comprendre les raisons de la colère ! Pourquoi et comment le Massif central s'est-il mis ainsi hors de lui en son centre, fumant encore il n'y a que… 3 000 ans ! Facile à deviner : la pression de la plaque africaine, en soulevant les Alpes, a provoqué une extension de la croûte terrestre vers l'est. Imaginez l'affaire : la croûte terrestre laisse s'échapper le magma, la matière souterraine en fusion, qu'elle retient à grand-peine. Ce magma pousse la croûte au point de la boursoufler, puis il disparaît. Cette croûte s'effondre alors ; à sa place se creuse un fossé – un rift, mot anglais signifiant… fossé ! –, qui peut atteindre des centaines de kilomètres de longueur. Ainsi s'est formée la Limagne – dont vous connaissez la ville principale : Clermont-Ferrand ! Mais le magma peut aussi former des poches de résistance sous la croûte, et un beau jour : bouuum ! Un volcan naît, avec sa cheminée qui crache de la fumée, des cendres, de la lave. Ainsi sont nés les volcans d'Auvergne.

Explosions en deux temps

Après des millions d'années de furie, le Massif central s'est endormi. Il vous offre aujourd'hui avec ses formes apaisées les rêves qu'il fait pendant son sommeil et que vous croiserez sûrement face à des paysages somptueux de beauté ! Alors, vite, en randonnée !

✔ **Premier temps :**

• Le Cantal : il est né d'éruptions commencées à la fin de l'oligocène et terminées au pliocène (allons, un petit effort de mémoire pour les mots en …cène !). Son sommet est le Plomb du Cantal, 1 855 mètres.

• Le Cézallier : il date du pliocène, il y a plus de cinq millions d'années. Son sommet est au Signal-du-Luguet, 1 551 mètres.

• Le Velay : son Gerbier-de-Jonc (1 551 mètres), au sud du mont Mézenc (1 754 mètres), vous est sûrement connu…

• Le mont d'Or-Sancy, apparu entre - 3 millions d'années et - 200 000 ans (attention, on se rapproche…), avec son sommet, le puy de Sancy, 1 885 mètres.

✔ **Deuxième temps :**

• La chaîne des Puys : elle comporte 112 volcans, alignés sur 40 kilomètres, du nord au sud. Elle a pour sommet le puy de Dôme, 1 464 mètres. Cette chaîne, née voici 150 000 ans environ, a cessé ses colères il n'y a que 3 000 ans. Alors, quand vous passez près d'elle, surtout, ne la vexez pas !…

LE SAVIEZ-VOUS ?

Ô château…

Un véritable château d'eau, le Massif central ! Ses neiges qui fondent, les eaux de pluie qui pénètrent en profondeur dans son sol, alimentant les sources de toutes sortes : celles que connaissaient déjà les Gaulois, puis les Romains, et qui permettent de soigner des maladies – ainsi la station thermale de La Bourboule dont la source d'eau chaude (60 °C) ou la source d'eau froide de Choussy-Perrière permettent de soigner les voies respiratoires et les dermatoses. Plus de mille autres sources coulent vers les plaines environnantes, celles qui donnent naissance aux rivières, aux fleuves… En partant des Cévennes – et dans le sens des aiguilles d'une montre : l'Ardèche, le Gard, l'Hérault, le Tarn, l'Aveyron, le Lot, la Dordogne que grossit la Vézère que grossit la Corrèze…, la Creuse, l'Allier, la Loire… Petite halte près des lacs : les éruptions ont préparé des cratères que les eaux de la fonte des glaciers, de pluie ou de nappes phréatiques remontées en surface (ainsi le lac Pavin, près d'Issoire) ont remplis.

La Montagne Noire

Vous n'irez pas plus loin en Massif central : la Montagne Noire en est la limite méridionale. Au sud des monts de Lacaune et de l'Espinouse, elle a posé son socle et son gros sac cristallin entre le Tarn et l'Aude, lors du dernier remue-ménage alpin, surgissant de la fin du cambrien. Abrupte au nord, douce au sud, elle a recouvert ses 3 700 hectares d'une épaisse forêt de sapins et de hêtres. Chaque année, fin octobre, elle vous prépare une lumineuse palette de couleurs automnales, une féerie que vous découvrirez peut-être en l'escaladant jusqu'à son point culminant : le pic de Nore (1 210 mètres).

Le Massif central aux sommets

- Le puy de Sancy, 1 885 mètres
- Le Plomb du Cantal, 1 855 mètres
- Le puy Mary, 1 787 mètres
- Le mont Mézenc, 1 754 mètres
- Le mont Lozère, 1 699 mètres
- Le mont Aigoual, 1 567 mètres
- Le puy de Dôme, 1 464 mètres

Les Vosges en ballons

Des lacs bleus, des forêts vertes, des brumes douces, des formes souples, parfois hardies, sans être agressives – feng shui, diraient les adeptes de l'empire du Milieu... Justement, si le feng shui est l'art d'équilibrer les énergies qui nous entourent, les Vosges sont faites pour lui ! Et pour vous...

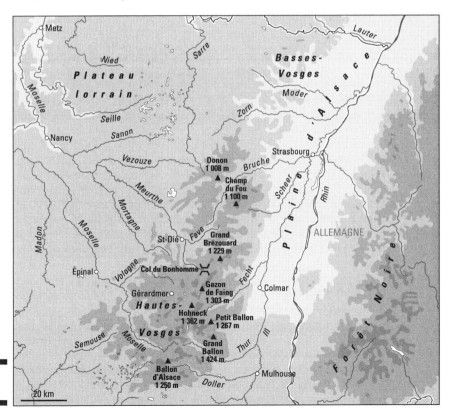

Figure 2-3 : Les Vosges.

En rupture de famille

Il est arrivé aux Vosges la même histoire qu'au Massif central. Surrection hercynienne (le mot *surrection* désigne le soulèvement progressif des montagnes), érosion permienne, sommeil secondaire avec couette calcaire et puis bousculade tertiaire ! Mais, à la différence du Massif central, célibataire endurci, amateur de fromages forts et de vins à chabrol (un petit verre de rouge puissant dans le reste du bouillon de soupe, et hop, on boit le tout à même l'assiette !), les Vosges sont en rupture de famille ! En effet, en des temps hercyniens fort anciens, elles et la Forêt-Noire ne formaient qu'un ! Le cénozoïque survient, un rift se forme, et c'est la séparation : leurs solides liens de granit se cassent, et les voilà isolées par l'effondrement de la plaine d'Alsace !

Des rêves rouges et roses...

Au secondaire, le sommeil des Vosges sous la mer est protégé par une couette calcaire de nature différente de celle du Massif central : il s'y est mélangé des grains de quartz, de sorte que l'ensemble a formé, dans les Vosges du nord, un grès d'une couleur qui oscille entre le rouge et le rose. Et ce grès a servi à construire nombre de maisons ou de monuments vosgiens ou alsaciens – qui tiennent sans doute dans leurs ombres intimes les restes fantastiques de rêves marins...

Un petit amphi

Regardez bien les Vosges ! Ne leur trouvez-vous pas l'allure d'un tout petit amphithéâtre, une forme réduite de Massif central, de quoi placer à peine un spectateur demi-géant qui tenterait d'entendre quelque voix nancéenne lancée dans cette chanson pleine de capitaines : « En passant par la Lorraine » ? Et ce demi-géant tournerait le dos à la plaine d'Alsace, le derrière assis sur les crêtes qui surplombent Mulhouse et Colmar ! – Confortable, le siège, monsieur le demi-géant ? – J'y suis fort à l'aise ! – Fort bien, et voulez-vous savoir pourquoi, de ces sommets, les crêtes point ne vous blessent ? – Non, j'écoute la chanson... – Je vous le dis quand même : les hautes Vosges (au sud) sur lesquelles vous êtes assis ont subi l'érosion des glaciers ! – Oui, et alors ?

Le rabot d'Atlas

Alors imaginez un rabot de glace, qui sortirait de la boîte à outils d'Atlas, géant mythologique, et qui appuierait ses milliards de tonnes sur de rudes aspérités rocheuses, créant des formes cristallines arrondies et souples – les ballons, aujourd'hui couverts du vert profond et sombre de la forêt ! C'est cela qui est arrivé dans les hautes Vosges, au cours des glaciations du quaternaire – pardon, au pléistocène, dernière partie du cénozoïque... Et puis les glaciers ont fondu, petit à petit, creusant des cirques, laissant des détritus de roches accumulés en barrages – les moraines –, qui ont formé des lacs aux eaux pures et calmes, celui de Gérardmer par exemple (que vous prononcez de quelle façon ? Gérardmé ou Gérardmère ? La réponse dans dix ou cent pages ! On ne peut tout de même pas tout vous dire en une fois, il faut un peu de suspense…). Le rabot glacé d'Atlas n'a pas touché les basses Vosges, au nord ; elles ont conservé leurs grès roses et rouges, vous vous rappelez, ceux des rêves marins…

Les Vosges aux sommets

Plusieurs sommets se succèdent, du nord au sud, séparés par des cols que relie une route étonnante de beauté : la route des crêtes – créée pendant la Première Guerre mondiale, à des fins stratégiques.

- Le Donon – 1 008 mètres
- Le Champ du Feu – 1 009 mètres
- Le Grand Brézouard – 1 229 mètres (tout près se trouve le col du Bonhomme qui relie Saint-Dié à Colmar)
- Le Gazon du Faing – 1 303 mètres
- Le Honeck – 1 362 mètres
- Le Petit Ballon – 1 267 mètres
- Le Grand Ballon (ballon de Guebwiller) – 1 424 mètres
- Le ballon d'Alsace – 1 250 mètres

Le Massif armoricain, plateau, bassin…

Ce fut une chaîne de montagnes gigantesques, le Massif armoricain, lors du plissement hercynien ! Aujourd'hui, on serait tenté de le prendre pour un vaste plateau, parfois un bassin. Il n'en est rien…

Je dormais !…

Vous assisterez bientôt – au crétacé inférieur, la fin de l'ère secondaire ou mésozoïque – à l'ouverture du golfe de Gascogne qu'on peut comparer au déploiement d'un éventail dont le point fixe se situerait dans la région de Biarritz. La branche gauche de cet éventail exercera une formidable poussée d'où naîtront les Pyrénées. Et la branche droite de cet éventail, qu'a-t-elle fait ? Demandez-le au Massif armoricain ! – Que faisiez-vous, Massif armoricain, au terme du crétacé ? – Ce que je faisais ? Je dormais ! Depuis le début du mésozoïque, je dormais ! Il faut dire que j'avais été sérieusement malmené pendant les plissements calédonien et hercynien, et même au protérozoïque, avant le cambrien ; un chahut gigantesque qui m'a fait me mettre debout, fumer de partout, et rester là pendant des millions d'années, en attendant d'être suffisamment érodé pour me lover en douces collines !

Figure 2-4 :
Le Massif
armoricain.

Je me casse !

Donc, en cette fin de crétacé, je sens qu'on me pousse sur ma gauche, qu'on insiste… Je dis stoooop ! Peine perdue, on me pousse davantage, et cela dure des millions d'années ! Je me plisse, et finalement, je me casse ! Des fissures dans toute ma structure, comme des blessures ! Et ravivées par les Alpes qui ont cru bon de me faire trembler un peu, sans grandes conséquences ! Presque tout est cicatrisé, maintenant, mais on voit encore les marques, voulez-vous que je vous les montre ?

Oui…

Oui ! Mais vous êtes beaucoup plus étendu qu'on ne le pense ! Le Massif armoricain, ce n'est pas seulement l'Armorique – la Bretagne – c'est aussi la Vendée, c'est l'Anjou, c'est une partie de la Normandie – l'ouest –, et le bas Maine au milieu duquel se trouve Laval ! C'est, de son extrême nord à son extrême sud, le Cotentin, le bocage normand, le bocage manceau, les Mauges (au sud d'Angers), le bocage vendéen, les hauteurs de Gâtine en Vendée. Cette limite posée, voyons vos cicatrices…

Les cassures du Massif armoricain

- ✔ Voici ma cassure nord-ouest, sud-est, en trois parties : les Montagnes Noires qui ne sont plus noires, les forêts de sapins qui les recouvraient ont disparu (point culminant : Roch de Toullaëron, 32 mètres) ; les landes de Lanvaux, au nord de Vannes ; le sillon de Bretagne qui aboutit à Nantes.

- ✔ Ma cassure nord : des monts d'Arrée (point culminant au signal de Toussaines – Tuchenn Gador –, 384 mètres) aux landes du Mené (point culminant : mont Bel Air, 340 mètres).

- ✔ Mes Côtes-d'Armor, toutes soulevées, se trouvent sur cet axe monts d'Arrée-Mené, avec un point culminant au mont Menez-Bré (302 mètres).

- ✔ Mon point culminant : le mont des Avaloirs (417 mètres), situé dans ce qu'on nomme les Alpes Mancelles, collines suffisamment escarpées pour qu'on leur trouve quelques parentés d'allure avec leurs grandes sœurs du sud.

- ✔ Mes bassins fertiles : celui de Châteaulin, dans le Finistère ; celui de Rennes, en Ille-et-Vilaine – la Bretagne était le grenier à blé du royaume au temps de Louis XIV. Fertiles aussi, tous mes bocages, du Cotentin à la Vendée.

L'Ardenne : Arduina sur son sanglier

Pour l'Ardenne : récréation d'abord, avec une petite légende où vous allez découvrir une étonnante déesse. Puis retour à l'étude avec, de nouveau, grès, crétacés, permien et tutti quanti...

Pour une réduction du temps de chasse

Il y a bien longtemps, dans le nord-est de ce qui n'était pas encore la France, à l'époque où les hommes, échevelés, livides au milieu des tempêtes, fuyaient toutes sortes de dangers, d'immenses forêts sombres leur offraient leurs clairières afin de leur donner asile. Alors, ils enlevaient leurs peaux de bêtes et, rangeant leur massue, leurs casse-tête, se prosternaient devant leur déesse : Arduina ! Que lui demandaient-ils ? Sans doute un taux de croissance d'au moins 4 % pour la capture des sangliers, ce qui pouvait garantir à long terme un niveau de vie convenable, et une réduction appréciable du temps de chasse.

César et Diane

Bonne fille, la déesse Arduina leur accordait ce qu'ils voulaient. Elle était toute fière qu'ils l'eussent représentée sous la forme d'une statue de bronze, chevauchant un rude sanglier – ce qu'elle faisait régulièrement pour démontrer sa parfaite maîtrise de l'instinct animal. Beaucoup plus tard, vers 52 av. J.-C., Jules César, devenu chef de Gaule, crut pouvoir faire oublier le culte d'Arduina en le remplaçant par celui de Diane, la déesse romaine de la chasse. Peine perdue : Arduina avait déjà parcouru tous les siècles à venir, installée pour toujours dans sa forêt du nord sous le nom à peine érodé d'Ardenne !

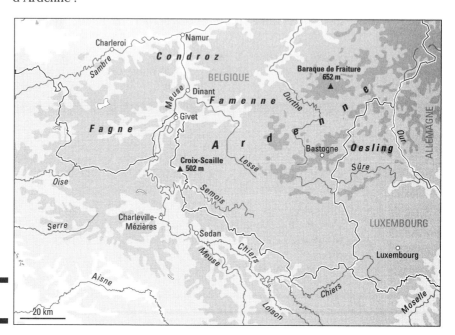

Figure 2-5 :
L'Ardenne.

Crétacé...

Réveillez-vous ! Allons ! Il suffit qu'on installe dans votre imagination une forêt, une déesse et un sanglier, et vous voilà déjà chevauchant vous aussi la bête sauvage du rêve ! Debout, nous avons à parler ! De l'Ardenne : c'est un massif très ancien qui s'est formé, déformé, reformé à l'ère primaire, lors des plissements calédonien et hercynien. Proche parente du Massif central, des Vosges et du Massif armoricain, elle s'est endormie, elle aussi, au secondaire, recouverte peu à peu par la mer qui n'a atteint sa partie centrale qu'au crétacé – vous l'avez rencontré dans le chapitre 2, ce crétacé, et vous l'avez déjà oublié ?

La Croix-Scaille

Peu de sédiments, donc, dans la partie centrale de l'Ardenne, car le crétacé – d'un mot latin signifiant « craie » –, dernière période du mésozoïque, marque la fin de l'immersion océanique. Attention : en France, l'Ardenne – qu'on appelle les Ardennes – n'occupe que la pointe extrême de la région Champagne –... Ardenne. Son point culminant se situe à la Croix-Scaille (502 mètres), à la frontière franco-belge. Ce plateau de granit, de grès et de schistes est entaillé par la Meuse qui poursuit son chemin vers la mer du Nord. Belgique, Allemagne et Luxembourg demeurent les terres d'élection d'Arduina, la belle au sanglier cavalier !

Les Maures et l'Esterel : avant Hyères…

Hier – parlons ici d'un fort lointain hier, seulement pour introduire astucieusement le nom d'îles homonymes de cet adverbe initial… – les îles d'Hyères n'étaient pas des îles, mais formaient avec les Maures et l'Esterel un seul ensemble géologique. Mais cela se passait en des temps très anciens, disons permiens d'abord, puis tributaires des tremblements de l'oligocène, avant de subir le rabot des glaces du pléistocène… Hyères… Ces îles, si vous l'avez oublié, se situent en Méditerranée. Le massif des Maures s'étend de la ville d'Hyères à Fréjus (trois chaînes arrondies et parallèles) ; l'Esterel couvre 13 000 hectares classés, entre Saint-Raphaël et Le Cannet (tout près de Cannes).

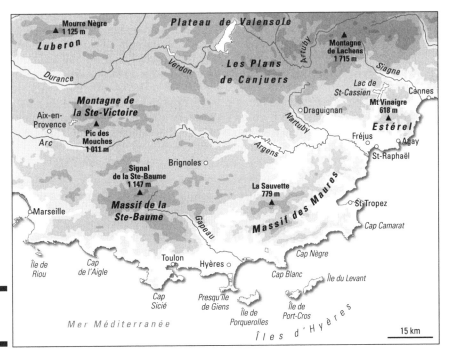

Figure 2-6 :
Les Maures
et l'Esterel.

Do you, do you, do you Saint-Tropez ?

Saint-Trop', vous connaissez ? Eh bien vous êtes dans le massif des Maures (60 kilomètres de long et 30 kilomètres de large) – ou plutôt, vous en êtes descendu pour aller à la plage, ou chez Nano, vous rafraîchir avant de retrouver vos pantoufles dans votre yacht, ou dans votre Chausson… Les Maures, pourquoi ce nom, vous demandez-vous ? Maures vient du latin *maurus* qui désigne « le sombre ». Sombres, les Maures ? La roche, oui, sombre, entre le brun et le gris. Sombre aussi la déclinaison des verts foncés des pins maritimes et du maquis au sud, des châtaigniers ou des chênes sur le flanc nord, au bord de sa longue dépression. Hautes, les Maures ? Non, La

Sauvette, leur point culminant, s'élève à 779 mètres. Mais le relief n'a rien d'un long plateau tranquille, même si de délicieux sentiers odorants le parcourent : attention aux ravins, aux à-pics dans la mer, aux caps effilés (le Cap Nègre). C'est toute une patiente sculpture qui se développe ici, commencée à la fin du permien, par un furieux volcanisme.

De toutes les couleurs

En furie aussi, le massif de l'Esterel, au permien – c'est-à-dire à la fin de l'ère primaire et du plissement hercynien. Le volcanisme le tourmente, lui qui avait jusqu'alors mené une honnête carrière de vaste fossé où s'étaient déposés des sédiments, il est pris en tenailles dans la collision de deux croûtes continentales. Des failles se produisent. Des laves en sont expulsées, qui vont former toutes sortes de roches : le porphyre rouge des reliefs, le porphyre bleu entre Agay et Saint-Raphaël, les grès gris des gorges de Malpasset, les grès rouges des collines du sud… De toutes les couleurs ou presque ! Des rivières et des lacs – celui de l'Écureuil par exemple, balade idéale pour la découverte du massif, ou bien celui, plus vaste, de Saint-Cassien au nord –, des versants couverts de forêts, de maquis, des gorges sauvages – celles du Perthus –, des ravins – celui du Mal Infernet ; et puis le mont Vinaigre, point culminant, à 618 mètres. La côte, enfin, où se succèdent les pointes rocheuses, les calanques, les falaises rouges, déchiquetées. De la grande cuisine géologique ! Un délice !

Quatre cols de l'Esterel

Voici quatre passages que vous emprunterez peut-être lors de votre prochaine randonnée… :

- La Cadière,
- Le Notre-Dame,
- La Belle-Barbe,
- Le Mistral.

La jeune génération

Génération montante… Car elles n'ont jamais fini de grandir, ces montagnes ! Sans que nous nous en doutions, elles s'élèvent de quelques millimètres par an, millimètres que s'efforcent de raboter les pluies, les neiges… Elles demeurent discrètes, cependant, ces chaînes aux infimes mouvements ; un petit frisson de temps en temps, juste pour rappeler aux hommes que nous sommes, que le temps, ce n'est que du mouvement…

Les Pyrénées : pics et pics

Pics et pics, sans collégram, ni bour et bour et ratatam. Mais am, stram, gram : voici les Pyrénées qui vont surgir devant vous, avec leurs dents aiguës et élevées, pointées vers le ciel. Dents qui ont été nommées pics. D'où ce : pics et pics…

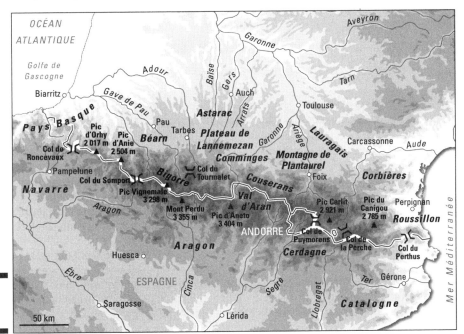

Figure 2-7 : Les Pyrénées.

Surrection en trois séquences

Étonnante, fascinante, la surrection de la chaîne des Pyrénées !
Préparez votre imagination, déployez tous vos projecteurs intérieurs sur les 430 kilomètres de longueur où se déroule l'action, entre Espagne et France. Roulez tambours. Musique. Silence. Action…

- Première séquence : nous sommes à l'ère primaire. Le socle hercynien – vous connaissez la chanson – est partout raboté ; des bassins littoraux (au bord des côtes de l'époque) se creusent ici et là, se remplissent de sédiments.

- Deuxième séquence : la mer couvre ce socle et ses bassins littoraux, elle en ajoute une couche.

- Troisième séquence, fin de l'ère secondaire : allumez tous les projecteurs, c'est ici le moment incroyable, inimaginable ! Prenez position à l'emplacement de Biarritz, regardez vers la mer : elle s'ouvre, elle s'écarte, comme un éventail, à partir du point où vous vous trouvez !

Plus de Pyrénées

En France, les Pyrénées ? Oui, mais seulement pour un tiers ; les deux tiers de la chaîne appartiennent à l'Espagne qui fut souvent, dans l'histoire, l'ennemie de la France – fille aînée de l'Église, ainsi nommée depuis le baptême de Clovis. Ce détail pour vous rappeler la phrase de Louis XIV, en 1700, lorsqu'il est sûr que son petit-fils, Philippe d'Anjou, va devenir roi d'Espagne : « Il n'y a plus de Pyrénées » – où il faut entendre aussi : « Il n'y a plus de pire aînée »… Bel humour, Louis le Grand ! Mais beaucoup pensent que cette phrase est apocryphe (peu sûre, d'une authenticité contestable), d'autres disent qu'elle est de Voltaire, d'autres encore pensent que l'humour et Louis XIV n'ont jamais cohabité… Pensez-en ce que vous voulez, mais n'oubliez pas : un tiers des Pyrénées seulement sont en France !

Le retour de l'île prodigue

Suspense ! Que se passe-t-il maintenant, en cette fin de mésozoïque, au crétacé inférieur (alors, le crétacé, ça entre ?) ? Vous ne le croiriez pas si vous ne le voyiez pas, là, sous vos yeux : l'éventail du golfe de Gascogne écarte ses branches pour faire place à l'océan. Et l'une de ces branches – celle de votre gauche, n'oubliez pas que vous êtes à l'emplacement de Biarritz – se met à pousser l'Espagne qui est une île à la dérive depuis des centaines de millions d'années, mais revenue près de l'actuelle Aquitaine. La branche de l'éventail pousse donc cette île prodigue contre la France du sud-ouest, fort, très fort, si fort que l'écorce terrestre éclate, se soulève… Retournez-vous, c'est derrière vous que surgissent les Pyrénées orientales – tout doucement quand même, la surrection de la chaîne entière va durer en tout plus de trente millions d'années… Au milieu de l'éocène, l'ensemble est achevé.

Les trois Pyrénées aux sommets

Énorme barrière, mur gigantesque, les Pyrénées peuvent être divisées en trois parties :

- **les Pyrénées méditerranéennes** – les premières apparues. Elles dominent la plaine du Roussillon et s'étendent des côtes de la Méditerranée au col de la Perche (1 577 mètres). Leurs plus hauts sommets sont :

  - le pic Carlitte, 2 921 mètres,

  - le mont Canigou, 2 785 mètres ;

- **les Pyrénées centrales** – les plus élevées. Elles étendent leur édifice titanesque et dentelé du col du Puymorens (1 820 mètres) au col du Somport (1 632 mètres). Elles comportent aussi les cols de la Bonaïga (2 072 mètres), d'Envalira (2 407 mètres) et du Tourmalet (2 114 mètres). On y trouve les plus hauts sommets :

- le pic d'Aneto, 3 404 mètres, point culminant de toute la chaîne. Il est situé dans le massif de la Maladeta, en Espagne,

- le Mont Perdu, 3 355 mètres,

- le pic Vignemale, 3 298 mètres, situé dans le massif de Néouvielle.

✔ **les Pyrénées atlantiques** – d'altitude moins élevée, elles possèdent cependant deux sommets importants (et le col de Roncevaux, 1 057 mètres, que franchit un certain Roland, neveu de Charlemagne…) :

- le pic d'Anie, 2 504 mètres,

- le pic d'Orhy, 2 017 mètres.

Le Jura, du plus profond des mers…

Admettons que vous soyez un géant (l'un de ceux qui s'étaient assis sur le Massif central…), il vous faut un escalier à votre mesure pour grimper sur les montagnes du Jura ! Cet escalier existe sous la forme des trois plateaux qui composent sa partie ouest et s'élèvent à 500 mètres, 800 mètres et 1 000 mètres ! Vous voici parvenu au Crêt de la Neige (1 720 mètres), le plus haut sommet du massif jurassien en forme de long croissant que se partagent la France – sur six départements – et la Suisse.

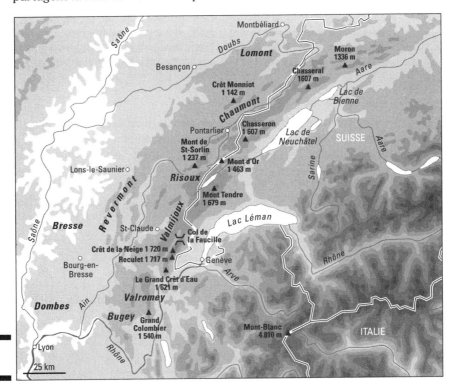

Figure 2-8 :
Le Jura.

Il prend tous les draps…

Partons, voulez-vous ? Retournons, comme le chantait Barbara, au pays d'autrefois… Mais un autrefois plus lointain que lointain, immémorial ! Ou presque immémorial, puisque vous vous le rappelez, vous qui êtes devenu un promeneur des temps géologiques, qui vous mouvez comme un alerte silure dans les eaux du mésozoïque ! Justement, c'est en mésozoïque que nous allons faire halte. Vous savez déjà qu'à cette époque – l'ère secondaire –, tout le monde dort sous les mers, sous sa couverture de calcaire. Eh bien, en ces temps-là, le pays d'autrefois dont il est question (c'est le Jura, vous l'aviez deviné) tire vers lui, autant qu'il le peut, draps de marne et couette de calcaire ! Cela n'empêche pas les autres de dormir, mais, au réveil cénozoïque, lorsqu'il a fallu se mettre debout après le coup de pied alpin, cela s'est vu…

Il reçoit un coup de pied !

Cela s'est tellement vu que le géologue Alexandre Brongniart (1770-1847), fils de celui qui a construit le palais du même nom, devenu la Bourse de Paris (ici Jean-Pierre Gaillard…), a nommé l'époque où le Jura prenait tous les draps le *jurassique*, et qu'il l'a située où vous savez : au milieu du mésozoïque. Le coup de pied alpin du tertiaire – qui a pris son temps – a donc compressé le Jura endormi, contraint de se lever, de surgir de ses couettes marno-calcaires, bloqué au nord par l'imperturbable massif des Vosges ! Et quelle allure a-t-il prise ? Celle d'un drap épais, d'une couverture qu'on pousse tout doucement et qui ondule, se plisse, se froisse. Migraineux sans doute après cet éveil imprévu, il s'est laissé poser sur la tête d'énormes glaciers – au quaternaire – qui l'ont érodé. Voilà le Jura : un réveillé tout plissé, avec ses marnes et ses calcaires artistement travaillés, où l'eau jubile dans les sources et rêve dans les lacs !

Ruz, cluse, combe…

À RETENIR

La structure du Jura – de l'Est jurassien, le nord-ouest étant tabulaire, c'est-à-dire en forme de plateaux étroits dominant des vallées – a donné naissance à un vocabulaire spécifique que voici :

- ✔ un **synclinal** : c'est le creux du pli géologique, une forme concave ;

- ✔ un **anticlinal** : le contraire du synclinal : la forme convexe, bombée, du pli ;

- ✔ un **val** : la concavité du synclinal, un pli en creux, avec forêts sur les versants, prairies au fond ;

- ✔ un **mont** : le sommet de l'anticlinal ;

- ✔ une **combe** : une dépression dans la partie haute de l'anticlinal ; combe vient du gaulois *cumba* qui signifie « vallée » ;

- ✔ un **ruz** : c'est un vallon perpendiculaire au pli du relief ;

✔ une **cluse** : une profonde entaille perpendiculaire au mont, et qui relie deux vals. Souvent, au milieu, coule une rivière ;

✔ un **crêt** : c'est le bord supérieur d'une combe, abrupt d'un côté, en pente douce de l'autre.

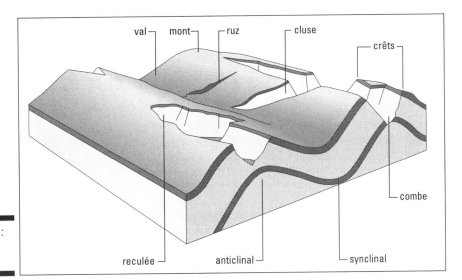

Figure 2-9 :
Le Jura,
schéma.

Une reculée ?

Dans le vocabulaire des karst des Causses, vous avez rencontré une dénomination qui fait un peu rêver : le bout du monde ! Ce grignotage de la craie peut créer d'immenses reculées, ainsi celle de Baume-les-Messieurs. Pour atteindre ce village, il faut d'abord parcourir un tronçon encaissé de près de 4 kilomètres, encadré de parois de 200 mètres de hauteur ! Filez ensuite vers le nord, vous trouvez, au fil de la Seille, une vallée encaissée terminée par des corniches qui culminent à 50 mètres. Puis, au sud, vous découvrez la reculée de Longebief et celle du Dard, avec ses falaises qui peuvent s'élever à 500 mètres ! Bonne randonnée !

Le Jura aux sommets

✔ Le Crêt de la Neige, 1 720 mètres (tout proche, le col de la Faucille, 1 320 mètres)

✔ Le Reculet, 1 717 mètres

➤ Le Mont Tendre (en Suisse), 1 679 mètres

➤ Le Grand Crêt d'Eau, 1 621 mètres

➤ Le Chasseron (en Suisse), 1 607 mètres

➤ Le Grand Colombier, 1 540 mètres

➤ Le mont d'Or, 1 463 mètres

Les Alpes : des chahuts en cols blancs

Les Alpes ? Quelles Alpes ? Voulez-vous parler des Alpes de Styrie, en Autriche, de celles de Carinthie, ou du Tyrol ? Voulez-vous parler des Alpes juliennes en Slovénie, des Alpes vénitiennes en Italie, des Dolomites ? Sont-ce alors les Alpes des Grisons, ou du Valais, ou bernoises, en Suisse ? Les Alpes ! Savez-vous que cette chaîne de montagnes – dont la forme rappelle la chevelure d'Angelo Branduardi, le chanteur italien… – déploie son arc herculéen sur plus de 1 000 kilomètres, de Monaco à la frontière hongroise ? Alors, sont-ce les Alpes françaises qui vous intéressent ? Oui ? Elles ne représentent que 10 % de la chaîne tout entière ! Mais en ces 10 % se trouve le mont Blanc, 4 808,75 mètres, le toit de l'Europe…

Salut les amis !

Debout les Alpes ! Sans doute vous souvenez-vous de la fin du chapitre 1. On y voyait la plaque africaine heurter de son éperon italo-dinardique la plaque eurasienne. Les Alpes surgissaient alors de ce choc trop puissant pour notre petite imagination qui peine aussi à admettre la durée de cette surrection : soixante millions d'années – 600 000 siècles ! Rappelez-vous aussi le surgissement du socle cristallin. Il monte haut, très haut, si haut qu'il aperçoit ses vieux amis, avec lesquels il a passé son cambrien : le Massif armoricain, les Vosges et le Massif central ! Pendant ce temps, la couverture calcaire soulevée est rejetée en lisière – ce sont aujourd'hui les Préalpes, une gigantesque pâte feuilletée qu'on dirait tranchée par un couteau-scie de titan ! Les glaciers du quaternaire vont ensuite faire leur œuvre de sculpteur, de créateur de lacs – ils n'ont pas complètement déménagé !

Des repères dans le mystère

Comment organiser cet impressionnant chaos, comment le lire afin d'en comprendre la disposition ? Comment trouver des repères dans ce grand mystère blanc (et blanc cassé pour les Préalpes…) ? Lisons d'abord, en deux temps, les Préalpes situées à l'ouest du massif : celles du nord, et celles du sud.

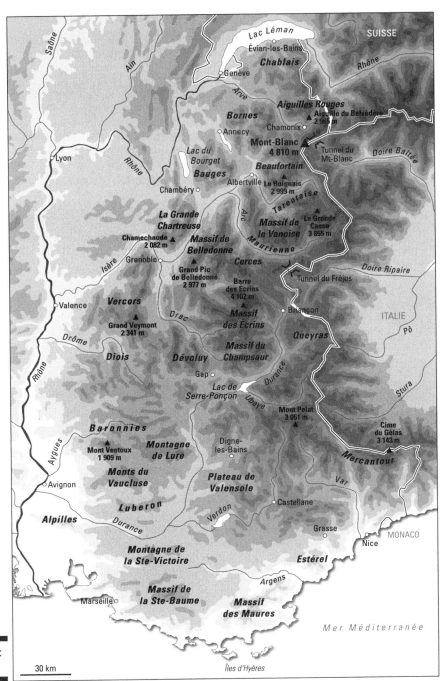

Figure 2-10 :
Les Alpes.

30 km

Les Préalpes du nord

Si vous voulez parcourir les Préalpes du nord, il vous faut traverser, en partant du nord, et dans l'ordre – à partir du sud du lac Léman :

- ✔ le Chablais,
- ✔ les Bornes,
- ✔ les Bauges,
- ✔ la Grande Chartreuse,
- ✔ le Vercors.

Les Préalpes du sud

Maintenant, au-delà de la Drôme, vous entrez dans les Préalpes du sud, plus austères, compartimentées – bousculées aussi par la surrection des Pyrénées – parfois difficiles d'accès, parfois coupées de gorges étroites, profondes – les clues – :

- ✔ le Diois,
- ✔ les Baronnies,
- ✔ le mont Ventoux,
- ✔ le plateau de Valensole,
- ✔ les Préalpes de Digne, de Castellane, de Grasse et de Nice composent une deuxième ceinture plus à l'est, près des grands massifs.

Les grandes Alpes cristallines

Préparez maintenant vos piolets, vos cordes, vos mousquetons, votre courage et vos yeux qui vont s'éberluer de beauté grandiose : nous partons pour les grands massifs, la chaîne centrale, qui va de la Suisse à la Méditerranée. Cette chaîne constitue la frontière entre la France et l'Italie. Attention : elle est séparée des Préalpes, au nord, par ce qu'on appelle le Sillon alpin, un espace qui va de Grenoble à Genève et qui comprend le Grésivaudan, la combe de Savoie, la vallée de l'Arve, ce bassin de Sallanches. Voici donc les grandes Alpes cristallines :

- ✔ les Aiguilles rouges, avec ses sommets déchiquetés, ses lacs d'altitude, ses 575 espèces végétales… et son point culminant : le Belvédère (2 965 mètres) ;
- ✔ le massif du Mont-Blanc – dominé par le mont Blanc, 4 808,75 mètres –, frontière entre la France, la Suisse et l'Italie, c'est la capitale de l'alpinisme ;
- ✔ le Beaufortain : son altitude ne dépasse pas 3 000 mètres ; ses deux plus hauts sommets sont La Roignais (2 999 mètres) et la Pointe de la Combe neuve (2 974 mètres) ;

✔ le massif de Belledonne, et ses trois pics : le Grand Pic, le Pic central et la Croix de Belledonnne ;

✔ le massif des Écrins (ou du Pelvoux), avec un sommet à 4 102 mètres à la barre des Écrins ;

✔ le massif de la Vanoise, avec ses sommets : la Grande Casse (3 855 mètres) et la Dent Parrachée (3 197 mètres), entre les vallées de la Tarentaise et de la Maurienne ;

✔ le Mercantour et son point culminant : la cime du Gélas (3 143 mètres).

Le mont Blanc, dans le massif du Mont-Blanc : 4 808,75 mètres

Le plus haut sommet de l'Europe – le mont Blanc – élève dans le massif du Mont-Blanc 4 807 mètres jusqu'en 1986 où on lui trouve un mètre de plus : 4 808 mètres. Depuis, en 2001, le GPS lui a octroyé le bénéfice d'une croissance de plus de deux mètres : le mont Blanc s'élève alors à… 4 810,4 mètres ! Mais le 6 septembre 2003, une nouvelle mesure est effectuée : le mont Blanc a perdu 1,95 mètre – il ne mesure plus que 4 808,45 mètres. Les 23 et 24 septembre 2005, au terme d'une nouvelle expédition, on découvre qu'il a grandi de 30 centimètres depuis 2003. Il culmine donc à 4 808,75 mètres !

Les grandes Alpes calcaires et schisteuses

✔ Le Cerces, près de Valloire ; il est aussi appelé les Petites Dolomites, à cause de ses hautes murailles.

✔ Le Queyras, divisé en bas Queyras calcaire et haut Queyras schisteux.

Le continent corse

Du cap Corse à l'impressionnante Bonifacio, d'Ajaccio à Aléria, de la Balagne au golfe de Santa Manza, la Corse ne manque pas de reliefs…

Le désir n'attend pas…

Vous dormez et dorez sur une petite plage de sable fin. Soudain réveillé, il vous prend une subite envie de montagne, un désir de promenade vers des sommets qui vous rafraîchiraient. En tout autre lieu, ce désir devrait attendre son heure… Pas en Corse : il n'attend pas même la demi-heure, car à peine l'avez-vous senti naître que vous l'avez déjà enveloppé dans les lacets d'une route pittoresque, aux petits villages accueillants, aux panoramas époustouflants, jusqu'au sommet où il se réalise. La mer, la montagne, des neiges éternelles, des vallées, des vallons, de petites criques, des falaises, des lacs, des rivières… Un continent à part entière !

Figure 2-11 :
La Corse.

20 km

Une croisière vers le sud

La mémoire du continent corse remonte jusqu'au paléozoïque. En ce temps-là, la Corse est englobée dans la partie extrême sud du plissement hercynien. Au mésozoïque, évidemment, elle se met comme tout le monde en sommeil marin – les dépôts schisteux du cap Corse se constituent alors. À partir du début du cénozoïque, avec la Sardaigne, elle devient un microcontinent soudé au sud de la France. Il y a vingt-cinq millions d'années, au miocène, le microcontinent se détache et part vers le large. La Corse se sépare de la Sardaigne et va s'installer tout doucement à 200 kilomètres au sud de son point de départ.

Un double statut

Après sa croisière miocénienne, pliocénienne et pléistiocéienne (félicitez-vous vous-même si vous connaissez le sens de ces trois termes déjà rencontrés, sinon, fustigez-vous, vous le méritez !), la Corse acquiert son double statut d'île et de montagne. On y distingue aujourd'hui quatre parties :

- ✔ la Corse des massifs cristallins de l'ère primaire ; elle occupe presque les deux tiers de l'île et porte ses plus hauts sommets ;

- ✔ la Corse alpine, ou schisteuse, située au nord-est, très boisée ;

- ✔ le sillon central, une dépression d'altitude modérée qui s'étend de L'Île-Rousse à Solenzara ;

- ✔ Des plaines et des plateaux côtiers.

La Corse aux sommets

- ✔ Le mont Cinto, 2 710 mètres
- ✔ Le mont Rotondo, 2 622 mètres
- ✔ Le mont d'Oro, 2 389 mètres
- ✔ Le mont Renoso, 2 352 mètres

Chapitre 3
Les plaines et plateaux

· ·

Dans ce chapitre :

▶ Étudiez la formation et la structure du Bassin parisien

▶ Comprenez la diversité du Bassin aquitain

▶ Laissez-vous conduire dans la riche plaine d'Alsace

▶ Remontez le temps dans la plaine de la Saône, puis descendez le Rhône

· ·

Descendons des montagnes anciennes ou jeunes. Nous voici dans les plaines, sur les plateaux, dans les bassins. Les parcourant, nous sillonnons ce qui fut longtemps le fond des océans. Ils se sont retirés, laissant souvent sur place des couvertures calcaires, de fertiles limons... Le Bassin parisien, le Bassin aquitain, fort étendus, l'Alsace, fort resserrée, la plaine de la Saône, le Sillon rhodanien, fort longs, la Limagne, fort profonde... Fort en tout vous serez lorsque vous aurez tout lu et tout vu de ce qui suit...

Le vaste Bassin parisien

Parce que l'adjectif épithète parisien contient Paris, peut-être seriez-vous tenté de donner au bassin ainsi qualifié des limites s'étendant à une portée de regard du sixième ou du septième arrondissement de la capitale ! Que nenni : le Bassin parisien s'étend même bien au-delà du boulevard périphérique ! Immense, le bassin parisien : avec sa forme de cuvette – Paris est au fond –, ses collines à l'ouest, ses cuestas (côtes) à l'est, il occupe plus du quart de la France ! Ses limites ? Au nord, l'Artois ; l'Ardenne au nord-est ; les Vosges à l'est ; le Massif central au sud ; le seuil du Poitou au sud-ouest ; le Massif armoricain à l'ouest. 140 000 km² !

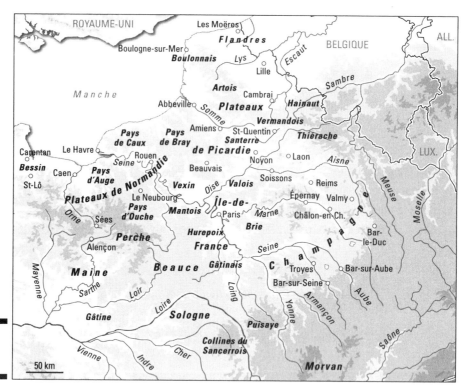

Figure 3-1 :
Le Bassin
parisien.

50 km

Les plateaux de Picardie, leurs limons...

« Quand la mer se retire, il ne reste plus rien ! », chantait C. Jérôme, en 1969... C'est sans doute vrai pour la petite histoire d'amour déçu qu'il situe au bord d'une plage ; mais si l'on évoque le retrait de la mer du secondaire des plateaux de Picardie, ce qui reste alors, ce sont les limons, c'est la richesse, c'est tout...

Sous la mer

La Picardie, c'est Amiens, c'est Beauvais, c'est Saint-Quentin, c'est Abbeville. De la craie, beaucoup de craie, un peu partout. Question : êtes-vous capable de situer la formation des plateaux picards avec ce seul élément : craie ? Craie... crétacé... dernière période de l'ère secondaire qui s'est terminée il y a 65 millions d'années. Parfait ! À cette époque, la mer recouvre entièrement la Picardie, ainsi que tout le Bassin parisien. Il faut attendre la fin de l'oligocène, il y a 24 millions d'années, pour que, les dernières vagues océanes repliées sur la Manche, la Picardie s'offre enfin au soleil qui va chauffer ses limons et activer sa fertilité !

La sana terra

De la bonne terre, en Picardie, de la sana terra : le Santerre, près d'Amiens. Et, tout près, à l'est, le Vermandois de Saint-Quentin ; au nord-ouest, le Ponthieu d'Abbeville, moins riche en limons, voisin du Vimeu et de ses bocages. Au sud-est, le voisinage de l'Oise et de son affluent, l'Aisne, a donné aux paysages du Laonnais, du Soissonnais et du Noyonnais un aspect vallonné… La Picardie, ses bonnes terres, ses fermes à courtils, est aussi parcourue de fleuves côtiers dans sa partie occidentale : Somme, Authie et Canche qui paressent tant avant de se jeter dans la Manche que des étangs et des marais sont nés çà et là, pour le plaisir des pêcheurs et des chasseurs.

Flandres, Hainaut, Cambrésis, Thiérache, Avesnois…

La Canche ! Traversons-la, en direction du nord. Nous voici sur les vertes collines de l'Artois au nord desquelles vous apercevez la silhouette massive de ces fameux chevaux de trait qui portent le nom de la région : le Boulonnais ! Un peu plus au nord encore, nous voici dans les Flandres, c'est presque le plat pays de Brel, avec la mer du Nord pour dernier terrain vague… Terrains vagues dont certains ont été gagnés sur la mer par la création de polders – la commune des Moëres (les marais en néerlandais) est le lieu le plus bas de France : quatre mètres au-dessous du niveau de la mer. Au sud des Flandres, dans le Hainaut et le Cambrésis, des montagnes noires hérissent le paysage : ce sont les terrils qui rappellent le rude travail des mineurs sous terre pour extraire le charbon. Mais, en surface, demeurent la verdure, les prairies et les forêts, les vallons et les bocages – dans le Hainaut, la Thiérache, l'Avesnois…

Les plateaux de Normandie, en couleurs

Le vert des prés, le blond des blés, le rouge des pommes, le blanc et le brun des vaches, le bleu de la mer… Haute en couleurs, la Normandie !

Elles sont là…

Les Normandies plutôt : l'une, à l'ouest, est établie sur le vieux Massif armoricain ; l'autre, à l'est, s'étend sur le jeune Bassin parisien. La liaison entre ces deux Normandies est une zone de cassures (normande aussi…) survenues au cénozoïque. Elles ont façonné le Bessin, la campagne de Caen, le pays d'Auge, la campagne d'Alençon. Maintenant, prenez le train dans les petites gares de Carentan, Vire, Saint-Lô ou Falaise ; partez pour Bricquebec en Cotentin, Coutances ou Mortain… Vous allez les voir, elles sont là, immobiles, songeuses, parmi les pommiers fleuris, près de hautes maisons à colombages, ou bien dans le bocage ; elles sont là : les vaches qui regardent passer les trains ! Vaches normandes tachetées de marron, de brun-rouge et de blanc, à la bonne tête placide – mais remplacées parfois par leurs consœurs d'origine hollandaise ou frisonne, noir et blanc, curieuses comme des poux !

À RETENIR

Le mont des Avaloirs

Mortain et Domfront… voici Pré-en-Pail : vous le voyez déjà, le mont des Avaloirs (417 mètres), point culminant du Massif armoricain. Si vous poursuivez vers le nord-est, vers Sées, vous rencontrez la forêt d'Écouves : 15 000 hectares où se dressent encore les soixante-dix-neuf bornes en granit mises en place en… 1669, sur l'ordre de Louis XIV, afin de faciliter les chasses seigneuriales.

Le pays des Calètes

Poursuivez votre balade ferroviaire vers l'est : vous traversez le Perche normand, au modelé raisonnable, le pays d'Ouches aux verts accentués, sombres parfois. Vous traversez la campagne de Neubourg, ses champs ouverts, le blond de ses blés. Sur la ligne Serquigny-Rouen, vous franchissez la Seine. Rouen, tout le monde descend ! Vous voici en pays de Caux (ancien pays de la tribu gauloise des Calètes – calt signifie « froid »), une colossale épaisseur de craie, tartinée d'argile recouverte d'une confiture de limons dont raffolent les cultures que vous voyez défiler doucement sous vos yeux – vous venez de louer un bateau à Rouen, et vous naviguez vers Le Havre, vous ne vous en étiez pas aperçu ? Donc, assis le regard tourné vers la rive droite de la Seine, vous longez la forêt du Trait-Maulévrier. Puis vous identifiez – loin dans les terres parfois, car vous avez une très bonne vue – des cultures de blé et de maïs, de betteraves à sucre, le parfum lumineux des colzas… Et des vaches ? Meuh oui !…

UNE GÉO-CURIOSITÉ

Le pays de la boutonnière

Connaissez-vous le pays de la boutonnière ? Après avoir dépassé le pays de Caux, avant d'entrer en Picardie, le voici ! Vous vous mettez en quête des lieux où on peut avoir eu cette idée singulière de fabriquer à part les boutonnières, sans les habits qui leur sont nécessaires… Vous faites fausse route : la boutonnière ici, est immense, faite pour Gargantua ! Elle mesure 90 kilomètres de longueur et 15 kilomètres de largeur ! Il s'agit de ce que les géographes appellent un bray – voilà pourquoi vous êtes dans le pays de Bray ! Cette boutonnière est le résultat de l'effondrement d'un bombement (anticlinal), les deux rebords (cuestas) se faisant face ensuite. Dans cet espace en creux, sur des buttes de grès ou de sable, poussent des forêts ; sur les terrains d'argile et de calcaire mélangés, voici des céréales ; et dans les fonds des vallées, paissant dans les grasses prairies, elles sont là, les vaches…

La Champagne, pouilleuse ou crayeuse ?

La pouilleuse, la crayeuse, la sèche ? Quel nom pour la Champagne ? Et qu'est-ce donc que ce pouliot ?... Chut, dans quelques lignes, vous le saurez...

L'herbe à moutons

Pouilleuse ! Elle fut appelée pouilleuse, la Champagne, ou du moins une certaine Champagne, celle dont le sol était si pauvre que les physiocrates du XVIIIe siècle – qui passionnaient Louis XV, sûr que la nature et son agriculture étaient l'avenir de l'homme – avaient jugé adapté de la nommer ainsi. Précisons, pour être juste, que ce nom lui fut attribué surtout en raison de la présence sur son sol d'une plante sauvage, appelée le pouliot, et dont les moutons affamés raffolaient... Il n'empêche : l'idée de pauvreté était devenue pour elle une seconde nature !

De Troyes à Valmy

Eh bien, elle s'est rattrapée, la Champagne pouilleuse, après des amendements adaptés – l'incorporation au sol de matières destinées à l'améliorer : betteraves et céréales y trouvent leur bonheur et font celui des habitants qui peuvent trouver emploi dans l'industrie agroalimentaire ! On l'appelle maintenant la Champagne crayeuse – ou Champagne sèche. Si vous partez de Troyes pour aller à Valmy (et son moulin !), en passant par Châlons-en-Champagne, anciennement Châlons-sur-Marne, vous avez parcouru l'axe de cette Champagne crayeuse et vous avez longé une autre côte, celle d'Île-de-France, où pousse une vigne qui fait des bulles...

UNE GÉO-CURIOSITÉ

Cinq croissants !

Des croissants, d'immenses croissants – pour Gargantua, encore... ! Il faut que vous imaginiez ces immenses croissants au nombre de cinq, la face concave tournée vers Paris, et qui se succèdent vers l'est, jusqu'en Ardenne et Lorraine. Leur rebord de calcaire le plus élevé constitue ce qu'on appelle une cuesta, ou bien une côte. Les cinq côtes sont tournées vers l'est ; elles comportent parfois des saillants, des ravins, tout cela dû à une érosion lente et qui se poursuit. Sur leurs pentes abritées des vents, des vergers, des vignes poussent à leur aise... et le produit de ces vignes ne vous est pas inconnu !

Les cinq côtes

À RETENIR

Voici le nom des cinq côtes en forme de croissant, jusqu'aux frontières de la Lorraine :

✔ la côte de l'Île-de-France : précieuse entre toutes, car elles porte les vignes qui donnent ce vin pétillant dont vous avez tant de mal à maîtriser le débouchage : le champagne ! Le vignoble qui lui est destiné se trouve surtout de part et d'autre de la montagne de Reims, et au sud d'Épernay ;

- la côte de Champagne – vers l'est, Champagne crayeuse d'abord, puis Champagne humide ; celle-ci a la forme d'une dépression verdoyante qui auréole celle-là et se relève dans la forêt d'Argonne (près de l'Ardenne) ;

- la côte des Bar – Bar-le-Duc, Bar-sur-Aube, Bar-sur-Seine ;

- la côte de Meuse où sont récoltées – notamment – les mirabelles de Lorraine ;

- la côte de Moselle – ultime limite du Bassin parisien.

L'Île-de-France au fond de la cuvette

Se retrouver sur une île… le rêve ! Méfiez-vous des rêves, parfois, ils se réalisent, et vous vous retrouveriez sur une île qui regroupe sur 2 % de tout le territoire français 20 % de sa population… Si vous cherchiez le silence des sables chauds, ce sera pour une autre fois…

De petits pays

Une tête : Paris. Et deux couronnes : la petite (Hauts-de-Seine, Seine-Saint-Denis, Val-de-Marne) et la grande (Essonne, Seine-et-Marne, Val-d'Oise, Yvelines). On pourrait ainsi avoir tout dit de l'Île-de-France. Mais l'Île-de-France, centre du Bassin parisien, fond de la cuvette couverte, découverte, recouverte, redécouverte par la mer au fil des millions d'années qui se sont écoulées depuis le crétacé, c'est aussi nombre de petits pays. Il en est un que vous avez sans doute survolé : le pays de France – la banlieue, l'aéroport de Roissy-en-France et les champs de blé sur sol limoneux qui se le disputent avec appétit ! Les autres portent le nom de Vexin, de Beauvaisis, de Valois, de Brie (oui, le lieu du fromage), de Gâtinais, de Hurepoix et de Mantois, tous aux terres riches de cultures ou de forêts.

Le pays de France

Pourquoi ce pays de France ? Parce que c'est le nom du territoire que reçut le premier roi de France, petit-fils de Charlemagne, au traité de Verdun, en 843 (en réalité, ce pays de France comprenait aussi le pays de Caux, le Vexin, le Parisis, le Vexin, le Melunois…). Aujourd'hui, il est limité au nord-est de Paris.

Pierres à meules

L'Île-de-France, une île sous l'eau, longtemps. Et notamment au tertiaire où demeurèrent pendant des millions d'années des lacs immenses, restes d'invasions marines répétées. Évidemment, ces lacs et ces mouvements marins ont laissé des traces importantes au-dessus des dépôts crayeux du crétacé – fin de l'ère secondaire. À Meudon, on trouve des argiles et des marnes (argile et calcaire) ; marnes aussi à Pantin et à Argenteuil ; à Auvers et à Beauchamp, on trouve des sables ; des calcaires de Saint-Ouen, de Brie qui datent de l'oligocène. Ces calcaires, dans certains cas, se sont transformés en meulières, roches très résistantes qui ont servi à confectionner des meules pour les moulins (d'où leur nom…), ainsi les meulières de Montmorency dans le Val-d'Oise. Plateaux et vallées – celles de la Marne, de l'Oise, de la Seine –, buttes de Montmorency, de Dammartin-en-Goëlle, résultent d'une érosion terminée depuis les temps récents du pléistocène, c'est-à-dire presque hier sur la longue échelle des temps géologiques…

La ceinture verte

Une tête : Paris. Il faut qu'elle respire, il faut la protéger, l'entourer si possible d'une couronne de forêts qui vont lui garantir des sentiers à foison et des frondaisons pour toutes saisons. C'est fait, et depuis longtemps. Plusieurs forêts constituent le rempart végétal de l'Île-de-France – elles se succèdent en partant du sud, et dans le sens des aiguilles d'une montre :

- la forêt de Fontainebleau – 25 000 hectares de chênes, de pins, d'énormes rochers de grès et de sable gris oubliés par la mer ;
- la forêt de Rambouillet – et ses rochers d'Angennes à escalader, son parc aux cerfs… ;
- la forêt de l'Isle-Adam – 1 500 hectares de chênes, de tilleuls, de bouleaux, de charmes… et de charme ;
- la forêt de Chantilly – 6 300 hectares et plusieurs centaines de sentiers ;
- la forêt d'Halatte – vous pourrez y grimper sur l'un des sommets de la région parisienne, le mont Pagnotte : 220 mètres ;
- la forêt de Saint-Germain – le charme de l'ancien… ;
- la forêt de Meudon – plus de 1 000 hectares et un curieux site mégalithique ;
- les forêts de Ferrière et d'Arminvilliers (solidaires) – pêche et pique-nique… ;
- la forêt de Sénart – 3 000 hectares fort visités, des feuillus, des résineux, des mares et des bruyères…

L'accueillant Bassin aquitain

De Périgueux en Périgord, de Montcuq, la capitale du Quercy blanc, au Nébouzan, tout près de Lannemezan, en passant par la Guyenne – l'Aquitaine au temps des Anglais – et la Gascogne, visitons le Bassin aquitain.

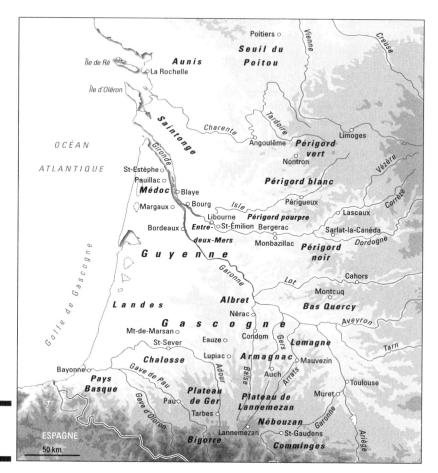

Figure 3-2 :
Le Bassin
aquitain.

Le Périgord : noir, vert, blanc, pourpre

Périgord… Périgueux ! Mais vous aviez déjà fait ce rapprochement. Le
Périgord, mais quel Périgord ? Le noir de Sarlat ? Le vert de Nontron ? Le
blanc de Périgueux ? Le pourpre de Bergerac ? Les quatre à la fois…

Noires les yeuses

Inutile de vous vêtir d'une peau de mouton et de vous munir d'un gourdin à
bisons pour passer inaperçu : ils sont partis ! Oui, depuis des millénaires, ils
ont disparu, les hommes de Cro-Magnon ! Mais vous allez pouvoir visiter
leurs studios entièrement naturels, tout en grottes calcaires dont une
entièrement décorée de jolis motifs animaliers : Lascaux !… Vous en visiterez
plutôt une reconstitution parce que le modèle original, qui se dégradait, a été
fermé. Vous êtes en Périgord noir, capitale Sarlat ! Pourquoi noir ? Parce que

les petites yeuses frileuses (chênes verts) de ces plateaux du crétacé – entaillés de vallées au pléistocène par la Vézère et la Dordogne –, ont l'habitude de conserver leurs feuilles mortes l'hiver entier. À cela s'ajoutent le tronc sombre – en toute saison… – de milliers de petits châtaigniers, et de nombreux manoirs ou châteaux. Le tout donne une touche de mystère à ces terres des débuts de l'humanité, où le cèpe et la truffe composent l'un des plus jolis couples sylvestres qui soient !

Vert Verne ?

De beaux plateaux du crétacé, ondulés, recouverts de haies, de prairies, de petites forêts, de taillis… Ici et là, des lacs, des gorges et des cascades… Des ruisseaux par dizaines, des rivières – l'Isle et la Dronne, la Lizonne frontalière à l'ouest –, et de la verdure à foison ! Voilà ce que nous découvrons dans la région de Nontron, au nord du département de la Dordogne. Depuis quelques décennies – on ne sait trop combien – la légende raconte que cette région reçut un jour la visite d'un illustre voyageur. Après avoir découvert de Mareuil les merveilles, de Saint-Pardoux la douceur, de Thiviers le penseur – Jean-Paul Sartre a séjourné à l'entrée de la petite ville, dans la maison familiale, rue du Thon –, le voyageur aurait cherché à s'isoler au bord d'un ru. Et, communiant à la luxuriance végétale du lieu, il se serait assis, aurait sorti papier et crayon, écrivant, dans le feu de l'inaction, ceci : « … de ce Périgord vert où je me repose en ce moment… » Ainsi aurait été baptisé *Périgord vert* le nord de la Dordogne – quatorze cantons.

Vert mystère…

Il est temps de vous donner le nom de ce promeneur : Jules Verne. Et cette phrase figurerait dans ses *Carnets de voyage*… Las ! *Ces Carnets de voyage* sont inconnus des plus grands spécialistes de l'enfant de Nantes. Et Jules Verne, même s'il a épousé, le 10 janvier 1857, Honorine du Fraysse de Viane, dont une partie de la famille était originaire du Périgord, n'a jamais été vu se promenant dans cette région ! Y aurait-il là un mystère ? Peut-être… Mais l'essentiel, c'est qu'en naquit le nom joli de Périgord vert.

Périgord blanc et Périgueux

« Sans beurre et sans reproche ! » C'est le Bayard des pianos, le vainqueur de tous les Marignan de la gastronomie qui s'exprime ainsi : Curnonsky – pseudonyme de Maurice-Edmond Saillant –, né à Angers en 1872, mort à Paris en 1956 ! Qui était-il ? Un journaliste, un écrivain, mais surtout un fin gastronome passionné par la cuisine du terroir. Cette cuisine sans beurre et sans reproche est celle du Périgord, ce Périgord dont il faut parler de la capitale : Périgueux. Connaissez-vous la fameuse sauce Périgueux ? Saindoux, truffes et vin liquoreux. Quant aux proportions, reportez-vous à quelque écrit de Curnonsky ! Ou bien partez pour le Périgord central, ou Périgord blanc. Coteaux, taillis de chênes, collines et prairies vous attendent ; ajoutez à cela la délicieuse odeur que les fraises cultivées répandent dans l'air au printemps, et vous ne résisterez pas au plaisir de faire quelques papouilles à vos papilles… avec la sauce Périgueux !

Périgord pourpre et botrytis

Entre 6 et 8° C ! Pas plus ! Et vous voulez le consommer avec quoi ? Du foie gras ? Parfait ! Ce vin, pour le foie gras, est parfait ! Mais attention, pas plus de 8 °C, le monbazillac se boit frais – et toujours avec modération ! Il vient de vignes qui ont poussé sur des terrains orientés vers le nord, sur une terre argilo-calcaire, voisins d'une autre appellation : le bergerac, tout près de la ville du même nom. Attention : le monbazillac provient de raisins botrytisés ! Qu'est-ce, vous demandez-vous ? Bravo : vous n'avez pas seulement faim de foie gras… Botrytisé vient du mot botrytis qui désigne un champignon parasite pour les vers à soie, mais qui donne à la vigne sa pourriture noble ! Bref, tout cela pour vous expliquer que si on vous parle du Périgord pourpre, vous saurez qu'il s'agit de celui qui entoure Bergerac, et qu'on l'appelle ainsi à cause du jus de la treille !

Le Quercy blanc de craie

Chaussez vos Ray-Ban – ce sont des lunettes de soleil qui permettent de tenter de briller comme lui –, vous allez en avoir besoin : voici – partout où affleure le calcaire, sinon tout est vert… – le blanc éclatant du Quercy… blanc ! Il y eut ici, pendant l'éocène et l'oligocène, des lacs qui ont déposé des calcaires dont l'étonnante blancheur aujourd'hui fournit au bas Quercy son adjectif immaculé. Des plateaux – appelés planèzes – se succèdent, séparés par des cours d'eaux. À cause de leur forme allongée qui les font ressembler à des scies, ces plateaux sont nommés serres – du latin *serra* : « scie »… Sur les promontoires calcaires de ces *planèzes* ont été construits des bastides – villages fortifiés – ou de petites villes, par exemple Montcuq, la capitale du Quercy blanc.

La Guyenne et ses graviers

Quel est donc ce pays de plaines, au sud du Poitou et de la Saintonge, au nord de la Gascogne ? C'est la Guyenne, chère au cœur d'Aliénor d'Aquitaine – qui fut aussi appelée Éléonore de Guyenne… –, chère au cœur de Montaigne, chère à tous ceux qui aiment la bonne chère et les bons vins du Bordelais (oui, bonne chère, et non bonne chair ; bonne chère signifie faire une bonne tête contente – la chère en vieux français – au cours d'un repas, et non manger de la bonne chair, de la bonne viande…).

Cailloutis et limons bordelais

Que de cailloux entre les rangs de vigne, dans le Bordelais ! La terre y est dominée par la pierre, le cailloutis caractéristique de beaucoup de ses sols. La plate-forme bordelaise est apparue pendant l'éocène et l'oligocène. Des alluvions – galets, graviers, boues – apportées par la Garonne, mélangées à des limons déposés par le vent ont recouvert cette plate-forme sur une hauteur qui varie de 2 à près de 20 mètres ! Ainsi drainé, le sol est favorable à la culture de la vigne – qui est d'une sobriété exemplaire !

Nectars d'Aquitaine...

La vigne se délecte de cette terre d'alluvions qui lui permet de concentrer les effets bénéfiques du soleil sur la qualité du raisin. En voici les nectars :

- l'Entre-deux-Mers – vous vous trouvez sur un plateau surélevé d'une centaine de mètres entre Garonne et Dordogne. La nature du sol y est très variée – calcaire, argile, graves (graviers), quartz... C'est là que vous trouvez l'appellation entre-deux-mers avec, pour principal cépage, le sauvignon – qui sied tant au fromage de chèvre ;

- le Médoc – sur ces calcaires de l'éocène, recouverts d'alluvions, se trouvent de grandes appellations – de grands vignobles : margaux, latour, laffitte, mouton-rothschild (appellation pauillac), saint-estèphe, graves, pessac-léognan, saint-julien... ;

- saint-émilion, pomerol, fronsac... trois appellations connues de vous peut-être, que vous trouverez en Libournais, sur la rive droite de la Dordogne ;

- blaye, côtes et premières côtes-de-blaye, côtes-de-bourg pour les fruits de mer, les poissons meunière, les viandes blanches... Tout cela situé sur la rive droite de la Garonne et de la Dordogne, en terrains recouverts d'une épaisse couche d'alluvions.

La Gascogne en récréation

Un grand verre qu'on dirait enfanté par une sphère de mystère. Au fond, un liquide ambré qui a vieilli plus de douze ans en fût de chêne ; ce verre, vous le tenez dans votre paume, le liquide ambré commence à répandre son parfum, vous humez, vous fermez les yeux... Vous êtes en Armagnac – en bas Armagnac, autour d'Eauze ; en haut Armagnac, autour de la capitale de la Gascogne, et chef-lieu du Gers : Auch ; ou bien en Armagnac-Tenareze, autour de Condom ? Choisissez... ! Oublions, voulez-vous, le crétacé, l'oligocène et les limons, tous les calcaires, l'ère quaternaire, les concrétions, nous sommes en récréation ! Humons un peu de ce vieil armagnac – humons avec modération, bien sûr... –, nous venons de rentrer du marché ; nous avons acheté poularde (ah ! le bon roi Henri, qui était d'ici !) et pigeons à farcir, foie gras... Que dire encore de la Gascogne ?...

Vive Cyrano !

Ce sont les cadets de Gascogne / De Carbon de Castel-Jaloux ! / Bretteurs et menteurs sans vergogne, / Ce sont les cadets de Gascogne ! / Tous plus nobles que des filous, / Ce sont les cadets de Gascogne / De Carbon de Castel-Jaloux / Œil d'aigle, jambe de cigogne, / Moustache de chat, dents de loup, / Fendant la canaille qui grogne... Ainsi Edmond Rostand (1868-1918) fait-il présenter au comte de Guiche, par Cyrano de Bergerac, les fameux Cadets de Gascogne ! Ils ont de qui tenir : un de leurs glorieux ancêtres, Charles de Batz-Castelmore n'est-il pas né au château de Castelmore, près de Lupiac, en Gascogne ? Qui est ce Batz-Castelmore ? Vous ne connaissez que lui : d'Artagnan, né en 1611 et mort au siège de Maastricht le 25 juin 1673 – accessoirement acteur dans les romans d'Alexandre Dumas...

Des noms en retrait

La Gascogne, c'est une capitale précise : Auch. Mais c'est un contour qui l'est moins, le nom de beaucoup de petits pays qui la composent laissant souvent la place à celui d'unités plus usuelles, celles des départements. Voici un petit voyage dans la Gascogne, style ancien :

- ✔ le Comminges, au pied et au centre de la chaîne pyrénéenne, de Saint-Gaudens à Muret ;

- ✔ la Bigorre, à l'ouest du Comminges, avec Tarbes pour capitale ;

- ✔ l'Albret, à mi-chemin entre Bordeaux et Toulouse, autour de Nérac ;

- ✔ la Chalosse, avec Saint-Sever – et son poulet landais – pour capitale, tout près de Mont-de-Marsan ;

- ✔ le Fézensaguet, autour de Mauvezin, entre Armagnac et Lomagne ;

- ✔ le Nébouzan, tout près de Lannemezan.

Les Landes sauvées par Brémontier

Couvertes de la grande forêt de chênes, les Landes permettent la chasse au sanglier... Quoi ? La chasse au sanglier dans les forêts de chênes des Landes ? Oui, mais c'était en 1350, juste avant les terribles tempêtes qui dévastèrent complètement la région vers 1390 ! Plus d'arbres, le sable qui avance, et l'homme qui brûle ce qui repousse pour trouver des terrains à cultiver... Et voici que le sable avance, avance... Quarante mètres par an, en 1750 ! Il commence à monter dans les rues des petits villages avant de les engloutir complètement ! L'ingénieur Brémontier, à la fin du XVIIIe siècle, fait planter des pins dans les Landes, afin que cesse l'avancée maritime. Au milieu du XIXe siècle, un autre ingénieur, Chambrelent, poursuit la tâche. Aujourd'hui, sur les 1 166 000 hectares de la forêt de Gascogne, 897 000 sont occupés par les pins maritimes des Landes – où vous croiserez peut-être une certaine Thérèse Desqueyroux, penchée au bras d'un certain François Mauriac...

De plaines en vallées

Lorsque les montagnes s'élèvent, naissent plaines et vallées… Celles-là s'échancrent dans le bleu du ciel ; celles-ci, qu'elles soient d'Alsace, de Saône et du Rhône, ou de Limagne, s'étalent en verdure, en moissons, et atteignent aussi des sommets, ceux de la production…

L'Alsace aux riches alluvions

Une fois n'est pas coutume : vous voici devenu cigogne ! On ne sait trop comment c'est arrivé, mais il faut l'accepter : vous avez de longues pattes rouges, un long bec rouge, vous êtes spécialisé dans la livraison des nouveau-nés, de jour comme de nuit, toutes distances ! Vous arrivez tout juste d'un séminaire annuel qui se tient en Afrique de l'Est et qui vous a fait survoler, à l'aller, le Bosphore, l'isthme de Suez. Votre vol retour s'est effectué sans dommage : vous vous êtes laissé porter comme d'habitude par les courants chauds en altitude. Et vous voici en vue de votre plaine d'élection : l'Alsace ! C'est à vous…

Riesling, sylvaner, gewurztraminer

En approche par le sud. Plaine d'Alsace en vue. À gauche, les Vosges. Partie en pente douce vers la Lorraine à l'ouest ; partie escarpée vers la plaine, à l'est : souvenir de la séparation de la Forêt-Noire qui a créé le fossé rhénan (où coule le Rhin). Au pied de cette partie escarpée, présence de collines, appelées collines sous-vosgiennes, protégées des vents et très ensoleillées. Cap sur ces collines, altitude réduite : on aperçoit un riche vignoble cultivé sur de hauts supports de fer, pour éviter le gel. Vignoble qui sert à fabriquer les riesling, sylvaner, gewurztraminer…

Rase-mottes

Sur quelle terre pousse-t-il, ce vignoble ? Rase-mottes : sur le calcaire et les marnes apportés par la mer qui a régulièrement envahi la plaine à l'oligocène et au miocène. Nature de la plaine – rase-mottes périlleux : alluvions

Pour passer la commande d'un bébé

Recette : le futur papa et la future maman déposent sur le rebord de la fenêtre un morceau de sucre. La cigogne le remarque, s'en empare, en déguste la moitié, et emporte l'autre moitié près d'une mare où l'attend un lutin. Ce lutin est chargé de ramener à la surface de la terre, les âmes tombées du ciel avec la pluie. La cigogne lui donne l'autre moitié du morceau de sucre. Aussitôt, il fouille dans le stock d'âmes disponibles celle qui accepte de se réincarner en nouveau-né. Évidemment, les volontaires sont nombreuses, parce qu'elles espèrent qu'il reste un peu de sucre pour elles. Hélas… Alors la réincarnée, déçue, commence à pleurer, le jour, la nuit…

déposées sur le calcaire, recouvertes par endroits de loess, un limon fort fertile apporté par les vents. Villes survolées, du sud au nord de la plaine d'Alsace : Mulhouse, Esisheim, Rouffach, Sélestat, Benfeld, Colmar, Strasbourg. Les dimensions de la plaine d'Alsace ? Près de 200 kilomètres de longueur pour une trentaine de kilomètres de largeur. Merci la cigogne ! Maintenant, rangez vos grandes pattes rouges, votre long bec, vos plumes, abandonnez votre instinct de migration : vous êtes revenu sur le plancher des hommes !

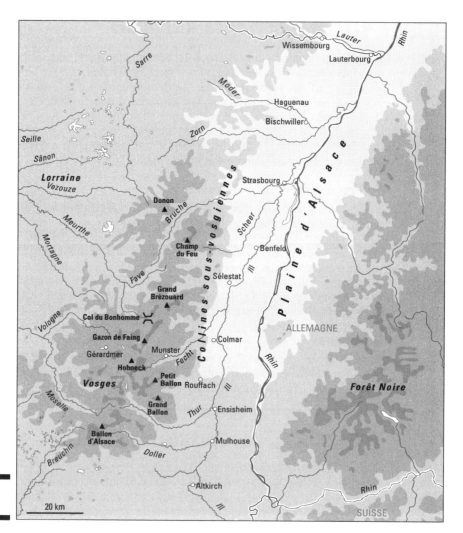

Figure 3-3 :
L'Alsace.

La plaine de la Saône dégivrée

Il y a bien longtemps, un énorme glacier couvrait toute la région, des Vosges à Lyon. La glace a fondu, une plaine s'est étendue, un cours d'eau y serpente en nombreux méandres d'abord, puis trouve davantage d'aise dans son cours en longeant Bresse et Dombes : la Saône…

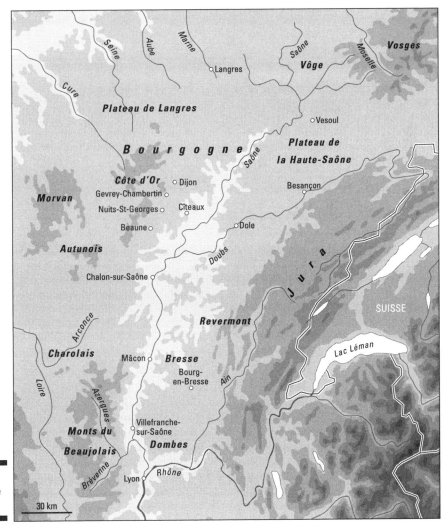

Figure 3-4 :
La Vallée de
la Saône.

30 km

Où prient les moines qui croient...

Née dans les Vosges, la Saône, après avoir longtemps additionné les méandres, élargit sa plaine à Auxonne où l'on pratique le maraîchage. Elle s'étale ensuite comme un parterre d'où peut être admiré le spectacle qui verdoie de Dijon jusqu'au sud de Beaune, dont nous reparlerons – en voici quelques titres pour orienter votre curiosité : Gevrey-Chambertin, Nuits-Saint-Georges, non loin de l'abbaye de Cîteaux (où prient les moines qui croient, croissent les vignes des meilleurs crus...). La plaine s'élargit en Saône-et-Loire, puis dans l'Ain. Nous voici en Bresse...

L'histoire du poulet de Bresse...

Connaissez-vous l'histoire du poulet de Bresse ?... Il faut remonter aux environs de 3 000 av. J.-C., en Inde. C'est là-bas que serait apparu le premier coq. Accompagné de ses poules, il se met au service d'envahisseurs qui arrivent en Gaule, en vagues successives à partir de 800 av. J.-C.. Le coq, évidemment, se fait naturaliser gaulois et tente de sédentariser ses protégées, un peu sauvages. Domestiquées, celles-ci s'installent un peu partout dans le pays, mais surtout en Bresse où elles découvrent, au début du XVIIe siècle, un aliment épanouissant: le maïs qui adore les étés chauds et humides ! C'est à cette époque que le roi Henri IV, victime d'une panne de carrosse en Bresse, déguste son premier poulet de Bresse. Il le trouve si délicieux qu'il décide que chacun de ses sujets doit pouvoir mettre la poule au pot chaque dimanche ! Au début du XIXe siècle, Brillat-Savarin (1755-1826), prince des gastronomes, auteur de *La Physiologie du goût*, déclare le poulet de Bresse « reine des volailles et volaille des rois ». La renommée de cette volaille devient internationale. En 1957, l'Assemblée nationale consacre le poulet de Bresse : désormais, il aura son appellation d'origine contrôlée, son AOC !

La plaine de Bresse

Bienvenue en Bresse ! Autour de vous, à l'est : le Jura. À l'ouest, la vallée de la Saône et le Massif central. Au nord, la Bourgogne. Et au sud, la Dombes (ou les Dombes, comme vous voulez...) ! La Dombes aux mille étangs ; voyez son emplacement : c'est celui d'un gigantesque glacier du quaternaire qui barrait la route à l'écoulement des eaux de la Bresse vers le Sud. De sorte que celle-ci, transformée en un immense lac, s'est remplie de dépôts d'argile devenue bleu-jaune en surface. Le glacier occupant l'emplacement de la Dombes a fondu, la Bresse s'est alors libérée de ses eaux mais a conservé un caractère humide, sûr garant d'un paysage toujours verdoyant. Bien sûr, vous connaissez le poulet de Bresse, bien sûr, vous adorez le bleu de Bresse – fromage tiré du lait de vache –, et bien sûr, vous savez que Bourg-en-Bresse, la capitale de la Bresse, se prononce Bourkenbresse !

Le Sillon rhodanien, de Lyon à la mer

Rhodanien, cet adjectif qualifie ce qui se rapporte au fleuve Rhône. N'eût-on pas pu créer à partir de Rhône un autre adjectif ? Rhônien, par exemple ? Non : les adjectifs souvent s'en vont jusqu'au latin pour justifier le ton de leurs dérivations. Et le Rhône latin, c'est Rhodanus. Alors on a latinisé, et rhodanien est né… Le Sillon rhodanien désigne le cours du Rhône entre Lyon et la Méditerranée – le Rhône qui coule comme un souvenir de la mer qui recouvrit longtemps ledit sillon…

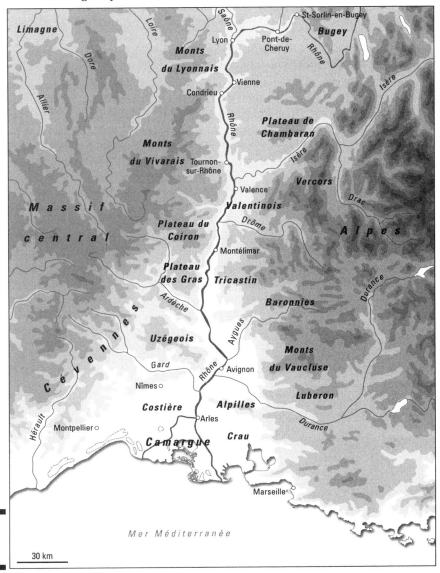

Figure 3-5 :
Le Sillon
rhodanien.

La vallée du Rhône, pressée

C'est un couloir où tout court et tout galope, où tout se presse pour arriver plus vite en Méditerranée. Le TGV file et glisse comme un coup de vent. Les voitures sur l'autoroute A7 foncent entre deux radars. La nationale 7 de Trenet, même si elle a changé de refrain, continue de zigzaguer vers sa dernière ligne droite. Et puis il y a les flots du fleuve Rhône, cette eau venue de Suisse, fatiguée de son long détour par Saint-Sorlin-en-Bugey, par Pont-de-Chéruy, par Lyon, et qui coule ample, souveraine et pressée vers son accomplissement marin ! Bientôt, tout s'inverse – sauf le fleuve… : la victoire pour celui qui regagne avant les autres la capitale des Gaules, pour aller plus loin peut-être, dans la France de l'Ouest, du Nord, ou bien en Suisse, en Italie… La vallée du Rhône est un couloir qui mène à tout, et partout !

La vallée patiente, oui mais...

Et pourtant, quelle placidité, ces bovins blancs qui regardent passer, de leurs prairies aux formes douces – comme en Normandie – la course des trains et des voitures ! Quelle paix dans les vergers de pêches et de cerises, près de Condrieu, de poiriers près de Valence, d'abricotiers, près de Tournon-sur-Rhône ! Patience sur les coteaux de Tricastin où, sur le calcaire, les vins acquièrent arômes et élégance, rondeur et puissance ! Un peu d'argile en plus, et voici la belle couleur, la fermeté et la structure ! Du sable ? C'est la légèreté qui domine ! Et des galets pour les tanins, pour des arômes particuliers… Placidité, patience, oui, mais pour conduire jusqu'à vous ces fruits, ce vin, pour en faire le commerce, pas d'autre issue que le paragraphe précédent !…

La Limagne dans le lac

Vous vous dites : voyons, la Limagne, il en a déjà été question ! Vrai : dans les raisons de la colère… Et ce titre de paragraphe, en clin d'œil à Steinbeck, c'était, voyons… le Massif central ! Oui : on apercevait les 140 kilomètres de cette plaine de Limagne le long de la chaîne des Puys, mais on ne savait rien d'elle. Maintenant, vous allez tout savoir. Et d'abord assister à son effondrement, lors du plissement alpin à l'ère tertiaire : elle qui se croyait tranquille tombe de haut de plus de 2 000 mètres. La mer s'avance alors, puis se retire, et laisse un lac immense au fond duquel les sédiments, s'accumuler sur plus de 1 500 mètres d'épaisseur ! Le lac se retire en laissant des marécages qui vont peu à peu disparaître le mot Limagne signifie « grand lac ». Puis les cours d'eaux rabotent une partie des sédiments, déposent des alluvions… La Limagne est prête pour les meilleurs rendements !

Trois en une...

La Limagne peut se décliner au pluriel, sa structure et la composition de ses sols présentent des nuances ou des différences suffisantes pour la répartir en trois Limagnes :

- ✔ la Grande Limagne : c'est la Limagne de Clermont-Ferrand. Ses sols marneux assurent en son centre sa fertilité, tandis qu'à l'est, cette fertilité s'affaiblit en raison de la couverture de sables du pliocène ;

- ✔ la Limagne d'Issoire, avec ses butes volcaniques aux formes douces ;

- ✔ la Limagne de Brioude, qui ferme... la Limagne.

Chapitre 4

Bords de mers

• •

Dans ce chapitre :

▶ Jugez de la diversité des côtes de France

▶ Laissez-vous aller au charme des noms donnés aux rivages

▶ Découvrez les grandes et petites îles côtières

• •

*L'*approche de la mer où toute forme se dissout rend prudent le langage qui tente d'en rendre compte. Unique et multiple, faux dormeur, véritable propriétaire du globe dont il ne nous laisse qu'un cinquième, l'océan prend son temps. Comme un patient prédateur, il frôle nos côtes, félines caresses dont nous allons décrire les traces avec de jolis mots. D'opale et d'émeraude, d'amour et d'argent, les bords de mer sont engageants. En attendant…

Branloire pérenne

Montaigne l'a écrit : « Le monde est une branloire pérenne ! » Tout bouge, partout, sans cesse, alors que nous croyons à l'immobile. La Terre est une coquette qui, depuis la nuit des temps, change d'allure en déplaçant ses continents. Suis-je plus jolie en Pangée, ou bien avec ce deux-pièces Gondwana-Laurasia ? Et si je découpais encore davantage : une Europe ici, une Afrique là, des Amériques… Lasse peut-être, ou satisfaite – mais les belles ont la satisfaction éphémère – elle s'est mise en repos après avoir froufrouté de toutes ses dentelles pendant plus de 500 millions d'années ! Oui, 500 millions ! Et elle se repose depuis à peine cinq mille ans ! La ligne des eaux, au bord des terres émergées, s'est fixée voilà cinq millénaires seulement ! Peu de temps auparavant, la mer s'était retirée de plus de 150 mètres, pour remonter à plus de 80 mètres par rapport au niveau zéro d'aujourd'hui, sous d'importantes variations de températures, bien avant qu'on parlât du trou dans la couche d'ozone… Tout bouge, tout le temps…

Côte, côte, côte...

Attention : mis à part la cote, sans accent, qui désigne une mesure, ou bien la cotte de mailles, ou bien le cotillon – qui est la cotte de dessous pour les dames –, il y a côte et côte ! La côte en général, et la côte en particulier. Certes, c'est encore flou et vous vous demandez si on ne vous emmène pas en bateau. Oui et non : oui parce que nous abordons le continent du sémantisme (du sens des mots), et non, parce que tout cela est très sérieux !

✔ La **côte** en général désigne la zone de contact entre l'extrême limite d'un pays et la mer. La côte en particulier, ce n'est ni le littoral, ni le rivage.

✔ Le **littoral** désigne la partie d'un pays, d'une région, qui subit l'influence de la mer ; le littoral se termine où commence l'arrière-pays.

✔ Le **rivage** subit l'action des marées, ses limites sont la ligne des hautes eaux et celle des basses eaux (la marée) ; cet espace porte aussi le nom spécifique d'**estran**.

✔ Et puis il y a la côte à proprement parler qui est un relief, même minime. En bordure de mer, la côte est le relief situé au-dessus de l'estran ; le contact entre ce dernier et la côte se nomme le **trait de côte**.

Muni de ce vocabulaire, vous allez pouvoir visiter les trois types de côtes françaises : les rocheuses, les sableuses et les marais maritimes.

La côte des chiffres

La France compte 5 500 kilomètres de côtes – 3 800 en façade atlantique, 1 700 en façade méditerranéenne. 28 % de ces côtes sont des rocheuses, 13 % des falaises, 35 % des sableuses, 24 % sont occupées par des marais ou des vasières. Les côtes françaises sont échancrées de plus de 800 estuaires.

Les rocheuses

Des côtes de craie en Normandie, des côtes de granit en Bretagne, des schistes au Pays basque, et puis les calanques méridionales... Embarquons !

Laissez-vous emmener en bateau...

Et si nous faisions l'acquisition d'un voilier ? Un superbe voilier de 15 mètres, avec une grande voile blanche, qui filerait sur les flots, sous le soleil, dans le doux balancement des vagues – et complètement gratuit ! Est-ce possible ?

Oui, vérifiez dans le port de votre imagination : il est là, flambant neuf, à l'ancre – ou plutôt à l'encre… Il n'attend que vous. Bienvenue à bord ! Nous voici déjà près des côtes normandes – ce type de bateau file à la vitesse de l'idée… !

Tour des côtes rocheuses

Approchons. Voyez cette falaise crayeuse, sur la côte normande, que la mer attaque sans cesse, à chaque vague : c'est le premier type de côte rocheuse que nous rencontrons. Ce type de côte en faille porte parfois des vallées suspendues qui portent le curieux nom de *valleuses* ! L'idée, maintenant, c'est de contourner les côtes bretonnes : voyez ce découpage hardi dans le vieux socle hercynien. Tantôt on dirait un éboulis de rochers géants, tantôt un rempart attaqué de toutes parts, plein de cassures et d'ébréchures, mais qui tient bon ! Descendons face aux Pyrénées où les falaises de schiste du Pays basque marquent la frontière française. Nous contournons la péninsule Ibérique, afin d'observer les derniers types de côtes rocheuses françaises : les falaises des Pyrénées-Orientales et des Alpes-Maritimes – les calanques –, ou bien les calanches de Piana, site classé de la côte ouest de Corse.

Les sableuses

Longues plages de sable blanc, de sable blond, petits refuges pour confidences ou pour l'intimité, les côtes sableuses accueillent tous les projets de repos, de détente, et plus si affinités, sur sable fin ou petits galets, quand vous voulez, comme vous voulez…

Baiser volé…

Depuis qu'Alain Souchon a été victime d'un cambriolage sur la plage de Malo-Bray-Dunes, cette station balnéaire est mieux connue du grand public – le chanteur, rappelons-le, s'était fait dérober un baiser par une inconnue qu'il avait croisée sur le chemin des dunes ; il en a laissé un signalement suffisamment précis pour qu'on puisse la retrouver : elle a des boucles brunes et porte une écharpe ; si vous la croisez à votre tour, rien ne vous empêche de récupérer ce baiser afin de le rendre à son propriétaire.

Petites criques

Tout cela pour vous dire que nous partons du nord de la France, sur notre grand voilier blanc, afin de voir se dérouler sous nos yeux les magnifiques côtes sableuses flamandes d'abord, puis, à l'ouest, les bretonnes – ah ! ces délicieuses petites criques intimes… – avec leurs pointements rocheux ; voici ensuite la côte landaise, échancrée par le bassin d'Arcachon ; ce rapide tour de France des côtes se termine par celles de Méditerranée, qu'un cordon littoral – ou lido – peut border afin d'isoler des étangs lagunaires, tels ceux de Thau, de Leucate.

Démaigrir...

Ces plages de sable fin, sur le littoral atlantique, démaigrissent, selon les géographes ; ce qui signifie qu'elles réduisent leur épaisseur et leur surface ; la mer, actuellement, ne cesse de gagner du terrain !... En d'autres lieux, ce sont les installations des hommes qui modifient la côte. Ainsi les aménagements portuaires du Tréport, de Dieppe ou de Fécamp qui empêchent les galets de gagner la flèche du Hourdel, devenue sensible aux tempêtes. Ainsi la création du port de plaisance de Port-Camargue qui a fait démaigrir les plages du Grau-du-Roi et celles de La Grande-Motte.

Les marais maritimes

Impossible de faire évoluer notre voilier en ces zones de vases ou de limons mélangés de sable appelées marais maritimes. Ils se situent au fond de la baie du Mont-Saint-Michel, ou bien dans la baie de l'Aiguillon, ou bien encore au fond de la baie d'Arcachon. Ces marais maritimes doivent être visités avec le vocabulaire suivant :

- les **molières** : ce sont des zones d'eaux stagnantes ;

- la **slikke** ou la **vasière** : il s'agit de la partie basse des marais, inondée à marée haute ;

- le **schorre** ou l'**herbu** : partie haute du marais, recouverte seulement lors des grandes marées ;

- le **palu** (de *palus*, en latin, « le marais ») : c'est le nom donné aux marais dans le Sud-Ouest.

La Brière, entre deux coups de fusil...

Voilà dix mille ans, des populations du néolithique vivaient dans de grandes forêts situées dans les environs de Guérande – aujourd'hui, la Brière –, en Loire-Atlantique. La branloire pérenne étant toujours en mouvement, le socle supportant cette forêt s'affaissa et la mer envahit les terres. Tous les arbres se couchèrent puis disparurent sous les flots ! Plus tard, la mer se retira, laissant un immense marais. De la tourbe, résultant de la décomposition des végétaux, s'est formée depuis. En la récoltant pour en faire un médiocre combustible, on trouve parfois, à partir d'un mètre ou deux de profondeur, des troncs de chênes de la forêt néolithique. Ils sont durs et résistants comme de la pierre. On les appelle des *mortas*. La Brière, devenue un parc naturel régional en 1970, est le deuxième marais de France après la Camargue. Propriété indivise de vingt et une communes, elle s'étend sur plus de 40 000 hectares sillonnés de canaux, à travers les roseaux... Mais attention ! Voici ce que le poète René Guy Cadou (1920-1951) écrit à propos de son pays : « ...Parce que c'est tout à fait extraordinaire / D'être né un jour de carnaval au fond de la Brière / Où rien n'est travesti / Où tout se règle à l'amiable entre deux coups de fusil... »

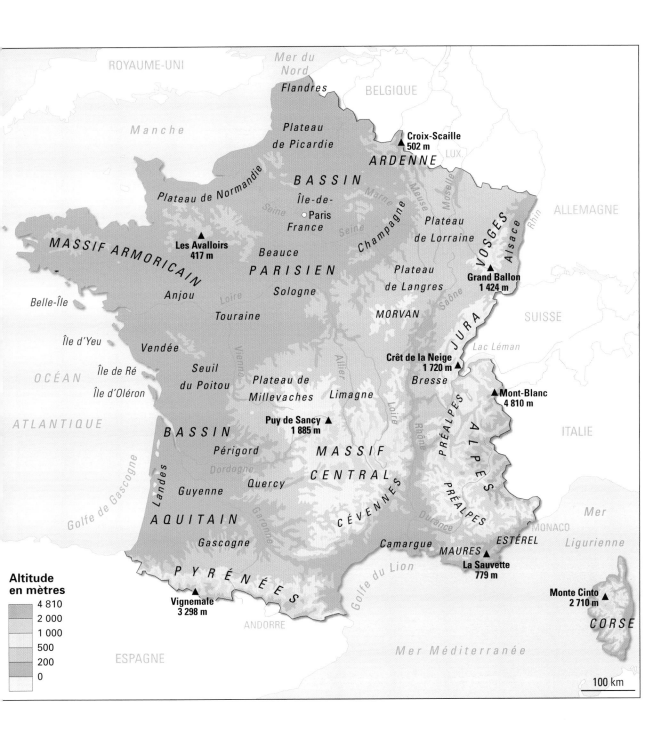

ROYAUME-UNI

Mer du Nord

BELGIQUE

Manche

Flandres

Plateau de Picardie

▲ Croix-Scaille 502 m

ARDENNE

LUX.

Plateau de Normandie

BASSIN

Île-de-France

○ Paris

ALLEMAGNE

Seine

Marne

Champagne

Meuse

Moselle

Plateau de Lorraine

V O S G E S

Alsace

Rhin

MASSIF ARMORICAIN

▲ Les Avalloirs 417 m

Beauce

PARISIEN

Seine

Plateau de Langres

Grand Ballon ▲ 1 424 m

Anjou

Sologne

Loire

MORVAN

Saône

J U R A

SUISSE

Belle-Île

Touraine

Crêt de la Neige ▲ 1 720 m

Lac Léman

Île d'Yeu

Vendée

Vienne

Bresse

Île de Ré

Seuil du Poitou

Plateau de Millevaches

Limagne

Allier

Loire

P R É A L P E S

▲ Mont-Blanc 4 810 m

OCÉAN

Île d'Oléron

Puy de Sancy ▲ 1 885 m

A L P E S

ITALIE

ATLANTIQUE

BASSIN

Périgord

Dordogne

Quercy

M A S S I F

C E N T R A L

Rhône

P R É A L P E S

MONACO

Mer Ligurienne

Landes

Guyenne

Garonne

C É V E N N E S

Durance

ESTÉREL

AQUITAIN

Gascogne

Camargue

MAURES ▲

La Sauvette 779 m

P Y R É N É E S

Golfe du Lion

Monte Cinto ▲ 2 710 m

Altitude en mètres

4 810
2 000
1 000
500
200
0

Vignemale 3 298 m

ANDORRE

ESPAGNE

Mer Méditerranée

CORSE

100 km

Des forêts, des brumes douces,
des formes souples...
les Vosges !

La Champagne : pouilleuse ou crayeuse ?

Les Alpes : des chahuts en cols blancs

En Alsace

Le mont Lozère dans les Cévennes

Un paysage de la Côte d'Azur

L'aiguille d'Étretat, sur la Côte d'Albâtre

Belle-Île en Mer, sur la Côte Sauvage

Les Îles Sanguinaires, à l'entrée du golfe d'Ajaccio, en Corse

Les îles Chausey, au large de la presqu'île du Cotentin

Le Tarn, qui prend sa source au mont Lozère, arrose la ville d'Albi

La Moselle, affluent du Rhin

La Dordogne, près de Trémolat, dans le Périgord

Le pont de Pierre enjambe la Garonne, à Bordeaux

La Seine, nonchalante passante

Le joli nom des côtes

L'approche de la mer souvent ranime au fond du cœur du contemplateur d'infini les sources de la poésie. Elles irriguent alors le langage, y laissent d'émouvantes traces ou de plaisantes trouvailles. À vous de juger si les noms qui ont été donnés aux côtes françaises relèvent de l'une ou de l'autre catégorie – à moins que vous en trouviez une troisième…

De l'Opale à la Nacre

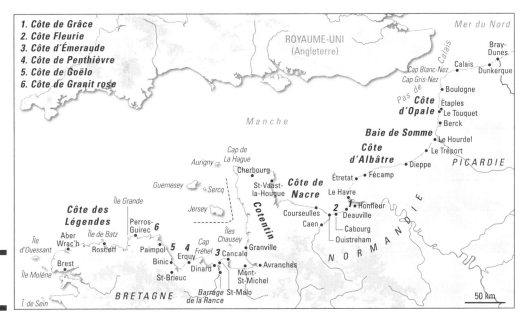

1. Côte de Grâce
2. Côte Fleurie
3. Côte d'Émeraude
4. Côte de Penthièvre
5. Côte de Goëlo
6. Côte de Granit rose

Figure 4-1 :
De l'Opale à la Nacre.

La Côte d'Opale, la Côte d'Albâtre, la Côte Fleurie, la Côte de Grâce, la Côte de Nacre… Voilà votre premier parcours en poésie côtière…

La Côte d'Opale, de Dunkerque à la baie de Somme

Elle s'étend de Dunkerque à la baie de Somme. Mais on peut lui donner pour point de départ Bray-Dunes, à quelques kilomètres au nord-est de Dunkerque, et sa voisine, Zuydcoote. Celle-ci est devenue célèbre à la suite du roman de Robert Merle – *Un week-end à Zuydcoote* –, prix Goncourt 1949, où sont racontés les neuf jours de 1940 pendant lesquels 340 000 hommes furent évacués vers l'Angleterre. Après Dunkerque, on trouve Gravelines, cité fortifiée par Vauban. Voici maintenant Calais ; le cap Blanc-Nez, une falaise imposante qui culmine à 134 mètres ; le cap Gris-Nez d'où on peut apercevoir les falaises blanches de l'Angleterre (blanc se traduit en latin par albus, qui a donné Albion – l'Angleterre – nom propre auquel certains adjoignent, sous leur responsabilité, perfide !). Voici maintenant Boulogne, Bagatelle, Étaples, Le Touquet et Berck-sur-Mer. Nous sommes en baie de Somme…

La Côte d'Albâtre

Albus… Vous connaissez la signification de cet adjectif latin : « blanc ». Et regardez maintenant la Côte d'Albâtre, de notre voilier blanc… Elle est éblouissante de blancheur, ou presque, du Tréport au Havre. Si vous descendez du bateau, vous pouvez suivre, à pied, à cheval ou en voiture, la route qui va vous conduire de Dieppe à Étretat. Vous allez découvrir des perspectives à couper le souffle, et emprunter des valleuses – vallées suspendues. Ne manquez pas l'Aiguille d'Étretat qui fait face à une sorte de grande jambe s'enfonçant dans la mer : la Porte d'Aval. L'Aiguille d'Étretat est connue des passionnés d'Arsène Lupin – de Maurice Leblanc – qui dissimule là les belles collections qu'il a volées dans les musées européens…

La Côte fleurie

« Je me promenais, messieurs, dernièrement le long de votre plage et je me disais : Deauville est un nom qui évoque la poésie de la verdure et des fleurs, comme presque toute notre côte normande d'ailleurs… Vous faites donc, messieurs, œuvre de patriotisme en vous efforçant d'embellir encore par vos soins notre belle contrée et, comme il y a sur la Méditerranée la Côte d'Azur, grâce à nous, il y a sur la Manche la Côte fleurie ! » Ainsi s'exprima, en 1903, le comte Raymond Coustant d'Yainville, alors conseiller général du Calvados, maire de Grangues, mais surtout président de la Société d'horticulture de l'arrondissement de Pont l'Évêque, qui s'adressait aux horticulteurs de la région. Depuis, Deauville s'appelle « la Plage fleurie », et Houlgate, « la Perle de la Côte fleurie » – qui s'étend de Honfleur à Cabourg.

La Côte de Grâce

Comprise dans la Côte fleurie, la Côte de Grâce fait face à Honfleur. Elle doit son nom à un sanctuaire construit en 1615 et dédié à Notre-Dame de Grâce. Il remplaçait une ancienne chapelle élevée à la suite d'un vœu fait par Richard II de Normandie pour avoir échappé à une tempête. Chaque année, à la Pentecôte, a lieu un défilé d'enfants qui emportent des maquettes de bateaux, de Honfleur à Notre-Dame-de-Grâce.

La Côte de Nacre

De longues plages, de petites falaises, entre Cabourg et Courseulles-sur-Mer, en passant par Ouistreham, Lion-sur-Mer. Ici commencent les plages du débarquement du 6 juin 1944. Vous êtes face à Sword Beach ; près de Courseulles commence Gold Beach. Voulez-vous tout connaître, tout comprendre du Débarquement et de la Seconde Guerre mondiale, ou de l'histoire du monde de 1918 à nos jours ? Remontez l'Orne jusqu'à Caen, vous trouverez, sur l'esplanade Eisenhower, le Mémorial inauguré le 6 juin 1988.

Au large, les îles

Plusieurs îles entourent la presqu'île du Cotentin :

- Saint-Marcouf – au sud de Saint-Vaast-la-Hougue – deux îles : l'île du Large, ses deux hectares et sa caserne circulaire ; l'île de Terre, interdite aux visiteurs qui ne sont ni des cormorans, ni des aigrettes garzettes, des goélands ;

- Tatihou – dans la baie de Saint-Vaast-la-Hougue : son musée maritime, son centre de culture scientifique, son atelier de charpente navale et ses oiseaux de mer en site protégé – à marée basse, on peut y accéder à pied ;

- Aurigny, 8 km², 2 400 habitants, Guernesey et Jersey sont des îles anglaises – au caractère normand… ;

- Chausey – au Sud du Cotentin, face à Grandville – : les îles Chausey sont composées de 365 îlots à marée basse et de 52 à marée haute… Les principaux habitants – outre quelques dizaines d'humains – sont des tadornes, des sternes, des pingouins torda, des fous de bassan… ;

- face à Avranches : le Mont-Saint-Michel.

De l'Émeraude aux Légendes

Le goût de l'infini, à Cancale, au cap Fréhel, à Paimpol, du granit rose, des légendes et des îles qui rendent possible, ou réel, le rêve… C'est votre deuxième parcours côtier.

La Côte d'Émeraude

Vous arrivez à Cancale, ne vous arrêtez pas, vous aurez tout le temps de le faire un peu plus tard, dès que vous aurez atteint, à l'extrémité de la rue principale de ce petit port, le lieu où vous attendent les vendeurs d'huîtres. C'est un petit carré d'étals où on vous ouvre les deux ou trois douzaines que vous commandez, en vous précisant qu'elles sortent à l'instant de la mer ! Installez-vous ensuite sur le petit muret, face à l'océan. Dégustez la première huître, fermez les yeux… N'est-ce pas que voici le goût de l'infini !

Trois douzaines plus tard, continuez par la pointe du Grouin, le barrage de la Rance – l'usine marémotrice, productrice d'électricité –, Saint-Malo, Dinard. Et enfin, le cap Fréhel, situé à l'extrémité de 300 hectares de landes sauvages et qui surplombe la mer du haut de ses 70 mètres ! Si vous vous demandez pourquoi cette côte est d'Émeraude, allez manger des huîtres à Cancale, et regardez la mer !

Figure 4-2 : De l'Éme- raude aux Légendes.

Au large, les îles

- Le Grand-Bé – tombeau de Chateaubriand, face à la mer (et à Saint-Malo…) ;

- Cézembre, au large de Saint-Malo : fortifiée par Vauban, inhabitée depuis que les ermites l'ont quittée, il y a quelques siècles, abîmée par les bombardements de la dernière guerre, elle offre une belle plage de sable blanc ;

- Agot et Hébihens, au large de Saint-Jacut-de-la-Mer.

La Côte de Penthièvre

Du cap Fréhel, vous venez d'apercevoir au loin une tour qui semble émerger des brumes du mystère… Peut-être reconnaissez-vous son profil et ses environs – signés Vauban – pour avoir vu le film *Chouans*, avec Sophie Marceau, Lambert Wilson et Philippe Noiret dont le personnage invente… l'ULM au feu de bois ! Cette tour fait partie du Fort-La-Latte, sur la pointe du même nom. Construit au XIIIe siècle par la famille Goyon-Matignon, il fut pris par Du Guesclin en 1379. En 1490, les Anglais l'assiégèrent, en vain. Et au XVIIe siècle, Vauban le transforme.

Aujourd'hui, il est classé monument historique. Ce fort marque – avec le cap Fréhel où se termine la Côte d'Émeraude – le commencement de la Côte de Penthièvre que vous allez suivre jusqu'à Erquy – le village d'Astérix – la capitale de la coquille Saint-Jacques, et jusqu'à son terme : Pléneuf-Val-André et, tout près, le petit port de Dahouët dont les marins furent les premiers à partir pour Terre-Neuve pêcher la morue, il y a quatre siècles !

La Côte du Goëlo

Saint-Brieuc, Binic – le grain de beauté des Côtes-d'Armor –, Saint-Quay-Portrieux – et sa légende du saint moine *Ké*, battu par les femmes après avoir traversé la Manche dans une auge… de pierre pour fonder la petite ville ! Et puis voici les grandioses falaises de Plouha, la pointe de la Tour, la pointe Berjule, celle de Minard, de Plouézec – fascinants paysages… Qui n'a pas parcouru la Côte de Goëlo ignore pour toujours la beauté sans défaut !

Voici Paimpol, le port du roman *Pêcheur d'Islande*, de Pierre Loti (Julien Viaud, 1850-1923) : Yann et Gaud s'aiment, mais Yann part pour la pêche en Islande… et ne reviendra pas – pendant les quatre-vingt-trois ans qu'ont duré les campagnes de pêche en Islande, deux mille marins ont péri en mer, dans le naufrage de plus de cent goélettes. Ah, vous cherchez la fameuse falaise de Paimpol qui trône dans la chanson de Théodore Botrel : « J'aime Paimpol et sa falaise »… Elle n'existe pas ! Et Botrel n'a jamais mis les pieds à Paimpol !

Au large, les îles

✔ Bréhat – 309 hectares, un peu plus de 400 habitants, mais en saison estivale, plus de 10 000 amoureux de cette île de granit rose où la lumière semble arriver de ses sources premières. L'île nord et l'île sud qui composent la commune de l'Île-de-Bréhat sont reliées par le pont Vauban – la chaussée Vauban –, construit à la fin du XVIIe siècle, en même temps que les fortifications de l'île destinée aux corsaires ! On circule à pied, sur l'île de Bréhat – ou en tracteur, seulement… ;

✔ Béniguet et Logodec, voisines de Bréhat ;

✔ Saint-Maudez, à l'Ouest de Bréhat.

La Côte de Granit rose

Voulez-vous voir des rochers roses ? Et puis quoi encore !… Mais si ! Et le spectacle est grandiose ! La côte sur laquelle vous les trouverez s'appelle justement la Côte de Granit rose – elle s'étend de la presqu'île de Plougrescant aux rives du Léguer, en Bretagne nord ! Et ces granits sont de toutes tailles, de toutes formes. L'imagination leur donne même des noms qui permettent de les identifier, de les apprivoiser, peut-être… Vous verrez ainsi le Chapeau de Napoléon, les Titans pétrifiés (avec la légende que vous pouvez imaginer !), la Sorcière, ou bien celui qui vous attirera irrésistiblement : la Guérite des amoureux…

Ces granits roses rabotés, poncés et lissés (près du phare de Min-ruz, à Ploumanac'h) par des âges de pluie, de vents, de gel, de dégels et de grandes chaleurs, ont plus de 300 millions d'années. Ils ont connu le fond des mers et les dinosaures, le tremblement des Alpes, les rhinocéros (oui, oui, au quaternaire, le climat était subtropical en Bretagne et ailleurs), Astérix peut-être, et beaucoup de ses lecteurs sûrement ! Avant de partir, n'oubliez pas d'enfiler dans votre collier de souvenirs la perle de cette côte : Perros-Guirec (de *pen* et *ros*, « sommet de la colline », et Guirec, moine gallois évangélisateur, débarqué là en 580).

Au large, les îles

✔ Saint-Gildas, face à Port-Blanc ;

✔ L'archipel des Sept-Îles : Malban, Rouzic, Bono, Les Costans, l'île aux Moines, l'île Plate et Le Cerf – au large de Trégastel – la plus importante réserve ornithologique de France ; elle abrite vingt-sept espèces d'oiseaux nicheurs, treize y résident en permanence – des fous de bassan (plus de 17 000 couples !), des petits pingouins, des macareux moines, des cormorans huppés… ;

✔ L'Île Grande, au large de Pleumeur-Bodou – station ornithologique, construite en 1984 et spécialisée dans le démazoutage des oiseaux.

La Côte des Légendes

Des légendes… En Bretagne, elles sont mille et mille, et toutes plus fantastiques les unes que les autres. Pas un téléfilm, pas un film, ou n'importe quelle superproduction ne parviendra jamais à rendre ce qu'ont pu produire dans l'imagination de ceux qui les entendaient les histoires de revenants, racontées par les nuits sans lune, près des braises mourantes, pendant que le vent siffle aux portes ! Un bruit de chaînes au-dehors : c'était l'ankou – la mort – qui passait sous les fenêtres… Au pays des abers – de petits estuaires pour tout petits fleuves – d'autres légendes sont racontées : celle des naufrageurs qui faisaient de grands feux sur la côte par les nuits de tempête afin d'attirer les navires en perdition, de les faire s'écraser sur les nombreux rochers, puis de les piller (lisez la fin du poème d'Aragon, « Les Yeux d'Elsa »…) !

Le pays des abers est cette Côte des Légendes, à la pointe nord du Finistère. Lors de la remontée des mers, il y a plus de dix mille ans, l'eau s'est engouffrée profondément dans les terres à la faveur de vallées qu'elle a abandonnées beaucoup plus tard, y laissant une mince rivière et souvent beaucoup de sable. Attardez-vous dans l'aber Benoît, sur sa plage de Béniguet, avant de visiter l'aber Wrac'h, au-delà de la presqu'île Sainte-Marguerite. Vous apercevrez alors le plus haut phare de pierre du monde : le phare de l'île Vierge ! Construit à la fin du XIXᵉ siècle, il a une portée de 52 kilomètres et il vous faudra monter 335 marches pour en atteindre le sommet.

Au large, les îles

- Batz, face à Roscoff – c'est Enez vaz, en breton, c'est-à-dire « l'île basse », par rapport à Ouessant qui est l'île haute ; Batz abrite le jardin Georges-Delaselle, un assureur parisien qui y avait acclimaté des plantes subtropicales. Le jardin, abandonné dans les années 1930, a été acheté par le Conservatoire du littoral, et abrite 1 700 espèces végétales du monde entier ;

- Ouessant – début et fin du monde dans les brumes où le temps se dissipe, dans le bruit des vagues sur les récifs… Située à une vingtaine de kilomètres au large de la pointe Saint-Mathieu dans le Finistère, Ouessant est l'île la plus haute (30 mètres) d'un archipel qui comprend six autres îles : Beniguet, Quéménès, Trielen, Molène – et sa colonie de phoques gris –, Balanec – où nichent des puffins, des macareux, des sternes pirregarin et naines, des huîtriers pie, des cormorans huppés… – et Banec ;

- Sein (de *senus* en latin : « courbe », ou du gaulois *senos* : « vieux ») – écueils et récifs entourent cette île située à 8 kilomètres de la pointe du Raz, en mer d'Iroise. Longue d'à peine 3 kilomètres, large d'un peu plus de 500 mètres, elle semble en partance pour un autre monde et, limitant le nombre de pas, offre à la pensée l'approche la plus intense de l'infini. En 1940, les 129 pêcheurs de l'île, répondant à l'appel du 18 juin, partent pour l'Angleterre ;

✔ Les îles de Glénan – il faut quitter la Côte des Légendes, se diriger vers le Sud, passer la pointe de Penmarc'h et filer Sud-Est pour atteindre, à une vingtaine de kilomètres au Sud de Bénodet et de Concarneau, l'archipel des Glénan – et son école de voile, Les Glénans, créée en 1947. Il comprend huit îles habitables, une seule habitée, l'île Saint-Nicolas ; les autres portent les noms de Penfret, Drennec, Loch, Brunec, Bananec, la Cigogne, l'île des Moutons – sans compter de nombreux îlots.

La Côte sauvage

Si vous êtes allé à Belle-Île, vous avez emprunté la route de la presqu'île de Quiberon. Durant 8 kilomètres, vous avez ainsi longé la Côte sauvage qui dresse ses rochers comme le ferait un fauve attaqué par cent mille autres… Ces cent mille autres portent un nom : l'océan Atlantique qui avance ses pattes blanches et écumeuses patiemment… Il sait qu'il dispose de tout son temps, jusqu'à la fin des temps…

Qui voit Ouessant…

« Qui voit Molène voit sa peine, qui voit Ouessant voit son sang, qui voit Sein voit sa fin ! » Ainsi les terre-neuvas ont-ils traduit les périls extrêmes qui les menaçaient en côtoyant Molène, Ouessant et Sein, entourées de récifs et souvent fouettées de puissants vents de suroît (venant du sud-ouest). Certains ont complété ce rythme ternaire en y ajoutant : « Qui voit Groix voit sa croix » – autre version : « voit sa joie »… La liste n'est pas close, à vous de tenter votre chance de rimeur des îles…

Au large, les îles

✔ Groix – vous débarquez à Port-Tudy, port de pêche ; vous partez visiter le phare de Pen-Men, le Trou de l'Enfer ou la pointe de Chats ; vous terminez par une étrange plage baladeuse, la plage des Grands Sables : elle migre tout doucement vers le Nord-Est sans cesse, au gré des courants qui longent l'île au Nord et au Sud. 2 300 habitants, environ, la peuplent.

✔ Theviec, au large de la presqu'île de Quiberon – vingt-deux squelettes humains préhistoriques, entourés de débris de flèches, y ont été découverts en 1929 ;

✔ L'île aux Moines – au large de Vannes ; les moines de l'abbaye de Redon s'y installèrent en 852. Depuis longtemps, ils ont laissé la place à de riches armateurs au XVe siècle, puis aux touristes aujourd'hui ;

✔ Belle-Île – l'actrice Sarah Bernhardt (Rosine Bernard, 1844-1923) aima y séjourner à partir de 1894, près de la pointe des Poulains où se trouvait sa propriété. Belle-Île appartint au fortuné puis infortuné Fouquet, l'homme d'affaires de Mazarin, emprisonné par Louis XIV. L'île fortifiée par Vauban en 1690 – visitez le fort du même nom – fut prise par les Anglais en 1761, rendue à la France en 1763. Des Acadiens chassés de leurs terres par les Anglais y trouvèrent refuge en 1765. Partant de Quiberon, vous naviguez une heure avant d'atteindre Le Palais qui vous ouvre les portes d'un paradis de paysages – les aiguilles de Port-Coton, par exemple ;

✔ Houat (« le grand canard », en breton, à cause de la ressemblance de l'île avec un canard en vol) – à l'Est de Belle-Île, 5 kilomètres de longueur pour à peine 2 kilomètres de largeur. Ce plateau granitique est peuplé de 330 habitants ;

✔ Hoëdic (« le petit canard », en breton) – au Sud-Est d'Houat. Hoëdic et Houat sont les sommets d'une ligne de crêtes émergées il y a cinq mille ans et qui reliaient Quiberon au Croisic.

D'Amour et d'Argent

La Baule, Noirmoutier, Yeu, Ré, Oléron, Mimizan, Lacanau… Suivez le guide qui vous conduit de l'amour à l'argent en passant par les îles.

La Côte d'Amour

Le cœur de la Côte d'Amour, c'est La Baule. Cet amour-là tient son nom d'un petit bois – le Petit bois d'Amour –, lieu des premiers rendez-vous galants à la fin du XIXᵉ siècle, lorsque le site commence à être recherché pour sa discrète tranquillité. Le Bois d'amour avait été planté à la suite de l'ensevelissement du village d'Escoublac par le sable, en 1779, après une violente tempête – Escoublac ayant été reconstruit, plus tard, à l'intérieur des terres. Une légende affirme qu'on entend parfois sonner les cloches du village disparu…

L'amour sorti du bois a non seulement conquis La Baule – *la bôle* il y a cent ans désignait une sorte de marais – mais s'est étendu tout près à Pornichet, au Pouliguen, à Saint-Marc-sur-Mer où Jacques Tati installa en 1951 ses caméras pour tourner *Les Vacances de monsieur Hulot*. Côte d'Amour aussi, Le Croisic, port de pêche d'où on aperçoit la presqu'île de Pen-Bron. Côte d'Amour, La Turballe et Piriac-sur-Mer, Batz et les marais salants de Guérande – laissez fondre sur votre langue un grain de fleur de sel, fermez les yeux. Silence. Bruit des vagues… Pour un instant, le cœur de la Côte d'Amour, c'est vous…

La Côte de Jade

Connaissez-vous cette légende chinoise ? Un jeune homme demande à un vieux sage de lui apprendre ce qu'est le jade. Le vieux sage lui met dans la main une pierre de jade, lui dit de la garder au creux de sa paume pendant une heure, lui parle de tout et de rien, le renvoie chez lui et lui demande de revenir le lendemain. Chaque jour, pendant des mois, se déroule la même scène. Mais un jour, le vieux sage omet de mettre la pierre dans la main du jeune homme qui devient soudain anxieux. Le vieux sage lui dit alors : « Maintenant, tu sais ce qu'est le jade. »

Quel est l'intérêt géographique de cette histoire ? Aucun, mais elle est belle... Un intérêt cependant : vous dire que les plages de Saint-Brévin-les-Pins sont un lieu idéal pour pratiquer un art... chinois : le cerf-volant ! Vous dire qu'après un spectacle de cerfs-volants, vous pouvez vous diriger vers la station balnéaire préférée de beaucoup de Nantais : Pornic. Vous dire que la Côte de Jade se termine dans la baie de Bourgneuf, près de Noirmoutier. Vous dire que si voulez connaître la couleur du jade, allez, comme un vieux sage, sur la côte qui porte son nom...

Les trois pertuis...

Un pertuis ! Vous savez ce qu'est un pertuis : issu de *pertusiare* en latin, le pertuis désigne un trou – et la pertuisane, une arme destinée à faire des trous dans celui qu'on vous désigne comme l'ennemi ! Eh bien regardez Ré et Oléron : vous voilà en présence de trois pertuis ! Pourtant, aucun trou, sinon une trouée, un détroit entre les îles ou bien entre l'île et le continent. On découvre ainsi, au Nord de Ré, le Pertuis breton ; entre l'île de Ré et l'île d'Oléron, le pertuis d'Antioche – ainsi nommé parce que c'était la voie qu'empruntaient les Templiers partant de Rochefort pour se rendre en Méditerranée, puis dans la principauté d'Antioche qu'ils possédaient en Turquie – Antioche (aujourd'hui Antikia) était la capitale de l'État latin du Levant ; entre le Sud de l'île d'Oléron et la pointe d'Arvert, le pertuis de Maumusson.

Au large, les îles

✔ Noirmoutier – vous pouvez accéder à pied sur cette île par le passage du Gois (un gué de 4 500 mètres de longueur) qui se découvre deux fois par jour, à marée basse. Attention, si vous partez trop tard de l'île ou du continent, vous coulez à mi-chemin ! Noirmoutier, est-ce le noir moustier (monastère) ? Est-ce le nom obscur d'une abbaye fondée par l'évangélisateur saint Philibert au VIIe siècle, qui fait élever des digues et commence à exploiter le sel ? Nul ne sait... Noirmoutier, où sont tombés près de deux mille îliens pendant la Révolution, accueille aujourd'hui des milliers de touristes. L'île produit des pommes de terre, notamment la bonnotte qui est un pur délice ;

✔ Yeu – de Port-Breton, devenu Port-Joinville au XIXᵉ siècle (de l'amiral de Joinville, fils de Louis-Philippe), partent les bateaux pour la pêche au thon germon ou aux crustacés. Au fort de la Pierre-Levée, le maréchal Pétain est détenu à vie à partir de 1945, pour collaboration avec l'occupant – mort le 23 juillet 1951, il est inhumé au cimetière de Port-Joinville ;

✔ Ré – on s'éloigne de la Côte de Jade, en passant au large des Sables-d'Olonne, puis de La Tranche-sur-Mer. À La Rochelle, on ne prend plus le bac pour Ré, mais on emprunte le pont mis en service en 1988. L'île, séparée du continent au Nord par le pertuis Breton, comprend trois îles... réunies aujourd'hui : Ars et sa pointe des Baleines, Loix et sa pointe du Grouin, Ré et son fort de Saint-Martin, étape obligée vers le bagne de Guyane – Alfred Dreyfus y séjourna en 1895 ; aujourd'hui ce fort est une maison de détention. Ré, l'île blanche, accueille de nombreuses célébrités françaises et étrangères ;

✔ Aix – Napoléon passe ici sa dernière semaine en France, du 8 au 15 juillet 1815 ; puis il quitte son Aix pour Sainte-Hélène. À pied ou à vélo – ou en calèche... – vous allez de petite plage en petits bois, la main droite dans le gilet, ou les mains dans les poches, selon votre degré de sympathie pour l'Empire... ;

✔ Fort Boyard – entre l'île d'Aix et la pointe des Saumonnards, à Oléron, dans le pertuis d'Antioche, voici une silhouette que vous reconnaissez pour l'avoir vue quelque soir sur votre écran : Fort Boyard ! Avant de devenir le repaire du père Fouras, le fort, construit entre 1804 et 1859, devait défendre l'embouchure de la Charente. L'évolution de l'artillerie le rendit inutile. Avant d'être déportés en Nouvelle-Calédonie, beaucoup de communards y séjournèrent en 1871 ;

✔ Oléron – voulez-vous déguster des huîtres au goût exquis ? Faites l'emplette de marennes-oléron, en toute saison ! Ou bien, rendez-vous à Marennes – les parcs à huîtres sont immenses –, empruntez le viaduc d'Oléron, le plus long de France avec ses 3 027 mètres, mis en service en 1966 ! À Oléron, comme à Marennes, l'huître est reine ! Soleil, pinèdes et façades blanches, parc ornithologique... De la pointe de Gasteau au phare de Chassiron, du Sud au Nord, vous voilà ravi par l'île de Pierre Loti – il y est inhumé en 1923, dans le jardin de la Maison des Aïeules, demeure de sa mère.

La Côte d'Argent

Voguant vers le Sud, à quelques milles de la côte (un mille marin est égal à 1 852 mètres, le mille étant un nom commun, il prend la marque du pluriel, alors que l'adjectif numéral mille n'en prend pas ; on peut donc écrire, selon le sens : deux milles marins ou deux mille marins...), louvoyons tranquillement tout le long de la côte aquitaine. Ces points blancs dans l'écume qui s'élèvent, retombent et surgissent de nouveau, portent en eux peut-être la mémoire aquatique qui nous fait descendants des poissons : surfeurs de Biscarosse ou bien de Mimizan, et plus au Sud encore, ils se laissent glisser sur la Côte d'Argent, sa dentelle d'étangs, Hourtin ou Lacanau, Cazaux, Léon, Soustons. Les voici à Hossegor, à Biarritz-les-stars – Sarah Bernhardt, Ravel, Cocteau, Hemingway –, à Hendaye-les-rois – Louis XI, François Ier, Louis XIII, Louis XIV… ! Un coup de vent et nous quittons la France…

De Vermeille et d'Azur

Un petit tour d'Espagne avec notre bateau, et voici que nous longeons les côtes méridionales – de Vermeille et d'Azur, héraldique marine…

Figure 4-3 :
De Vermeille
et d'Azur.

La Côte Vermeille

Nous longeons la côte de Biscaye – le Pays basque –, au Nord de l'Espagne. Nous voyons Santander, La Corogne et le cap Finisterre et Porto, Lisbonne, au Portugal, précèdent le grand rocher de Gibraltar. Haltes en Méditerranée, à Malaga, Almeria, Carthagène, Alicante ; halte à Valence – à l'est, les Baléares –, Tarragone et Barcelone ! Le jour se lève. Nous entrons dans le golfe du Lion aux terribles tempêtes, aux orages soudains, entre deux ciels sereins.

C'est le matin. Nous naviguons au large du cap Cerbère où les Pyrénées se jettent dans la mer – mettez-vous sur la pointe des pieds : avec un peu de bonne volonté, vous apercevez le Canigou qui culmine à 2 785 mètres ! Le soleil répand son rouge vif et léger – sa couleur vermeille, voilà que devient clair le nom de la côte. Banyuls – et son vin doux –, Port-Vendres, Collioure, Argelès-sur-Mer. Fin de la Vermeille, et non fin des merveilles. Ciel rouge, voilier blanc, le bleu manque… Partons pour l'Azur !

La Côte d'Azur

« Où fuir dans la révolte inutile et perverse ? Je suis hanté. L'Azur ! L'Azur ! L'Azur ! L'Azur ! » Allons, Stéphane Mallarmé ! Remettez-vous ! Et puis cherchons ensemble, au lieu de répéter quatre fois ce même mot… L'Azur, c'est par ici, venez, nous y allons : voici sa belle côte, de Cassis à Menton ! Et partout des falaises qui tombent à pic dans l'échancrure des criques, des calanques, des plages, Saint-Cyr-sur-Mer, Six-Fours, Le Lavandou, Cavalaire, les îles d'Hyères, Saint-Tropez, Saint-Raphaël, Cannes, Antibes, Cagnes-sur-Mer, Nice et Saint-Jean-Cap-Ferrat, Menton… plus loin, c'est l'Italie avec sa Riviera !

Au large, les îles

✔ Les îles d'Hyères – ou les îles d'or ! Depuis vingt mille ans, séparées du massif des Maures par la montée des eaux, elles perfectionnent chaque jour l'idée qu'on peut se faire de la beauté – celle de la végétation abondante, variée, originale : yuccas, eucalyptus, mimosas, myrtes, lentisques, cistes, romarins, arbousiers… ; celle de la faune aérienne : tadorne de Belon, grand cormoran, héron cendré… ; celle de la faune sous-marine : rascasses, mérous, congres, sars, gorgones, oursins, coraux, nacre… ; celle de longues plages, de calanques, de sentiers parfumés ; celle du pacha à deux queues, papillon rare appelé aussi le jason. Tout cela, bien davantage encore sur Porquerolles, Port-Cros, l'île du Levant, Bagaud, Grand Ribaud – les îles d'Hyères !

✔ Les îles de Lérins – à la fin du IVe siècle, Honorat, qui revient de Grèce où son frère Venance est mort alors qu'ils se rendaient en Terre sainte, s'établit sur une île que tous deux avaient remarquée en partant : l'île Léro, du nom d'un dieu de Ligurie (Nord de l'Italie). Sur l'île voisine, sa sœur, Marguerite, vient s'installer. Tous deux fondent une communauté religieuse. Celle d'Honorat a survécu après cent avatars, elle appartient aujourd'hui aux moines cisterciens. Les îles de Lérins, situées à un kilomètre de Cannes, sont au nombre de quatre : Sainte-Marguerite (170 hectares) et Saint-Honorat (36 hectares) sont les deux plus grandes ; La Tradelière et Saint-Ferréol sont inhabitées. Allez-y en confiance, Honorat et Marguerite, qui sont en paradis, en ont fait leur résidence secondaire… ;

✔ Les îles Sanguinaires – descendons un peu au large de la Corse… Ces îles signalent l'entrée du golfe d'Ajaccio. De porphyre, elles ont la couleur rouge sombre du sang des tragédies ; voilà pourquoi elles sont nommées sanguinaires ! Ne craignez rien si vous les approchez, si vous y accostez au coucher du soleil pour une balade sur la pointe de Barata, personne ne vous y attend un couteau entre les dents… la beauté seule s'offre à votre regard ;

✔ Les îles Lavezzi – dans les bouches de Bonifacio, détroit qui sépare la Corse de la Sardaigne, s'élèvent ces îles de granit rose dont la plus grande couvre 66 hectares. Point d'arbustes, mais beaucoup de plantes – l'obione faux pourpier, l'immortelle, la passerine – et d'espèces d'oiseaux – faucon crécerelle, moineau soulcié. L'aigle de Bonelli et la cigogne noire, migrateurs, y font halte.

Le prisonnier masqué de Sainte-Marguerite

De 1687 à 1698, l'île de Sainte-Marguerite a accueilli, dans son Fort royal, un mystérieux prisonnier : l'homme au Masque de fer (qui était de velours, avec de petites charnières en fer). Qui était-il ? Le frère jumeau de Louis XIV ? Louis XIV lui-même auquel on avait substitué le fils d'Anne d'Autriche et de Mazarin – et qui aurait eu un enfant emmené en Corse, recueilli de bonne part par un généreux foyer… de bonne part ayant donné Bonaparte, le grand-père de Napoléon ? Non ! La vérité est sans doute moins extravagante : celui qui se cachait sous le masque de fer serait un agent double du comte de Mantoue – Hercule-Antoine Mattioli, ou Marchioli, ou de Marchiel ; il aurait révélé les conditions douteuses d'une transaction financière de Louis XIV, ce dernier le faisant enlever, enfermer d'abord à Pignerol puis à Sainte-Marguerite, avant de le transférer à la Bastille où il est mort en 1703.

Deuxième partie
De longs fleuves tranquilles ?

Dans cette partie...

*E*ntendons-nous d'abord sur le sens du mot : pour un poète, un écrivain en général, pour vous, peut-être, le fleuve et la rivière sont parfois synonymes. Ou bien la différence s'établit selon le cours du jour : au fleuve, souvent, la majesté ; à la rivière, l'intimité... Pour le géographe, il faut être précis : le fleuve se jette dans la mer ; la rivière se jette dans le fleuve, ou dans le lac. Cette précision apportée, commençons à naviguer sur les cours d'eau de France et de Navarre... Les quatre grands d'abord : la Loire, la Seine, la Garonne et le Rhône. Ceux qui se partagent entre deux pays ensuite : le Rhin, la Meuse, l'Escaut. Puis deux cours moyens, l'un au nord, l'autre au sud : la Somme et l'Aude. Trois autres qui se terminent dans l'Atlantique : la Vilaine, la Charente et l'Adour. Et enfin, 46 très courts cours d'eau qui se jettent eux aussi dans la mer, et qui sont donc, c'est clair, non des rivières, mais des fleuves ! Même la Veules qui ne mesure qu'un peu plus d'un kilomètre ? Même la Veules, puisqu'elle se jette dans une mer : la Manche.

Chapitre 5

La Loire, un fleuve de sable parfois mouillé…

Dans ce chapitre :

▶ Assistez à la naissance de la Loire, à son premier parcours, entre retenues et barrages

▶ Voguez jusqu'à Orléans puis entrez dans le Val de Loire

▶ Assistez à la conspiration des affluents qui perfusent la Loire inférieure

▶ Comprenez les problèmes liés à l'utilisation de l'estuaire du fleuve

Ah ! Ce Jules Renard ! Toujours le mot, sinon pour rire, du moins pour dire les choses telles qu'elles sont… La Loire, par exemple, telle qu'on la voit, lente et nonchalante, toujours en repos sur ses bancs de sable… Oui mais… Qui a connu les crues redoutables du fleuve le plus long de France se méfie désormais du Renard ! La Loire peut se mettre hors d'elle-même, sans prévenir… Voici son cours, de sa source à son embouchure, en trois séquences : la Loire supérieure, la Loire moyenne, et la Loire inférieure.

La Loire supérieure

Du mont Gerbier-de-Jonc au bec d'Allier, voici la Loire supérieure, frêle d'abord, puis, grossie d'affluents, capable de former les lacs qu'on lui impose à Grangent, Villerest, pour notre électricité, notre confort…

Les séductions d'une jeunesse

Du pays de Jeanneton – vraiment ? – au château de Diane de Poitiers – sûrement ! –, voici le petit lit de la Loire…

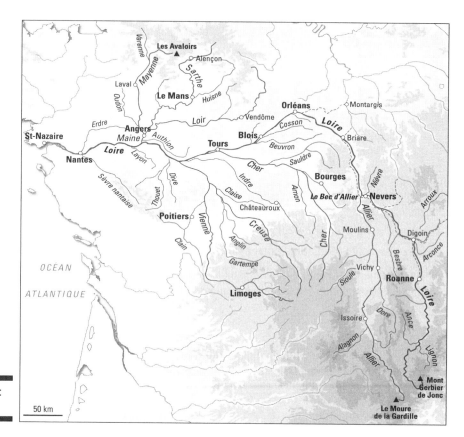

Figure 5-1 :
La Loire.

50 km

Bienvenue au pays de Jeanneton

Douce jeune fille de la rude montagne, Jeanneton naquit aux confins du Vivarais et du Velay, dans le Massif central. Chaque jour, pour assurer sa subsistance, elle prenait sa faucille et s'en allait couper les joncs. Un beau matin, en chemin, elle rencontra quatre jeunes et beaux garçons. Le premier, un peu timide… Larirette, vous connaissez la chanson ! Beaucoup plus tard, pour honorer Jeanneton, on éleva à sa mémoire un beau Gerbier-de-Jonc. Hélas, cette belle histoire – farfelue… – est fausse ! Étymologiquement, même s'il ressemble un peu à un tas de joncs, le Gerbier-de-Jonc, qui culmine à 1 551 mètres, signifie seulement « petit mont rocheux » !

Son premier compagnon

Attention : au pied du Gerbier-de-Jonc, la voici… Qui, Jeanneton ? Non : la Loire ! Nous sommes à 1 408 mètres d'altitude, face au mont Mézenc, en Vivarais, dans le département de l'Ardèche. Ce bruit de source, ce filet d'eau, et déjà ce caractère imprévisible, cette harmonie dans le hasard des courbes, cette grâce légère dans les sauts répétés, de rocher en rocher, comme une danse, cette énergie… : la Loire en pleine jeunesse – comme une allégorie jeannetonienne ! Au clos du Lizeret, elle se fait un compagnon : son premier affluent, minuscule : l'Agueneire (« l'eau noire », dans le patois local). Mais, mais… tous deux descendent vers le sud ! Vers Montpezat…

Repérés par EDF…

… ouf ! Ils vont remonter vers le nord-ouest ! Mais EDF les a repérés, construisant, en 1954, un ensemble de barrages et un tunnel qui permettent d'alimenter une centrale hydroélectrique. L'objectif est de capter les eaux de la vallée supérieure de la Loire, à partir du lac d'Issarlès, afin de les conduire, par un tunnel de 13 kilomètres, sur le versant méditerranéen où elles chutent de 950 mètres avant de rejoindre l'usine souterraine de production d'électricité, à Montpezat-sous-Bauzon. Et cette eau détournée profite aussi à l'Ardèche. Sans nuire à la Loire, généreuse…

Le château de Diane

Après avoir folâtré sur des plateaux, entre les sucs, reliefs d'anciens volcans, la Loire s'oriente résolument vers le nord à Rieutord, le village bien nommé puisqu'il signifie « le ruisseau qui se tord » ! La voici qui entre dans les gorges de la haute Loire, complice des truites fario, friandes de grenouilles ! Tiens, voici les ruines d'un château, celui d'Ardemples où vécut la belle Diane de Poitiers, maîtresse de François Iᵉʳ, puis de son fils Henri II… Et voici la Gazeille, une petite rivière qui se joint à elle sur sa rive droite. Généreuse, toujours, elle élargit son lit !

Serre de la Farre tombe à l'eau

Sur le site de Serre de la Farre, un barrage destiné à la régulation du cours de la Loire devait être construit, engloutissant des kilomètres de gorges. Ce projet est tombé à l'eau en 1994 après une lutte de plusieurs années entre les partisans d'une *Loire domptée*, et les défenseurs de la *Loire sauvage*, selon l'expression de… Philip d'Édimbourg, venu affirmer ses convictions dans un discours prononcé au bec d'Allier !

Un peu de retenues…

Des retenues d'eau pour faire tourner les turbines d'EDF, des canaux creusés en parallèle à son lit afin de pallier ses premiers caprices… : la Loire s'apprivoise…

La retenue de Grangent

Elle court, elle court, la Loire, elle serpente dans les gorges profondes, dans les défilés qui la resserrent, où elle presse l'allure et peut bouillonner, se calmer ensuite afin de servir de miroir aux châteaux qui la saluent : Lavoute-Polignac, Margeaix… Elle séduit, elle attire, elle entraîne deux nouveaux compagnons : l'Ance sur sa gauche et, sur sa droite, le Lignon. Halte, voici

Grangent ! Repos ! Les eaux calmes s'étalent sur près de 4 km², attendent, pour continuer leurs méandres, de passer dans les turbines d'EDF, puisque Grangent est un barrage hydroélectrique. Construit entre 1955 et 1957, il déploie sur 206 mètres sa crête porteuse d'une route, élève son mur épais de 8,50 mètres, à 54 mètres de hauteur, le tout retenant 66 000 m³ d'eau !

Le canal du Forez

À gauche toutes ! Après le barrage de Grangent, nous quittons la Loire tout en naviguant : nous sommes sur le canal du Forez. Il fut imaginé au XIXᵉ siècle, en plein second Empire. Sa construction, commencée en 1865, s'est achevée – par étapes – cent ans plus tard. Son artère principale de 44 kilomètres, et ses artères secondaires arrosent près de 30 000 hectares dans la plaine du Forez, de part et d'autre de Montbrison. Plus de 700 exploitations agricoles en bénéficient, ainsi que des industries et de nombreux étangs poissonneux. De plus, cette eau alimente aussi la consommation humaine… Loire au grand cœur !

Le barrage de Villerest

De Grangent – tout près, c'est Saint-Étienne – nous serpentons dans le bassin du Forez. Dernier large virage en gorges avant une nouvelle halte en amont de Roanne : Villerest. Les eaux s'étalent en un lac artificiel créé par le barrage construit de 1978 à 1982 : 59 mètres de hauteur, 469 mètres de crête, deux turbines qui produisent 167 millions de kWh par an, et un rôle de régulateur lors des grandes crues – celle de décembre 2003 par exemple. Bref, une véritable force de la nature humaine, ce barrage de Villerest !

Que de canaux !

Roanne passée, on voit double ! En effet, la Loire se double de plusieurs canaux :

- le canal de Roanne à Digoin, mis en service en 1838, qui a servi au transport des marchandises : 500 000 tonnes en 1917, 460 000 tonnes en 1938, 19 000 tonnes en 1976, et aujourd'hui, zéro tonne ! Plus de marchandises, mais des bateaux de plaisance, et un canal rebaptisé « le canal tranquille » ;

- À Digoin commence le canal du Centre qui entre dans un très ancien projet : relier, par une voie d'eau traversant la Bourgogne, l'Atlantique à la Méditerranée. Ce canal du Centre, mis en service en 1793 après dix ans de travaux, compte 81 écluses pour 114 kilomètres de long ! 4 000 bateaux transportant des marchandises l'empruntent en 1810, 10 000 en 1936, 150 en 1999 – mais le nombre de bateaux de plaisance qui empruntent le canal passe de 400 en 1982 à 2 000 en 1999 ;

✔ le canal latéral de la Loire commence à Digoin, fait un crochet par Nevers – toujours en compagnie de la Loire qui reçoit alors la Nièvre – avant d'arriver à Briare. Il est long de 196 kilomètres et comporte 37 écluses. À Briare, il se termine de façon spectaculaire en franchissant la Loire... au moyen d'un pont : le pont-canal de Briare – 662 mètres, construit par Eiffel – qui le conduit directement... dans le canal de Briare ;

✔ le canal du Nivernais, 180 kilomètres, 110 écluses, relie la Loire à la Seine par l'Yonne – il longe l'Aron, affluent de la rive droite de la Loire. Commencé en 1784 et destiné au flottage du bois, il fut terminé en 1843. Son rôle aujourd'hui ? la plaisance... ;

✔ le canal de Briare – 57 kilomètres – : commandé par Sully en 1604, il n'est achevé qu'à la mort de Richelieu, en 1642. Il concrétise le vieux rêve de liaison entre le bassin de la Loire et celui de la Seine – par le Loing –, au prix d'un travail gigantesque. Les écluses, imaginées par Léonard de Vinci, mais jamais construites jusqu'alors, nécessitent le creusement d'étangs pour leur alimentation. Entre 7 000 et 15 000 ouvriers sont employés sur ce chantier ;

✔ le canal du Loing, 53 kilomètres, construit de 1719 à 1723, entre Montargis et la Seine, le Loing se montrant souvent dangereux ;

✔ le canal d'Orléans, 79 kilomètres, d'Orléans à Montargis, ouvert en 1692.

L'Allier

Il est parti du Signal du Moure de la Gardille, en Lozère, à 1 458 mètres d'altitude – près de Châteauneuf-de-Randon, où Du Guesclin mourut, le 13 juillet 1380. Il a longé Langogne, reconnu Gargantua qui, en secouant ses chaussures, a formé le mont Lozère et, plus loin, s'est blessé le doigt en voulant attraper un brochet ! Et le sang gargantuesque a coulé goutte à goutte, de si grosses gouttes que la rive gauche de l'Allier, jusqu'à Alleyras, est devenue rouge, pour toujours. C'est aussi Gargantua qui a construit le barrage de Naussac, près de Langogne – où depuis fort longtemps, on fête le géant ! Ne cherchez pas cet épisode dans Rabelais : Gargantua, avant son promoteur chinonais, avait déjà construit bien des monts en secouant ses chaussures ! Après avoir parcouru 410 kilomètres, longé les monts du Velay, traversé Brassac, Issoire et la Limagne, longé Vichy et Moulins, après avoir reçu l'Alagnon et la Sioule – rive gauche – et la Dore – rive droite –, il s'est jeté en elle : lui, l'Allier ; elle, la Loire ! Le lieu de leur rencontre demeure dans les mémoires. Voulez-vous y aller ? C'est au bec d'Allier !

La Loire moyenne

Elle peut se faire si discrète qu'on pourrait imaginer qu'elle a fugué vers la mer et qu'elle ne reviendra pas ; mais elle revient, s'installe de nouveau dans son lit et, sans prévenir, fait le cauchemar des riverains… Elle sait aussi nourrir leurs rêves, servir de miroir à leurs châteaux et se rappeler le prestigieux passé de sa vallée…

Le virage d'Orléans

Regardez-la… Elle suit tranquillement un cap nord, nord-ouest, lorsque tout à coup, à Orléans, elle donne une nouvelle orientation à son cours…

Go and see, my love…

Il y a bien longtemps, la Loire et la Seine ne faisaient qu'un. Un seul fleuve qui coulait des jours heureux du sud au nord jusqu'au jour où la Loire eut des envies de liberté, des envies d'Atlantique. La séparation se fit à l'amiable, en douceur : la Seine releva légèrement son bassin au sud, la Loire se détourna et partit résolument vers le couchant. Quelles paroles mettre sur cet instant de la fin du pliocène où la séparation fut effective ? Peut-être celles que Rosanna Arquette dit à Jean-Marc Barr à la fin du *Grand Bleu* : « *Go and see, my love ! Go and see…* » La Loire a réussi : elle a atteint l'Atlantique. Mais suivons, voulez-vous, le chemin de son rêve. C'est à Gien que tout a commencé, l'éloignement de la vallée du Loing, loin, loin…

Comme on fait son lit…

… on se couche ! La Loire a fait le sien en rêvant ! Voilà pourquoi elle peut se faire onirique sommeilleuse l'été, et monstre cauchemardesque lorsque la fonte des neiges s'ajoute aux pluies : 9 100 m³ à la seconde en 1846 et 8 900 m³ à la seconde à Briare en 1856 – quatre fois le débit de la Seine lors des inondations de 1910 ; à Tours, le 3 juin, le centre est recouvert de 2 mètres d'eau ; la plupart des digues et levées ont cédé entre Nevers et Nantes ! Nouveau record en 1866 : 9200 m³ à la seconde, encore à Briare. À l'été 1949, son débit n'est plus que de… 12 m³ à la seconde !

Les levées de la Loire

Afin d'éviter ou de limiter les effets catastrophiques des crues de la Loire, des levées ont été construites sur une grande partie de son cours. Il s'agit de hautes et larges digues qui longent le fleuve et doivent retenir les milliers de mètres cubes en trop, et en mouvement, lors des périodes de débordement. La construction des premières levées date de Louis le Pieux, le fils de Charlemagne. Henri II Plantagenêt – le second mari d'Aliénor d'Aquitaine – en fait bâtir à Bourgueil et Saumur vers 1150. Louis IX (Saint Louis) développe ce système que Colbert renforce. Le programme, aujourd'hui, se poursuit.

Embâcle et débâcle

Certains hivers très froids, elle se laisse prendre par les glaces. Plusieurs périodes d'embâcle font partie de la liste de ses records, notamment pendant l'hiver 1895, à Sully-sur-Loire où le fleuve pouvait être traversé à pied, un petit restaurant ayant même été installé en son milieu. La débâcle – et ses blocs de glace – peut être terrible, ainsi celle de janvier 1789 qui emporta le pont de Jargeau et détruisit des maisons riveraines à Orléans.

Le Val de Loire

« En l'an de ma trentième année / Toutes mes hontes bues / Ni tout à fait fou ni tout à fait sage / Malgré maintes peines subies / Quand j'étais aux mains de Thibault d'Aussigny... » Ainsi coule doucement le chagrin de François Villon dans son *Testament* (1463) au souvenir de la dure prison de Meung-sur-Loire où l'avait jeté l'évêque d'Orléans ! Un poème dédié à Louis XI qui est de passage, et voilà notre poète libéré. Louis XI, et tous les rois, ont aimé d'amour la vallée de la Loire. François Ier lui a laissé, légèrement en retrait – sur le Cosson –, le plus beau de ses joyaux de pierre : Chambord – un escalier à double hélice signé Léonard de Vinci, 365 cheminées, 440 pièces... En retrait aussi, Cheverny – d'où est né le Moulinsart du capitaine Haddock –, plus encore Chenonceau, sur le Cher- et le souvenir de Diane de Poitiers –, ou bien Azay-le-Rideau. La Loire conserve, près de son lit, Blois, Chaumont, Amboise, Tours et Langeais, Ussé, Saumur, Angers...

L'influence des affluents

De nombreux affluents de la Loire moyenne peuvent encore grossir ses eaux... :

- le Loiret,
- le Beuvron, grossi du Cosson,
- le Cher que grossit la Sauldre,
- l'Indre,
- la Vienne que grossissent la Creuse (grossie de la Claise, de la Gardemne et de l'Anglin) et le Clain.

La Loire inférieure

Des affluents au cours régulier vont conduire la Loire jusque dans son estuaire, jusqu'à son embouchure.

Mayenne, Sarthe, Loir et Maine

Des centaines de kilomètres parcourus depuis le mont Gerbier-de-Jonc... La Loire pourrait faiblir en fin de parcours, s'anémier au point de mourir, le vigoureux Allier n'étant plus qu'un souvenir en abordant Angers. C'est alors qu'une sorte de conspiration de rivières se met en place, pour la bonne cause : conduire envers et contre tout la Loire au terme de son rêve, l'Atlantique. Le signal du rassemblement a été perçu au plus profond des terres...

Un immense bassin de drainage

✔ La Mayenne naît au Signal des Avaloirs, dans les Alpes Mancelles (rappelez-vous, tout près de la forêt d'Écouves !). Elle est augmentée de la Varenne, de l'Aron, de l'Ernée, de la Jouanne et de l'Oudon que grossit la Verzée.

✔ La Sarthe : elle prend sa source près de Mortagne, dans les collines du Perche. Elle traverse la campagne d'Alençon, arrose Le Mans, y reçoit l'Huisne partie en même temps qu'elle des collines du Perche mais qui a fait un détour par Nogent-le-Rotrou et La Ferté-Bernard. La Sarthe se recueille ensuite à Solesmes puis descend à Sablé.

✔ Le Loir : il s'offre le luxe de prendre sa source à quelques encablures de Chartres, arrose Châteaudun, Vendôme, se grossit de la Braye, continue par Le Lude, La Flèche... Puis il se jette dans la Sarthe.

✔ Et voici maintenant le chef – ou la cheftaine... – du complot : la Maine ! C'est elle, la rivière des rivières, qui rassemble la Mayenne et la Sarthe grossie du Loir, en un bras de 10 kilomètres. Elle traverse Angers avant de rejoindre la Loire à Bouchemaine.

L'estuaire de la Loire

De la poésie, la solitude des îles, puis la rencontre d'une Nantes affairée, juste avant l'estuaire, creusé, envasé, recreusé, souci constant pour ceux qui l'aménagent...

Le petit Liré

Tiens ! Une vieille connaissance : le Massif armoricain ! Quel plaisir de le retrouver à partir d'Angers, d'aller à l'océan comme si on remontait le temps, l'air de rien, jusqu'au précambrien ! Au milieu du fleuve, que d'îlots, parfois habités ! Voici Chalonnes, puis Ancenis, et face à Ancenis, quelques kilomètres après le pont, le petit Liré. Et près du petit Liré, le château de La Trumelière où naquit... où naquit qui ? Du Bellay, Joachim du Bellay qui escrivoit ! Et qui escrivoit quoi ? De la poésie ; un sonnet, notamment, que, par cœur, vous connaissez – ou sinon, apprendrez – et que voici... :

La douceur angevine…

Heureux qui, comme Ulysse, a fait un beau voyage / Ou comme cestuy-là qui conquit la toison / Et puis est retourné plein d'usage et raison, / Vivre entre ses parents le reste de son âge! / Quand reverrai-je, hélas, de mon petit village / Fumer la cheminée, et en quelle saison / Reverrai-je le clos de ma pauvre maison, / Qui m'est une province et beaucoup davantage ? / Plus me plaît le séjour qu'ont bâti mes aïeux, / Que des palais romains le front audacieux, / Plus que le marbre dur me plaît l'ardoise fine. / Plus mon Loire gaulois que le Tibre latin, / Plus mon petit Liré que le mont Palatin, / Et plus que l'air marin la douceur angevine.

L'estuaire aux cinquante-trois îles !

Douceur angevine que remplace, à mesure qu'on s'approche de la cité des Ducs – Nantes – la douceur nantaise devenue marine. La mer en effet se manifeste par la marée dont les effets se font sentir jusqu'à Ancenis ! À Nantes, la Loire reçoit l'Erdre et la Sèvre nantaise puis, écartant ses deux rives, elle se prépare à entrer dans l'Atlantique par un estuaire dont l'histoire mérite d'être creusée… Au XVIIIᵉ siècle, les bateaux le parcourent en tentant d'éviter ses hauts-fonds et ses cinquante-trois îles. Aujourd'hui, il en reste quatre – Lavau, le Petit Carnet, Massereau et Pivin ! Que s'est-il passé ?

La victoire de l'ampleur

Dans un premier temps, il est décidé de construire un canal parallèle à la Loire afin de faire remonter sans danger les bateaux jusqu'à Nantes. Les travaux durent dix ans, de 1882 à 1892. Mais les bateaux et le commerce prennent de l'ampleur : les chantiers navals (chantiers de la Loire et chantier Dubigeon), les ateliers Brissonneau & Lotz, la raffinerie de sucre de Chantenay, les forges de Basse-Indre, l'usine à plomb de Couëron, les ateliers d'Indret, spécialisés dans la réalisation de machines de propulsion pour les navires de guerre… Tout cela réclame du gros tonnage ! Que faire ?

On lui coupe les bras

Puisque Nantes ne peut migrer vers la mer, il faut amener la mer à Nantes ! Le moyen ? Créer une sorte de bassin de marée qui conduira au port les bateaux les plus gros. À partir du début du siècle, des digues sont construites le long du fleuve. De puissantes dragues à vapeur creusent son chenal, pendant qu'en amont, on lui coupe les bras – ces bras secondaires parcouraient Nantes et lui avaient valu le joli nom de Petite Venise. Tous ces travaux vont déstabiliser les quais, des ponts vont s'effondrer, des immeubles s'incliner…

Derniers efforts

Le cours du chenal s'infléchit vers Donges pendant qu'une île de sable se crée : Bilho. Aujourd'hui, la rive nord de la Loire, de Donges à Saint-Nazaire, est devenue une gigantesque zone industrielle et portuaire où se succèdent une raffinerie de pétrole, des terminaux méthanier et charbonnier, des usines d'engrais chimiques… Bref, c'est une Loire ultramoderne qui embrasse l'Atlantique. Après son parcours de 1 012 kilomètres, ses derniers efforts la portent tout près des immenses paquebots en construction aux Chantiers de l'Atlantique, à Saint-Nazaire (rachetés en 2006 par le Norvégien Aker Yards). Par eux qui disparaîtront tôt ou tard derrière la ligne d'horizon, elle continuera d'exister, et on parlera d'elle dans le monde entier !

La Loire en bref

 ✔ Source : mont Gerbier-de-Jonc, département de l'Ardèche, 1 408 mètres

 ✔ Longueur : 1 012 kilomètres

 ✔ Débit moyen : 850 m³/seconde

 ✔ Principaux affluents de la rive droite : la Nièvre, la Maine grossie du Loir, de la Sarthe et de la Mayenne

 ✔ Principaux affluents de la rive gauche : l'Allier, le Cher, la Vienne grossie de la Creuse

 ✔ Principales villes arrosées : Saint-Étienne, Roanne, Nevers, Orléans, Blois, Tours, Saumur, Angers, Nantes, Saint-Nazaire

 ✔ Embouchure : estuaire de la Loire (40 kilomètres), de Nantes à Saint-Nazaire

Chapitre 6

La Seine, nonchalante passante

....

Dans ce chapitre :

▶ Découvrez la source de la Seine

▶ Faites connaissance avec les affluents du fleuve parisien

▶ Offrez-vous, de méandre en méandre, une croisière jusqu'à la Manche

....

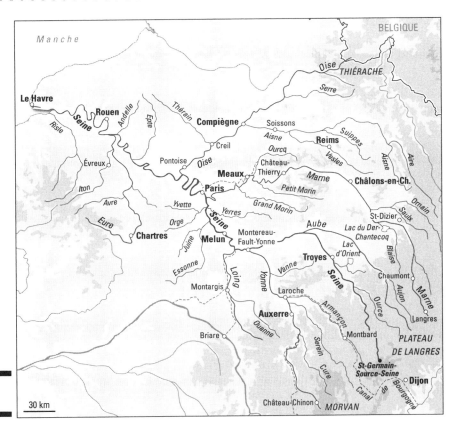

Figure 6-1 :
La Seine.

30 km

Calme, tranquille, paisible, la Seine à Paris. Vue du bateau-mouche qui vous emmène pour une boucle de découverte jusqu'à l'île Saint-Louis, et même au-delà, elle semble emprunter aux voies sur berges qui la longent la régularité de l'asphalte. Mais attention, ne vous y fiez pas : que le printemps rassemble à la hâte les eaux de ses amonts, ou bien que tombent en abondance les pluies d'automne, celles d'hiver, la Seine peut monter, monter encore, couvrir les voies sur berges et leur asphalte régulier… monter, monter… En 1910, elle inonde la moitié de la capitale ! 200 000 Parisiens sont sinistrés ! Peut-elle recommencer ? Peut-être… Suivons-la de sa source à son embouchure.

De modeste extraction...

Doucement, approchez sans bruit, vous pourriez la déranger dans ses rêves de voyages…

Saint-Germain-Source-Seine...

Un château d'eau, un four à pain, une seule rue, une seule carte postale qui date du début du siècle, 350 hectares de bois, deux exploitants agricoles, un menuisier-électricien-épicier, cinq noms sur le monument aux morts de la Première Guerre mondiale, 30 habitants, un maire, trois enfants scolarisés dans la commune voisine… et une célébrité mondialement reconnue, admirée tout au long de l'année par des millions de flâneurs, miroir envié des plus prestigieux monuments qui soient, flâneuse elle-même au lent parcours en pleins et déliés, comme une écriture appliquée, un tantinet altière en ses contours terminaux, mais si douce qu'en son nom même semble s'absoudre une délicieuse paresse : la Seine !

Ex-voto pour Sequana

UNE GÉO-ANECDOTE

Saint-Germain-Source-Seine, voilà donc le lieu où le plus court, le plus modeste des quatre grands fleuves de France prend sa source. Un tout petit filet d'eau d'abord, presque un ru, de quoi remplir seulement les séquences de deux cases pour cruciverbistes ! Et pourtant, quelle histoire, cette source ! Une histoire qui remonte fort loin dans le temps, à l'époque où les Celtes venaient y vénérer la déesse Sequana, lui demandant quelque faveur, quelque guérison – des ex-voto ont été retrouvés sur place. Sequana, devenue la Seine au cours des siècles qui suivent, se montre efficace lors des périodes de grande sécheresse : il suffit de venir en procession la supplier de faire descendre sur la France quelque dépression centrée au large de l'Islande pour que, une semaine ou quelques mois plus tard, il pleuve !

Le lac d'Orient

Où se rendre précisément en pèlerinage, vous demandez-vous, au cas où la sécheresse menacerait vos salades ? En partant de Paris, prenez l'autoroute A6, faites 250 kilomètres, sortez à Bierre-lès-Semur, puis à Semur-en-Auxois, demandez votre route à un autochtone… Aux sources de la Seine, près de la nymphe, vous vous trouvez à 471 mètres d'altitude, et vous foulez le plateau de Langres. Votre périple terminé, vous pouvez vous faire de l'antique Sequana une compagne tranquille qui vous conduit à Châtillon-sur-Seine puis à Bar-sur-Seine, où elle reçoit son premier affluent, rive droite : l'Ource. Entre Bar-sur-Seine et Troyes, regardez sur votre droite : un immense lac, le lac d'Orient, tout près du parc régional naturel du même nom. Il fait partie d'un ensemble destiné à surveiller de près les insouciances de la Seine…

Quatre vigiles

Quatre ouvrages permettent de réguler le cours de la Seine, pendant les inondations ou les périodes de sécheresse :

- le lac d'Orient, mis en service en 1966, est un lac artificiel alimenté par un canal relié à la Seine, en amont de Troyes. Ce réservoir, qui couvre 2 300 hectares, a une capacité de 200 millions de m³. La plus haute des digues qui le ferment atteint 25 mètres ;

- le lac du Der-Chantecoq, près de Saint-Dizier, en dérivation de la Marne, permet de retenir 350 millions de m³ d'eau. Mis en service en 1974, il permet de réguler le cours de la Marne… qui se jette dans la Seine ;

- les lacs Amance et du Temple jouent aussi un rôle régulateur, mais pour un autre affluent de la Seine – rive droite – : l'Aube (248 kilomètres), née sur le plateau de Langres, arrose Bar-sur-Aube – rappelez-vous la côte des Bars… – Arcis-sur-Aube, et joint la Seine près de Romilly ;

- le lac de Pannecière est également une réserve régulatrice, pour l'Yonne. Mis en service en 1949, il retient 80 millions de m³ d'eau.

Une affluence d'affluents séquanais

Au temps où les fleuves devaient être connus de tous les écoliers, la liste des affluents de la rive droite de la Seine se résumait à l'Aube, la Marne et l'Oise ; de l'Aube, il a déjà été question dans la liste intitulée « Quatre vigiles ». Voici maintenant la Marne, l'Oise et quelques autres, pas plus pressés que leur maîtresse…

Du côté de Nogent...

Les guinguettes, les ombrages et le soleil du dimanche, de la joie simple sur les berges de la Marne. Mais, en des temps moins joyeux, et vers l'amont, de tragiques heures...

Chez Gégène...

À Joinville-le-Pont / Pon ! Pon ! / Tous deux nous irons / Ron ! Ron ! / Regarder guincher / Chez chez / Chez Gégène / Si l'cœur nous en dit / Dis dis / On pourra aussi / Si si / Se mettre à guincher / Chez chez / Chez Gégène...

Non, ce n'est pas du Verlaine ! C'est du Roger Pierre, un humoriste qui a restitué, à travers ces paroles d'un p'tit gars plombier des années 1950, une atmosphère disparue où les guinguettes au bord de l'eau résonnaient d'accordéons et sentaient les grillades. C'était à Joinville que traverse la Marne, affluent qui a inspiré d'autres refrains :

Ah ! le petit vin blanc / Qu'on boit sous les tonnelles / Quand les filles sont belles / Du côté de Nogent / Et puis de temps de temps / Un air de vieille romance / Semble donner la cadence / Pour fauter, pour fauter / Dans les bois, dans les prés / Du côté, du côté de Nogent...

Lina Margy chanta cela en 1943.

La Marne et ses taxis

La Marne, c'est aussi les taxis : le 7 septembre 1914, Gallieni fait transporter par ce moyen 10 000 combattants sur le front tout proche de Paris... La Marne est le deuxième affluent important que reçoit la Seine sur sa rive droite. Elle naît elle aussi sur le plateau de Langres. Elle arrose Chaumont, Saint-Dizier, Châlons-en-Champagne, Épernay. Elle traverse, de Jean de La Fontaine, la patrie : Château-Thierry... Puis la voici à La Ferté-sous-Jouarre – elle y reçoit l'Ourcq –, Meaux, et enfin Nogent, et Joinville-le-Pont, pon, pon !...

Sous le Chemin des Dames : l'Oise

L'Oise ne naît pas en France, elle nous vient de Belgique. De la frontière belge, au sud de Chimay où elle a pris sa source à 300 mètres d'altitude, elle lambine en Thiérache, puis se fait doubler par un canal qui bifurque au sud de Chauny, à Abbecourt, afin de rejoindre l'Aisne à Bourg-et-Comin, en passant sous le tragique Chemin des Dames (en avril 1917 s'y déroule l'une des pires boucheries de l'histoire : 260 000 hommes y tombent en six semaines). L'Aisne, elle-même doublée par un canal – le canal des Ardennes qui rejoint la Meuse – se jette dans l'Oise près de Compiègne – l'Oise qui termine son parcours à Conflans-Sainte-Honorine où elle joint la Seine.

Autres affluents, petits et grands

- L'Yonne – née dans le Morvan, près de Château-Chinon – est doublée par le canal du Nivernais avant d'être grossie, sur sa rive droite, de la Cure, du Serein, de l'Armançon – doublé par le canal de Bourgogne – et de la Vanne. Elle se jette ensuite dans la Seine – rive gauche – à Montereau.

- Le Loing, grossi de l'Ouanne, arrose Montargis et Nemours.

- L'Essonne, petit affluent de 90 kilomètres, arrose Pithiviers et Malesherbes et reçoit la Juine – qui arrose Étampes – avant de joindre la Seine.

- L'Orge – affluent plus court que l'Essonne : 40 kilomètres – arrose Dourdan, Arpajon, reçoit l'Yvette et gagne la Seine au sud de Juvisy.

- L'Eure prend sa source près de la forêt de La Ferté-Vidame, de celle de Senonches, à Marchainville. Elle arrose Chartres, Maintenon, Ivry-la-Bataille (le 14 mars 1590, c'est là que, à la tête de ses troupes protestantes, Henri IV lance cette phrase à doper un régiment : « Si vos cornettes vous manquent, ralliez-vous à mon panache blanc ! Vous le trouverez sur le chemin de la victoire et de l'honneur ! » Bataille gagnée, contre les catholiques !), Louviers, et se jette dans la Seine.

Le canal de Bourgogne

242 kilomètres, 191 écluses ! Le canal de Bourgogne naît de l'Yonne à Laroche. Commencé en 1775, il est ouvert à la navigation en 1832. Presque soixante années de travaux ! Il faut dire qu'il a réclamé des efforts titanesques, notamment le percement, à Pouilly, d'un tunnel de 3 333 mètres, à sens alterné, puis d'un autre tunnel de près de 4 kilomètres, assorti de puits de 100 mètres de profondeur afin de conduire l'eau dans le lit du canal… sans compter les ponts – à cinq arches sur la Brème, à Montbard, à trois arches à Pont-d'Ouche, sur l'Ouche ! Le canal de Bourgogne se termine à Saint-Jean-de-Losne où il se jette dans la Saône. Après avoir servi au transport des marchandises, il est aujourd'hui parcouru par les bateaux de plaisance.

De Paris à la mer : la vallée des méandres

On sait la Seine nonchalante et tortueuse, on la sent paresseuse, on la voit qui s'en va comme une rêveuse de la Belle Époque, à travers des champs de fleurs, mêlant au blond des blés ses nostalgies citadines…

La traversée de Paris

Partie de sa modeste province, quasiment démunie, réduite à un pauvre filet d'eau sur le plateau de Langres, la Seine entre lente et opulente dans la capitale, par le sud-est. Elle va décrire, pendant 13 kilomètres, une gracieuse courbe dont la partie haute fait face aux Invalides. Sa largeur varie entre 30 et 200 mètres, sa profondeur de 3 à 6 mètres. Trente-huit ponts et trois passerelles plus tard, encore éblouie par les flashes des appareils photo de touristes souvent originaires d'Extrême-Orient, elle se faufile sous le périphérique, entre la porte de Saint-Cloud et la porte de Sèvres. Au cours de sa traversée de la Ville lumière, elle a entouré de ses petits bras maternels trois îles.

D'île en île

✔ L'île Saint-Louis rassemble en une seule deux îles anciennes : l'îlot Notre-Dame et l'île aux Vaches qui tient son nom du temps où on y mettait à brouter les bêtes à cornes destinées à la consommation des Parisiens – en toute sécurité puisqu'elles ne pouvaient s'échapper…

✔ L'île de la Cité – reliée à l'île Saint-Louis par… le pont Saint-Louis – dresse vers le ciel depuis près de huit siècles les tours de Notre-Dame et la flèche de la Sainte-Chapelle. Si par hasard, sur le pont des Arts, vous vous arrêtez face à elle, imaginez-la en 886 : des centaines de drakkars venus de la mer lui font face pendant que, sur ses remparts, on promène les reliques de sainte Geneviève…

✔ L'allée des Cygnes, face à la Maison de Radio-France, est une île artificielle de 850 mètres de long et… 11 mètres de large. Elle fut créée en 1825 pour servir de digue au port de Grenelle qui s'agrandissait. Son nom est celui d'une île qui se situait en amont, rattachée à la rive gauche en 1820, près de la tour Eiffel. Au temps des duels, du Moyen Âge à l'époque de Richelieu, les adversaires s'y battaient au petit matin, à l'épée, afin de régler leur mâle querelle, de telle sorte que cette île porta le nom de Maquerelle (déformation de mâle querelle…). En 1676, Louis XIV fit venir de Suède des cygnes qui y furent installés et donnèrent leur nom à l'île. Aujourd'hui, l'allée des Cygnes, port d'attache des péniches, est une agréable promenade bordée d'arbres. À son extrémité ouest se dresse l'original du modèle réduit de la statue de la Liberté, depuis l'Exposition universelle de 1889.

Du bois de Boulogne au Havre

Comme (presque) tout le monde, la Seine quitte Paris à regret, au point qu'elle tente d'y revenir en amorçant un virage en épingle à cheveux qui, sur sa rive droite, entoure Boulogne-Billancourt, longe le bois de Boulogne, Neuilly-sur-Seine, Levallois-Perret, Clichy… À Saint-Denis, elle renonce, tourne le dos, contourne, sur sa rive gauche, vers l'ouest puis le sud, Villeneuve-la-Garenne, Gennevilliers, Colombes, Nanterre… Adieu Paris, Paris qui enivre… Il n'est que de voir le tracé de la Seine jusqu'à la mer pour s'en convaincre : bien loin de la morne ligne droite, elle enchaîne les méandres, comme des pas de danse, s'offre en miroir à Mantes, à Vernon, aux Andelys où Château-Gaillard guette son Richard Cœur de Lion… Elle traverse Rouen l'affairée, l'industrielle, l'industrieuse. Elle arrive au Havre enfin, où elle atteint la Manche après 10 kilomètres d'estuaire !

Les trois canaux

Dès le XVIIe siècle, Louis XIV imagine qu'il serait possible de couper le méandre parisien de la Seine en construisant un canal qui partirait de Saint-Denis pour rejoindre l'Arsenal, au cœur de la capitale. Bonaparte fait commencer, en 1802, les travaux qui vont permettre de réaliser ce projet – et d'approvisionner Paris en eau – : la construction du canal de l'Ourcq (il n'est terminé qu'en 1825) et le creusement du canal Saint-Denis qui commence en 1805 pour s'achever en 1821. Ces deux canaux se rejoignent dans le bassin de la Villette. De celui-ci part le canal Saint-Martin. Long de 4,5 kilomètres – 9 écluses, deux ponts tournants –, il rejoint le bassin de l'Arsenal, au sud de la place de la Bastille, après avoir commencé son parcours souterrain place de la République. D'abord destiné au transport des marchandises, ces raccourcis conduisent aujourd'hui, entre nostalgie et romantisme, les pas ou les bateaux des promeneurs.

Sous les ponts de Normandie

Deux ponts ornent la dernière ligne droite de la Seine avant la mer (ou la première ligne droite… encore qu'elle soit un peu courbe) :

- le pont de Tancarville : en 1933 est prise la décision de construire un pont-route. Un avant-projet de pont suspendu se situant à la hauteur de Tancarville est proposé en 1935. Le projet, déclaré d'utilité publique en 1940, n'est prolongé qu'en 1951 par le lancement d'un concours international. Les travaux débutent le 15 novembre 1955. Le pont est mis en service le 2 juillet 1959. Ce pont suspendu fait 1 420 mètres de long, 12,5 mètres de large et 123 mètres de hauteur ;

- le pont de Normandie – 2 143,21 mètres de long, 23,60 mètres de large, 214,77 mètres de haut ! Commencé en 1988, inauguré le 20 janvier 1995, il a détenu plusieurs records du monde – plus long pont à haubans du monde, plus grande portée – perdus en deux temps : le record de la plus longue portée est détenu par le pont Tartara, au Japon ; et c'est désormais – mais pour combien de temps ? – le pont Rion-Antirion, reliant le Péloponnèse à la Grèce, qui est le plus long pont à haubans du monde, avec ses 2 883 mètres. Mais, pour toujours, le plus beau, c'est…

La baie de Seine et ses Vaches Noires

Libre et livré aux fluctuations serpentines du fleuve qu'il termine, l'estuaire de la Seine a longtemps eu l'aspect d'un immense marais – 130 km² en 1834 ! Aujourd'hui, ces zones humides ne recouvrent plus que 31 km², le chenal de navigation ayant été calibré, endigué. Cet estuaire qui permet aux gros navires de remonter jusqu'à Rouen fait partie de la baie de Seine – beaucoup plus étendue que l'estuaire qui va du cap de la Hève, au nord du Havre, jusqu'au site géologique des Vaches Noires – étonnantes strates qui représentent un calendrier de 150 millions d'années ! –, falaise située près de Villers-sur-Mer. Outre l'estuaire – qui comprend des vasières, des tourbières, des lagunes, des dunes, des bancs et des plages de sable... –, la baie compte aussi le marais Vernier – la plus grande tourbière de France –, la vallée de la Risle... Cet ensemble d'une grande richesse écologique est surveillé, protégé et connu internationalement.

CÉLÉBRITÉ DU CRU

La comtesse de Ségur et les bouleaux de Voronovo...

Sophie Rostopchine naît à Voronovo en 1799, près de Saint-Pétersbourg, en Russie ; ses ancêtres sont mongols, tartaro-mandchous plus exactement. Son père, gouverneur, fait incendier la ville de Moscou afin d'en faire partir Napoléon en 1812 ! En 1817, la famille Rostopchine arrive en France. Sophie y rencontre Eugène de Ségur qu'elle épouse en 1819 – elle a 20 ans. Auparavant, se promenant dans la campagne normande avec son père, elle a remarqué, près de l'Aigle, à Aube, le château des Nouettes dont les bouleaux lui ont rappelé ceux de Voronovo. L'émotion de la fille se conjugue à celle du père qui achète le château et le met dans la corbeille du mariage !

Installée dans le domaine des Nouettes, Sophie reçoit les visites espacées de son mari volage. Huit enfants naissent, qu'elle élève avant de commencer à écrire... à 58 ans ! Entre 1857 et 1872, elle publie *Un bon petit diable*, *Les Malheurs de Sophie*, *Diloy le chemineau*, *Les Mémoires d'un âne*, *Jean qui grogne et Jean qui rit*, *Le Mauvais Génie*, *François le bossu*, *Les Caprices de Gizelle*, *Pauvre Blaise*, *La Fortune de Gaspard*, *Quel amour d'enfant !*, *Les Petites Filles modèles*, *La sœur de Gribouille* et *Blondine*. Elle meurt le 9 février 1874 à Paris. Le château des Nouettes est aujourd'hui devenu un institut médico-pédagogique.

La Seine en bref

À RETENIR

- ✔ Source : Saint-Germain-Source-Seine, plateau de Langres, à 470 mètres, dans le département de la Côte-d'Or.
- ✔ Longueur : 776 kilomètres
- ✔ Débit moyen : 500 m³/seconde
- ✔ Principaux affluents de la rive droite : l'Aube, la Marne et l'Oise
- ✔ Principaux affluents de la rive gauche : l'Yonne, le Loing et l'Eure
- ✔ Principales villes arrosées : Troyes, Montereau, Melun, Paris, Rouen
- ✔ Embouchure : estuaire de la Seine qui se termine au Havre

Chapitre 7

La Garonne

- -

Dans ce chapitre :

▶ Dévalez les pentes des Pyrénées avec la Garonne

▶ Devenez un expert du canal des Deux-Mers

▶ Faites connaissance avec tous les affluents du fleuve

▶ Descendez la Dordogne

▶ Entrez dans l'estuaire de la Gironde

- -

Les villages s'appellent Sauternes, / Saint-Estèphe ou Saint-Émilion. / Les pierres sont belles, et la lumière est bonne, / Entre les vignes et la braconne. / Toute une enfance à l'ombre de la maison de mon grand-père, / J'étais si jeune, et je regardais la Garonne, / Et je ne pensais à personne quand je rêvais à l'homme, / À qui plus tard ma vie de femme serait liée. / Comme, comme la Garonne, qui roule et sonne / Comme un accent, j'ai la passion d'être amoureuse, / De tout mon cœur de tout mon sang, / Comme, comme la Garonne, qui s'élargit vers l'océan, / Qui tourbillonne et s'abandonne, / J'ai toujours su que je l'aurais, ce grand amour…

Allégorie de l'amour, la Garonne de la chanteuse Nicole Croisille, la Garonne de toujours : passionnée, tumultueuse en son premier âge, elle varie dans son parcours de plaine – bien fol qui s'y fie… Enfin, son dernier lit semble celui de la sagesse…

Le torrent des Pyrénées

Elle court de rocher en rocher, se plaît à semer ses poursuivants avec des tactiques de gibier de montagne… Mais d'où vient-elle, cette Garonne au nom d'outre-Pyrénées… ?

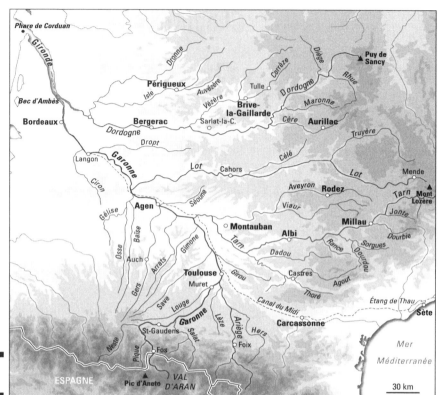

Figure 7-1 :
La Garonne.

Le val d'Aran : le val de la vallée...

De la frontière espagnole jusqu'à Toulouse, la Garonne vous invite dans son tourbillon, la valse de son bal de débutante...

Téléportation !...

Désir d'air pur ? Envie de montagne ? L'avantage avec la lecture, c'est qu'en une fraction de seconde, sans bouger, vous y êtes déjà ! Voyez-vous ce massif cristallin devant vous ? Vous rappelez-vous qu'il a surgi de la fin du crétacé à l'éocène, et qu'on l'appelle les Pyrénées ? Avez-vous retenu le nom de son sommet : le pic d'Aneto ? Eh bien, ce pic devant lequel nous sommes – téléportation... –, c'est lui, avec ses 3 404 mètres. Il fait partie du massif espagnol de la Maladeta – nous venons de franchir la frontière, nous sommes en Espagne. Évidemment, vous êtes saisi par la beauté des lieux ! Évidemment, vous vous mettez à philosopher sur les merveilles de la nature, sur notre condition d'homme, à la fois grain de sable dans l'univers et capable d'en concevoir l'immensité... Oh là ! Attention à l'ivresse de l'altitude ! Au lieu d'enfiler des clichés, prenez donc quelques photos de ce que nous sommes venus chercher : la Garonne !

8

Le Güells de Júeu

La Garonne ? Mais il y en a partout, ici, des Garonne ! Elles coulent de sources, de mille sources qui donnent naissance à de petits torrents qu'on appelle justement des *garona* – de l'aranais *gar* qui signifie « pierre », et *onni* , « l'eau ». Le garona est donc un cours d'eau qui charrie des pierres, c'est-à-dire un petit torrent ! Alors, où la trouver, notre Garonne ? Est-ce près du mont Sabouredo, du plat du Béret, au sud du port de la Bonaïgua, sur le versant méditerranéen du val d'Aran ? Est-ce au Güells de Júeu, où naît la Gararona de Joéou ? Bien difficile de décider. On peut globaliser en localisant le départ de la Garonne dans le massif de la Maladeta, et même un peu plus au nord, au val d'Aran – le val de la vallée, car Aran, en basque, signifie… « vallée ».

L'idée lumineuse de Norbert Casteret

Le Güells de Júeu, source de la Garonne ? Mais d'où sort donc cette eau ? Entre 1928 et 1931, le grand spéléologue Norbert Casteret (1897-1987) se le demande ! Il explore le massif de la Maladeta et acquiert la conviction que, pour trouver la source principale de la Garonne, il faudrait en remonter le cours sous terre ! Oui, mais jusqu'où ? Et comment ? Il lui vient alors une idée lumineuse, ou plutôt… fluorescente ! Car c'est avec de la fluorescéine, un colorant, qu'il va prouver ce qu'il soupçonnait déjà depuis longtemps : la Garonne, hésitant pour son projet d'avenir – vivre en France ou en Espagne – se retire du monde et du bruit en plongeant sous terre, au trou du Toro, à 2 000 mètres, dans la Maladeta. Et elle ressort au Güells de Júeu, à 1 405 mètres, ayant finalement décidé de s'orienter saucisson plutôt que chorizo ! Pour en avoir la certitude, Norbert Casteret jette donc sa fluorescéine dans le trou du Toro, galope jusqu'au Goueil de Jouéou, et retrouve… sa fluorescéine ! Il ne reste plus qu'à télégraphier au monde entier la grande nouvelle : la Garonne vient de s'allonger de quelques kilomètres en amont !

De Fos à Toulouse

Les vacances en Espagne sont terminées ! Nous voici au pont du Roi, à Fos, où la Garonne entre en France. Programmée dans ses gènes étymologiques pour dévaler les pentes en cascades, en courts méandres, à toute allure, avec des appétits de grandeur, la Garonne se met immédiatement au travail. Elle s'arme de la Pique – qui embroche le bas Luchon –, traverse Saint-Bertrand-de-Comminges au passé légionnaire – puisque romain – et reçoit sur sa rive gauche la Nesle. Cap à l'est ! Toujours pressée, la Garonne parcourt une plaine de rivière qui la conduit à Saint-Gaudens – Gaudens fut massacré par les Wisigoths vers 470, avant que Clovis les envoie wisigother ailleurs, après sa victoire de Vouillé, en 507. Cap au nord, nord-est ! Elle s'engage dans les

Petites Pyrénées, reçoit le Salat qui a quitté son Saint-Girons. Voici Muret, voici la rivière Ariège qui vient de Tarascon, de Foix, de Pamiers, et que grossissent le Grand Hers et la Lèze. Enfin, voici Toulouse !

La Garonne, de Toulouse à Bordeaux

Grossie de multiples affluents, parfumée de fruits, colorée d'épis, canalisée, la Garonne s'en va vers l'Atlantique…

Des affluents complices

La Garonne imprévisible, terrible avec ses crues dévastatrices, indomptable, la Garonne sauvage et folle qui dépasse les berges et les bornes !… Voilà le résultat d'une enquête à courte vue. La Garonne ? Et si on parlait de ses complices. Parce que la Garonne n'est pas seule en cause ! Retournons sur les lieux où Gaudens fut massacré – ne craignez rien, les Wisigoths sont partis. Nous sommes en Nébouzan. C'est là que se trouvent les sources du complot – et celles des nombreux affluents du fleuve…

Les sources, rive gauche :

✔ celle de la Louge qui rejoint la Garonne à Muret ;

✔ celle de la Save grossie de la Gesse, qui, après Lombez et Lisle, trouve les rives du fleuve ;

✔ celle du Gimont qui arrose Beaumont, celle de l'Arrals qui s'arrête en Garonne à Valence-d'Agen ;

✔ celle du Gers qui arrose Auch, Fleurance, et se jette dans la Garonne à Agen ;

✔ celle de la Baïse que grossit la Gélise que grossit l'Osse ;

✔ celles du Ciron qui passe tout près de Langon, et plus au nord, du Saucats, et du Cordon d'or – elles sont également situées rive gauche mais ne viennent pas du Nébouzan.

Les sources, rive droite

Nées dans le Massif central, voici les sources des affluents qu'on rencontre après Toulouse, affluents tout aussi complices que ceux partis du Nébouzan, lors des grandes crues :

✔ l'Hers mort, et son barrage de la Ganguise ;

✔ le Girou et ses retenues de la Balerme, du Laragou ;

✔ le Tarn qui prend sa source au mont Lozère, passe sous le viaduc de Millau, arrose Albi, Gaillac, Rabastens, Montauban, Moissac puis entre dans la Garonne ! Il est grossi par le Tarnon, la Jonte, la Dourbie, le Dourdou, le Cernon, l'Alrance, la Rance, l'Agout, le Thoré, la Muze, le Tescou, l'Aveyron ;

✔ la Séoune et ses moulins ;

✔ le Lot qui prend sa source… au mont Lozère, comme son grand frère ! Il arrose Mende, Cahors, Saint-Cirq-Lapopie, Fumel, Villeneuve-sur-Lot, Aiguillon où il rencontre la Garonne… Il est grossi de la Tuyère, du Dourdou de Conques, de la Colagne, du Boudouyssou, du Bramont, du Célé, de la Lémance et de la Lède ;

✔ le Dropt et sa vallée des bastides.

Et maintenant que vous connaissez tous ces complices de la Garonne, en cas de grande crue – si vous le pouvez –, arrêtez-les !

Savoureuses rives

Avant Toulouse, le spectacle que donne le torrent Garonne, sauvage puis sage autant qu'il le peut, émerveille le regard. Après Toulouse, à l'émerveillement visuel s'ajoute l'olfactif, ou du moins ce qui le suggère : les promesses de bon vin, de bonne chère. Sur chaque rive se déploient des surfaces douces, des collines aux riches cultures fruitières, aux opulents maïs, aux blés courbés de leurs épis lourds. Ah ! le beau pays que voilà ! Ajoutez à cela Agen et ses pruneaux, du monde entier connus pour leurs vertus de toutes sortes, dont vous bénéficiez peut-être déjà – heureux êtes-vous de connaître ces prunes de Damas que les croisés rapportèrent de Syrie vers 1250, croisées avec une variété locale par les moines de Clairac ; le pruneau né de cette hybridation est celui que nous dégustons aujourd'hui ; il acquiert son aspect dans un tunnel de séchage pendant 20 heures, à 75 °C de moyenne. Alors, pruneau cuit ? Pruneau cru ? Ni l'un, ni l'autre : délicieusement moelleux, c'est encore mieux !

Le canal de Riquet et du Midi

Des tempêtes, des barbaresques, des pirates, un détour de 3 000 kilomètres ! Voilà ce qui attend ceux qui partent des côtes de l'Atlantique pour gagner la Méditerranée en contournant l'Espagne. Il serait si simple de prendre un raccourci, partant de Bordeaux, par exemple, et qui aboutirait à Sète. Oui, mais… les bateaux n'ont point de jambes ! Eh bien, creusons-leur des canaux ! L'idée d'un canal reliant l'Atlantique à la Méditerranée n'était pas neuve lorsque Pierre-Paul Riquet frappe à la porte du ministre Colbert, en 1662. Empereurs et rois de Charlemagne à Henri IV en avaient rêvé, Riquet va le faire.

Du seuil de Naurouze...

La légende raconte que ce génial inventeur, par ailleurs grand percepteur du roi (fermier général), observe que les brindilles qu'il lance dans un ruisseau au seuil de Naurouze se dirigent vers l'Atlantique, mais aussi vers la Méditerranée. L'idée est alors toute simple : il suffit de capter les eaux des rivières de la Montagne Noire toute proche afin d'alimenter un canal qui, vers l'ouest, ira jusqu'à Toulouse et, vers le sud-est, gagnera l'étang de Thau, puis Sète – la Méditerranée. Les travaux commencent en 1667 et se terminent en 1681 – de nombreuses écluses, des ponts-canaux, des tunnels se succèdent tout au long des 241 kilomètres du canal.

Riquet le social

Riquet pilote cet immense chantier – le plus important du XVIIe siècle, qui fera pâlir Vauban d'envie – en répartissant les milliers d'hommes et de femmes par groupes de quarante, encadrés de contremaîtres et d'inspecteurs. Par ailleurs, les salaires qu'il offre aux travailleurs sont élevés ; les jours chômés, les jours de pluie et les arrêts pour cause de maladie sont rémunérés… Bref, Riquet le social a trois cents ans d'avance ! Il meurt en 1680, un an avant l'achèvement des travaux.

Le canal des Deux-Mers

De 1838 à 1856, le canal du Midi est prolongé jusqu'à Bordeaux par le canal latéral de la Garonne, l'ensemble constituant le canal des Deux-Mers. Au début du XXe siècle des projets pharaoniques naissent, prévoyant un nouveau canal de 250 mètres de large pour 14 mètres de profondeur, de Bordeaux à Narbonne, afin d'y faire passer des paquebots, des cuirassiers… La crise des années 1930 leur est fatale ! Aujourd'hui, le canal des Deux-Mers est consacré au tourisme fluvial, à l'acheminement de produits pétroliers, de céréales… et des tronçons de l'Airbus A380 !

L'estuaire de la Gironde

C'est une rivière, mais c'est presque un fleuve, la Dordogne qui rejoint la Garonne au bec d'Ambès ; avec ses 475 kilomètres de longueur et ses nombreux affluents, elle se livre, comme le fait sa maîtresse, au majestueux estuaire de la Gironde !

La Dordogne des extrêmes

2 500 m³ à la seconde ! C'est le débit que peut atteindre la Dordogne lors de ses crues de printemps, alors qu'en période estivale, elle paresse sous les ponts, à 20 m³ à la seconde ! Rivière des extrêmes, comme sa patronne la

Garonne, la Dordogne naît au puy de Sancy, dans les monts d'Auvergne – vous les avez fréquentés au chapitre 2 – à 1 700 mètres d'altitude. Dans son lit tortueux, elle descend de la montagne à cheval sur la Corrèze et le Cantal, puis traverse le Lot et la Dordogne, avant d'entrer en Gironde où elle se jette, au bec d'Ambès, dans la Garonne. Ses 475 kilomètres de cours s'enrichissent de la Rhue, la Diège, la Triouzoune, la Luzège, l'Auze, la Sumène, la Maronne, la Cère, l'Ouysse, la Doustre, la Vézère grossie de la Corrèze, et l'Isle. Son cours est régulé par cinq barrages producteurs d'hydroélectricité : Marèges (1937), l'Aigle (1945), Bort-les-Orgues (1951), Chastang (1952), le Sablier (1958).

La Dore et la Dogne ?

Alors, qui croire ? Les uns prétendent que pour créer le nom Dordogne, on a soudé celui de deux rivières qui coulent près du puy de Sancy, la Dore et la Dogne, et se rejoignent pour former justement… la Dordogne ! Les autres vous rient au nez… Ah, mais non ! C'est bien moins simple que cela ! De la Dordogne, il est déjà question sous la plume du poète Sidoine Apollinaire (431-487, ne le confondez pas avec Guillaume…) ; il s'émerveille du charme de la Duranius ! Plus tard, Grégoire de Tours (538-597) parle de la Dorononia. Et sous Louis XI, c'est la Dordoigne. Tous ces termes seraient issus en droite ligne de la racine celte dor, dur ou dubro, et de una qui signifient « eau » ! Si vous le dites…

Un bras de mer

En des temps fort lointains, la terre et la mer décidèrent d'établir leurs frontières. Les négociations furent difficiles, la mer revenant sans cesse à la charge pour arrondir son rivage. Mais la terre, ferme, refusa toute concession. Alors, la mer en colère tenta un coup de force, une sorte de bras de fer, qu'elle perdit. Depuis ce temps, la marque de son bras a laissé pour toujours sa trace dans l'onde. On l'appelle la Gironde.

Le plus vaste estuaire d'Europe

On pourrait aussi expliquer que l'estuaire de la Gironde (75 kilomètres) est une avancée de la mer dans la plate-forme bordelaise formée à l'éocène et à l'oligocène. On pourrait ajouter que, dans son lit, les cailloutis caractéristiques de cette plate-forme se trouvent mélangés au sable, à la boue et aux galets. On terminerait en précisant que la stabilisation du niveau des mers voilà 5 000 ans a donné à la Gironde son profil actuel, qu'avec ses 75 kilomètres de long et, dans ses grandes largeurs, 10 ou 12 kilomètres, ses 635 m^2, cet estuaire passe pour le plus vaste d'Europe !

Le phare de Corduan

Au haut Moyen Âge, l'entrée de l'estuaire de la Gironde était occupée par des terres flottantes, marécageuses. Les marchands maures construisirent un premier phare sur un îlot rocheux situé à 7 kilomètres en mer (entre Royan, Vaux-sur-Mer et la pointe de Grave) : le phare de Corduan. Il fut amélioré beaucoup plus tard par le Prince Noir, fils du roi d'Angleterre et gouverneur de Guyenne de 1362 à 1371. Ce phare s'étant écroulé, il fut décidé, en 1584, d'en construire un autre sur le même îlot rocheux. L'ingénieur et architecte Louis de Foix en dessina les plans et dirigea les deux cents ouvriers qui élevèrent l'ouvrage inauguré en 1611, après la mort de son architecte en 1604. Entre 1782 et 1789, un ingénieur nommé Teulière décida de surélever le phare de 30 mètres. Avec sa chambre décorée de marbre noir et blanc pour le roi Louis XIV – qui n'y a jamais séjourné – sa chapelle aux riches vitraux, le phare de Corduan est appelé « le Versailles des phares ». En 1862, il a été classé monument historique. Et il fonctionne toujours…

Le mascaret

On pourrait encore préciser que, dans l'estuaire de la Gironde, on trouve des îles au passé mouvementé, car il fallut souvent protéger Bordeaux des appétits conquérants. Beaucoup sont désertées aujourd'hui ou transformées en surfaces agricoles – ainsi l'île Nouvelle et ses 265 hectares. On pourrait parler aussi de l'intérêt floristique et faunistique de ce site protégé et privilégié – avec ses esturgeons sauvages, ses crevettes blanches, ou *chevrettes*… On pourrait enfin parler du mascaret, cette vague spectaculaire qui remonte le fleuve à contre-courant, et qui peut atteindre 2 mètres de hauteur – elle peut se former à partir d'un coefficient de marée de 85, mais devient plus spectaculaire en août et en septembre, lors des grandes marées. On pourrait peut-être cesser de parler de l'estuaire, et retourner au temps où la terre et la mer…

La Garonne en bref

- Source : le val d'Aran, dans le massif de la Maladeta (Pyrénées espagnoles) à 1 870 mètres.
- Longueur : 575 kilomètres, 650 kilomètres avec l'estuaire de la Gironde, 524 kilomètres en France
- Débit moyen : 600 m³/seconde
- Principaux affluents de la rive droite : l'Ariège, le Tarn grossi de l'Aveyron, le Lot et la Dordogne grossie de la Vézère et de l'Isle
- Principaux affluents de la rive gauche : la Save, le Gers et la Baïse
- Principales villes arrosées : Foix, Toulouse, Agen, Bordeaux
- Embouchure : l'estuaire de la Gironde, 75 kilomètres

Chapitre 8

Le Rhône, petit Suisse et grand Français

Dans ce chapitre :

▶ Effectuez en compagnie du Rhône un court séjour en Suisse

▶ Suivez le fleuve jusqu'à Lyon où vous saurez tout de son épouse : la Saône

▶ De barrage en barrage, descendez jusqu'en Avignon

▶ Galopez en Camargue, entre le Petit Rhône et le Grand Rhône

Quel personnage, le Rhône ! Quel parcours, quelle vie ! Vibrionnant, bouillonnant dès sa naissance en Suisse, il se réserve un temps de réflexion, presque d'introspection, en se répandant dans le lac Léman d'où il ressort français ! Après le Jura, mûr pour sa grande aventure vers la Méditerranée, il se laisse séduire par la Saône et l'épouse à Lyon. Mari tout neuf, il bombe le flot, accepte de bonne grâce de donner son énergie aux barrages, prête aux gros bateaux son dos large, donne à boire aux terres altérées, mais parfois se laisse aller à de terribles colères, celles d'un taureau furieux…

L'enfance d'un chef

Rien à voir avec l'*Enfance d'un chef*, la nouvelle de Jean-Paul Sartre – puissant fleuve de mots… ! Rien à voir, ou presque : Sartre, dans sa nouvelle, raconte l'enfance, l'adolescence puis le début de la vie d'homme de Lucien Fleurier, un être à la recherche de lui-même ; nous allons effectuer le même parcours, mais notre héros s'appelle le Rhône.

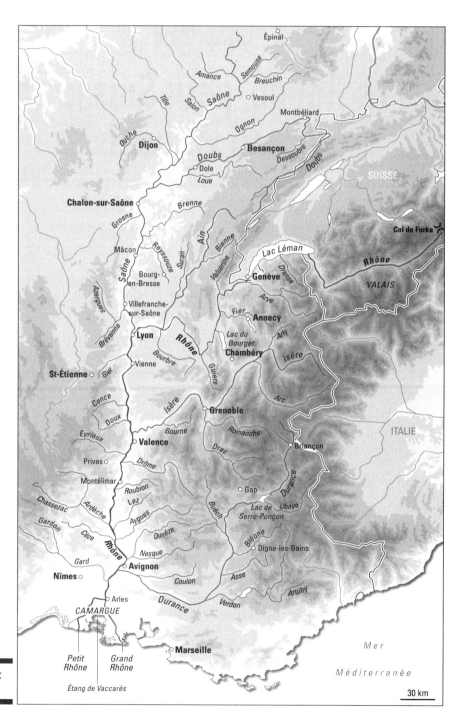

Figure 8-1 :
Le Rhône.

Un compte en Suisse

Au-delà de la frontière Suisse se trouve un trésor dont la valeur ne peut se mesurer à quelque autre fortune. Et ce trésor est à la portée de n'importe qui. Cela se peut-il ? Cela coule de source…

Une fortune en liquide

– Incroyable ! Un Suisse qui a amassé une fortune en liquide accepte de vous ouvrir son coffre ! Est-ce possible ? – Oui ! – Et pour quelle raison ? – Pour que vous puissiez admirer son capital, tout simplement ! – Vrai ? Mais alors, partons immédiatement ! – Soit ! Rendez-vous sur la ligne sommitale du glacier de la Furka, dans le Valais suisse, au massif du Saint-Gothard. Chaussez de bons souliers et mettez une veste chaude. – Comment ? La banque n'est pas chauffée ? – Qui vous a dit que vous alliez dans une banque ? – Il a été question d'un coffre… – Certes, mais des coffres, il en est de toutes sortes ! Celui que vous allez visiter a été construit voilà cent vingt ans dans un bloc gigantesque, installé à la Furka depuis des millénaires. Tenez, le voici, ce coffre. Entrez ! – Dans le coffre ?… – Oui !

Collemboles nivicoles

– Brrr ! Vous aviez raison, il ne fait pas chaud ici ! – C'est vrai, il gèle… Avez-vous compris, maintenant ? Le riche Suisse, c'est le Rhône, sa fortune en liquide, ce sont les glaces, et son coffre, c'est le glacier, le glacier de la Furka, dans lequel est taillé et retaillé, depuis cent vingt ans, ce tunnel – ce coffre… – que vous venez d'emprunter ! – Oh, regardez ces petits points noirs sur la glace bleutée… ! – Ce sont des collemboles nivicoles, de minuscules puces des neiges, oui, des cousines de celles de votre chien – mais elles sont inoffensives, et complètement frigorifiées ! Sortons, il est temps de partir pour l'aventure ! Préparez vos muscles, il va y avoir du sport !

Le Rhône tombé dans le lac

– Une petite pause ? Un petit croissant pour reprendre des forces ? – Oui, à condition que ce soit un croissant Léman…

Un croissant à la seiche

Ah ! Quelle vitesse, quelle allure, quels virages et rebondissements, on saute de rocher en rocher… Ne vous inquiétez pas, le Rhône pratique ses exercices d'assouplissement, il exécute la figure du torrent, idéale pour parcourir la montagne en conservant toute son énergie ! Le voici maintenant descendu dans la vallée glaciaire, creusée en auge, qui va le conduire dans le lac Léman – souvenir de la dernière des quatre glaciations du quaternaire. Ce lac de 70 kilomètres de longueur pour 3 à 15 kilomètres de largeur et qui s'étend en forme de croissant au pied des Alpes est parfois le lieu d'un curieux phénomène inexpliqué : la seiche – vous ne savez pas ce que c'est ? Ne dites rien, personne n'a rien vu…

GÉO-MOTS

Peut-être la lune…

La seiche est une élévation du niveau de l'eau – celle d'un lac, d'une mer intérieure –, entre 60 centimètres et 1,50 mètre, en une demi-heure, sans rien qui puisse le laisser prévoir, sans que personne puisse vraiment l'expliquer ! Ensuite, elle retrouve son niveau initial. Est-ce dû à la différence de pression atmosphérique occasionnée par les hauts reliefs environnants ? Est-ce l'altitude (380 mètres au-dessus du niveau de la mer), sa profondeur (380 mètres au maximum) ? À moins que… à moins que ce soit, rappelez-vous, la lune qui attend son cœur captif ! Nul ne peut répondre avec certitude. Ce qui est certain, en revanche, c'est que les alluvions déposées par le Rhône à sa sortie du lac ont fait reculer celui-ci au profit des terres, éloignant villes et villages qui étaient sur ses berges !

Naturalisé français

Frontière ! Douanier zélé… – Votre nom ? – Rhône. – C'est un peu court ! N'auriez-vous pas un autre nom, ou un surnom par exemple ? – Si, on m'a longtemps appelé, en France, « Taureau furieux »… – Et pourquoi cela ? – Parce que je peux tout dévaster, comme un taureau : si mon humeur enfle, si mon débit se multiplie, j'inonde, je pousse, je charge, j'écrase, je broie, rien ne me résiste ! Mais je ne suis pas le seul coupable, c'est tout un enchaînement, vous comprenez : les neiges fondent, les pluies tombent, les rivières qui se jettent en moi grossissent… et tout cela fait tant d'eau, tant d'eau dans mon lit qui est bien étroit parfois… Alors, je passe en force… – Pourquoi avez-vous dit :« On m'a longtemps appelé, en France, « Taureau furieux » ? – Parce qu'on a tenté de m'assagir ! – A-t-on réussi ? – Oui, souvent…

La balade jurassienne du Rhône

Après sa rencontre avec la nerveuse Valserine, le Rhône va amorcer sa descente vers Lyon, et vous votre montée vers un panorama inoubliable !

Taureau furieux et la Valserine

Quelques méandres après Genève, *Taureau furieux* entre en France. Aussitôt après avoir reçu l'apport de l'Arve qui déverse en lui l'eau glacée du mont Blanc, il tente une échappée vers le nord ! La rivière Valserine l'en dissuade – impétueuse et torrentielle, elle coule entre les hauts flancs des montagnes – et s'accorde la fantaisie de disparaître dans des rochers profondément entaillés, connus sous le nom de marmites de géants, les Oulles. Sortie de ces marmites, la Valserine se jette dans le Rhône à Bellegarde. L'a-t-elle apprivoisé ? Pas si sûr…

Vers Lyon : de cluse en cluse...

Craignez-vous qu'il se lance à vos trousses ? Grimpez alors au sommet du Grand-Crédo, à 1 608 mètres : vous découvrez les gorges du fleuve, la ville de Bellegarde, et là-bas, très loin, qu'est-ce ?... le lac Léman, le lac d'Annecy, et puis, un peu plus à droite... celui du Bourget ! En descendant, voyez ce trou noir où s'engouffre le train : c'est le tunnel du Crédo – 3 900 mètres, et la Suisse à la sortie ! Taureau furieux est passé devant vous. Suivez-le maintenant, de cluse en cluse – vous apprîtes le sens de ce mot en traversant naguère le Jura... –, il se fraie un chemin vers Lyon, tout en recevant le Fier, les eaux du lac du Bourget par le canal de Savières, le Seran, le Guiers, l'Ain – arrosé à gauche par le Hérisson, la Bienne, l'Oignin, l'Albarine, à droite par la Valouse et le Suran –, la Bourbre. Ralenti, il est assagi par cinq barrages...

Barrages pour être sage...

- **Génissiat-Seyssel** : le barrage de Génissiat a été programmé en 1933, commencé en 1937, poursuivi en 1939, noyé en 1940, et finalement terminé après la guerre, en 1948. C'est alors le barrage le plus puissant d'Europe, avec ses 105 mètres de hauteur, ses 140 mètres de longueur, sa retenue de 23 kilomètres et ses 50 millions de m^3. La production de son usine hydroélectrique s'élève à 1,66 milliard de kWh par an.

- **Chautagne** : près de la commune d'Anglefort, ce barrage a été mis en service en 1981. Sa production annuelle d'électricité est de 450 millions de kWh.

- **Belley** : près de la ville natale de Brillat-Savarin (rappelez-vous l'histoire du poulet de Bresse), le barrage de Belley, mis en service en 1981, produit annuellement 449 millions de kWh.

- **Brégnier-Cordon** : la centrale hydroélectrique de Brégnier-Cordon, près du barrage-usine de Champagneux, produit 324 millions de kWh par an. Elle a été mise en service en 1984.

- **Sault-Brénaz** : mis en service en 1986, ce barrage produit annuellement 245 millions de kWh.

Saône, épouse...

Elle naît dans les Vosges, traverse la Haute-Saône, la Côte-d'Or, la Saône-et-Loire, l'Ain... Dans le Rhône, elle trouve son maître !

Pas de vagues

Ces deux-là étaient faits pour se rencontrer ! Elle, la Saône, lui, le Rhône ! Lui, vous le connaissez déjà, ce riche Suisse aux coffres pleins. Elle, vous brûlez de savoir ce qu'a été sa vie jusqu'à son mariage lyonnais avec Taureau furieux... Ah ! la Saône ! Elle n'est pas née de la dernière pluie ! Pourtant, aussi loin qu'on remonte dans son enfance à Vioménil, dans les monts Faucille, au sud d'Épinal, sa réputation est excellente. Jamais elle ne fait de vagues, jamais d'outrances, d'extravagances. Il se murmure cependant qu'elle entretient une relation platonique avec un grand seigneur nordique, le Rhin, par l'entremise du canal de l'Est – et de celui de la Marne au Rhin. Descendant gaiement la Franche-Comté, elle se fait de généreuses amies :

- ✔ la Lanterne, grossie de l'Augrogne et du Breuchin,
- ✔ l'Amance,
- ✔ la Vingeanne.

D'aventure en aventure

Des amies… et des amis ! Avant de s'unir à son élu aux portes de Lyon, la Saône est initiée aux robustes rencontres par l'Ognon, né à Château-Lambert, au pied du ballon de Servance – où furent longtemps exploitées des mines de plomb, d'argent et de cuivre. L'Ognon est un solide montagnard amateur de cascades – celle de Servance, notamment, avec sa forme en triangle, et ses 14 mètres de chute ! Assagi, il longe nombre de petites villes ou villages médiévaux – Villersexel, Rougemont, Marnay, Pesmes… La Saône fait ensuite la connaissance du Doubs – à Verdun-sur-le-Doubs… Jurassien et sportif – près de Villers-le-Lac, il réalise un saut de 27 mètres ! – il a failli devenir citoyen suisse avant de faire volte-face, de s'allier au Dessoubre pour remonter vers Montbéliard puis dévaler vers Baume-les-Dames, Besançon et Dôle, tout en se laissant courtiser puis conquérir par la Loue.

Un grand canal Rhin-Rhône ?

Marseille. Vous venez de prendre en main le gouvernail de votre bateau de 1 500 tonnes, et vous voulez vous rendre en Bourgogne livrer vos marchandises ? C'est possible ! Vous allez donc parcourir 520 kilomètres, grâce aux travaux qui ont été effectués pour la mise à grand gabarit du Rhône et de la Saône. Vous voici arrivé au lieu où Saône et Doubs se donnent rendez-vous : Laperrière-sur-Saône. Vous voulez continuer votre navigation afin de rejoindre le grand canal d'Alsace, à Niffer – et le Rhin par la même occasion ? C'est impossible ! Impossible ? Même en prenant le Doubs ? Si vous voulez, mais pour aller où ? Eh bien, dans le canal du Rhône au Rhin que voici sur ma carte ! Alors coupez en deux votre bateau de 1 500 tonnes… Pour l'instant, trop étroit, le canal du Rhône au Rhin n'en accepte que 649 ! Ne serait-il pas possible de l'élargir ? Ouh là là, l'épineuse question !

Il y a ceux qui sont pour, jugeant que ce canal grand gabarit constituerait le maillon indispensable entre la mer du Nord et la Méditerranée. Il y a ceux qui jugent le projet pharaonique, parce qu'il faudrait construire 24 écluses et 15 barrages mobiles afin d'escalader le seuil de Belfort, haut de 160 mètres – la plus haute des écluses atteindrait la hauteur d'un immeuble de huit étages ! Il faudrait aussi faire disparaître 4 700 hectares de terres agricoles, détruire et reconstruire 100 ponts routiers, 10 ponts de chemin de fer, construire un tunnel sous la citadelle de Besançon… Bref, d'après les opposants, même Hercule reculerait devant l'importance – et le coût – des travaux ! Voilà pourquoi, en 1998, le projet a été abandonné… jusqu'à nouvel ordre !

Méfiez-vous d'elle...

Son idylle avec le Doubs consommée, la Saône, devenue bressane, multiplie les petites aventures avec des voyageurs de sa rive gauche, descendant du Jura – Chalaronne, Callone, Mâtre... – ou de sa rive droite, venus des monts du Charolais, du Beaujolais ou du Lyonnais – Bourbonne, Mouge, Douby... Sainte-nitouche peut-être à sa source, mais délurée en diable avant ses épousailles dans la capitale des Gaules : voilà la Saône ! Méfiez-vous d'elle ! Ses aventures de célibataire avec les montagnards lui ont donné le goût des débordements, de l'inconstance ! Elle sait vous mettre en confiance avec 50 m³ à la seconde pour vous rouler plus tard sous 5 000 m³ ! Nous voici à Lyon, lieu de l'échange des consentements Saône-Rhône... Vous êtes prévenu !

Affluents vers le sud

- L'Isère, grossie de l'Arly, de l'Arc, du Drac et de la Romanche.
- La Drôme.
- Le Roubion, la Lèze, l'Aygues, l'Ouvèze, grossie de la Nesque.
- La Durance, grossie de l'Ubaye, de la Buëch, de la Bléone, du Verdon.
- L'Ardèche, grossie du Chassezac.
- Le Gard et ses Gardons, torrents lozériens qui l'alimentent.

Tout droit vers la mer

Des bateaux, des barrages et des biefs, des usines d'hydroélectricité, et puis la Camargue, des chevaux en liberté, des flamants roses, la magie du delta...

Le Rhône, de Lyon à Avignon

Le fleuve, c'est le courant qui porte les convois vers leur destination – raffineries, dépôts de mille marchandises. C'est aussi le courant qui est disponible dans vos prises, pour votre machine à laver, votre aspirateur...

Des millions de tonnes !

Vous remontiez tout à l'heure le Rhône, le gouvernail de votre bateau de 1 500 tonnes tenu fermement entre vos mains afin d'affronter *Taureau furieux* comme un toréador qui prend garde... Vous transportiez des hydrocarbures, ou bien des métaux, ou bien encore des produits agricoles ou des parpaings, du ciment, de quoi construire des maisons... Vous avez sans doute croisé des convois de 7 000 ou 8 000 tonnes, poussés vers l'aval ou vers l'amont, chargés eux aussi de toutes sortes de marchandises, de denrées, de matériaux – près de 4 500 000 tonnes circulent sur le Rhône annuellement.

Tout cela répond à la demande croissante des raffineries, des usines, des industries qui bordent le fleuve : celles qui produisent du papier, du carton, du verre, des engrais… Sans compter les usines hydroélectriques…

Que de biefs…

Attention : ne croyez pas que vous allez naviguer tout droit, tranquillement, sur un Rhône bien sage, aux eaux dormantes et régulières ! Votre remontée vers Lyon ou votre descente vers Avignon vont suivre une succession de biefs créés au fil des années – un *bief* est la portion d'un cours d'eau entre deux écluses ; c'est aussi le canal de dérivation qui conduit les eaux d'une rivière ou d'un fleuve, vers la roue d'un moulin ou les turbines d'une usine hydroélectrique. Les barrages installés sur le Rhône font dériver l'eau vers un canal d'amenée. Celui-ci aboutit à l'usine de production d'électricité. L'eau retourne au Rhône par un canal de fuite. Et vous, dans tout cela ? Vous empruntez, avec votre gros bateau, les écluses aménagées sur les canaux.

De barrage en barrage

Voici la liste de vos haltes, de Lyon à Avignon :

- Pierre-Bénite, barrage construit en 1966 – 530 millions de kWh ;
- Vaugris, barrage construit en 1980 – dans l'Isère – 325 millions de kWh ;
- Péage-de-Roussillon, barrage construit en 1977 – 850 millions de kWh ;
- Saint-Vallier, barrage construit en 1971 – 700 millions de kWh ;
- Bourg-lès-Valence, barrage construit en 1968 – 1,1 milliard de kWh ;
- Beauchastel, barrage construit en 1963 – 1,2 milliard de kWh ;
- Baix-le-Logis-Neuf, barrage construit en 1960 – 1,22 milliard de kWh ;
- Montélimar, barrage construit en 1957 – 1,6 milliard de kWh ;
- Donzère-Mondragon, barrage construit en 1952 – 2,14 milliards de kWh ;
- Caderousse, barrage construit en 1975 – 860 millions de kWh ;
- Avignon, barrage construit en 1973 – 935 millions de kWh ;
- Vallabrègues, barrage construit en 1970 – 1,3 milliard de kWh.

La Camargue

Tartarin, les gardians, les gitans, Sara la Brune, et trois belles Camarguaises, voilà votre programme de visite pour ce lieu étrange où les chevaux sont libres comme au début du monde.

Entrée en delta

Vous venez de quitter Avignon. Voici Tarascon – le pays du Tartarin d'Alphonse Daudet. Et, sur l'autre rive du Rhône, Beaucaire – où Daudet fait mourir son personnage. Oui, mais tout cela ne vous donne pas la direction que vous allez suivre… Prendrez-vous vers la gauche – le Rhône – ou vers la droite – le canal du Rhône à Sète (à la proue de votre bateau, vous vous dirigez vers le sud) ? Vous décidez de descendre encore un peu le Rhône. Mais peu avant Arles, nouvel embranchement, nouvelle fourche – justement, nous arrivons à Fourques… – : ou bien vous allez vers la gauche – vers l'est – dans le Grand Rhône, ou bien vers la droite – vers l'ouest –, dans le Petit Rhône. Ici commence le delta. Ce terme est choisi parce qu'il est l'image de la lettre grecque *delta* (Δ). Dans cet espace triangulaire, à partir d'Arles, se trouve la Camargue.

UNE GÉO-CURIOSITÉ

La Camargue aux bras baladeurs

Un delta… Dans l'Antiquité, on aurait plutôt parlé d'un trident, car le Rhône se séparait en trois – et même quatre – bras avant d'atteindre la mer qui était beaucoup plus proche qu'à notre époque. Au Moyen Âge, les trois branches du Rhône ont changé leur tracé, la plus occidentale correspond à celle du Petit Rhône aujourd'hui, et les deux autres entourent comme de petits bras musclés l'emplacement de l'étang de Vaccarès. Au XVIIIᵉ siècle, les deux petits bras musclés ont disparu au profit d'un grand bras, celui qui va devenir le Grand Rhône – en revanche, l'embouchure de ce grand bras se situe plus à l'ouest qu'aujourd'hui. Des caprices, ces balades ? Non, seulement la conséquence des milliers de tonnes d'alluvions que charrie le fleuve et qui se déposent à son embouchure. Ainsi, peu à peu, la mer s'éloigne et le fleuve la rattrape comme il le peut… ou comme l'homme le veut – ou le voudrait… – en aménageant les derniers kilomètres de son cours.

Les gardians, les gitans

Des chevaux blancs qui galopent en liberté en soulevant des gerbes d'eau, des taureaux trapus, noirs et nerveux, des oiseaux qui s'envolent, des flamants roses sur leurs longs pieds, des ibis, des aigrettes… Et puis des gardians penchés sur leurs montures lancées au triple galop… La Camargue se déploie sous vos yeux – l'agricole au nord avec ses rizières, et les salins avec leurs amoncellements blancs. Voici venir maintenant, de l'Europe entière – et depuis le Moyen Âge –, vers Saintes-Maries-de-la-Mer, par milliers, les gitans ! Ils viennent honorer Marie Jacobé, Marie Salomé et Sara, la servante noire – leur patronne, dont le culte est reconnu par l'Église grâce à l'obstination du marquis Folco de Baroncelli (1869-1943) qui a consacré sa vie à la Camargue.

Un bateau sans voile, sans rames

Qui sont-elles ? Marie Salomé est la mère des apôtres Jean et Jacques le Majeur, Marie Jacobé est la sœur de la Vierge Marie. Elles embarquent après la mort du Christ sur un bateau sans voile ni rames. À bord se trouvent aussi Marie Madeleine, Lazare et sa sœur Marthe et Joseph d'Arimathie qui transporte le Saint-Graal ! Le bateau surchargé – et ses passagers – abordent en Camargue où les attend Sara la Brune qui les emmène dans son temple liguro-celte, puis devient leur servante.

Tous les 24 mai...

Marie Salomé et Marie Jacobé évangélisent la contrée. Après la mort des trois femmes, un culte fervent leur est rendu, qui redouble en 1448 lorsque leurs ossements sont découverts au cours de fouilles effectuées sous l'autel de l'église des Saintes-Maries-de-la-Mer construite au XIIe siècle. Transportées dans la chapelle haute – sauf celles de sainte Sara qui demeurent dans la crypte –, leurs reliques sont depuis ce temps honorées chaque année, l'après-midi du 24 mai.

Trois belles Camarguaises

✔ **Arles** – 75 000 hectares, la plus grande commune de France ! –, centre commercial très important sous l'Empire romain, conserve de cette époque les arènes, le théâtre antique, les Alyscans – la nécropole –, les thermes de l'empereur Constantin. Aujourd'hui, Arles est à la fois un port – relié à Marseille par un canal parallèle au Grand Rhône – et une ville touristique qui ouvre les portes de la Camargue. Les rencontres internationales de la photographie s'y déroulent depuis 1970.

✔ **Saintes-Maries-de-la-Mer** : cette ville d'à peine 2 500 habitants accueille chaque année les gitans venus de tous les pays vénérer sainte Sara la Brune. Tous les trois ans, ils élisent leur reine. Dans les arènes des Saintes-Maries se déroulent des corridas.

✔ **Aigues-Mortes** : le mot aigues, dérivé du latin, signifiant « eau », et mortes signifiant… « mortes », l'ensemble Aigues-Mortes donne une indication précise du lieu où se trouve la ville : dans les eaux mortes – les marais. Quadrilatère de 1 640 mètres de pourtour dominé par un donjon de 40 mètres de hauteur, la tour Constance, ce port fut créé par Louis IX (Saint Louis) afin de partir pour la septième croisade – elle dure six ans, de 1248 à 1254 – et la huitième en 1270, dont il ne reviendra pas. La ville vit aujourd'hui du tourisme, des vignes et des salines.

GÉO-CHANSON

Mon cheval, ma Camargue et moi…

Heureux qui comme Ulysse, a fait un beau voyage / Heureux qui comme Ulysse, a vu cent paysages / Et puis a retrouvé / Après maintes traversées, le pays des vertes années… Par un joli matin d'été / Quand le soleil vous chante au cœur / Qu'elle est belle la liberté / La liberté / Quand c'en est fini de malheurs / Quand un ami sèche vos pleurs / Qu'elle est belle la liberté / La liberté / Battus de soleil et de vent / Perdus au milieu des étangs / On vivra bien contents / Mon cheval, ma Camargue et moi…

Non, ce n'est pas du Joachim du Bellay, c'est une chanson interprétée par Georges Brassens, sur des paroles d'Henri Colpi, le réalisateur du dernier film de Fernandel, *Heureux qui comme Ulysse* (1970). Ce film raconte l'histoire bouleversante d'Antonin (Fernandel), un garçon de ferme qui refuse de livrer au picador son vieux cheval – Ulysse – et décide de le conduire en Camargue afin qu'il retrouve la liberté. Mais le cheval tombe malade… La suite ne peut se raconter ! Le film est disponible en DVD…

Le Rhône en bref

À RETENIR

- ✔ Source : le glacier de la Furka, dans le Valais suisse (massif du Saint-Gothard) à 1 853 mètres
- ✔ Longueur : 812 kilomètres – 231 en Suisse, 581 en France
- ✔ Débit moyen : 1 820 m^3/ à la seconde
- ✔ Principaux affluents de la rive droite : l'Ain, la Saône, grossie du Doubs, l'Ardèche, le Gard
- ✔ Principaux affluents de la rive gauche : l'Isère, grossie de l'Arc et du Drac, la Drôme et la Durance
- ✔ Principales villes arrosées : Genève (Suisse), Lyon, Valence, Avignon, Arles
- ✔ Embouchure : en delta – triangle qui contient la Camargue

Chapitre 9

Courts et longs cours

. . . .

Dans ce chapitre :

▶ Devenez un familier du Rhin, de la Meuse et de l'Escaut

▶ Suivez le cours des fleuves moyens et courts

▶ Faites connaissance avec les fleuves côtiers

. . . .

L es longs cours d'abord : le Rhin, la Meuse et l'Escaut. Le premier longe la France à l'est ; les deux autres y prennent leur source. Tous les trois se jettent hors de ses frontières, en mer du Nord. Deux autres fleuves peuvent être classés dans les longs cours, l'un au nord, l'autre au sud, même s'ils ne dépassent pas 250 kilomètres : la Somme et l'Aude. Trois autres longs cours – plutôt des cours moyens… – s'ajoutent, en France, aux quatre grands seigneurs déjà présentés (Loire, Seine, Garonne, Rhône) : la Vilaine, la Charente et l'Adour qui se jettent dans l'Atlantique. Vous découvrirez ensuite bon nombre de tout petits fleuves dont vous ignoriez peut-être l'existence…

Vers la mer du Nord

Un fleuve frontière : le Rhin. Un fleuve de poète : la Meuse. Un fleuve de chanson : l'Escaut. Tous les trois fleuves de guerre en leur temps. Aujourd'hui, ils coulent des jours de paix.

Le Rhin des ondines

Long comme une légende des temps anciens, le Rhin déroule sa majesté au fil des siècles, admiré des créateurs qu'il inspire. Il a bien failli devenir le plus grand égout d'Europe, au siècle dernier… Heureusement, le dieu Wotan et les fraîches ondines veillaient – les hommes de bon sens surtout…

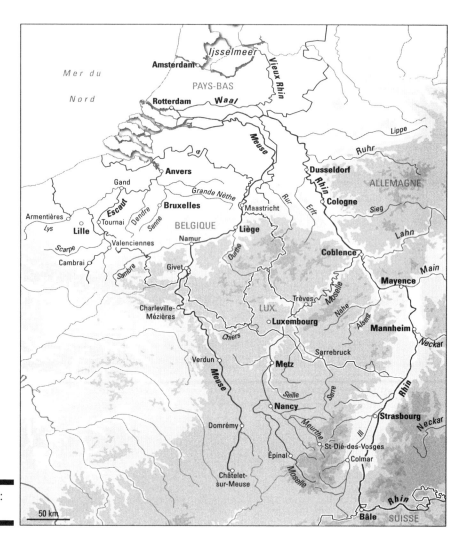

Figure 9-1 :
Le Rhin.

Au son des fifres et des tambourins

Ils ont traversé le Rhin / Avec monsieu-eu-eur de Turenne / Au son des fifres et tambourins / Ils ont traversé le Rhin / Lon lon la, laissez-les passer, les Français sont dans la Lorraine / Lon lon la, laissez-les passer, / Ils ont eu du mal assez…

Quatre couplets composent ce chant de guerre où sont honorés les dragons de Noailles qui viennent de mettre à feu et à sang le Palatinat rhénan – en 1674, Turenne à leur tête ! Pauvre Palatinat dont le seul tort est de se trouver près du Rhin et d'offrir une zone de ravitaillement aux troupes étrangères qui voudraient envahir la France !

La frontière

Le Rhin ! Il représente d'abord une frontière naturelle derrière laquelle vivent puis se massent les barbares avant le fameux 31 décembre 406. Ce jour-là, par milliers, ils commencent à déferler sur la Gaule romaine. Les cartes redistribuées, le Rhin devient l'une des artères vitales du monde germanique où il est surnommé avec familiarité et respect *Vater Rhein* (« papa Rhin » !). En 1648, au traité de Westphalie, une partie de l'Alsace est intégrée au royaume de France. En 1681, Strasbourg est conquise par Louvois. Seize ans plus tard, le traité de Ryswick confirme la souveraineté de Louis XIV sur l'Alsace. La partie du Rhin qui la borde devient la frontière politique et militaire de la France. Elle l'est encore après l'épopée napoléonienne – le Rhin, pendant l'Empire, est presque entièrement français –, et les séismes guerriers qui ont ébranlé l'Europe à partir de 1870.

Wotan, Walhalla...

Vous rappelez-vous le Suisse fortuné nommé Rhône ? Eh bien il est frère de lait – frère d'eau si vous préférez – du Rhin qui naît au mont Saint-Gothard ! Fortuné aussi, le Rhin ! Riche de son passé, de ses légendes – l'ensorceleuse Lorelei aux cheveux blonds qui s'est unie à lui dans la mort ; riche des fraîches ondines, du dieu Wotan, de la Walhalla… Qu'est-ce donc, tout cela ? Eh bien, allez voir et entendre l'opéra de Wagner *L'Or du Rhin*, vous saurez tout ! Revenons au mont Saint-Gothard, près du lac Toma, en particulier. C'est là que le Rhin antérieur prend sa source.

L'autre Rhin

Existerait-il un autre Rhin ? Un Rhin clandestin, non déclaré, caché dans un coffre secret ? Coffre, oui – un glacier, celui du Rheinwaldhorn. Secret, ce coffre ? Non, tout le monde le connaît et sait qu'il constitue l'approvisionnement en liquide du Rhin postérieur. Tout le monde sauf vous, qui savez maintenant ceci : le Rhin qui se jette dans le lac de Constance à la frontière germano-suisse est né de deux Rhins, l'antérieur et le postérieur.

Quand on dit Rhin...

- Le Rhin naît en Suisse ; il mesure 1 298 kilomètres de sa source à son embouchure.
- De Bâle à son embouchure, le Rhin est navigable sur 883 kilomètres.
- Il partage 190 kilomètres de son cours entre la France et l'Allemagne.
- La navigation sur le Rhin est gratuite depuis 1868, ouverte nuit et jour toute l'année.
- Sur le Rhin passent 300 millions de tonnes de marchandises par an.
- Certains convois poussés sur le Rhin transportent 16 000 tonnes de marchandises
- 60 à 110 bateaux par jour empruntent les écluses du fleuve.

✔ En un an, 130 000 à 140 000 personnes effectuent une croisière sur le Rhin

✔ Le transport de 5000 tonnes sur le Rhin coûte 5 fois moins cher en énergie, 18 fois moins cher en frais annexes par rapport à la route.

✔ Le Rhin permet le transport de marchandises jusqu'à Vienne, en Autriche, par la liaison Rhin-Main-Danube.

Maux de Rhin...

Après la Première Guerre mondiale, la France décide unilatéralement de creuser le grand canal d'Alsace. Dix centrales hydroélectriques y sont construites, entre Bâle et Strasbourg. Cela contrarie fort les poissons migrateurs qui ne sont pas au bout de leurs peines car, à partir de 1950, le Rhin est tellement pollué par les rejets industriels et agricoles que ni eux ni leurs congénères ne peuvent y mouvoir leurs branchies sans danger de mort ! Il faut attendre 1970 pour que les États riverains décident de purifier le Rhin, redevenu aujourd'hui un fleuve propre où saumons, brochets, sandres, truites tout frétillants dans le lit du fleuve s'amusent à se faire des queues-de-poisson du matin au soir !

Trois fois Rhin

✔ Aux Pays-Bas, il se divise en deux bras. L'un, le Vieux Rhin, se jette dans le lac Ijsselmeer ; l'autre, le Waal, qui est le bras principal, se mêle aux eaux de la Meuse, traverse un vaste marécage et termine par un delta sa course en mer du Nord.

✔ Ses affluents de la rive gauche sont l'Ill, la Moselle (grossie de la Moselotte, de la Vologne, du Madon, de la Meurthe, de la Seille), la Meuse qui le rejoint à son embouchure.

✔ Sur la rive droite – en Allemagne – : le Neckar, le Main, la Lahn, la Ruhr sont les principaux affluents.

La Meuse de Jeanne

Une certaine Jeanne a vécu sur ses bords. Un certain Arthur était accoutumé de le longer, ruminant sa révolte d'adolescent. Et puis il y eut la guerre...

Sûre de son destin...

950 kilomètres, trois pays traversés – la France, la Belgique, les Pays-Bas – la Meuse est l'une des principales voies navigables en Europe. Le plateau de Langres, véritable père pour une bonne dizaine d'importants cours d'eau, lui donne naissance près du Châtelet-sur-Meuse, en Bassigny dans la Haute-Marne. Regardez-la qui grimpe vers le nord, comme sûre de son destin... Justement : voyez la petite ville qu'elle arrose : Domrémy, dans les Vosges, où naquit, au village d'Arc, Jeanne la Pucelle qui convainquit Charles VII de

bouter les Anglais hors de France et finit par en perdre la vie sur un bûcher, à Rouen. C'était en quelle année ? Voyons... Feue Jeanne d'Arc au feu, c'est en... 1431 ! Bravo, le 30 mai 1431, un lundi.

De l'empereur au roi Arthur

La Meuse poursuit son destin : Verdun, 1916 ! Plus de 700 000 morts en dix mois de bataille, 700 000 jeunes gens d'à peine ou d'un peu plus de 20 ans... Destin tragique encore : Sedan, Napoléon III s'y est laissé enfermer avec ses troupes. Il se rend aux Prussiens le 2 septembre 1870, humiliante défaite suivie de la proclamation de la République, le 4 septembre. Destin encore : Charleville-Mézières où naquit le roi Arthur – Arthur Rimbaud, le poète (1854-1891). Voici la Belgique ! À Namur, la Meuse est rejointe par la Sambre. Elle file vers Liège, passe à Maastricht, aux Pays-Bas, puis retrouve le Rhin en un delta où ils se murmurent leurs aventures avant la mer du Nord.

Le régiment de Sambre et Meuse

Sambre et Meuse, cela vous dit quelque chose ? Il s'agit d'une marche militaire dont la musique a été composée par un auteur d'opérettes, Robert Planquette, et par le parolier Paul Cézano. Celui-ci s'est inspiré des exploits du régiment de Sambre et Meuse – 1794 à 1797, au début du Directoire. En voulez-vous le refrain ? Le voici : « Le régiment de Sambre et Meuse / Marchait toujours au cri de liberté, / Cherchant la route glorieuse / Qui l'a conduit à l'immortalité ! » Reeeeee-pos !

La Meuse en bref

- ✔ Source : près du Châtelet-sur-Meuse, à 409 mètres, en Bassigny (Haute-Marne), sur le plateau de Langres
- ✔ Longueur : 950 kilomètres dont 480 en France
- ✔ Débit moyen : 200 m³ à la seconde
- ✔ Principales villes françaises arrosées : Neufchâteau, Commercy, Verdun, Sedan, Charleville-Mézières, Givet
- ✔ Embouchure : le delta du Rhin et la mer du Nord.

L'Escaut et le Plat Pays

Avec... la mer du Nord / Pour dernier terrain vague / Et des vagues de dunes / Pour arrêter les vagues / Et de vagues rochers / Que les marées dépassent / Et qui ont à jamais le cœur à marée basse / Avec infiniment de brumes à venir...

Jacques Brel… On aimerait tout citer de cette chanson qui berce tendrement le Plat Pays ! Chantonnez-la. Entendez-vous ces paroles ?… « Avec de l'Italie qui descendrait l'Escaut… » L'Escaut ? C'est peut-être la seule chanson que traverse ce fleuve tranquille – la Schelde en néerlandais – né au sud de Gouy, dans l'Aisne, et qui accompagne jusqu'à Cambrai le canal de Saint-Quentin – lui-même relié à l'Oise. Canalisé ensuite, l'Escaut traverse Denain, Valenciennes, Condé-sur-l'Escaut, puis… la frontière. Il arrose Tournai, Gand, Anvers, s'élargit en un estuaire qui rejoint la mer du Nord à Flessingue.

Les affluents de l'Escaut

- La Lys – 214 kilomètres, dont 110 en France où elle arrose Armentières et Halluin.

- La Scarpe – 112 kilomètres, dont les deux tiers canalisés, à partir d'Arras – arrose Douai, Marchiennes, Saint-Amand. Elle se jette dans l'Escaut à Mortagne-du-Nord, près de la frontière belge.

- La Sensée : de Douai, le canal de la Sensée, long de 25 kilomètres, relie la Scarpe… et la Sensée qui prend sa source dans le Pas-de-Calais, à Croisilles. À Arleux, elle se jette dans le canal du Nord, puis dans le canal à grand gabarit à Bouchain.

- La Dendre – 65 kilomètres –, née en Belgique, arrose Alost et se jette dans l'Escaut à Termonde.

Au nord, la Somme ; au sud, l'Aude

Entre Escaut et Seine, un fleuve de 245 kilomètres : la Somme qui se jette dans la Manche. Trop courte pour être vraiment côtière, trop longue pour rivaliser avec les quatre grands de France. Trop courte et trop longue aussi – 220 kilomètres –, l'Aude, mais au sud de l'Hexagone ; elle se jette en Méditerranée.

La Somme tranquille

La Tranquille ! C'est ainsi que l'appelaient les Gaulois, mais avec leurs mots à eux. Et ces mots déclinaient la racine *sama*, « paisible » – qui a donné aussi le nom Sambre, « rivière », comme la Somme, « sans colère » ! Mais pas sans surprises : en effet, en 2001, des inondations d'une étonnante ampleur touchent la vallée de la Somme. La Tranquille qui a quitté son lit erre dans les rues des villages et des villes. Toutes les causes possibles sont évoquées, y compris les plus invraisemblables… Depuis, une commission d'enquête a permis d'élucider le mystère : un phénomène exceptionnel de crue de la nappe phréatique a empêché que les eaux soient absorbées. Voilà pourquoi la Tranquille est partie à la dérive ! Depuis, ses 245 kilomètres – de sa source, près de Fonsommes, dans l'Aisne, à son embouchure dans la Manche –, en partie canalisés, accompagnés d'étangs, de marais, se tiennent bien sages jusqu'à son embouchure, au-delà d'Abbeville, dans… la baie de Somme !

Les affluents de la Somme
- Sur la rive droite : l'Omignon, l'Hallue, la Nièvre (oui, il existe une autre Nièvre que celle de Nevers), le Scardon.
- Sur la rive droite : l'Avre, la Selle, le Saint-Landon, l'Araine, l'Ambroise, l'Ancre.

L'Aude et sa blanquette

À l'est du pic Carlitte, au nord du mont Louis, dans les Pyrénées (Capcir), naît l'Aude. Elle arrose Axal, Quillan, en pays de Sault – et non Soult, le maréchal Soult (1769-1851) qui fit escalader le plateau de Pratzen à ses hommes le 2 décembre 1805, au début de la bataille d'Austerlitz, mais ce maréchal est originaire d'une ville vers laquelle l'Aude se dirige dans la première partie de son cours : Saint-Amans-la-Bastide, aujourd'hui Saint-Amans-Soult, à l'est de Mazamet. Après avoir arrosé Limoux – connaissez-vous la blanquette de Limoux ? ce n'est pas une blanquette de veau, mais un vin blanc qui pétille depuis 1531, bien avant le champagne ! –, l'Aude prend résolument un virage vers l'est, à Carcassonne, se laisse accompagner par le canal du Midi, passe au nord de Lésignan, de Narbonne, et se jette dans la Méditerranée, après avoir parcouru 220 kilomètres depuis sa source.

Vers l'Atlantique

La Vilaine, la Charente et l'Adour, trois fleuves bien répartis sur la façade atlantique : le premier en Bretagne, le deuxième en Saintonge, le troisième au sud des Landes. Bonne visite…

La Vilaine de Melaine

Tous les véliplanchistes, tous les funboarders et maintenant les kitesurfers la connaissent : la baie de Pont-Mahé ! Une baie étonnante qui vous permet d'avoir pied à peu près partout lorsque la mer est haute, et qui se découvre entièrement à marée basse – de sorte qu'il vous faut regagner la plage chargé comme un mulet pendant plus d'un kilomètre si vous n'avez pas pensé que la mer allait baisser… C'est de ce site enchanteur que nous partons – en planche à voile – vers le nord. Nous passons au large de la pointe du Bile, de la Mine d'or – la falaise de couleur cuivrée rappelle l'or, mais seuls les sables littoraux en contiennent (un tout petit peu…), ils ont été exploités à la fin du XIXe siècle. Au large de Penestin, nous parvenons à la pointe du Halguen. Cap à l'est : nous entrons dans l'estuaire de la Vilaine – en gaulois : « l'eau brillante » –, fleuve dont nous allons remonter tranquillement les 225 kilomètres !

De crue en crue...

Premier obstacle : le barrage d'Arzal, construit en 1970 afin que la marée ne remonte pas jusqu'à Redon et n'accroisse pas l'effet des inondations. Hélas, malgré ce barrage dont l'efficacité est certaine, les périodes de pluies continues ont provoqué de nouveaux débordements de la Vilaine, spectaculaires et dévastateurs, notamment en 1974, 1981, 1988, 1995, 1999, 2000 et 2001 ! Poursuivons notre navigation – toujours en planche à voile ! Mais si, c'est possible ! Mais non, ce n'est pas fatigant !... – : la Vilaine coule dans le paysage verdoyant et les marécages ses méandres paresseux.

Brain et Clovis, Beslé et son or...

Voyez ici Brain-sur-Vilaine, sa petite chapelle consacrée à celui qui convertit Clovis : saint Melaine ! Voyez plus loin Beslé où les Romains exploitèrent une mine d'or – il en reste encore (de l'or sûrement, des Romains peut-être…), mais on ne sait trop où. Voyez Langon et ses thermes romains convertis en chapelle… Voyez encore Rennes la moderne avec son métro, puis Vitré, la ville où souvent résida la marquise de Sévigné. Et enfin, tout là-bas – encore 30 kilomètres –, au nord du petit bourg de Princé, à la frontière entre l'Ille-et-Vilaine et la Mayenne, voici la source du fleuve !

Les affluents de la Vilaine

- L'Ille – rivière reliée à la Rance par le canal d'Ille-et-Rance –, le Meu, l'Oust, grossi de l'Aff et de l'Arz, sur sa rive droite.
- La Seiche, le Semnon, le Don, l'Isac, sur sa rive gauche.

La Charente des François

Née près de Rochechouart, elle se situe à 160 kilomètres de la mer. Mais elle va en parcourir 360 ! Elle aime flâner, la Charente ! Elle se dirige d'abord vers le nord, fait demi-tour face au seuil du Poitou, descend en zigzaguant vers Ruffec et son église du XIe siècle, puis Angoulême, artistement tourmentée de roches sur lesquelles elle se perche. Cap à l'ouest, nord-ouest, vers Jarnac – où naquit François Mitterrand –, Cognac – où naquit François Ier… – Saintes – où naquit le bon docteur Guillotin, qui mit au point la… guillotine, en s'inspirant notamment de quelques suggestions de Louis XVI ! Enfin, voici Rochefort – où naquit Pierre Loti – puis l'Atlantique. Question : si vous avez bien suivi jusqu'ici, vous devez être capable de donner le nom de l'île que vous apercevez en face de l'embouchure de la Charente… C'est ?... Oui, c'est… ? Entre le pertuis d'Antioche et le pertuis de Maumusson, l'île d'Oléron !

L'Adour d'Yvette

Dès qu'il sort dans le monde, l'Adour porte un col raide : le Tourmalet, dans les Pyrénées, à 2 115 mètres, près du pic du Midi de Bigorre. Il se précipite ensuite vers Bagnères-de-Bigorre – peut-être avez-vous soigné, dans cette station thermale, un asthme rétif –, traverse Tarbes – son haras, sa maison natale de Théophile Gautier, et celle… d'Yvette Horner ! –, file plein nord, oblique vers l'ouest, reçoit l'Arros sur sa rive droite, continue son cours en plein Aire (Aire-sur-l'Adour et son joli pont). Après Saint-Sever, il reçoit, sur sa rive droite, la Midouze – qui est la réunion de la Midour et de la Douze. Sur sa rive gauche, après Dax – véritable livre d'histoire ! –, l'Adour accueille le Luy (réunion du Luy de France et du Luy de Béarn), le gave de Pau, le gave d'Oloron, grossi de la Saison, et la Bidouze, puis la Nive. L'Adour termine sa course de 335 kilomètres après Bayonne par un estuaire percé en 1578 – il avait une nette tendance à l'instabilité et tentait de fuir vers Capbreton !

Les fleuves côtiers

Même courts, rappelez-vous, même très courts, les cours d'eau qui se jettent dans la mer sont des fleuves. À moins que vous soyez poète…

La mer du Nord et ses petits

Ils sont deux, les fleuves qui se jettent en mer du Nord, deux courts cours d'eau que voici.

L'Aa et l'Armada

Deux lettres pour ce court fleuve de 80 kilomètres, en cheville avec tous les cruciverbistes… Il prend sa source à Bourthes, dans le Nord, et se jette dans la mer du Nord à Gravelines – où fut vaincue… l'invincible Armada, en août 1588.

L'Yser naît à Broxeele

30 kilomètres en France, sur les 78 de son cours… L'Yser prend sa source non loin de Cassel, à Broxeele – qui a la même étymologie que Bruxelles et signifie « la maison du marais ». L'Yser se jette en mer du Nord à Nieuport, en Belgique.

La Manche et ses deux douzaines

Deux douzaines de fleuves pour la Manche ! Et parmi eux, le plus court de France, avec son kilomètre et des gouttes d'eau...

La Slack et l'Heureuse

Hermelinghen, à peine 300 habitants et un mini-fleuve pour rêver tranquillement en longeant ses 20 kilomètres de berges jusqu'à la Manche. La Slack arrose Rety ; elle est rejointe par l'Heureuse à l'ouest de Marquise et termine son court cours près du Fort-Mahon, à Ambleteuse.

Le Vimereux pour la pêche !

21 kilomètres seulement, le Vimereux, mais un charme, une douceur qui valent le déplacement avec les cannes à pêche ! Il naît à Colembert, arrose Belle-et-Houllefort, Conteville-lès-Boulogne, Pernès-lès-Boulogne, Wimille et... Vimereux, où il se jette dans la Manche.

La Liane, Quesques ?

Quesques, qu'est-ce ? C'est une petite ville du Pas-de-Calais où la Liane prend sa source, avant d'arroser Bournonville, Wirwignes, Questrecques, Carly, Hesdigneul, Saint-Léonard. Grossie de nombreux ruisseaux, elle termine son parcours de 36 kilomètres en se jetant dans la Manche à Boulogne-sur-Mer.

La Canche et sa petite Planquette

Gouy-en-Ternois voit naître la Canche qui va sillonner le Pas-de-Calais pendant 96 kilomètres avant de se jeter dans la Manche entre Le Touquet-Paris-Plage et Étaples-sur-Mer. Parmi ses affluents, on en trouve un qui porte le nom amusant de Planquette et l'autre qui se nomme la Dordogne – long de 8 kilomètres, il ne possède aucun lien de parenté avec la Dordogne de la Gironde !

L'Authie, près de Crécy

L'Authie prend sa source à Coigneux, dans la Somme. Il se jette à Berck. Ses 100 kilomètres suivent la frontière entre les départements de la Somme et du Pas-de-Calais. Il passe à quelques kilomètres de Crécy... Ce nom vous dit-il quelque chose ? Mmmh ? Le 26 août 1346, la défaite de la chevalerie française ? Contre les Anglais, oui... 12 000 Anglais, contre 40 000 Français... Ce n'est plus une défaite, c'est pire !

La Bresle et ses moucheurs

72 kilomètres qui ne sont pas navigables, mais très appréciés des pêcheurs – le club des Moucheurs de la Bresle vous apprendra, si vous le désirez, à monter votre mouche artificielle afin de piéger les truites de mer et les saumons, un tiède jour de printemps, où vous vous serez assis sous la ramée, au bord de l'eau, dans le silence...

La Béthune en Bray

Elle prend sa source entre Gaillefontaine et Les Noyers, en pays de Bray. Elle arrose Neufchâtel puis, grossie de l'Arques, elle traverse… Arques avant de se jeter dans la Manche à Dieppe. Son cours s'étend sur 60 kilomètres.

La Veules, la benjamine !

Voici le plus petit fleuve de France ! Il ne mesure que 1,195 kilomètre, prend le temps d'arroser une unique ville, Veules-les-Roses, puis se jette dans la Manche, près de Saint-Valéry-en-Caux ! C'est tout !

La Touques de Thérèse

Lisieux ! Cauchon, le juge de Jeanne d'Arc, fut son évêque ! Thérèse Martin y vécut au carmel, et devint sainte Thérèse… de Lisieux, qu'on vénère à la basilique romano-byzantine, devenue le deuxième lieu de pèlerinage en France après Lourdes. À Lisieux passe la Touques, 108 kilomètres, qui prend sa source dans les collines du Perche, près de Gacé, et se jette dans la Manche entre Trouville et Deauville, en Normandie – après avoir arrosé Pont-l'Évêque dont le nom seul donne une furieuse envie de fromage…

La Dives et la Vie

La Dives reçoit la Vie ! Le fleuve La Dives, 115 kilomètres, né près de Gacé, reçoit la Vie, son affluent, après avoir arrosé Mézidon, avant de se jeter dans la Manche, entre Dives-sur-Mer et Cabourg.

L'Orne d'Élise…

Aunou-sur-Orne, ses Aulnoises, ses Aulnois, près de Sées, ses Sagiennes et ses Sagiens… C'est là que l'Orne prend sa source, dans les collines du Perche. Elle déroule ensuite ses 152 kilomètres jusqu'à Ouistreham, en passant par Argentan, ses Argentanaises et ses Argentanais, et Caen, son abbaye aux Hommes, son abbaye aux Dames, son château de Guillaume le Conquérant, ses dix cantons peuplés de Caennaises et de Caennais, parmi lesquels le poète François de Malherbe (1555-1628), Roger Grenier, l'écrivain, et les journalistes Alain Duhamel, Laure Adler et Élise Lucet.

La Seulles dans les bois

Dans les bois de Jurques, au centre du département du Calvados, un petit bruit de source… C'est la source de la Seulles, toute seule dans le grand bois, mais qui sort bientôt dans le bocage – près de Villers-Bocage, s'avance dans le Bessin et va se jeter dans la Manche à Courseulles-sur-Mer. Seullette, Seulline, Bordel, Thue et Mue sont ses affluents. Sa longueur : 70 kilomètres.

La Vire de Michel…

La Vire – 118 kilomètres – prend sa source au lieudit Les Croix, sur la commune de Saint-Christophe-de-Chaulieu, à la jonction de trois départements : la Manche, l'Orne et le Calvados. Elle traverse Vire – berceau de Michel Drucker… –, puis Saint-Lô, berceau d'Urbain Le Verrier (1811-1877)

qui a découvert la planète Neptune. La Vire se jette dans la Manche – baie des Veys – après que son cours a été canalisé pour constituer le port d'Isigny-sur-Mer.

La Douve et son virage

À Tollevast, près de Cherbourg, tout près de la mer, la Douve – appelée aussi l'Ouve – prend sa source. Elle se dirige vers le sud, vers les terres, mais, après Carentan et 60 kilomètres, elle vire sur sa gauche et se jette dans la baie des Veys.

La Sienne et ses cloches

Près de Villedieu-les-Poêles – sa fabrique de cloches, sa dinanderie (fabrication d'objets en cuivre) –, la Sienne commence à couler. Elle va couler pendant 40 kilomètres avant de s'élargir en estuaire à Montchaton et de se jeter dans la mer après la pointe d'Agon.

La Sée vers la baie

Tout petit fleuve, la Sée : à peine 50 kilomètres. Il prend sa source à Sourdeval et se jette à Avranches, dans la baie du Mont-Saint-Michel.

La Sélune et ses poissons

Des carpes, des brochets, des tanches, des sandres, des perches, des truites de mer, des truites fario et arc-en-ciel, des saumons… Vite une canne à pêche, des hameçons, un filet, un pliant, un chapeau, de l'appât, et de la patience… Vous voici au bord de la Sélune – 68 kilomètres – qui prend sa source à Saint-Cyr-du-Bailleul et se jette dans la baie du Mont-Saint-Michel, après avoir arrosé Saint-Hilaire-du-Harcouët, et approvisionné ses deux barrages hydroélectriques : La Roche-qui-Boit et Vezins.

Le Couesnon de Juliette

Quelques kilomètres au-delà de Fougères – lieu de naissance de Juliette Drouet, la maîtresse de Victor Hugo –, le Couesnon prend sa source et s'apprête à couler pendant 90 kilomètres avant de se jeter dans la baie du Mont-Saint-Michel.

UNE GÉO-CURIOSITÉ

Le Mont-Saint-Michel, une presqu'île ?

La Sée, la Sélune et le Couesnon ont pour rôle de rejeter une partie des sédiments que la mer apporte et qui permettent d'enrichir les polders. L'aménagement du Couesnon – canalisation au XIXᵉ siècle, barrage en 1969 – l'empêche de rejeter ces sédiments, de sorte que la baie du Mont-Saint-Michel – occupée, de plus, par une digue d'accès – s'envase. Des études et travaux sont en cours pour tenter de pallier cette insuffisance et conserver au Mont son insularité.

La Rance et son barrage

Le 26 novembre 1966, le général de Gaulle inaugure l'usine marémotrice de la Rance, à Saint-Servan-sur-Mer, près de Saint-Malo. L'idée d'utiliser la force des marées sur la Rance pour produire de l'électricité remonte à 1921. En 1943, les premiers plans d'une usine marémotrice sont proposés. Les travaux commencent en 1961, après études et hésitations – certains redoutent des effets désastreux sur l'écosystème du fleuve, effets qui ne tarderont pas à se manifester : disparition de certains poissons et envasement du fleuve. Cependant, la production d'électricité – plus économique que le nucléaire – a remboursé le coût des travaux, et l'usine marémotrice constitue un lieu de visite fort fréquenté par les touristes. Enfin, une écluse dans la partie ouest du barrage permet le passage de près de 20 000 bateaux. La Rance – 100 kilomètres – qui prend sa source dans les landes du Mené, arrose Caulnes et Dinan.

L'Arguenon et les Templiers

Dans les landes du Mené naît aussi l'Arguenon – 50 kilomètres – qui arrose Plancoët – ville d'eau fondée par les templiers – et se jette dans la Manche entre Saint-Cast et Dinard.

Le Gouët de Kerchouan

Tout petit, le Gouët ! Très court, avec ses 30 kilomètres, né dans le massif de Kerchouan – rien à voir avec les chouans, il s'agit d'une étymologie latine : Jupiter ayant donné « jouan », puis « chouan ». Tout petit, mais fier d'entrer dans la grande ville de Saint-Brieuc, berceau des écrivains Villiers de l'Isle-Adam (1838-1889), Louis Guilloux (1899-1980), du coureur cycliste Bernard Hinault, du sociologue et chercheur au CNRS Jean-Claude Kaufmann…

Le Trieux et la chanson

60 kilomètres, le Trieux. Un cours tranquille qui commence à Kerpert, dans les Côtes-d'Armor, passe par Guingamp puis se jette dans la Manche entre Lanmodez et Loguivy-de-la-Mer. Connaissez-vous la chanson suivante ?

Ils reviennent encore à l'heure des marées / S'asseoir sur le muret le long de la jetée / Ils regardent encore au-delà de Bréhat / Respirant le parfum du vent qui les appelle / Mais il est révolu, le temps des terres-neuvas / Loguivy-de-la-Mer, Loguivy-de-la-Mer / Tu regardes mourir, les derniers vrais marins / Loguivy-de-la-Mer, au fond de ton vieux port / S'entassent les carcasses des bateaux déjà morts…

Le Guer et le Guic

Entre Bulat-Pestivien et Maël-Pestivien, le Guer prend sa source et file vers Belle-Isle-en-Terre. Dans cette petite ville où sont fabriquées de délicieuses galettes, le Guer rencontre le Guic. Que se passe-t-il alors ? On ne sait trop mais, lorsque le Guer repart de Belle-Isle-en-Terre, on l'appelle le Léguer, et c'est sous ce nom qu'il serpente jusqu'à Lannion puis se jette dans la Manche.

L'Aulne en rade

Tout près de la forêt de Beffou, au nord-est de Lohuec, l'Aulne commence son voyage de 140 kilomètres vers la mer qu'il atteint dans la rade du Faou, près de Landévennec – et son abbaye Saint-Guénolé.

L'Atlantique et sa neuvaine

Neuf courts fleuves rejoignent l'Atlantique, du Pouldu à Saint-Jean-de-Luz. Commençons cette neuvaine par la petite Laïta de Bretagne…

La Laïta sur la frontière

17 kilomètres, la Laïta, née du confluent de deux rivières : l'Ellé et l'Isole – qui prend sa source à Roudouallec. Elle se jette dans l'Atlantique au Pouldu, la Laïta ; son cours suit la frontière entre le Finistère et le Morbihan. C'est tout. Laïtou !

L'Odet et la féerie de l'an 2000

31 décembre 1999. Quimper. Un peu avant minuit, des barques se détachent des berges. Toute la ville a été plongée dans le noir. Seuls quelques lumignons se reflètent dans les eaux de l'Odet. On comprend peu à peu que des centaines de corolles ont été préalablement disposées sur le fleuve avant d'être enflammées. Et bientôt, c'est une féerie de lumière qui accueille l'an 2000 : toutes ces corolles multiplient dans le fleuve les clartés de leurs petites flammes. Ainsi l'Odet ébloui va terminer son cours de 56 kilomètres dans l'anse du même nom – il est né dans les Montagnes Noires, à Saint-Goazec, puis a traversé les gorges du Stangala avant d'atteindre Quimper.

Le Blavet de Bourbriac

Lieu de naissance : Bourbriac, à 12 kilomètres au sud de Guingamp, plus précisément, à Saint-Houarneau. Longueur : 140 kilomètres. Direction : sud. Parcours : galopade dans les monts du Mené, passage dans le cahot de Toul-Goulic, repos mérité dans le lac artificiel de Guerlédan, apparu en 1930 après la construction du barrage du même nom, entre 1923 et 1930. Particularité : a servi de voie navigable intégrée dans le canal de Nantes à Brest qui unit l'Erdre à l'Aulne.

Le canal de Nantes à Brest

La construction du canal de Nantes à Brest, décidée dès 1769, est accélérée par Napoléon, en 1807. Il n'est terminé qu'au milieu du XIXe siècle. Sur ses 364 kilomètres de longueur, seuls 73 kilomètres sont artificiels, le reste occupant le lit de fleuves ou de rivières canalisés. La concurrence du chemin de fer et la construction du barrage de Guerlédan le rendent aujourd'hui fort agréable… aux promeneurs et plaisanciers.

La Sèvre niortaise et son Mignon

Elle prend sa source entre Melle et Saint-Maixent – qu'elle arrose. Elle traverse également Niort, reçoit le Mignon, l'Autise et la Vendée – qui traverse Fontenay-le-Comte –, puis serpente dans le Marais poitevin jusqu'à l'anse de l'Aiguillon où elle rejoint l'Atlantique après 165 kilomètres de cours. Attention ! Ne la confondez pas avec sa sœur : la Sèvre Nantaise – 136 kilomètres –, affluent de la Loire ; à elles deux, elles ont fondé le département des Deux-Sèvres.

Là, l'Eyre, là, la Leyre

Eyre ou Leyre ? Les deux ! Ce petit fleuve landais, né de la réunion de la Grande Leyre (ou Eyre…) et de la Petite Leyre qui rassemblent de multiples petits cours d'eau, mesure 80 kilomètres. Il arrose Belin-Béliet, Salles, Mios, et se jette dans le bassin d'Arcachon.

La Seudre avec ou sans sel

Près de la forêt de la Lande, à Saint-Antoine, au sud de Pons, naît la Seudre, qui s'en va vers le nord. Discrète, quasiment effacée – près de Virollet, elle disparaît, l'été – elle arrose Saujon où un barrage à écluse marque la séparation de ses eaux douces et de ses eaux salées. Elle termine les 70 kilomètres de son cours dans les parcs à huîtres qui l'emmènent au pertuis de Maumusson – et quelle île voyez-vous alors ? Mmmh ? Oléron ! Bien…

Le Boudigau dans un vieux lit

7 kilomètres de cours seulement pour le Boudigau qui naît au marais Orx, près de Labenne, après avoir utilisé l'ancien lit de l'Adour ! Après avoir reçu le Bourret, le Boudigau se jette entre Capbreton et Hossegor.

La Bidassoa de France et de Navarre

Dans la communauté autonome de Navarre, à Erratzu, en Espagne, naît la Baztan qui arrose… Baztan, puis change de nom à Oronoz pour devenir la Bidassoa. Dans le Pays basque, sur 12 kilomètres, elle marque la frontière entre la France et l'Espagne. Entre Hendaye et Fontarabie (Hondarribia-Fuenterrabia, en Espagne), elle se jette dans le golfe de Gascogne, après 66 kilomètres de cours.

L'île des Faisans

Au milieu de la Bidassoa, près du pont de Béhobie, sur l'île des Faisans, fut signé en 1659 le traité des Pyrénées qui terminait un temps de guerre entre la France et l'Espagne pour commencer un temps d'amour : Louis XIV épousait sa cousine germaine – le mariage eut lieu le 9 juin 1660 à Saint-Jean-de-Luz. Le jeune roi fort empressé fit hâter le repas afin que commence plus tôt la nuit de noce ; la jeune reine, bien que ne parlant pas un mot de français, conserva toujours un excellent souvenir de ce début de vie commune, précisant même ensuite que ce fut le seul moment heureux de sa vie de femme.

La Nivelle en cascades

Mille et un ruisseaux – peut-être un peu moins… – alimentent les premières cascades de la Nivelle, près d'Urdazubi, en Navarre espagnole, où elle porte le nom d'Ugarana. La Nivelle arrose Amotz, Saint-Pée-sur-Nivelle, et se jette dans l'Atlantique à Saint-Jean-de-Luz, après 45 kilomètres de cours.

Vers la Méditerranée : onze petits fleuves

Onze petits fleuves vont rejoindre la Méditerranée après leur bref cours, sans commune mesure avec celui de leur grand frère le Rhône, mais avec davantage de charme…

L'Hérault sans histoires

Si vous escaladez le mont Aigoual, dans le sud des Cévennes, à l'est du causse Méjean et du causse Noir, vous verrez – du haut de ses 1 567 mètres –, par temps clair, les Pyrénées, la Méditerranée, les Alpes, et le mont Blanc ! Cela vaut le déplacement ! Et, en prime, vous découvrirez, à 1 280 mètres d'altitude, les sources de l'Hérault, ce fleuve de 160 kilomètres, qui arrose Ganges, Pézenas, Agde, reçoit l'Arre, la Vis, la Peyne, la Lergue, avant de se jeter dans la Méditerranée.

L'Orb en repos à Avène

L'Orb – 145 kilomètres – naît dans le causse du Larzac, près de Roqueredonde, dans les monts d'Orb. Il coule d'abord vers l'ouest et prend un long repos dans le réservoir du barrage d'Avène – et son petit village aux 2 700 heures de soleil, aux 275 habitants et aux nombreux curistes qui viennent soigner les bobos de leur peau. L'Orb circule ensuite dans des gorges profondes avant d'atteindre Bédarieux puis Lamalou, et de prendre ensuite un virage à angle droit vers Béziers pour croiser le canal du Midi, et se jeter enfin dans la Méditerranée, à Valras-Plage.

Le Var hors département…

120 kilomètres qui dévalent les Alpes, du col de la Gayolle jusqu'à la Méditerranée entre Nice et Saint-Laurent-du-Var… Voilà le Var qui mijote parfois de belles colères dans ses vallées accidentées, ses gorges profondes. Elles explosent et provoquent de terribles inondations – ainsi celles de novembre 1994. Le Var – qui ne coule pas dans le département… du Var – est grossi du Cians, de la Tinée, de la Vésubie et de l'Esteron, plus torrents que rivières !

La Têt et le petit train

La Têt – 120 kilomètres – prend sa source au pic Carlitte (2 921 mètres), à 1 800 mètres d'altitude, arrose Mont-Louis où se trouve le lac artificiel des Bouillouses, né du barrage hydroélectrique construit de 1903 à 1910 par un millier d'ouvriers – une électricité qui sert notamment au petit train jaune qui relie Villefranche-de-Conflent à La Tour-de-Carol. Il gravit 1 200 mètres de dénivelé jusqu'à la gare de Bolquère, la plus haute de France ! La Têt arrose Prades puis traverse Vinça où une retenue d'eau permet loisirs et irrigation, de sorte que la vallée de la Têt développe de nombreuses cultures maraîchères et fruitières.

L'Argens sur la Côte d'Azur

Vous êtes sur la Côte d'Azur. Saint-Raphaël, Fréjus où se jette l'Argens. Remontons ce fleuve – 116 kilomètres – encadré de magnifiques porphyres rouges des Maures. Continuons : voici Puget-sur-Argens, Roquebrune-sur-Argens, Vidauban, Le Thoronet, Barjols. Et puis voici sa source qui recueille les eaux du massif de la Sainte-Baume et de la montagne Sainte-Victoire, obsession chromatique de… de…, voyons, il l'a peinte cent fois ou presque… Cézanne, voilà : Paul Cézanne (1839-1906), l'ami d'enfance et de toujours, d'Emile Zola (1840-1902).

Le Vidourle et ses vidourlades

Le Vidourle n'est pas très long : 80 kilomètres, mais ses colères peuvent être énormes – on les appelle au pays du Vidourle « les vidourlades », toujours surprenantes, tant il est, la plupart du temps, sage et presque fluet. Il faut toujours craindre l'eau qui dort… Le Vidourle prend sa source dans les Cévennes, au nord de Saint-Hippolyte-du-Fort. Il arrose Lunel, Sommières, Vic-le-Fesq, Villevieille, Sauve, puis se jette dans la Méditerranée au Grau-du-Roi.

Le Tech né du Costabone

Si vous descendez le Tech, vous partirez d'abord du Roc-Colom, dans les Pyrénées, dans le massif du Costabone, vous traverserez Prats-de-Mollo, Céret, Le Boulou, Arles-sur-Tech, puis vous entrerez en Méditerranée, au nord de Collioure. Vous aurez parcouru 82 kilomètres.

L'Agly en Fenouillèdes

Connaissez-vous le Fenouillèdes aux mille ruisseaux, aux mille collines, le Fenouillèdes aux mille villages – Ansignan, Belesta, Felluns, Latour-de-France, Planèzes, Prugnanes, Rabouillet, Trévillach, Fenouillet…, le Fenouillèdes aux mille charmes, au seul fleuve : l'Agly ? Il prend sa source au pied du pic de Bugarach, dans le massif du… Fenouillèdes, déroule ses 76 kilomètres jusqu'à la Méditerranée, en arrosant Saint-Paul-de-Fenouillet, Estagel, Rivesaltes.

Le Golo, le plus long fleuve de Corse

Plus long fleuve de Corse, le Golo parcourt 85 kilomètres entre sa source située à mi-chemin de la Paglia Orba et du Capu Tafunatu – Haute-Corse –, à 2 500 mètres d'altitude, et l'étang de Biguglia où il se jette à la Focce-di-Ciavattone, après avoir arrosé Niolu, la Scala-di-Sancta-Regina… Il a reçu l'Ascu, grossi de la Tartagine, puis la Navaccia et la Casaluna.

Le Tavignano, de Ninu à Aléria

Près du Monte Tozzo, le lac de Ninu donne naissance au Tavignano, deuxième fleuve de Corse. Il traverse la forêt du Tavignano, les gorges du Tavignano… À Corte, il est rejoint par la Restonica qui dévale du Monte Rotondo par les gorges… de la Restonica. Le Tavignano serpente ensuite jusqu'à Aléria, où il se jette dans la Méditerranée.

Rizzanese, de l'Incudine au golfe de Valinco

Parti de l'Incudine, en Corse-du-Sud, à 2 128 mètres, le Rizzanese – 56 kilomètres – est grossi du Ceca la Volpe, du Codi, de la Chiuvone, de la Culiccia et du Fiumicicoli, avant de se jeter dans le golfe de Valinco.

UNE GÉO-CURIOSITÉ

Le Thiou petit…

Plus de cent rivières coulent en France; adjointes de grands fleuves, de petits fleuves ou de fleuves minuscules, elles naissent toutes ou presque de petits ruisseaux, et tout cela a conduit au proverbe que vous savez… : « Les petits ruisseaux font les grandes rivières ». La plus longue est la Marne, avec 525 kilomètres. La plus courte mesure 3,5 kilomètres de longueur ! Elle est le trait d'union entre le lac d'Annecy et le Fier, affluent du Rhône. Son nom ? Le Thiou.

Des crues historiques

Un lit trop étroit, trop peu profond, ou bien, plus souvent, un fleuve capricieux, une rivière imprévisible, ou bien encore des excès si lointains dans le passé qu'ils se sont effacés des mémoires, conduisant vers des zones inondables des bâtisseurs qui misent sur la bonne volonté des nuages… et voilà l'inondation, en une semaine, en un jour, en une heure ! Des dégâts énormes, des tragédies… Voici une courte liste extraite des multiples inondations catastrophiques qui ont marqué les deux derniers siècles :

- 1856 : fin mai, le Rhône roule 13 000 m³ d'eau à la seconde au sud de Bellegarde. Les dégâts jusqu'à son embouchure sont immenses – des digues sont rompues, une partie des remparts d'Avignon sont emportés, la Camargue se retrouve sous 3 mètres d'eau ;

- 1875 : le 23 juin, la Garonne sort de son lit à Toulouse et dans sa région, faisant 200 victimes. Près de 1 500 maisons sont détruites ;

- 1930 : en mars, la Garonne récidive au même endroit ; le Tarn en profite pour en faire autant à Montauban. Bilan : près de 400 morts et 3 000 maisons détruites ;

✔ 1940 : en octobre, la Têt et le Tech débordent. 300 personnes meurent noyées ;

✔ 1977 : en juillet, le Gers et la Baïse envahissent Auch, font 5 000 sinistrés, et 5 victimes ;

✔ 1983 : le 17 septembre, la Nivelle sort de son lit au pays Basque : 5 victimes ;

✔ 1987 : le 14 juillet, la Borne déborde au Grand-Bornand, en Haute-Savoie, faisant 23 victimes ;

✔ 1988 : le 3 octobre, le Cadereaux envahit Nîmes : 45 000 sinistrés, 11 victimes ;

✔ 1992 : le 22 septembre, l'Ouvèze se transforme en torrent dévastateur : 37 victimes ;

✔ 1998 : en octobre, le Pas-de-Calais et la Lorraine sont inondés ;

✔ 2003 : début décembre, le Rhône atteint les niveaux des inondations de 1856 : 13 000 m³. Au nord d'Arles, les digues cèdent, inondant les zones construites depuis 1900.

Troisième partie
Sous le soleil...

Dans cette partie...

Vous allez entrer dans le vif du sujet des conversations préférées des Français : le temps qu'il fait, qu'il a fait, qu'il fera, qu'il pourrait faire, qu'il aurait dû faire... Et tout cela distillé dès le matin avec la patience des aquarellistes, entre l'indécis et le précis, l'espéré et le survenu. Quatre saisons et mille raisons d'affirmer qu'il n'y en a plus ! Pourtant, selon la période de l'année et le lieu où l'on se trouve, les températures, les précipitations, les vents et l'ensoleillement ressemblent à ce qui fut, à ce qui sera : la douceur océanique délivrée par l'Atlantique se répand sur presque la moitié de la France ! Elle se mâtine des rigueurs continentales de plus en plus prononcées dès qu'on s'en va vers l'est. Elle disparaît quasiment dans les montagnes aux rudes hivers. Elle ne concurrence pas les températures élevées que distribue la Méditerranée ! Voilà les grands traits des climats de France, que voici...

Chapitre 10

Les douceurs d'une mer

Dans ce chapitre :

▶ Comprenez les influents secrets de l'Atlantique

▶ Observez les nuances du climat armoricain

▶ Laissez-vous aller à la douceur du climat aquitain

▶ Sachez distinguer le climat de type parisien

*O*h ! *l'amour d'une mère ! amour que nul n'oublie ! / Pain merveilleux qu'un dieu partage et multiplie ! / Table toujours servie au paternel foyer ! / Chacun en a sa part et tous l'ont tout entier !* Il en est du climat océanique comme de la mère dont parle Victor Hugo : chacun en a sa part et tous l'ont tout entier. Tout entier parce que les régions qui bénéficient du climat océanique ne connaissent pas de grands écarts de température, et sont raisonnablement arrosées et ensoleillées. C'est le cas d'une moitié de la France, à l'ouest d'une ligne qui irait des Ardennes à Perpignan, en évitant le Massif Central. Chacun en a sa part, car les nuances selon les régions sont nombreuses entre l'armoricain, l'aquitain et le parisien…

Deux temps, trois mouvements

Janvier et février – en général – : glacial et fortement enneigé au Québec, plutôt doux et pluvieux sur la majeure partie de la France, située à la même latitude (distance par rapport au pôle) et à la même altitude (hauteur par rapport au niveau de la mer). Comment expliquer cette différence ? C'est simple, si vous suivez bien les trois mouvements qui produisent cet effet : deux courants marins – un chaud et un froid –, un destockage de chaleur et du vent…

Le chaud et le froid

Voulez-vous taquiner un Québécois ? Dites-lui qu'à Québec, il n'y a que deux saisons : l'hiver et le mois de juillet… Choisissez un Québécois qui a de l'humour – ce ne sera pas difficile, tous sont de bonne humeur et apprécient, en général, les blagues des « maudits Français »… Si vous comparez maintenant la latitude de la ville de Québec à celle d'Angers en France, vous constatez qu'à quelques degrés près, ce sont les mêmes. Or, si vous connaissez Angers, si vous avez lu ce qu'en dit le poète du Bellay, vous savez que c'est en quelque sorte la capitale de la douceur climatique, la fameuse douceur angevine ! D'où vient donc cette différence entre le pays des longs hivers blancs et celui des clémences du temps ?

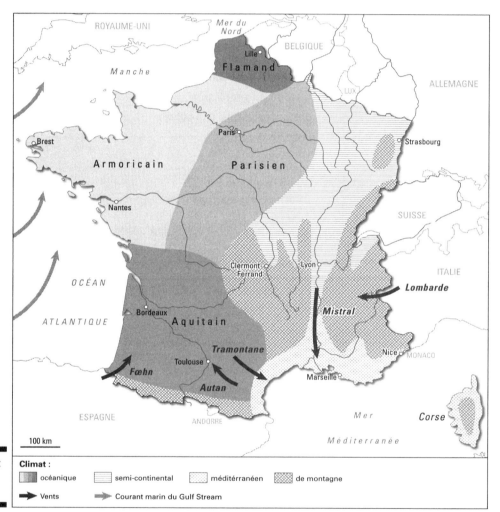

Figure 10-1 : Les climats en France.

Climat :
- océanique
- semi-continental
- méditérranéen
- de montagne
- → Vents
- ⇒ Courant marin du Gulf Stream

Le grand agité

Comment imaginez-vous l'océan ? Est-ce, pour vous, une immense masse d'eau immobile, seulement agitée en surface par des vagues qui s'écrasent en doux chuchotis sur la plage d'été pendant que vous dorez au soleil ? Ou bien est-ce plutôt un grand agité qui bouge dans tous les sens, en surface et en profondeur, déplace vers le nord ou le sud de phénoménales quantités d'eau ? Vous pensez qu'il s'agit de la deuxième solution, et personne ne vous a soufflé… ? Vous avez raison ! Il existe dans l'océan ce qui pourrait ressembler à de gigantesques fleuves et qu'on appelle les courants marins. Deux d'entre eux nous intéressent particulièrement pour expliquer les différences de climat à une même latitude : le Gulf Stream et le courant froid du Labrador.

Prenez de la latitude…

Vous l'ignorez peut-être, mais le lieu précis où vous vous trouvez en ce moment, lisant ce paragraphe, se situe à la croisée de deux lignes imaginaires : un parallèle et un méridien.

Les parallèles – parallèles à l'équateur – sont au nombre de 90 dans l'hémisphère Nord, et de 90 dans l'hémisphère Sud. Deux parallèles sont séparés par un degré qui comprend 60 minutes, et chaque minute de latitude comprend 60 secondes. L'équateur représente le degré 0, et chaque pôle le degré 90. La latitude de la ville d'Angers est de 47° 28′, celle de Québec de 46° 48′ – les 40′ de différence équivalent à un peu plus de 70 kilomètres, une paille…

Les méridiens sont au nombre de 360. Ils rejoignent les deux pôles et coupent ainsi tous les parallèles. Votre position sur un méridien s'appelle la longitude. Le repère à partir duquel on compte les méridiens (180 vers l'ouest, 180 vers l'est) est le méridien de Greenwich. Ce repère fut adopté en 1884, à la conférence de Washington où fut rejetée la proposition des Français qui désiraient que le méridien de Paris, existant depuis le XVIIᵉ siècle, servît de méridien d'origine. La longitude de la ville de Québec est de 71° 23′ O (ouest), celle de Paris est de 02° 20′ E (est).

Le Golfe anglais

Gulf Stream ? _Gulf_, n'est-ce point « golfe » en anglais ? Et _stream_… « flux », ou « courant » ? Le Gulf Stream, ce serait donc le courant du golfe ? Exactement : ce fleuve dans la mer mesure environ 100 kilomètres de large ! Il part du golfe du Mexique, transportant en surface – sur une profondeur de 600 mètres – une eau réchauffée en permanence par un soleil de plomb ! Ce courant est la jonction de deux autres courants chauds importants : le courant nord-équatorial venu des côtes d'Afrique, et le courant sud-équatorial que prolonge le courant de Guyane, lui-même prolongé par le courant des Caraïbes…

Le courant nord-atlantique

Chaque jour, le Gulf Stream parcourt, vers le nord-est, entre 100 et 150 kilomètres. Dans le golfe du Mexique, puis le long de la Floride, la température des eaux transportées est de 30 °C. Elle se refroidit peu à peu lorsqu'elle subit l'influence d'un courant froid : le courant du Labrador. Celui-ci insiste tant que la température du Gulf Stream qui se divise en deux branches – l'une vers l'Islande (le courant nord-atlantique), l'autre vers les Açores – chute, avant d'atteindre d'une part la Norvège et d'autre part le Portugal. Sa vitesse est alors de 8 kilomètres par jour. Les eaux qui ont perdu leur chaleur plongent ensuite et deviennent des courants sous-marins froids et profonds, avant que le cycle ne recommence…

10 % d'efficacité…

Alors, ce serait donc lui, ce Gulf Stream qui, malgré la baisse de sa température, réchaufferait l'Europe de l'Ouest, la France en général et serait responsable de la douceur angevine en particulier ? Oui ! Mais seulement dans une proportion de… 10 % ! En effet, depuis quelques années, on sait que l'action du Gulf Stream est limitée, que son apport thermique n'est que de 2 ou 3 °C ! Quels sont alors les autres généreux donateurs de douceur ? C'est tout simple : l'océan met beaucoup de temps à se réchauffer, et beaucoup de temps à se refroidir – contrairement au continent. Lorsque l'hiver s'installe dans l'hémisphère Nord, l'océan commence à déstocker la chaleur qu'il a accumulée.

Le troisième facteur

Oui, mais alors, Québec devrait aussi profiter du déstockage de chaleur ! Non, car il en est privé par son Cerbère, le courant froid du Labrador. Et il ne bénéficie pas d'un troisième facteur déterminant… Ce troisième facteur, c'est le vent ! Et il vient de loin, le vent ! Il part de l'est des États-Unis, dans les Rocheuses, crée d'immenses méandres qui montent en altitude et emportent la chaleur vers l'ouest, de la chaleur déstockée, par masses gigantesques et légères. Elles caressent l'Europe entière, la France en général… Voilà donc expliqué le petit mystère de la différence de température entre Québec et Angers, à la même latitude, en hiver.

Le Gulf Stream en sursis ?

Le cours du Gulf Stream varie d'à peine 100 kilomètres dans sa boucle nordique, mais son cours est généralement stable. Cependant, certains spécialistes affirment qu'il pourrait disparaître. La raison en est simple : à cause du réchauffement de l'atmosphère, la fonte des glaciers aux pôles produirait tant d'eau douce que le Gulf Stream serait contraint de reculer vers le sud, au point de ne plus exister. Ses effets directs et indirects ayant disparu, la France entière goûterait aux charmes floconneux pendant plusieurs mois à - 25 °C, ne conservant que deux saisons… l'hiver et le mois de juillet ! Rassurez-vous : certains autres spécialistes affirment exactement le contraire…

Les prévisions météo

Vous êtes accoutumé d'entendre parler des basses pressions atmosphériques, qui apportent la pluie et le vent, et des hautes pressions souvent génératrices de ciel bleu et stable – pour un temps chaud ou froid. La météorologie s'est mise à la portée de tous grâce aux médias, à la radio et à la télévision notamment, où les présentateurs réussissent le tour de force d'informer sans simplifier à l'excès, tout en limitant le vocabulaire spécifique. Les prévisions de Météo France sont de plus en plus précises, ce qui est rassurant. Mais on peut regretter parfois l'époque où certains spécialistes des villes ou des champs, autoproclamés, fondaient leurs prévisions en conjuguant, avec un touchant empirisme poétique, les effets possibles de leur douleur au genou et du vol des canards sauvages… Que reste-t-il de tout cela ? La poésie peut-être, hors d'atteinte, dans les nuages. Voulez-vous connaître leurs noms pour aller vers elle ? Les voici…

La tête dans les nuages…

On classe les nuages selon leur altitude et leur forme. Voyons d'abord les trois étages qu'ils occupent.

Trois étages

✔ L'étage supérieur : de 7 000 à 13 000 mètres ; à ces altitudes, les nuages sont composés de minuscules cristaux de glace.

✔ L'étage moyen : de 2 000 à 7 000 mètres.

✔ L'étage inférieur : du sol à 2 000 mètres.

Les formes

✔ Les stratus : ces nuages ont la forme de voiles continus, plus ou moins denses. Il en existe à tous les étages : le stratus à l'étage inférieur, c'est le brouillard ! À l'étage moyen ce brouillard s'appelle l'altostratus. À l'étage supérieur, il porte le nom de cirrostratus. Le nimbostratus occupe les trois étages.

✔ Les cumulus : ce sont des nuages qui ont l'aspect de grosses boules blanches ou grises, à travers lesquelles on voit le bleu du ciel (les cumulus de beau temps). Toujours discontinus, ils se présentent aussi sous la forme de galets, d'ondulations, de dallage, de lamelles… À l'étage inférieur, on trouve les stratocumulus ; à l'étage moyen, les altocumulus ; et à l'étage supérieur, les cirrocumulus.

✔ Les cirrus : ce sont des nuages de très haute altitude, en forme de filaments fins et blancs, souvent rassemblés en longues bandes étroites.

UNE GÉO-CURIOSITÉ

Le monstre

C'est la terreur des cheimophobes ! Son sommet en forme d'enclume – facile à reconnaître parmi les autres nuages – peut atteindre 10 000 mètres, voire davantage, et sa base se situer à 200 mètres ! C'est un gigantesque tourbillon parcouru de vents très violents (parfois plus de 200 km/h), ascendants et descendants, où se promènent des blocs de glace. Il décharge sous forme d'éclairs une électricité monstrueuse, suivie d'un fracas épouvantable – le tonnerre… Les pilotes le redoutent. On n'a jamais retrouvé ceux qui ont voulu l'approcher de trop près. Comme la citadelle du poème de Victor Hugo, il fait la nuit dans les campagnes, ou presque. Il met en joue la terre qu'il mitraille de grêlons… Bref, c'est le plus redoutable des nuages : le cumulonimbus ! Et le cheimophobe ? C'est celui qui, dès qu'un orage ou une tempête se déclenchent, éprouve une peur irraisonnée, panique…

Le climat de type armoricain

De la douceur avant toute chose… Vous avez reconnu le premier vers de l'*Art poétique*, de Paul Verlaine (1844-1896). Le climat armoricain, c'est aussi un art poétique : de la douceur… Ce qui n'empêche pas, parfois, des sautes d'humeur, des bouderies en gris ou des coups de chaleur ! Mais tout cela s'absout, se résout dans la sympathie de l'air ambiant pour le passant : jamais de violence, jamais de trahison. Toutefois, il est prudent d'emporter, l'été, le parasol, l'hiver, le parapluie…

De la Vendée à la Somme…

De la Vendée jusqu'à la Somme en passant par la Bretagne et la Normandie ! Voilà le terrain du climat de type armoricain avec ses faibles écarts de températures – la moyenne annuelle se situe entre 11 °C et 13 °C –, ses 160 à 180 jours de pluie par an, son ensoleillement qui oscille entre 1 700 et 1 800 heures, avec des pointes à 2 000 heures sur une grande partie de la Bretagne et de la Normandie qu'il est temps de délivrer de clichés pluvieux aussi navrants que ceux qui les transportent ! Bien sûr, en certains lieux élevés – la Montagne Noire et les monts d'Arrée par exemple – il peut tomber jusqu'à 1 500 millimètres de pluie par an, mais sur les zones côtières, les précipitations avoisinent toujours les 700 millimètres ; dans l'intérieur des terres – en Vendée, Loire-Atlantique, Ille-et-Vilaine, Calvados –, la moyenne annuelle se situe même au-dessous de 700 mm. Plus de 65 % des précipitations s'étalent d'octobre à avril. Au nord de la Somme, le climat flamand ne diffère guère du climat de type armoricain : peu d'écarts des températures, abondantes précipitations et bon ensoleillement.

Soleil !

Des différences notables marquent le climat de type armoricain. Les températures moyennes de janvier en Mayenne sont voisines de 5 °C, alors que dans l'Eure, à Évreux, on compte annuellement 15 jours de neige. L'ensoleillement se situe aux environs de 1 500 heures dans le Cotentin, de 1 600 heures dans la région rouennaise. À Lorient, il dépasse les 2 000 heures annuelles (comparable à l'ensoleillement de Lyon) ; celui des Sables-d'Olonne atteint 2 100 heures (équivalent à l'ensoleillement de Carcassonne, supérieur à celui de Bordeaux ou Biarritz).

Les raisons de la douceur

Pourquoi tant de douceur ? Vous le savez : la conjonction des effets du Gulf Stream, du destockage de la chaleur accumulée par l'océan et l'effet des grands vents d'altitude donnent à la France un climat tempéré en général. La nuance d'extrême douceur du climat armoricain est due à ses bonnes relations de voisinage avec l'océan : les vents constants conduisent loin dans les terres une sorte d'atmosphère marine, avec sa riche déclinaison de l'humidité ambiante qui va de la brume légère et quasi permanente aux précipitations régulières en hiver, en passant par la plus délicieuse des pluies d'automne, et surtout de printemps : le crachin, qui avive le parfum des terres, la menthe des ruisseaux, et dissout les chagrins…

Le climat de type aquitain

Du fleuve Charente au fleuve Adour – plus au sud, même… – des frontières nord du Languedoc au sud du Limousin, en passant par le Midi-Pyrénées, le Midi toulousain et les marches du Massif central : voilà les territoires du climat de type aquitain qui déborde largement l'Aquitaine…

Sous influences

Observez l'Aquitaine : contrairement aux régions soumises au climat de type armoricain et qui vouent leur géographie à un seul compagnon – l'océan –, l'Aquitaine est une zone sous influences.

- L'influence des Pyrénées : les départements des Pyrénées-Atlantiques, Hautes-Pyrénées, Haute-Garonne, Ariège et Pyrénées-Orientales hébergent tous un peu – ou beaucoup – de la chaîne pyrénéenne dont l'influence s'accentue à mesure qu'on s'éloigne de l'océan.

- L'influence du Massif central qui apporte des touches montagnardes dans les départements où se situent ses marches – la Dordogne, le Lot, le Tarn…

- L'influence du climat méditerranéen : elle est particulièrement sensible dans le Tarn qui, l'été, devient l'un des départements les plus chauds de France.

Le fœhn

Lorsque les vents chargés de pluie remontent de l'Espagne, ils se heurtent à la barrière pyrénéenne et déversent leurs précipitations. Mais, en altitude, ils poursuivent leur course et s'abattent sur le versant français. Ce type de vent plutôt chaud et sec porte le nom de fœhn et se prononce feune (fœhn : retenez bien cette orthographe, le e sans tréma, la place du h… ; fœhn est issu du latin favonius qui désigne le zéphyr, un vent doux, et *favonius* vient de favor qui a donné « favorable », « faveur ». Le fœhn est donc une faveur de la nature…). On le rencontre aussi dans les Alpes françaises ou suisses, et plus généralement partout où, s'étant déchargé de ses pluies à cause d'un relief, il répand sa chaleur soudaine. Le fœhn peut se faire sentir jusque dans le bassin d'Arcachon.

Le bel été

Le climat aquitain demeure, malgré les influences montagnardes et méditerranéennes, un climat à dominante océanique. Dans les Landes, par exemple, la moyenne des précipitations varie entre 900 millimètres et 1 450 millimètres, pour un ensoleillement de 1900 heures et des températures moyennes situées entre 12 °C et 14 °C. L'influence océanique diminue à mesure qu'on s'enfonce dans les terres. Ainsi, l'amplitude thermique (la différence entre la température la plus basse et la température la plus élevée) peut atteindre en certains lieux plus de 20 °C dans la journée en été. La moyenne annuelle des précipitations en Dordogne est de 860 millimètres, avec des différences parfois importantes selon l'influence du relief : 750 millimètres dans la basse vallée de la Dordogne, et 1 160 millimètres dans le Nontronnais. Globalement, le climat aquitain garantit à tous ceux qui en bénéficient un bel été, des hivers contrastés, mais tout cela demeure dans la douceur océane.

Autant en emporte l'autan…

Chaud, sec, il mitraille par rafales le Midi toulousain, les Corbières, et surtout le sud du Tarn. Pressé, il dépasse souvent les 60 km/h en ville comme à la campagne. À Castres et dans le Sidobre – nord de la Montagne Noire –, il séjourne presque deux mois, et se repose un peu à Albi, un peu plus d'une semaine. Ses séjours s'étalent d'octobre à janvier, mais il adore le mois de mai ! Le poète Guillaume Apollinaire en a fait un souffle glacé qui détruit les amants : « Jouvenceaux, le printemps / Ne dure pas toujours / Mais bientôt les autans / Glaceront vos amours… » Le mot autan est issu du latin *altum mare* qui désigne la haute mer, *l'altanus* – « l'autan » – est le vent qu'elle envoie sur les terres.

Le climat de type parisien

De l'Ardenne au Limousin, de la Beauce à la Sologne, de la Brie au Soissonnais, dans toutes les Champagnes, dans le Sénonnais, le Gâtinais et l'Auxerrois, jusqu'à la côte des Bars, de Charleville-Mézières à Limoges, en passant par Paris, vous voyagez dans le climat de type parisien...

De Paris...

Entre l'année la plus sèche à Paris (depuis le début des relevés effectués au parc Montsouris en 1873) avec 267 millimètres dans l'année, en 1921, et l'année la plus humide, 900 millimètres en l'an 2000, la moyenne des précipitations annuelles dans la capitale s'élève à 650 millimètres pour 112 jours de pluie. 25 jours de gel par an en moyenne – 11 jours de neige –, 43 jours au-dessus de 25 °C – 18 jours d'orage – ; 1 800 heures d'ensoleillement annuel – autant qu'en Bretagne... – ; des vents sud-ouest et nord-est dominants – avec une pointe de 169 km/h le 26 décembre 1999 au parc Montsouris, et plus de 220 km/h au sommet de la tour Eiffel... Ces données varient peu dans toute la zone du « climat de type parisien, appelé aussi climat océanique dégradé » – terme qui n'est ni mélioratif, ni flatteur, et heureusement évitable ; on l'appelle aussi « climat océanique de transition », ce qui n'est guère mieux, puisqu'on lui confère ainsi une sorte de sous-identité, une fonction subalterne... Donc, conservons cette dénomination : le climat de type parisien, c'est plus précis, plus juste. Et plus chic...

... et d'ailleurs

Revenons seulement sur cet adjectif : dégradé. Sans intention péjorative, il souligne simplement que les caractéristiques du climat océanique s'estompent au profit de l'influence continentale, tout en contrastes : l'amplitude thermique est plus élevée. Elle se situe entre 12 °C et 15 °C. Dans la Marne où la température moyenne est de 10 °C, on compte 60 jours avec une température au-dessous de 0 °C, et 45 jours au-dessus de 25 °C. La pluviométrie peut aller du simple au double : 600 millimètres en Beauce, 750 millimètres en Sologne, 800 millimètres dans la plaine de Champagne, et plus de 1 500 millimètres sur les crêtes du massif ardennais. La moyenne annuelle des températures, pour le climat de type parisien, est d'environ 12 °C ; celle des heures d'ensoleillement varie entre 1 800 et 1 900 heures.

Chapitre 11

Méditerranée, c'est une fée…

Dans ce chapitre :

▶ Visitez les rayons du soleil de la Méditerranée

▶ Devenez un spécialiste des vents du sud

▶ Sachez disserter du climat de l'île de Beauté

Méditerranée / Aux îles d'or ensoleillées / Aux rivages sans nuages / Au ciel enchanté / Méditerranée / C'est une fée qui t'a donné / Ton décor et ta beauté / Mé-di-terranée ! / Sous le climat qui fait chanter tout le Midi, / Sous le soleil qui fait mûrir les ritournelles, / Dans tous les coins on se croirait au paradis / Près d'une mer toujours plus bleue, toujours plus belle / Et pour qu'elle ait dans sa beauté plus de douceur / Mille jardins lui font comme un collier de fleurs... Personne d'autre que Raymond Vinci pour les paroles, Francis Lopez (1916-1995) pour la musique et Tino Rossi (1907-1983) pour l'interprétation, ne pouvait mieux introduire ce chapitre ! Reprenons en chœur… *Méditerranée / Aux îles d'or…*

Les côtes méridionales

Des cigales, du soleil, le maquis, des oliviers, des cyprès, la garrigue, le parfum des lavandes, le bruit mat de la boule de pétanque qui se love près du bouchon – ou cochonnet – sous le regard paternel du pointeur… L'huile d'olive et les herbes, la ratatouille et la fougasse, la bouillabaisse ; plus à l'ouest, le fitou, le faugères, les muscats, la blanquette de Limoux… Quel est donc ce pays de cocagne ? Où se trouve-t-il ? Et son climat, est-ce celui du paradis ?

Beau et chaud

Il fait beau, très beau, et très chaud, l'été sur la côte de la Méditerranée, très sec. Pleut-il ? Oui, d'octobre à avril, 80 jours environ – 49 jours à Nice, 39 à Marseille, 58 à Montélimar. Mais ces pluies – moyenne annuelle de

750 millimètres – n'altèrent pas la douceur des températures (8 °C de moyenne en janvier à Nice ; 26,6 °C en août et 35 °C en période de forme !) Quelles sont donc les causes de ces petits miracles ?

Les trois raisons du miracle...

✔ Les montagnes qui font barrage aux influences nordiques.

✔ La présence d'une mer chaude : la Méditerranée.

✔ L'ouverture au sud vers les zones subtropicales qui envoient, l'été, d'énormes masses d'air chaud.

Filons vers l'ouest, vers Perpignan : le nombre de jours de pluie ne dépasse pas 40, pour des précipitations d'un peu plus de 500 millimètres. En août, la température maximale atteint 28 °C – et peut même aller, si on lui demande un record, jusqu'à 40 °C ! Paradis total partout alors ? Point du tout... Voici que se lève le mistral !

Mistral et tramontane

Le grégau, l'aguielon, la cisampo, le traverso, le labé, le majo-fango, le marin blanc, la biso, le trémountano... Cela vous donne le tournis ? Forcément, tous ces mots sont des noms de vents qui soufflent à Marseille ! Tant de vents différents, à Marseille ? Oui et non : oui parce qu'effectivement, le vent peut venir de presque toutes les directions, à des puissances fort variables. Mais non parce que tous ces vents pourraient se résumer à quelques noms génériques, dont le fameux mistral !

Du vent...

✔ Le mistral est un vent de nord-ouest à nord, violent, frais, souvent froid, qui souffle dans la vallée du Rhône et trouve sa pleine puissance en Camargue, poursuivant son cours en Méditerranée. Comment le mistral naît-il ? Il suffit que deux anticyclones – zones de hautes pressions – laissent entre eux un couloir disponible pour que l'air froid du nord s'y engouffre et se lance vers le sud à folle allure, soudainement – il peut atteindre en quelques minutes force 7 ou 8 !

✔ La tramontane est aussi un vent fort et froid qui vient du nord-ouest, mais souffle dans le Languedoc et le Roussillon. C'est le vrai jumeau du mistral, mais pour les distinguer, on leur a donné des noms différents.

✔ Mistral vient de l'ancien provençal *maestral*, mais aussi de maïstre, deux mots issus du bas latin *magistralis* qui désigne le maître, le vent ainsi désigné étant le plus fort, le chef, bref : le maître !

✔ Tramontane vient du latin *transmontanus* – au-delà des monts – qui donna en ancien français le mot *tresmontaine* : l'étoile polaire. La tramontane est donc le vent qui vient de l'au-delà des monts et transporte un froid presque polaire...

Frédéric Mistral et Mirèio…

L'action se passe en Provence. Vincent est le fils d'un vannier, pauvre et honnête, maître Ambroise. Un soir, Vincent et son père arrivent au mas des Micocoules, chez le puissant maître Ramon. Vincent se met à raconter avec passion des contes, des légendes qui transfèrent les flammes de l'âtre dans les yeux de la jeune Mirèio – Mireille –, la fille de maître Ramon ! Et Vincent, tout à coup, lui aussi, a le feu aux yeux ! Les deux jeunes gens s'aiment, mais de riches prétendants se présentent au mas des Micocoules afin de demander la main de la jeune fille : Alari, propriétaire d'un immense troupeau ; Véran, éleveur de centaines de chevaux ; Ourias, le dompteur de taureaux. Ourias ne supportant pas que Mireille lui préfère Vincent provoque celui-ci. L'affrontement est rude, mais Vincent en sort vainqueur. Cependant, le traître Ourias le blesse lâchement en s'en allant. Mal lui en prend car un peu plus tard, il se noie dans le Rhône !

Mireille conduit alors Vincent chez une vieille sorcière qui va le guérir de sa blessure. Puis Vincent décide d'envoyer son père chez maître Ramon. Hélas, le pauvre vieil homme est mis à la porte ! Sachant qu'elle n'aimera jamais personne d'autre que Vincent, Mireille décide de quitter le mas des Micocoules en cachette. Elle se rend en pèlerinage aux Saintes-Maries-de-la-Mer, afin qu'un miracle décide son père à accepter son union. Hélas… En cours de route, le soleil frappe fort, et Mireille est victime d'une insolation. Ses parents et Vincent qui l'ont rejointe aux Saintes recueillent son dernier soupir !

Voilà la triste et belle histoire de deux amants unis par une flamme éternelle. Écrit en langue provençale par Frédéric Mistral (1830-1914) sous la forme d'un long poème de douze chants, en strophes de sept vers, ce drame fut mis en musique par Charles Gounod (1818-1893) en un opéra de cinq actes. Mireille ! Ce prénom que Mistral avait créé – sans doute à partir du Myriam (la sœur de Moïse) provençalisé par les Juifs de Provence – fut donné par des milliers de parents aux petites filles qui grandirent et épousèrent… des milliers de Vincent. Fin.

La Corse

Une eau à plus de 25 °C au terme de votre course de la plage vers la mer ? Vous la trouvez, en été, dans les grands golfes de Corse. Des pluies qui vont malgré la sécheresse estivale entretenir la magnificence végétale ? Elles sont au rendez-vous, chaque année – pendant 93 jours à Ajaccio par exemple – et délivrent 900 millimètres d'eau par an, de quoi faire pousser couleurs éclatantes et parfums capiteux…

Chaud et beau

Des calycotomes et leurs fleurs jaunes au délicat parfum melliflu (qui rappelle le miel, si vous préférez, mais le mot *melliflu* vous pose son parleur…), des asphodèles et des lentisques, des cyclamens, des chênes verts, des arbousiers, des figuiers de Barbarie, des agaves d'Amérique, des eucalyptus, des cédratiers… Tout cela vit en Corse jusqu'à 500 mètres d'altitude, arrosé par les pluies d'automne, tempéré par les brises marines qui atténuent l'effet des fortes chaleurs d'été et des froids hivernaux. C'est ici l'Éden, sans doute, avec la possibilité, lorsqu'il fait très chaud – la température peut monter à plus de 40° C en août – de grimper dans les montagnes !

Mistral et libeccio

Terrible parfois, le mistral qui vient du nord-ouest, et notamment dans les bouches de Bonifacio ! L'hiver, il peut atteindre les 180 km/h ! Attention : ne le confondez pas avec le libeccio, un vent moins froid mais tout aussi violent, qui souffle, lui, ouest, sud-ouest. Ne le prenez pas non plus pour le grégale, un vent qui vient de la mer Tyrrhénienne à l'est et apporte de fortes pluies ; ou bien avec le sirocco, vent du sud chaud et humide,

Notes alpines

Grimpons ! Nous voici à l'étage médian, environnés de toutes sortes de pins – laricio, maritime, de Corte – ; et puis voici des aspérules et des hellébores. Plus haut encore, vers 1 600 mètres, voici des genévriers nains et puis tous ces cochons, par familles, ces chèvres, ces brebis… Enfin, nous atteignons la montagne et son emblème : le mouflon ! Quel temps, ici ? Presque alpin : les précipitations sont abondantes – 1 800 millimètres par an – ; l'hiver, les chutes de neige ne sont pas rares, de même que les chutes de température…

Chapitre 12
Les contrastes continentaux

• •

Dans ce chapitre :

▶ Devenez un expert du climat lorrain et du climat alsacien

▶ Feuilletez le nuancier des climats vosgien et auvergnat

▶ Sachez affronter serein les climats de montagne – et leurs stations de ski

• •

*L*e continent se refroidit et se réchauffe plus rapidement que l'océan. Voilà pourquoi, dans l'est, les étés sont plus chauds, avec leurs orages vespéraux ; voilà pourquoi les hivers plus froids, avec des mois entiers enneigés. Ainsi allez-vous mieux comprendre les climats lorrain et alsacien. Puis nous irons en Auvergne où se concurrencent les ultimes influences océaniques et les rigueurs montagnardes, bien plus accentuées dès qu'on prend de l'altitude, dans les régions alpines et pyrénéennes…

Le climat lorrain

Pourquoi, parfois, les écarts de température sont-ils si importants à Nancy, dans une même journée ? Pourquoi des orages y éclatent-ils souvent ? Pourquoi… Voici des réponses.

Tonnerre de Nancy !

Connaissez-vous les grilles de Lamour – Jean Lamour, ferronnier, né et mort à Nancy (1698-1771) ? De fer et d'or, ce sont elles que vous franchissez lorsque vous pénétrez sur la place Stanislas – Stanislas Leszczynski, roi déchu de Pologne et qui était, comme vous le savez, le beau-père du roi Louis XV ; pour la petite histoire, sachez qu'en 1725, lorsque le messager arriva à Wissembourg (en Alsace) pour prévenir Marie Leszczynska qu'elle avait été choisie pour épouser le roi de France, son père, Stanislas, s'évanouit de bonheur ! C'était un coup de tonnerre dans sa vie, un coup de tonnerre qui s'ajouta, plus tard, à ceux qu'il subit dans Nancy, fréquemment, et de tout temps, soumise aux orages – quels détours il faut employer parfois pour revenir au sujet… Donc, Nancy la Lorraine subit des orages qui peuvent être fréquents, et soudains – une moyenne de 26 jours par an. Pourquoi cela ? Parce que le climat de la ville subit des influences continentales qui provoquent de fortes différences de température dans une même journée, génératrices des colères célestes.

Très tendance

Tendances continentales à Nancy et dans toute la Lorraine… À la dénomination « climat océanique dégradé à influence continentale » – ce qui est un peu long – on peut préférer l'appellation « climat semi-continental » qui réunit les mêmes caractéristiques : tantôt l'influence océanique se fait sentir par d'abondantes précipitations, tantôt l'influence continentale l'emporte en faisant se succéder en quelques heures températures basses et températures élevées. L'amplitude thermique annuelle est d'environ 17 °C (différence entre la moyenne d'été, 18,3 °C, et d'hiver, 1,2 °C). L'ensoleillement se situe aux environs de 1 650 heures par an, pour des précipitations de 750 millimètres, 30 à 40 jours de neige et 55 jours de brouillard.

Le climat alsacien

Pourquoi les précipitations sont-elles si peu abondantes à Colmar ? Pourquoi Strasbourg est-elle une ville où les orages aiment se manifester ? Pourquoi…

Pas de précipitation !

Que faites-vous lorsque la pluie et le vent se sont mis d'accord pour vous taquiner ? Vous pestez contre les fabricants de parapluies qui n'ont pas encore trouvé le moyen d'éviter le retournement de leurs petits engins à baleines – amusez-vous à recenser, sous les averses, le nombre de parapluies déglingués sous lesquels tentent de s'abriter les passants ; le taux de délabrement est voisin de 100 % ! Et il pleut toujours… Le parapluie retourné, vous faites halte contre un mur pour vous abriter. C'est exactement ce qu'a fait Colmar en s'installant contre la muraille des Vosges ! Les attaques océaniques échouent presque toutes contre ce rempart naturel et font de Colmar, avec ses 500 millimètres de pluie annuels, la ville la plus sèche de France.

Doucement, la Liberté…

Pas de précipitation ! Doucement ! Il nous faut charger 214 caisses dans 70 wagons ! Et que ce convoi s'en aille jusqu'à Rouen où un bateau – *L'Isère* – l'attend. On y transfère les 214 caisses. Nous sommes le mercredi 21 mai 1884. À bord de *L'Isère* qui lève l'ancre pour gagner New York, on peut croiser Frédéric-Auguste Bartholdi, né le 2 août 1834 à Colmar. L'idée, concrétisée et contenue dans les 214 caisses entreposées au fond de la cale, c'est de lui, Bartholdi ! Une idée fantastique, géante : offrir aux États-Unis, pour le centenaire de leur indé-pendance, une statue gigantesque, celle de *La Liberté éclairant le monde* ! Commencée en 1878 – la jeune fille modèle qui prête son visage et sa silhouette à la statue s'appelle Isabella-Eugénie Boyer (1841-1904) – la statue est réali-sée dans les ateliers Gaget-Gauthier sur des plans de Viollet-Leduc d'abord puis, après le décès de celui-ci, sur ceux du magicien du fer : Gustave Eiffel – qui a plus d'une tour dans son sac… Inaugurée à New York le 28 octobre 1886, elle mesure 46,50 mètres de hauteur – 93,21 mètres avec le socle.

À l'abri

Quel nom donner alors au climat de Colmar, à celui de Strasbourg (aux 29 jours d'orage annuels, pour une moyenne nationale de 22 jours) et plus généralement aux fossés d'effondrement tels que l'Alsace, le Sillon séquano-rhodanien (la Saône et le Rhône) ? Puisque toutes ces régions sont à l'abri de l'influence océanique humide et qu'elles subissent à demi les contrastes continentaux, les géographes et météorologues ont, finement, élaboré cette dénomination : « climat semi-continental » d'abri. Tout y est. Le semi, le continental et l'abri. Bravo ! Mais alors, une question vous vient à l'esprit : n'y aurait-il point un effet fœhn à Colmar, par exemple, et dans le climat semi-continental d'abri qui l'entoure ? On ne peut rien vous cacher : les précipitations buttent contre le massif des Vosges, se déchargent de leurs pluies, mais l'air compressé, réchauffé et sec passe la muraille et tombe sur Colmar ! Voulez-vous quand même un peu de fraîcheur ? Allez faire une promenade en barque au cœur de la ville, dans la Petite Venise ! C'est enchanteur…

Le climat des Vosges

Évidemment, si vous parcourez les Vosges l'hiver, vous conclurez rapidement que le climat des Vosges est un pur et dur climat de montagne. Deux indices vous auront orienté vers cette conclusion – un peu hâtive, on le verra sans tarder – : la température souvent rigoureuse qui vous force à enfiler vos caleçons molletonnés – achetés chez Popeck – et les chutes de neige qui transforment le paysage en féerie blanche avec quelques pointes vertes de sapins, délice pour les yeux, invitation à la randonnée en raquettes, en ski de fond… Mais si vous fréquentez les Vosges l'été, vous nuancerez votre propos de l'hiver. Certes, le climat des Vosges est un climat de montagne l'hiver, mais ces monts que vous avez connus enneigés, ces ballons qui brillaient par leur blancheur tutoient maintenant le ciel de leur vert sombre, un ciel qui distribue généreusement sa chaleur estivale, ses orages soudains ! Donc, le climat des Vosges, c'est la montagne, c'est l'humidité, c'est le soleil, ce sont des contrastes importants en précipitations et températures. Tout pour conclure que le climat vosgien est semi-continental.

Le climat auvergnat

De la rudesse en altitude ; de la complexité ailleurs… Voyons tout cela !

Rude en haut

Ils quittent un à un le pays / Pour s'en aller gagner leur vie / Loin de la terre où ils sont nés / Depuis longtemps ils en rêvaient / De la ville et de ses secrets / Du formica et du ciné / … Pourtant que la montagne est belle / Comment peut-on s'imaginer / En voyant un vol d'hirondelles / Que l'automne vient d'arriver ?… C'était en 1964 ! On entendait sur toutes les radios Jean Ferrat qui chantait son amour de la montagne et se désolait qu'en partissent (subjonctif imparfait du verbe partir, un petit luxe en passant…) les jeunes générations. Aujourd'hui, il ne reste plus beaucoup de témoins permanents des caprices du ciel sur les sommets de France – ceux de l'Ardèche de Jean Ferrat et ceux de l'Auvergne de Jules Roy… Il faut dire que, même si la montagne est belle, il y fait froid ! Froid l'hiver, pour le bonheur des skieurs, doux l'été pour la randonnée. L'influence océanique provoque des précipitations d'autant plus abondantes qu'on progresse en altitude : plus de 2 000 millimètres annuels dans les monts d'Ore ou au puy de Sancy.

Que la terre s'ouvre !

Avez-vous trop froid ? Ou trop chaud ? Ou voulez-vous éviter, là, en face, quelqu'un connu de vous ?… Vite, que la terre s'ouvre afin que vous disparaissiez ! Impossible ? Détrompez-vous : regardez, vous êtes à 15 kilomètres de Clermont-Ferrand, la terre vient de s'ouvrir. Tentez maintenant de diffuser en vous une musique sépulcrale et psychédélique à la fois, mêlée d'accents gothiques et de grandes orgues – tatatammm – : vous pénétrez dans les entrailles de la terre ! Plus clairement, vous venez d'acheter un ticket d'entrée pour le parc européen du volcanisme : Vulcania ! Que va-t-il vous arriver ? Vous allez effectuer un voyage de plus de quatre milliards d'années et comprendre comment naît, vit et meurt un volcan. Allez-y, courez-y, c'est passionnant ! Chut… Ne vous retournez pas ! Ce collègue – ou l'amie volcanique – que vous vouliez éviter, chut… derrière vous, il est là !

Complexe en bas

Sur le versant ouest des massifs volcaniques – les Combrailles, l'Artense, les Dômes, le Cézallier, les monts Dore, le Cantal… –, vous continuez de subir l'influence océanique. Descendez leurs flancs est et déjà vous sentez l'influence du climat continental : les précipitations se font moins abondantes, voire rares, à la même altitude que sur le versant ouest. La Limagne, plaine d'effondrement, à l'abri de la chaîne des Puys, et des pluies – comme Colmar contre la muraille vosgienne – ne compte que 700 millimètres annuels de précipitations, parfois moins ! Le caractère continental du climat s'y affirme même de façon surprenante puisque l'hiver, à Clermont-Ferrand, le thermomètre peut descendre à – 15 °C alors qu'au sommet du puy de Dôme, tout proche, mais à 1 467 mètres d'altitude – climat de montagne – on relève 3 °C ! De plus, l'effet fœhn apporte à la Limagne – et à Clermont-Ferrand… – de l'air sec, de la chaleur et des orages. L'amplitude thermique est importante. En Combrailles par exemple – nord de l'Auvergne –, en juin, il peut faire 0 °C le matin et 30° l'après-midi.

Le climat alpin

Les Alpes, élégantes, échancrées, élancées ; et toujours la tête froide…

Alpes et paramètres

Le climat des Alpes ? Quelles Alpes ? Celles du nord ? Celles du sud ? Et puis, il faut considérer aussi, et surtout, l'altitude – nous perdons environ 6 °C tous les 1 000 mètres – un degré tous les 166 mètres –, l'atmosphère devenant moins dense, moins apte à retenir le rayonnement solaire – la température moyenne, au sommet du mont Blanc, est de - 15 °C ! Autres paramètres pour le climat alpin : l'adret – versant exposé au soleil, évidemment plus chaud – et l'ubac, versant à l'ombre. Sans oublier les vallées : plus elles sont élevées et ouvertes, plus elles reçoivent de précipitations ; par exemple celles de Thônes, de Samoëns – profondes et fermées, elles n'en voient guère, telles celles de Chamonix et de Sallanches, en Haute-Savoie !

Voulez-vous skier en Haute-Savoie ?

On vous dit Alpes, vous pensez neige, et vous avez raison ! D'octobre ou novembre à avril, les stations de sports d'hiver se couvrent d'un manteau blanc – plus d'un mètre – et attendent vos exploits sur skis ou snowboard ! Voici quelques lieux parmi beaucoup d'autres où vous pouvez voir la vie en blanc… Bonne glisse !

✔ Avoriaz : Pas de voiture ici : des traîneaux ! Et des luges pour les enfants. Avoriaz est au centre de 650 kilomètres de pistes !

✔ Chamonix-Mont-Blanc : au pied du mont Blanc et des Aiguilles Rouges, vous skiez et dormez dans le berceau de l'alpinisme !

✔ La Clusaz : très nature ! Vous pouvez dénicher d'épatants petits spots, ou bien skier dans les Aravis, avec les sapins pour témoins – muets face à toute chute maladroite, contrairement à d'autres vieilles branches…

✔ Les Contamines-Montjoie : beaucoup de soleil, beaucoup de neige, et 47 pistes !

✔ Les Houches : quelle belle vue sur le mont Blanc ! Quelles belles pistes en forêt ! Et, en prime, la possibilité de skier de nuit, chaque jeudi, gratuitement.

✔ Megève : l'harmonie en tout et, en période ou hors période scolaire, la classe !

Vents de Savoie

Glissons vers la Savoie, où le vent souffle, un vent que vous connaissez : le fœhn. Venu d'Italie, il affecte les régions frontalières de la Tarentaise. Il se plaît ensuite à descendre la vallée pour atteindre Bourg-Saint-Maurice. Un peu plus au sud, dans la vallée de la Maurienne, c'est la lombarde qui souffle. En provenance d'Italie, aussi, elle se plaît à slalomer à Lanslebourg… Voici maintenant, plus au sud encore, les Hautes-Alpes avec une pluviométrie de 1 300 millimètres dans le Valgaudemar, près du massif du Pelvoux, et de 700 millimètres dans le Queyras, situé plus à l'est, près de la frontière italienne. Plus on va vers le sud, plus l'influence de la Méditerranée se fait sentir, de sorte qu'on peut qualifier le climat des Hautes-Alpes de méditerranéen de montagne. La tendance méditerranéenne s'accentue dans les Alpes-de-Haute-Provence, même si les hauts sommets sont encore soumis au climat alpestre : le Parpaillon, 3 047 mètres, le mont Pelat, 3 051 mètres, ou l'aiguille de Chambeyron, 3 410 mètres.

Voulez-vous skier dans les Hautes-Alpes ?

La vie en blanc, c'est possible aussi dans les Hautes-Alpes ! Rendez-vous en ces lieux où la neige séjourne avant vous, et après vous, de novembre à avril… À moins que vous ayez choisi, l'été, la marche à pied.

✔ Le Dévoluy : ce sont 100 kilomètres de pistes balisées de ski alpin, de 1 500 à 2 500 mètres d'altitude, et 35 kilomètres de pistes de ski de fond pour exercer votre souffle.

✔ Les Orres : de là vous contemplerez la vallée de la Durance et le lac de Serre-Ponçon, et vous glisserez sur vos skis pour aller de hameau en hameau sur les versants de la montagne.

↙ Montgenèvre vous emmène dans la voie lactée ! Non, pas dans les étoiles, mais dans un domaine skiable franco-italien qui comprend Clavière, Cesana, San Sicario, Sestrière, Sauze d'Oulx. 145 pistes de ski !

↙ Orcières-Merlette, à 2 200 mètres, avec son télémix de Rocherousse (le télémix est l'hybridation de la télécabine et du télésiège).

↙ Puy-Saint-Vincent, écrin au pays des Écrins…

↙ Risoul, où fut atteint le record du monde de vitesse à skis : 243 km/h !

↙ Serre-Chevalier, au cœur de l'Oisans, de Briançon au col du Lautaret, la station aux 13 villages et aux 104 pistes.

↙ Vars, aux panoramas à vous couper le souffle entre deux descentes sur les 180 kilomètres de pistes…

UNE GÉO-CURIOSITÉ

Transhumance et littérature

Un long bêlement monta de la combe cachée par un barrage de buissons gelés. Les moutons avaient senti l'homme, à distance. Isaïe Vaudagne se mit à rire tout seul, et pressa le pas, la tête tendue dans le vent, une coulée de froid sur chaque joue. [...] Il avait hâte de revoir ses bêtes. [...] Lâchées au printemps, sur les pentes de la montagne, elles avaient vécu toute la chaude saison en liberté. Depuis avril, une fois par mois, il grimpait là-haut, en quatre heures de marche raide, pour les observer, les compter, et se faire reconnaître d'elles. En son absence, elles changeaient de place, guidées par la saveur de l'herbe et l'exposition des terrains. [...] Maintenant, novembre venu, il s'agissait de les ramener à l'écurie, où elles resteraient parquées pour la durée de l'hiver.

Vous venez d'assister, à travers cette première page du roman d'Henri Troyat, *La Neige en deuil*, à la transhumance, au retour des troupeaux qui rentrent de l'alpage où la transhumance de printemps les a conduits. Vous êtes privilégié : il s'agit là d'une transhumance à l'ancienne, à pied – aujourd'hui on utilise les camions... Elle s'effectuait en plusieurs étapes, à mesure que la neige fondait, allant des remues, prairies situées près des villages, à celles de petites montagnes, en mai, et celles de grandes montagnes en juin. À chaque étape, un chalet servait de logement au paysan. Le roman de Troyat se déroule en Haute-Savoie, dans un village situé au pied du mont Blanc ; un avion venant des Indes s'est écrasé à plus de 4 000 mètres d'altitude. Deux frères, Isaïe et Marcellin Vaudagne, vieux garçons, vont tenter une expédition clandestine pour aller chercher des survivants, à moins que ce ne soit l'or que transportait l'avion... Imaginée à partir d'une réelle catastrophe aérienne – le *Malabar Princess* qui s'écrasa le 3 novembre 1950 au sommet du mont Blanc –, cette aventure vous fait visiter les Alpes en fauteuil et en charentaises ! Et c'est grandiose, palpitant !

Le climat pyrénéen

La tendance océanique

Les Pyrénées occidentales ne vous sont pas inconnues : rappelez-vous la Bidassoa, l'île aux Faisans et puis ce fameux vent qui se décharge de sa pluie sur le versant espagnol, mais, réchauffé par la compression, franchit les sommets et répand sa chaleur en automne et en hiver sur le versant français : le fœhn ! Son record : avoir enveloppé Anglet, le 28 février 1960, dans 28,9 °C, tandis que le reste de la France grelottait. Mais le fœhn fonctionne aussi dans l'autre sens : lorsque, à la fin du printemps, les précipitations venues du nord-ouest butent contre les Pyrénées, côté français, elles s'y déchargent de leurs pluies, et c'est le versant espagnol qui profite de la douce chaleur du foehn ! Avril et novembre sont des mois de fortes pluies, et des orages éclatent en août et en septembre. Des hivers doux, un printemps pluvieux. Voilà un climat pyrénéen à tendance océanique.

Là-haut, sur la montagne

Si vous voulez vous retrouver la tête dans les nuages, gravissez la partie centrale des Pyrénées – notamment celle qui se situe dans le département des Hautes-Pyrénées. Les nuages y sont fréquents, souvent pourvoyeurs de précipitations qui sont d'autant plus abondantes qu'on approche des crêtes de la frontière, en même temps que le vent devient plus intense. Certains jours, montant plus haut, toujours plus haut, vous dépasserez alors la couche de nuages et deviendrez le roi du monde, seul au-dessus de l'immensité ouatée – douce sensation qui s'estompe et disparaît à mesure que vous regagnez le lieu où, roi du monde ou pas, on vous demandera si vous avez pensé à rapporter du pain…

Où skier ?

✔ Luz-Ardiden – 60 kilomètres de pistes balisées – est aussi une station thermale où vous soignez vos problèmes de phlébologie, de voies respiratoires. Et dès que vous êtes guéri, rien de plus vivifiant qu'un saut à l'élastique à partir du fameux pont Napoléon qui surplombe la vallée de 90 mètres !

✔ La Mongie : voulez-vous emprunter le téléphérique qui conduit au pic du Midi de Bigorre ? Venez à La Mongie, station située sur le versant est du col du Tourmalet – ah ! ces ascensions de légende pendant le Tour de France : les Robic, Coppi, Poulidor, Thévenet, Van Impe, Virenque, Chavanel… Téléphérique et vélo peut-être, mais La Mongie, c'est le ski ! Et la neige à l'infini…

> ✔ Saint-Lary – tout près du parc national des Pyrénées – multiplie les paysages tout au long des pistes de ski les plus diverses sur un domaine qui s'étage de 1 600 mètres à 2 500 mètres. N'oubliez pas de vous faire inviter dans la Maison de l'Ours, avant de déguster une bonne garbure…

L'attrait méditerranéen

Plus de 2 500 heures d'ensoleillement – 300 jours ! –, une température moyenne de 14 °C ou davantage, une végétation rare sur les pentes montagneuses… Nous sommes dans les Pyrénées-Orientales, bien éloignées des influences océaniques mais soumises à celles de la Méditerranée, mer chaude qui communique généreusement sa chaleur à l'atmosphère.

> ✔ Font-Romeu : située à 1 800 mètres d'altitude, au cœur des Pyrénées catalanes, entre la France et l'Espagne, sur le vaste plateau de la Cerdagne, Font-Romeu propose une vue imprenable sur des massifs culminants à plus de 2 900 mètres. La station dispose de 38 pistes de ski, 29 remontées mécaniques et 480 canons à neige (le plus vaste domaine d'Europe enneigé artificiellement).

> ✔ Les Angles : c'est le dynamisme hivernal et le charme d'un vieux village catalan alliés aux atouts d'une station de sports d'hiver. Elle offre sur les pentes du roc d'Aude et du mont Llaret, entre 1 600 mètres et 2 400 mètres d'altitude, 40 kilomètres de pistes de ski de tous niveaux.

Quatrième partie
Vous êtes de la région ?... (1)

Dans cette partie...

Vous êtes de la région ? N'avez-vous jamais posé cette question où se tapit bien moins la curiosité que le désir d'évoquer des lieux connus en commun – ce qui évite souvent l'écueil des lieux communs... Quarante-huit départements attendent votre visite dans cette quatrième partie. Rattachés à la région à laquelle ils appartiennent, ils vont étaler devant vous ce qui pourrait conduire vos pas – ou vos pneus – jusqu'à eux ! Ils vous découvrent les particularités de leur agriculture, celles de leurs industries, leurs produits du terroir, leurs spécialités, leurs paysages et, dans la plupart des cas, vous invitent à faire plus ample connaissance avec une célébrité née à l'intérieur de leurs frontières ! Dans quelques dizaines de pages, l'Ouest, le Nord, l'Est et le Centre n'auront plus de secret pour vous...

Voici la légende qui vous permet de lire les cartes des régions et des départements que vous trouverez dans la quatrième et dans la cinquième partie. Afin que vous puissiez vous situer sans difficulté, vous trouverez pour chaque région, une mini-carte de France, et pour chaque département, une mini-carte de région.

Population des communes (recensement de 1999) :	Hiérachie administrative :	Frontières et limites administratives :
⬤ 2 125 000 hab.	**RENNES** préfecture de région	—— frontière nationale
⬤ de 200 à 800 000 hab.	**Melun** préfecture de département	—— limite de région
⬤ de 100 à 200 000 hab.	Brioude sous-préfecture	- - - - limite de département
⬤ de 50 à 100 000 hab.	Arcachon autre commune	······ limite d'arrondissement
⬤ de 25 à 50 000 hab.		
⬤ moins de 25 000 hab.		

Chapitre 13

L'Ouest

Dans ce chapitre :

▶ Faites connaissance avec la Bretagne qui gagne

▶ Laissez-vous charmer par la Basse-Normandie

▶ Vivez de près la croissance des Pays de la Loire

▶ N'ignorez plus rien du Poitou-Charentes

*L'*Ouest, le Grand Ouest – et même le Très Grand Ouest – dont il est question dans cette partie englobe la Bretagne, la Basse-Normandie, les Pays de la Loire et le Poitou-Charentes. La première est caractérisée par la qualité de son agriculture, le haut niveau de ses ingénieurs et chercheurs, et bien sûr par la pêche ; la deuxième résonne du galop de ses chevaux, se distingue par l'attrait de ses bocages ; la troisième coule des jours heureux sur les bords de la Loire, tout en se situant parmi les régions les plus dynamiques de France ; la quatrième sait se situer de façon équilibrée entre tradition et progrès. Bonne visite…

La Bretagne

Quatre départements : le Finistère et ses ingénieurs, les Côtes-d'Armor et leurs choux-fleurs, le Morbihan et ses pêcheurs, l'Ille-et-Vilaine et ses éleveurs. On devrait trouver dans cette liste Nantes et ses petits-beurre, mais, depuis le 30 juin 1941, un décret du gouvernement de Vichy a détaché la Loire-Atlantique de sa région historique : la Bretagne – à Nantes, se trouve le château des ducs de Bretagne. Ce découpage effectué en temps de guerre pour des questions de ravitaillement – ou pour d'autres raisons – est repris le 28 octobre 1956 dans un arrêté délimitant des régions de programme. Les découpages administratifs de 1956 servent ensuite à l'élaboration de la loi de régionalisation, en 1972, puis à la loi de décentralisation en 1982. La Loire-Atlantique fait aujourd'hui partie de la région des Pays de la Loire. Rennes est la capitale de la région administrative Bretagne.

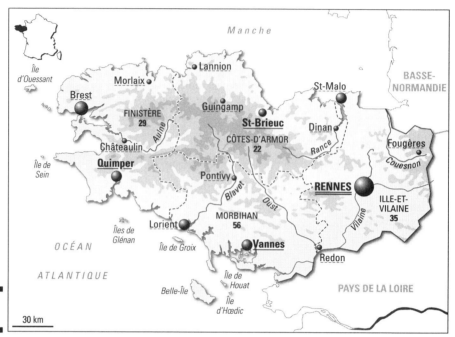

Figure 13-1 :
La Bretagne.

30 km

29 – Le Finistère et sa pointe du Raz

- 6 733 km²
- 872 000 Finistériens
- Préfecture : Quimper (68 000 Quimpérois)
- Sous-préfectures : Brest (156 000 Brestois), Châteaulin (5 200 Châteaulinois), Morlaix (16 000 Morlaisiens)
- Nombre de cantons en Finistère : 54
- Nombre de communes en Finistère : 283

Le vent du large, la bonne odeur de l'océan, le regard tourné vers le soleil couchant, vous vous attardez à l'extrême point du Finistère, la pointe du Raz. En face, c'est l'île de Sein. Des légendes vous reviennent en mémoire, où la terre et la mer se disputent les vivants… C'était au coin du feu, il y a cent ans, peut-être mille ! Depuis, l'aventure de la vie a transformé les contes en énergie créatrice d'industries, d'emplois. La pêche, l'agriculture, l'agroalimentaire, les industries de pointe, ce sont les nouvelles histoires qu'on se raconte en Finistère où le progrès a fait des pas de géant !

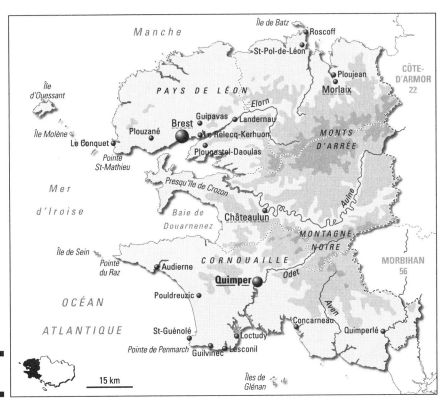

Figure 13-2 :
Le Finistère.

La ruée des bateaux

17 heures. Le Guilvinec, port de pêche du Finistère sud. Regardez la ligne d'horizon : ils arrivent ! Trois, quatre, vingt, cent bateaux, bientôt deux cents ! Ils sont partis le matin, vers 5 heures. Les voici de retour chargés de thons, de lieus, de sardines, de langoustines… Chargés de délices qui vont être négociés auprès de grossistes, puis achetés par des détaillants et finir dans vos marmites et poêles, avec branches de thym, rondelles de citron ou court-bouillon ! Douarnenez, même heure, même océan, même département : point de ruée de bateaux ! Les pêcheurs partent pour des campagnes de deux semaines, en mer d'Irlande par exemple, pêcher la morue. Ils rentrent à n'importe quelle heure du jour ou de la nuit. D'autres ports vous attendent, avec leurs habitudes, leurs spécialités : Concarneau, Lesconil, Loctudy, Saint-Guénolé, Audierne, Le Conquet – et ses crustacés…

Carottes, échalotes pour la matelote ?

Qu'allez-vous préparer pour accompagner votre matelote ? Des pommes de terre ? Allez les chercher dans la bordure nord du département, du côté de Saint-Pol-de-Léon. Faites aussi l'emplette de choux-fleurs, de carottes, d'échalotes, d'oignons rosés de Roscoff, de céleri, de brocolis, de tomates, visitez les serres qui recèlent bien d'autres trésors ! À moins que vous ayez décidé de substituer au poisson le poulet de chair... Ou bien, si vous pénétrez l'intérieur des terres, choisirez-vous, voyant les bovins au pâturage, une pièce de bœuf ou bien quelque produit laitier ?... Dans le domaine agricole, le Finistère aligne plusieurs premières places au palmarès national.

Pur beurre !

Comment conserver les produits de la mer et de la terre ? Comment permettre leur distribution dans tout l'Hexagone et même dans le monde entier ? La réponse se trouve dans les multiples entreprises qui sont implantées dans le département, spécialisées dans les surgelés, les plats cuisinés, la conservation et le conditionnement des fruits – fraises de Plougastel, par exemple – et légumes, les produits laitiers, l'abattage de volailles, les fleurs, les aliments pour animaux ! Sans oublier, pour tous les gourmets, et même les gourmands... : les galettes, les gâteaux pur beurre !

CÉLÉBRITÉ DU CRU

Un grand Corbière...

Bénite est l'infertile plage / Où, comme la mer, tout est nud. / Sainte est la chapelle sauvage / De Sainte-Anne-de-la-Palud... / De la bonne femme sainte Anne / Grand'tante du petit Jésus, / En bois pourri dans sa soutane / Riche... plus riche que Crésus ! / Contre elle la petite Vierge, / Fuseau frêle, attend l'Angélus ; / Au coin, Joseph tenant son cierge, / Niche, en saint qu'on ne fête plus...

Celui qui a écrit ces vers, extraits de *La Rapsode foraine*, s'appelle Tristan Corbière. Il est né à Ploujean, près de Morlaix, le 18 juillet 1845. Il est mort méconnu, dans l'indifférence, près du lieu de sa naissance, le 1er mars 1875 ! Sa vie ? Une suite de malheurs, de déceptions de toutes sortes, de déboires. Sa poésie ? Un pur joyau ! Un titre ? *Les Amours jaunes*, en librairie. Courez-y !... Et ne repartez pas sans *Le Cornet à dés*, écrit par le poète Max Jacob, né le 12 juillet 1876 à Quimper, mort à Drancy le 5 mars 1944 ; emportez aussi *Maria Chapdelaine*, le roman de Louis Hémon, né à Brest en 1880, mort au Canada en 1913 ; feuilletez, puis achetez *Stèles*, de Victor Segalen, né à Brest (1878-1919) ; et pourquoi ne compléteriez-vous pas vos achats par *Le Cheval d'orgueil* de Per-Jakez Hélias, né à Pouldreuzic (1914-1995), ou par un Robbe-Grillet, de l'Académie française, né en 1922 à Brest ?...

Le Finistère et ses pôles d'excellence

Le Finistère propose à tous ceux que passionnent la mer, la sauvegarde des milieux naturels, les télécommunications ou l'électronique des établissements d'enseignement ou de recherche de haut niveau : l'École navale ; l'École nationale supérieure des télécommunications de Bretagne (l'ENSTB) ; l'institut polaire français Paul-Émile-Victor ; l'École nationale supérieure des ingénieurs des études et techniques d'armement (l'Ensieta) ;

l'Institut français de recherche pour l'exploitation de la mer (l'Ifremer) ; l'Institut universitaire européen de la mer ; le Service hydrographique et océanographique de la Marine (le SHOM) ; le Centre de documentation, de recherche et d'expérimentations sur les pollutions accidentelles des eaux (le Cedre) ; l'Institut supérieur d'électronique et du numérique (ISEN) ; l'École nationale des ingénieurs de Brest (l'ENIB) spécialisée en acoustique sous-marine, dans la technologie des radars...

Le Finistère des records

- ✔ n° 1 pour la pêche
- ✔ n° 1 pour la production de choux-fleurs
- ✔ n° 1 pour la production de plants de pommes de terre
- ✔ n° 1 pour la production d'artichauts
- ✔ n° 1 pour la production d'échalotes
- ✔ n° 1 pour la production de poulets de chair
- ✔ n° 2 pour les petits pois, les épinards, la viande de porc, les œufs
- ✔ n° 2 des ports militaires : Brest
- ✔ n° 3 pour la production de viande de veau et de dinde

22 – Les Côtes-d'Armor, et non du Nord

GÉO-NOMBRES

- ✔ 6 878 km^2
- ✔ 560 000 Costarmoricains
- ✔ Préfecture : Saint-Brieuc (49 000 Briochins)
- ✔ Sous-préfectures : Dinan (12 000 Dinannais), Guingamp (9 000 Guingampais), Lannion (19 500 Lannionais).
- ✔ Nombre de cantons : 52
- ✔ Nombre de communes : 372

Des bocages au nord-ouest, au nord-est ; un cœur marin sur la côte : Saint-Brieuc ; des monts dans la partie sud – des monts d'Arrée aux landes du Mené, de Callac à Loudéac...

Plumer le coco...

Les Côtes-d'Armor, c'est le Trégor, de Lannion à Guingamp, de Tréguier à Plestin-les-Grèves... Le Trégor, avec ses cultures légumières – artichauts, haricots verts, tomates, oignons, pommes de terre, choux-fleurs, sur la bande limoneuse et littorale – c'est aussi le bocage qui offre son quadrillage à mesure qu'on s'avance dans les terres. C'est le porc et le poulet, rois dans des élevages ultramodernes. À l'est du Trégor, voici le Goëlo, Paimpol et son coco – il s'agit d'un petit haricot demi-sec qui se récolte à la main en automne, on va alors plumer le coco… –, Saint-Brieuc et sa baie productrice de moules de bouchots – 6 000 tonnes par an –, de coquilles Saint-Jacques, son port de pêche… Plus à l'est encore, voici le Penthièvre et son bocage à pommes, ses blés, ses élevages où sont voisins porcs, bœufs et volailles. Au sud commence le Porhët, son agriculture performante et son activité agroalimentaire – à Loudéac, notamment.

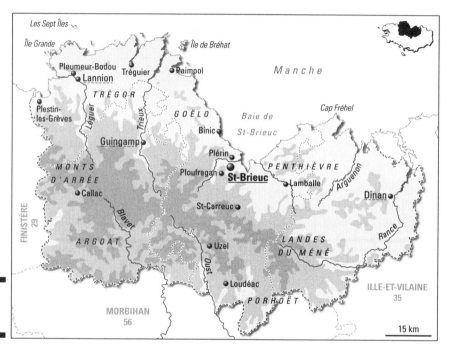

Figure 13-3 :
Les Côtes-
d'Armor.

L'électronique

Les Côtes-d'Armor, c'est la métallurgie et de nombreuses petites industries d'équipement dans le bassin d'emploi de Saint-Brieuc ; c'est Lannion et le Centre national d'études des télécommunications – le CNET –, avec pour prolongement de nombreuses implantations d'entreprises qui développent l'appareillage téléphonique et l'industrie électronique ; c'est la technopole Anticipa Lannion qui regroupe 3 000 chercheurs et ingénieurs au sein d'un tissu industriel à forte dominante électronique, informatique et télécom ; c'est la parachimie qui s'étend ; c'est enfin le tourisme qui se concentre sur le littoral – 85 % des 1,2 million de visiteurs annuels.

Pleumeur-Bodou et son radôme

Le mercredi 11 juillet 1962, les ingénieurs rassemblés à Pleumeur-Bodou, sous le dôme du Radôme – contraction de radar et dôme... –, pointent leur machinerie électronique vers le ciel, plus exactement vers un satellite artificiel Telstar qui a été lancé la veille, le 10 juillet, de cap Canaveral, en Floride. Ils vont ainsi assurer vers les États-Unis la première liaison de téléphonie et de télévision. Dans le même temps, les ingénieurs américains envoient eux aussi des images vers Telstar. Ainsi les téléspectateurs européens peuvent assister en direct à une conférence de presse donnée par le président Kennedy, et les Américains reçoivent une émission de variété avec le grand Yves Montand ! Depuis, les télécommunications internationales ont beaucoup évolué, le radôme est devenu un musée qui accueille plus de 100 000 visiteurs chaque année. Il est entouré d'antennes géantes qui assurent les communications avec le monde entier.

Les Côtes-d'Armor des records

Moyenne établie pour les départements français

- ✔ n° 1 pour la production nationale de viande de porc
- ✔ n° 1 pour la production nationale d'œufs

Montparnasse Bienvenüe

Uzel. Côtes-d'Armor. C'est là qu'est né le 27 janvier 1852 Fulgence Bienvenüe, le père du métro parisien ! Fulgence, treizième enfant de la famille Bienvenüe, compte dans sa parenté proche ou lointaine le maréchal Foch, des notaires – son père par exemple – des magistrats, des écrivains, des juristes, bref, c'est un garçon bien né qui fait de très bonnes études, est reçu à l'École Polytechnique. Pendant la Commune, alors qu'avec d'autres étudiants il parcourt les rues de Paris, il est aligné avec eux contre un mur. Les soldats s'apprêtent à tirer... *In extremis*, ils sont sauvés ! En 1873, Fulgence intègre les Ponts et Chaussées. Ingénieur, il dirige d'abord la construction de lignes de chemin de fer en Normandie, y perd son bras gauche, est nommé à Paris, imagine en 1895 le système du transport souterrain, propose son projet au conseil municipal qui l'accepte en 1897. Les travaux commencent en 1898 et la première ligne (Porte de Vincennes-Porte Maillot) est inaugurée le 19 juillet 1900. Il poursuit sa carrière jusqu'en 1932, à l'âge de 80 ans ! Il meurt quatre ans plus tard, le 3 août 1936, à Paris. La station de métro Montparnasse porte son nom : Bienvenüe. Les Côtes-d'Armor, c'est aussi les écrivains Ernest Renan à Tréguier (1823-1892), et Louis Guilloux à Saint-Brieuc (1899-1980).

56 - Le Morbihan, la petite mer

- 6 283 km²
- 637 000 Morbihannais
- Préfecture : Vannes (46 000 Vannetais)
- Sous-préfectures : Lorient (60 000 Lorientais), Pontivy (13 500 Pontivyens)
- Nombre de cantons : 42
- Nombre de communes : 261 (dont 228 communes rurales)

Une côte finement découpée, ouvragée par le temps, comme une dentelle bretonne ; des îles au large, des presqu'îles indécises ; des terres de landes et de bocages ; Vannes et Lorient ; le Morbihan...

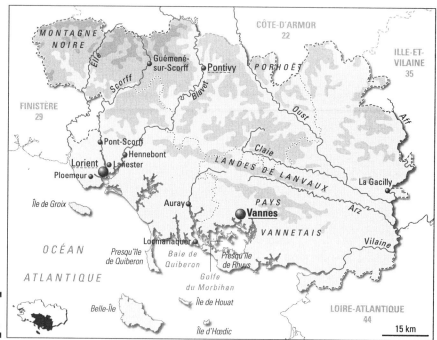

Figure 13-4 : Le Morbihan.

Les Goustiers de l'andouille

Dans la rade de Lorient, deux cours d'eau poissonneux se rejoignent : le Scorff – le saumon sauvage vient s'y reproduire – et le Blavet. Remontant le premier, on passe à Pont-Scorff où cinq éléphants d'Asie vivent dans un zoo qui héberge 500 animaux du monde entier ; on atteint Guémené-sur-Scorff où l'on peut croiser sans s'en apercevoir quelque membre actif de la Confrérie des goustiers de l'andouille ! Une andouille qui résulte de la technique de l'enfilage (on enfile les tripes les unes sur les autres) – au lieu qu'à Vire, en Normandie, on procède à sa confection par emplissage. Le résultat, à la coupe, offre pour l'andouille de Guémené une série de cercles concentriques, et pour l'andouille de Vire une multiplicité de menus morceaux finement saisis dans la graisse.

Napoléonville

Remontons maintenant le Blavet qui nous conduit à Pontivy où fut fondé par saint Ivy, au VIIe siècle, un monastère, plus de mille et cent ans avant que Napoléon – qui n'était pas un saint… – décide de faire de la ville le centre militaire de la Bretagne, au temps du blocus continental avec l'Angleterre, en 1806. La ville s'étend alors selon une géométrie rigoureuse où les rues s'entrecroisent à angles droits. Pontivy devient Napoléonville… jusqu'à la fin du premier Empire, puis du second Empire.

GÉO-MOTS

La petite mer ?

Dans Morbihan, il y a mor : « la mer » ; et « bihan » : petit. Le Morbihan, c'est la petite mer. Mais où donc se trouve-t-elle ? Allez à Vannes et vous découvrirez cette petite mer : le golfe aux soixante îles, fermé par les presqu'îles de Rhuys et de Locmariaquer.

En 56 avant J.-C., ce serait à l'entrée de ce golfe – qui n'existait pas alors, selon les géologues – que César aurait battu les Vénètes au terme d'un combat naval opposant leurs lourds vaisseaux aux mobiles galères romaines.

Des milliers d'exploitations agricoles

Du sud de la Montagne Noire à l'ouest du département au pays vannetais à l'ouest, en passant par les landes de Lanvaux au centre et le sud du Porhoët… au nord, le Morbihan compte 9 180 exploitations agricoles – on en comptait 46 500 en 1955 ! – dont les surfaces se répartissent ainsi :

- ✔ moins de 25 hectares : 41 %
- ✔ de 25 hectares à 50 hectares : 40 %
- ✔ au-delà de 50 hectares : 19 %

L'agriculture morbihannaise occupe près de 7 % des travailleurs actifs. La production de lait est importante – 6e rang en France avec plus d'un milliard de litres annuels. Circulant à l'intérieur des terres, on découvre de nombreux élevages de dindes, de canards, de poulets ou de porcs. Cette production a développé de façon considérable l'industrie agroalimentaire.

Le Morbihan des records

- ✔ n° 1 pour la production avicole

- ✔ n° 1 pour la production des haricots verts, avec 54 000 tonnes par an

- ✔ n° 1 pour la production d'épinards avec 26 600 tonnes

- ✔ n° 1 des ports de l'Atlantique – second port de pêche après Boulogne –, Lorient emploie directement 4 500 personnes. Plus de 30 % des pêcheurs bretons – 9 % des pêcheurs français – vivent en Morbihan

Yves Rocher...

Le Morbihan c'est aussi l'industrie : près de 34 000 entreprises y sont répertoriées ! Elles occupent les secteurs de la métallurgie, de la transformation des métaux, de la chimie, des plastiques, des constructions navales, de l'équipement automobile, de la pharmacie, de la parfumerie… Près de 95 % d'entre elles comptent moins de 10 salariés. Un peu plus d'1 % dépassent l'effectif de 50 salariés. L'une d'entre elles est connue de façon… planétaire ! Présente sur les cinq continents, elle ouvre les portes de ses centres de beauté à toutes celles – et tous ceux – qui cherchent l'onguent miraculeux qui déride ou le parfum qui charme. Et vous ne connaissez qu'elle : l'entreprise Yves Rocher, née à La Gacilly, petit village où sont installés aujourd'hui des dizaines d'artisans d'art – verriers, dinandiers…

35 – L'Ille-et-Vilaine, rivière et fleuve

- ✔ 6 775 km^2

- ✔ 906 000 Ille-et-Vilainois

- ✔ Préfecture : Rennes (213 000 Rennais)

- ✔ Sous-préfectures : Fougères (23 000 Fougerais) ; Redon (11 000 Redonnais) ; Saint-Malo (53 000 Malouins)

- ✔ Nombre de cantons : 53

- ✔ Nombre de communes : 352

Rennes en son bassin aux riches champs de blé, Rennes des universités, des chercheurs, des étudiants. Vitré, à l'est, et le souvenir de la marquise de Sévigné, au château des Rochers (vous l'apercevez du TGV…). L'Ille-et-Vilaine, de Saint-Lunaire à Martigné-Ferchaud (souvenir des minerais de fer…), de Louvigné-du-Désert à Paimpont – et ses meutes de chasse à courre en forêt de Brocéliande… Le Combourg du Vicomte… Mille pages de délices en Ille-et-Vilaine !

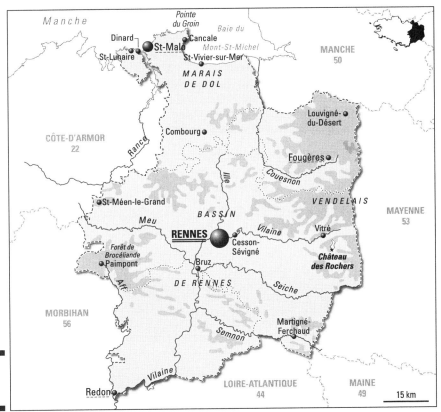

Figure 13-5 :
L'Ille-et-
Vilaine.

C'est un petit VAL...

De Saint-Malo au nord à Redon au sud, de Saint-Méen-le-Grand à l'ouest à
Vitré à l'est, voici l'Ille-et-Vilaine. Et en son centre, un cœur battant : Rennes !
Et dans ce cœur, une artère où circulent plus de 100 000 passagers par jour :
le métro ! Rennes est la plus petite ville du monde qui possède son métro.
Inauguré le 15 mars 2002, c'est un VAL – un véhicule automatique léger – qui
parcourt 9,4 kilomètres et dessert 15 stations dont 13 souterraines, de la
station La Poterie au sud, à J.F. Kennedy au nord. Le VAL dessert aussi la
gare SNCF qui met Rennes à 2 heures de Paris, 4 heures de Lille, de Brest ou
de Quimper, 6 heures de Marseille.

Les grosses têtes...

Rennes, un cœur battant, mais aussi une tête pensante avec ses milliers
d'étudiants, son taux traditionnellement élevé de réussite au baccalauréat,
ses universités – Rennes 1 et 2 – son lycée Chateaubriand fort bien classé au
palmarès des concours d'entrée aux grandes écoles, son campus de Ker
Lann – 170 hectares – où sont rassemblés des entreprises, des

établissements d'enseignement supérieur et des organismes de formation professionnelle – 13 écoles et organismes de formation pour 4 600 élèves –, ce voisinage permettant une maîtrise accélérée des nouvelles technologies. C'est aussi l'INRA – Institut national de recherche agronomique –, la technopole de Rennes Atalante… L'Ille-et-Vilaine, pôle universitaire, pôle technologique, pôle de recherche en télécommunications, s'est taillé une excellente réputation sur le plan national et international. Le département draine une population de chercheurs, d'ingénieurs et d'enseignants de haut niveau, principalement installés à Rennes et dans sa périphérie.

Ami 6, GS, CX…

Il y eut la 2 CV, puis l'Ami 6, avec sa vitre arrière curieusement inclinée vers l'intérieur. Il y eut la Dyane, l'Ami 8, et puis, grand tournant esthétique, la GS qui ouvrit la route à la CX ! Il y eut la mythique SM ! La modeste Visa… Tant de modèles qui sont passés entre les mains des ouvriers de l'usine Citroën, créée en 1961. Elle absorbait souvent une main-d'œuvre rurale que la mécanisation agricole écartait des fermes. Aujourd'hui, le site ultramoderne de PSA Peugeot-Citroën de Rennes-La Janais – produit – avec le concours de nombreux sous-traitants environnants – des C5, C6, 407… Près de 300 000 véhicules par an, pour un effectif de 10 500 personnes.

Des aulx et du lait

Sur la route côtière qui va du Mont-Saint-Michel (situé, comme vous le savez, en Normandie, département de la Manche) à Saint-Malo, vous pouvez faire halte sur le bord des routes où vous sont proposés les produits locaux, aulx (c'est le pluriel d'ail…) et oignons, notamment. Les cultures de légumes y sont développées, ainsi que les cultures maraîchères qu'on trouve aussi dans le riche bassin de Rennes. L'Ille-et-Vilaine compte près de 15 000 exploitations agricoles dont la moyenne est de 32 hectares. Plutôt fourragères dans le nord du département et céréalières dans le sud, les cultures occupent près de 500 000 hectares et emploient 5 % des actifs. Le troupeau laitier est le premier de France. Côté pêche, plus de 1 300 tonnes sont traitées (en 2005) à la criée de Saint-Malo – dont 1 200 tonnes de coquilles Saint-Jacques. La conchyliculture se partage en deux zones : la baie de Cancale pour l'ostréiculture – les huîtres – et Vivier-sur-Mer pour la mytiliculture – les moules.

Quand un vicomte…

Beaucoup l'appellent familièrement le Vicomte. Ils ont lu les *Mémoires d'outre-tombe* qui les ont enchantés, alors, évidemment, ils se sont fait un ami de François-René – qui ne les eût peut-être guère considérés de son vivant. François-René de Chateaubriand ! Le romantique, le distant, le tourmenté, l'aventurier, le menteur, le politique, l'amoureux, le ronchon, le bougon – pas un sourire dans les mémoires…–, l'écrivain ! Il est né à Saint-Malo, le 4 septembre 1768 – un an avant Napoléon qui ne l'appréciait guère –, a vécu au château de Combourg qu'il évoque longuement dans son œuvre, est devenu grand voyageur – Amérique, Jérusalem… – puis homme politique avant de se retirer des affaires pour donner à la littérature française ce que beaucoup jugent ses plus belles pages. Il est mort le 4 juillet 1848. L'Ille-et-Vilaine, c'est aussi Jacques Cartier (1491-1557) qui explora le fleuve Saint-Laurent au Canada ; c'est le corsaire Duguay-Trouin (1673-1736) ; c'est Juliette Drouet (1806-1883), la maîtresse de Victor Hugo – elle lui écrivit plus de 20 000 lettres d'amour !…

L'Ille-et-Vilaine des records

- n° 1 pour la production laitière : 1,5 milliard de litres par an
- n° 1 pour le nombre d'installations de jeunes agriculteurs
- n° 1 dans la rubrique enfance et éducation au palmarès de la qualité de vie des territoires français – source L'Express
- n° 4 pour la production de viande de porc
- n° 7 pour le taux de création net d'emplois sur dix ans

La Basse-Normandie

Trois départements pour 500 kilomètres de côte : la Manche en son Plain, le Calvados et son colonel, l'Orne au galop… Vers la Basse-Normandie, capitale Caen, partons au petit trot…

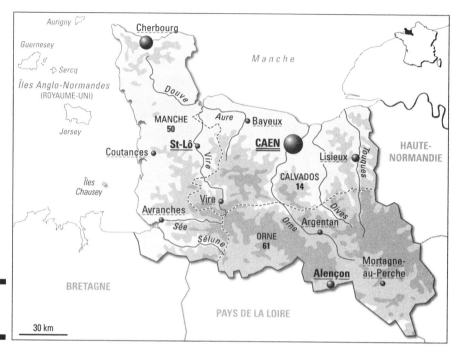

Figure 13-6 :
La Basse-
Normandie.

30 km

50 – La Manche, son cap, sa pointe

- 5 938 km²

- 487 000 Manchots ou Manchois

- Préfecture : Saint-Lô (101 000 Saint-Lois ou Laudiens)

- Sous-préfectures : Avranches (9 300 Avranchinais ou Avranchins) ; Cherbourg (27 000 Cherbourgeois) ; Coutances (11 500 Coutançais)

- Nombre de cantons : 56

- Nombre de communes : 602

« C'est un roc, c'est un pic, c'est un cap… » Interrompons là ce vers de Cyrano de Bergerac – extrait de la tirade du nez – pour grimper tout au nord-ouest de la presqu'île du Cotentin où se trouve, à l'extrémité de ce qui pourrait ressembler à un nez régulièrement boxé, le cap de la Hague. Au nord-est pointe… la pointe de Barfleur. Et entre les deux, voici la ville de Cherbourg-Octeville, où naquit le comédien Jean Marais (1913-1998) qui fut Cyrano au théâtre des Célestins, en 1970, et déclama donc : « C'est un roc, c'est un pic, c'est un cap… » La première boucle étant bouclée, travaillons à nous mettre dans la manche de la Manche !

Figure 13-7 :
La Manche.

15 km

Faites le Plain...

La Manche est essentiellement rurale : 52 % des habitants du département vivent à la campagne – la moyenne nationale se situe aux environs de 20 %. Cette campagne tranquille possède mille charmes bocagers traversés de petites rivières ou de courts fleuves. Mille bois charmants, du nord au sud : le bois de Blanqueville, celui de Barnavast ; le bois de Limors, celui de Soulles. Et mille promenades, dans les marais du Cotentin, ou du Bessin, en partant des Ponts d'Ouve, et passant par Saint-Côme-du-Mont, Chef-du-Pont, Picauville, Vindefontaine... À moins que vous ne partiez d'Angoville-sur-Ay pour atteindre Saint-Sauveur-le-Vicomte, en passant par Lithaire, Neufmesnil, Saint-Sauveur-de-Pierrepont... Que de beaux noms à traverser, dans le centre bocager de la péninsule : le Plain...

Au travail...

La Manche compte un grand nombre d'entreprises de moins de dix salariés, quelques dizaines en emploient plus de cent, et six seulement plus de cinq cents ! L'industrie laitière se taille une part majeure du fromage de l'emploi –

à Condé-sur-Vire, à Carentan – ; après le fromage, le dessert, près d'Avranches et de Granville où sont fabriqués de délicieux biscuits. Au travail de nouveau dans les industries électroniques, ou les industries textiles (peut-être portez-vous en ce moment un solide et chaud tricot Saint-James, fabriqué à... Saint-James !). Au travail encore, avec l'arsenal de la marine, à Cherbourg, d'où sortent, pour s'immerger immédiatement... les sous-marins ! Travail aussi à Villedieu-les-Poêles, avec sa dinanderie et ses cloches. Travail enfin à l'usine de retraitement des combustibles nucléaires de La Hague.

UNE GÉO-CURIOSITÉ

Le Mont-Saint-Michel vu par Maupassant

J'ai visité le mont Saint-Michel que je ne connaissais pas.

Quelle vision, quand on arrive, comme moi à Avranches, vers la fin du jour ! La ville est sur une colline ; et on me conduisit dans le jardin public, au bout de la cité. Je poussai un cri d'étonnement. Une baie démesurée s'étendait devant moi, à perte de vue, entre deux côtes écartées se perdant au loin dans les brumes ; et au milieu de cette immense baie jaune, sous un ciel d'or et de clarté, s'élevait sombre et pointu un mont étrange, au milieu des sables. Le soleil venait de disparaître, et sur l'horizon encore flamboyant se dessinait le profil de ce fantastique rocher qui porte sur son sommet un fantastique monument.

Dès l'aurore, j'allai vers lui. La mer était basse, comme la veille au soir, et je regardais se dresser devant moi, à mesure que j'approchais d'elle, la surprenante abbaye. Après plusieurs heures de marche, j'atteignis l'énorme bloc de pierres qui porte la petite cité dominée par la grande église. Ayant gravi la rue étroite et rapide, j'entrai dans la plus admirable demeure gothique construite pour Dieu sur la terre, vaste comme une ville, pleine de salles basses écrasées sous des voûtes et de hautes galeries que soutiennent de frêles colonnes. J'entrai dans ce gigantesque bijou de granit, aussi léger qu'une dentelle, couvert de tours, de sveltes clochetons, où montent des escaliers tordus, et qui lancent dans le ciel bleu des jours, dans le ciel noir des nuits, leurs têtes bizarres hérissées de chimères, de diables, de bêtes fantastiques, de fleurs monstrueuses, et reliés l'un à l'autre par de fines arches ouvragées.

Vous venez de visiter le Mont-Saint-Michel avec pour guide Guy de Maupassant (1850-1893). Ce texte est extrait de sa nouvelle Le Horla. À lire toutes affaires cessantes...

La Manche des records

↳ n° 1 pour le nombre de bovins

↳ n° 1 pour la production conchylicole – les moules et les huîtres

↳ n° 1 pour la production de poireaux

↳ n° 1 pour le cheptel des chevaux

↳ n° 1 pour le nombre d'exploitations agricoles : 17 500

14 – Le Calvados, l'ancien et le nouveau

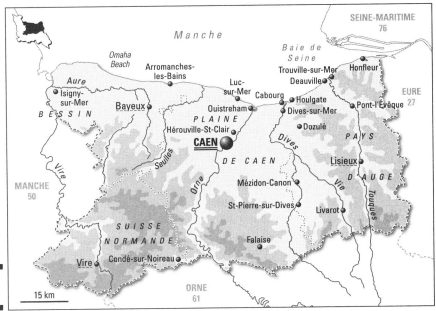

✔ 5 548 km²

✔ 665 000 Calvadosiens

✔ Préfecture : Caen (118 000 Caennais)

✔ Sous-préfecture : Bayeux (15 500 Bayeusains ou Bajocasses) ; Lisieux (25 000 Lexoviens) ; Vire (14 000 Virois)

✔ Nombre de cantons : 24

✔ Nombre de communes : 287

Omaha Beach, Gold Beach, Sword Beach… Plages de souffrances vers la liberté retrouvée ! Si vous passez à Caen, le Mémorial vous attend. Soucieux de conserver la mémoire des temps de tragédie, le Calvados sait aussi relever les défis de la modernité…

Messieurs, à cheval !

Le Calvados est un département qui ne manque pas de selles ! En effet, son climat, ses longues plages que martèlent de petits trots tranquilles ou de fougueux galops, ses calmes paysages de verdure en font un paradis pour la race équine et pour ses serviteurs : les éleveurs ! Ceux-ci bénéficient pour leurs protégés de centres uniques en Europe pour les soins aux chevaux :

- l'Institut pathologique du cheval : 6 chercheurs et 12 assistants travaillent à l'identification et au traitement des maladies équines ;

- le laboratoire Frank Duncombe : 40 salariés effectuent toute l'année des analyses afin de déterminer les maladies dont sont atteints les chevaux ;

- le Centre d'imagerie et de recherche sur les affections locomotrices équines (CIRALE) est spécialisé dans l'échographie articulaire, mais assure aussi des tâches d'enseignement et d'établissement de diagnostics.

À vendre : yearlings…

Le Calvados compte plus de 1 700 élevages – 1 400 haras –, 8 hippodromes sur les 31 que compte la Normandie (Cabourg, Caen, Deauville-Clairefontaine, Deauville-La Touques, Dozulé, Lisieux, Saint-Pierre-sur-Dives, Vire), 50 centres équestres. L'ensemble emploie plus de 3 000 personnes. Chaque année, à Deauville, ont lieu les ventes de yearlings – pur-sang âgés d'un an – dont les prix atteignent des records.

Le Calvados des records

- n° 2 pour le nombre de chevaux (ex aequo avec l'Orne)

- n° 2 national pour le patrimoine protégé (monuments historiques) : la tapisserie de Bayeux, l'abbaye aux Dames, l'abbaye aux Hommes, le château de Caen, celui de Falaise ; les sites du débarquement du 6 juin 1944 ; le mémorial de la Seconde Guerre mondiale, à Caen

- n° 11 pour la production de lait

Les galons du colonel Livarot

Dans le Calvados, le colonel est un tendre ! Et pourtant, il a trimé depuis le XVIIᵉ siècle pour gagner sa croûte ! Tantôt coulant, tantôt ferme, il a réussi à trouver un parfait équilibre. De plus, il a fort bon goût, le colonel ! Voilà donc un parfait honnête… fromage auquel l'appellation d'origine contrôlée (l'AOC) a été accordée en 1972. Pourquoi l'appelle-t-on le colonel ? Observez bien son cylindre, et vous verrez sur les côtés cinq bandes parallèles – cinq bandes, comme les cinq galons d'un colonel. Mais son vrai nom, quel est-il ? Allons, vous ne connaissez que lui, vous le reconnaîtriez les yeux fermés-- et les narines bien ouvertes – : le livarot, à croûte lavée, au lait de vache, né à Livarot, dans le Calvados, et qui déborde même un peu sur l'Orne et la Basse-Normandie. Tout cela en pays d'Auge ! Bon appétit !

Made in Normandie...

Les vaches rousses, blanches et noires / Sur lesquelles tombe la pluie / Et les cerisiers blancs made in Normandie / Une mare avec des canards / Des pommiers dans la prairie / Et le bon cidre doux made in Normandie / Les œufs made in Normandie / Les bœufs made in Normandie / Un p'tit village plein d'amis... Vous rappelez-vous cette chanson qu'interprétaient en 1973 Stone et Charden ? Elle mettait en scène un soldat américain évoquant ses souvenirs du débarquement de 1944. On peut donc légitimement situer ce tableau idyllique et bucolique en Calvados... Et enchaîner en parlant de l'agroalimentaire - au risque de briser la poésie chardénienne... Fromages, lait (2 880 exploitations laitières sur 9 000 au total), beurre, crème (10 % de la production nationale), viande, calvados (eau-de-vie de cidre), cidre, pommeau... Tout cela occupe 906 entreprises qui emploient près de 9 000 personnes !

Êtes-vous plutôt Deauville ?

Êtes-vous plutôt Deauville, plutôt Trouville ? Préférez-vous Cabourg ? Houlgate ou Dives-sur-Mer ? Les cinq à la fois ? Sans compter les autres stations balnéaires où vous vous rendez aussi, régulièrement, tant vous appréciez ces rivages qui furent martyrs, mais qui distillent aujourd'hui une paix contagieuse, et cette sérénité si particulière des aubes sur la Manche. Et ces couchers de soleil... Bref, qu'elle soit de Nacre ou fleurie, la côte vous emporte dans la rêverie – pendant que l'industrie touristique fait travailler 8 500 entreprises pour 18 000 emplois (bien sûr, là encore, la poésie a fui avec l'arrivée des chiffres, mais il faut bien faire les comptes de temps en temps...).

Le Calvados en industries

✔ L'industrie automobile – Renault, PSA – : elle fait appel à de nombreux sous-traitants, maintient et développe l'emploi dans le secteur de l'industrie mécanique.

✔ Les techniques d'information et de communication (TIC) : le Calvados a acquis une excellente réputation européenne pour la sécurité de l'information et de la monétique. C'est en Calvados que les premières cartes à puce ont été expérimentées !

✔ Les secteurs de la chimie, de la pharmacie, celui des équipements ménagers sont également bien implantés.

✔ « Tournez, tournez rotatives... » chantait Guy Béart ! Celles du Calvados – ou leurs équivalents – produisent nombre de papiers à lettres, de bristols, d'agendas, de brochures (Oberthur – papier sécurisé pour les chèques –, Oxford, Hamelin...). Et de livres – celui que vous tenez en main, par exemple, et qui est imprimé par Corlet S.A., à Condé-sur-Noireau !

CÉLÉBRITÉ DU CRU

Dumont d'Urville et Vénus

Condé-sur-Noireau ! Voyons, mais c'est bien sûr, cela rime avec Vénus de Milo ! Vers quelle divagation nous conduit-on, pensez-vous tout à coup… De divagation, point : la Vénus de Milo possède véritablement un lien avec Condé-sur-Noireau ! En effet, en 1790, naissait dans cette petite ville Jules Sébastien César Dumont d'Urville. Un esprit universel, Dumont d'Urville : il s'intéresse à la géologie, à la botanique, à la zoologie, à l'astronomie, aux mathématiques, à l'entomologie… De plus, entré dans la marine, il sillonne les mers du globe. Faisant escale en 1819 dans l'île de Milos, en Grèce, à bord de la *Chevrette*, il décide de faire acheter par la France la statue qui trône maintenant au Louvre, et qu'on appelle la Vénus de Milo ! En 1828, *l'Astrolabe* le conduit dans les îles Salomon où il découvre les restes de l'expédition de La Pérouse – des boulets de canon, des ancres… Plus tard, en 1840, il met le pied sur le continent antarctique auquel il donne le nom de terre Adélie – du prénom de sa femme. Il meurt accidentellement en 1842 : lors de l'inauguration de le première ligne de chemin de fer, Paris-Versailles, le train déraille et prend feu.

61 – L'Orne à cheval

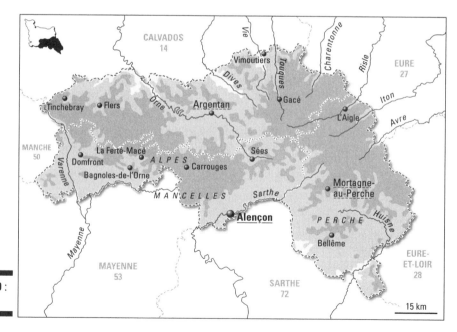

Figure 13-9 :
L'Orne.

- ✔ 6 103 km²
- ✔ 292 600 Ornais
- ✔ Préfecture : Alençon (31 000 Alençonnais)
- ✔ Sous-préfectures : Argentan (18 000 Argentanais) ; Mortagne-au-Perche (5 000 Mortagnais)
- ✔ Nombre de cantons : 40
- ✔ Nombre de communes : 505

Promenez-vous dans les collines du Perche à l'est ; dans le pays d'Auge, au nord ; dans le parc naturel régional Normandie-Maine, au sud ; vous trouverez des pommiers et des chevaux, des champs de blé, de vertes prairies, mais aussi quelque piquante surprise…

Métallurgie et artisanat

Des fonderies, des forges, des tréfileries – fabriques de fils de fer, d'aiguilles –, voilà ce que vous découvrirez aussi, dans l'Orne ; depuis le XVIIIᵉ siècle, le département assied son industrie sur la métallurgie. On y fabrique également des machines à bois, des ponts roulants, de l'outillage de presse. Des chevaux et des pommiers ? Mais encore… Des artisans ! 4 900 entreprises sont inscrites au répertoire des métiers, ce qui donne une moyenne de 164 artisans pour 10 000 habitants alors que la moyenne nationale se situe aux environs de 130 ! Et que fabriquent-elles, ces entreprises ? Des équipements électroniques et électriques, des automatismes intégrés aux machines, des moules et outillages pour la plasturgie, un secteur en pleine croissance. Alors, il n'y a plus ni pommiers ni chevaux dans l'Orne ? Mais si, mais si…

Chevaux, vaches, cochons…

Mais si… L'Orne vibre chaque jour du galop de ses chevaux, mais aussi de celui moins léger de ses vaches, ou bien encore du petit trot de ses moutons, du pas de ses cochons…

- ✔ Des chevaux : près de 400 haras de plus de dix chevaux – au total, près de 16 000 chevaux.
- ✔ Des bovins, dont le nombre a diminué à cause des quotas laitiers – de 570 000 –, en 1990 à 500 000 aujourd'hui.
- ✔ Des ovins en forte progression : 2 000 en 1990, 42 000 aujourd'hui !
- ✔ De plus en plus de porcins : 30 % d'augmentation en quinze ans

Des pommes ?

Et les pommes ? Pas de pommes sans pommiers ! Promenez-vous dans le département de l'Orne, vous en verrez des centaines, peut-être des milliers, en vergers ou solitaires. Ces petits arbres au bois fragile, tout fleuris au printemps, ne dépassent guère les 20 ans, tout appliqués qu'ils sont à former pour l'automne leurs fruits rouges ou jaunes, au jus délicieux ! Ils ornent l'agriculture de l'Orne qui emploie 10 % de sa population active – contre 4 % sur le plan national. La production céréalière y est en forte augmentation. Toutes ces productions ont pour conséquence un fort développement de l'industrie agroalimentaire.

Ce que produit la terre d'Orne

- ✔ 540 000 tonnes de blé
- ✔ 120 000 tonnes d'orge
- ✔ 53 000 tonnes de maïs grain
- ✔ 18 000 tonnes d'avoine
- ✔ 72 000 tonnes de betteraves sucrières
- ✔ 32 000 tonnes de fruits à cidre

Le point d'Alençon

Le surintendant des finances de Louis XIV, Jean-Baptiste Colbert, que madame de Sévigné surnommait malicieusement « le Nord » tant son abord était glacé, avait une idée fixe : faire fabriquer en France tous les produits qu'il était nécessaire d'importer. Ainsi, l'argent ne franchissant plus les frontières vers les pays étrangers et vendeurs, la France pouvait d'autant mieux s'enrichir qu'elle devenait à son tour exportatrice. Pour y parvenir, il fallait atteindre une qualité non pas égale aux produits étrangers, mais supérieure ! Comment procéder ?

En proposant un pont d'or aux artisans étrangers... C'est ce qui fut fait avec les draps de Van Robais le Hollandais à Abbeville. Pour la dentelle, l'Alençonnaise Marthe La Perrière (1605-1677) possédait déjà un savoir-faire inspiré des créations italiennes. Quelques perfectionnements apportés par des ouvrières vénitiennes permirent à Marthe La Perrière de faire naître l'excellence en dentelle : le point d'Alençon, dit aussi point de France. On n'a pas fait mieux depuis.

L'Orne des records

- ✔ n° 1 pour la production d'aiguilles à coudre
- ✔ n° 1 pour la production nationale de poiré (jus de poire alcoolisé)
- ✔ n° 1 pour l'élevage des pur-sang et des trotteurs
- ✔ n° 2 pour le nombre de chevaux (ex aequo avec le Calvados)
- ✔ n° 3 pour la production de pommes à cidre et à poiré
- ✔ n° 4 pour la production de bœufs
- ✔ n° 6 pour la production de taurillons

Les Pays de la Loire

Cinq départements : la Mayenne du douanier, la Sarthe des Bollée, la Loire-Atlantique et son muscadet, le Maine-et-Loire et son Cadre noir, la Vendée et ses marais… L'unité de ces cinq départements s'organise autour de la dormante Loire aux éveils parfois impressionnants. Nantes est la capitale des Pays de la Loire.

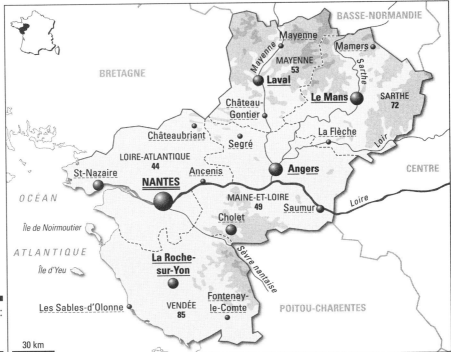

Figure 13-10 : Les Pays de la Loire.

53 – La Mayenne, terre qui élève

- 5 175 km²
- 292 000 Mayennais
- Préfecture : Laval (55 000 Lavallois)
- Sous-préfectures : Château-Gontier (12 000 Castelgontériens ou Castrogontériens) ; Mayenne (15 000 Mayennais)
- Nombre de cantons : 32
- Nombre de communes : 261

La Mayenne est-elle un petit paradis avec son taux de chômage plutôt bas et l'espérance de vie qu'elle garantit – plutôt élevée ? À vous de juger…

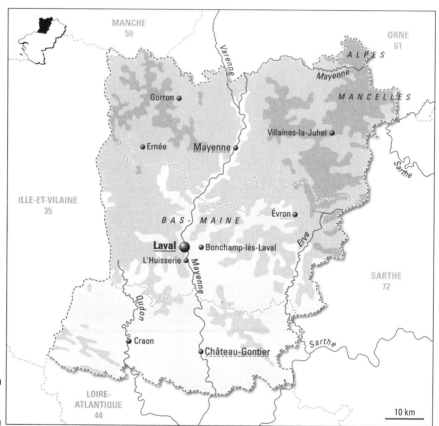

Figure 13-11 :
La Mayenne.

Un petit paradis…

La Mayenne. Taux de chômage ? Nettement au-dessous de la moyenne ! Pourcentage de jeunes en département rural ? Nettement au-dessus de la moyenne ! Activité féminine entre 20 et 60 ans ? Au-dessus de la moyenne également ! Taux de fécondité ? Au-dessus de la moyenne ! Espérance de vie ? La réponse à cette fort intéressante question est la suivante : dans ce domaine, la Mayenne est encore bien au-dessus de la moyenne ! Peuplement du département ? Nettement au-dessous de la moyenne ! Si nous résumons la situation, la Mayenne se présente donc comme un département jeune, où l'on vit longtemps dans un espace disponible deux ou trois fois supérieur à la moyenne ! C'est un petit paradis que la Mayenne. Mais ne le répétez pas trop fort, tout le monde va vouloir y aller ! Gardez cela pour vous, et voyez si vous y trouveriez votre place.

Une place dans la voie lactée ?

Voulez-vous trouver votre place dans l'industrie ? Vous avez le choix entre 685 établissements agroalimentaires – la voie lactée vous conduira peut-être chez le fabricant du trop bon Chaussée aux Moines… –, 245 de biens de consommation, 220 de biens d'équipement. Préférerez-vous vous installer dans l'est du département ou bien dans la région de Craon – un rendez-vous hippique annuel y rassemble 60 000 passionnés du cheval et du turf ! – où se trouvent une grande partie des 11 000 exploitations agricoles ? Ou bien l'édition, la reproduction ou l'impression auront-elles votre préférence ? Souvent, lors de l'attribution des prix littéraires, la télévision des marronniers nous montre un reportage sur l'imprimeur qui attend, rotatives ronronnantes, le top du départ pour mettre sous presse le Goncourt ou le Renaudot ; et souvent l'élu du reportage porte le nom qu'on découvre sur la dernière page d'un roman : imprimerie Floch, à Mayenne…

CÉLÉBRITÉ DU CRU

Le Douanier n'était pas douanier

Non, Henri Julien Félix Rousseau, né à Laval le 21 mai 1844, dit le Douanier Rousseau, n'était pas douanier – son emploi à l'octroi de Paris a créé cette confusion. Était-il peintre ? En son temps, on s'amusait, ou on se moquait de ses tableaux, on ironisait sur leur absence de perspective, sur la naïveté de leur composition inspirée de ses visites au Jardin des Plantes, ou de ses contemplations d'animaux dans l'album *Bêtes sauvages*. On a longtemps cru qu'il avait passé sept années au Mexique, engagé dans les troupes françaises. Engagé, oui, volontairement, après un larcin commis chez un notaire… Combattant au Mexique, non, mais, ayant rencontré des soldats rapatriés après cette campagne désastreuse, il crut vraiment qu'il y était allé ! Ami du poète Apollinaire, il suscite la curiosité de Picasso qui organise en son honneur un banquet où sont prononcés de bien ambigus éloges… Le Douanier Rousseau meurt en 1910. Peintre ? Oui, parmi les plus grands, parce que, même naïves, ses compositions aux vives couleurs donnent de l'émotion et charment – et c'est l'essentiel, dans la contemplation.

La Mayenne des records

- ✔ n° 1 pour le marché aux veaux – Château-Gontier – (n° 1 européen également)
- ✔ n° 2 pour la production de viande bovine
- ✔ n° 4 pour le nombre de bovins
- ✔ n° 5 pour le nombre de chevaux
- ✔ n° 5 pour la production laitière
- ✔ n° 6 pour la production porcine

72 – La Sarthe, les bolides de Bollée

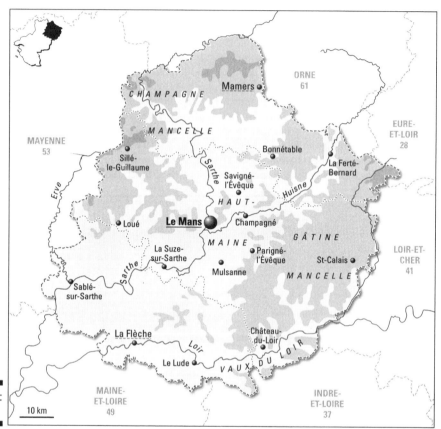

Figure 13-12 :
La Sarthe.

GÉO-NOMBRES

✔ 6 206 km²

✔ 540 500 Sarthois

✔ Préfecture : Le Mans (151 000 Manceaux)

✔ Sous-préfectures : La Flèche (17 000 Fléchois) ;
  Mamers (6 500 Mamertins)

✔ Nombre de cantons : 40

✔ Nombre de communes : 375

Des centaines de bolides de toutes sortes pour des 24 heures multiples, des
centaines de milliers de volailles sous l'excellence du label rouge, des
rillettes fondantes, des milliers d'hectares de blé… La Sarthe a du rythme et
de l'appétit !

Un zoo ?

Il fait nuit… Des rugissements, des feulements, des grognements, des grondements, de curieux barrissements… Où sommes-nous ? Peut-être dans l'un des plus beaux parcs zoologiques de France, à La Flèche, avec ses tamarins perchés, ses éléphants d'Afrique, ses guépards, ses loups à crinière, ses makis varis, ses gibbons concolores… Mais ces yeux brillants dans les ténèbres… ces rugissements, ce ne peut être que des monstres ! Des monstres, oui, des monstres de la route ! Des bolides héritiers de ceux de Bollée : les voitures emballées des Vingt-Quatre Heures du Mans !

Des monstres…

Ah ! Que de rêves elles traînent dans leur sillage : félines, futuristes, puissantes au-delà de tout, vertigineuses, elles emportent à 400 km/h l'imaginaire dans la ligne droite des Hunaudières ! Ickx, Hill, Gendebien, Pescarolo… Quelle liste de héros – pilotes professionnels auxquels se mesurent parfois des passionnés qui glissent avec délices dans le dangereux tourbillon et conduisent bellement leur parcours ; ainsi le journaliste Marc Menant, en 1979, sur Chevron B36 Roc Chrysler, ou en 1986, sur Rondeau Ford M 482 !

Des ressources

L'automobile est un secteur très développé en Sarthe, notamment avec la firme Renault qui s'y est implantée en 1919. Ce secteur fait appel à de nombreux sous-traitants qui permettent de répartir l'emploi en milieu rural. Au total, l'industrie emploie près de 35 % des actifs. L'agriculture n'en compte que 5 % pour 8 000 exploitations dont 45 % ont une superficie supérieure à 50 hectares. Ses productions privilégient les céréales – la Sarthe

Amédée et l'Obéissante

Il était une fois un fondeur de cloches qui vivait en Lorraine et décida d'émigrer en Sarthe. Cela se passait en 1839. Ce fondeur de cloches, Ernest-Sylvain Bollée, fonde au Mans une petite famille qui compte un fils surdoué en mécanique : Amédée ! En mai 1873, il sort de la fonderie paternelle aux commandes d'un engin révolutionnaire qu'il vient d'inventer, mobile de façon autonome : l'automobile ! C'est la première au monde. Il l'a baptisée l'Obéissante. Il peut tout lui demander. Par exemple de le conduire à Paris. Elle couvre alors les 230 kilomètres pour gagner la capitale en… 18 heures. À Paris, les agents de police n'en croient pas leurs yeux : un engin sur quatre roues, transportant un individu, se déplace sans aucun moyen de traction, à près de 50 km/h ! Bollée sera verbalisé soixante-quinze fois ! Il s'en amuse, et cela l'encourage à faire mieux encore. Il travaille à un nouveau prototype d'automobile qui est présenté à l'exposition universelle de 1878, à Paris. La nouvelle Obéissante porte le nom de Mancelle. Les commandes pleuvent. Bollée construit une usine rue de Paris – aujourd'hui, c'est l'avenue Bollée. Amédée et ses fils continuent d'inventer, dans tous les domaines : éoliennes, bicyclettes sans chaîne, machines à poinçonner les tickets de chemin de fer, mitrailleuses, béliers hydrauliques et, bien sûr, cloches…

est le premier département céréalier du Grand Ouest – et la production de volailles sous label. La production agricole se prolonge dans l'industrie agroalimentaire qui emploie près de 10 000 personnes.

La Sarthe des records

✔ n° 1 de la production de rillettes

✔ n° 1 pour la production de volailles sous label (poulets de Loué)

44 – La Loire-Atlantique, sa fleur de sel

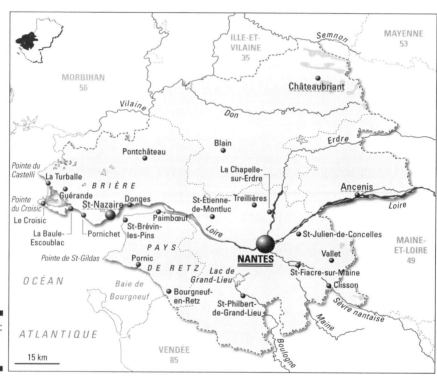

Figure 13-13 : La Loire-Atlantique.

15 km

✔ 6 815 km²

✔ 1 200 000 Mariligériens

✔ Préfecture : Nantes (280 000 Nantais)

✔ Sous-préfectures : Saint-Nazaire (69 000 Nazairiens) ; Châteaubriant (13 000 Castelbriantais) ; Ancenis (7 500 Anceniens)

✔ Nombre de cantons : 59

✔ Nombre de communes : 221

Du pays de Retz au sud au pays qu'on appelait naguère celui des Trois-Rivières au nord (le Don, l'Isac et le Brivet), en passant par le pays de la Mée (Châteaubriant), sans oublier la Brière et son parc régional, de Rougé à Legé, du Croisic à Varades, de Nantes à Saint-Nazaire, du lac de Murin au lac de Grand-Lieu, visitons les lieux...

Ce qui vogue, ce qui vole...

Fragile, la fleur de sel qui assaisonne délicieusement une viande rouge en fin de cuisson (n'avez-vous jamais saupoudré – étymologiquement : poudré de sel – une entrecôte grillée à point, en puisant dans un petit sachet de fleur de sel que vous auriez acquis en vacances, du côté de Guérande où, dans 7 000 œillets, travaillent 280 paludiers ? Essayez, c'est craquant !...). Fort, le département qui est l'un des plus industrialisés de France. Et qui fournit à ce qui vogue ou vole une contribution importante.

- ✔ Pour ce qui vogue, les chantiers de l'Atlantique se sont fait une spécialité de la construction des paquebots de luxe qui sillonnent les mers du globe.

- ✔ La Direction des Constructions Navales (DCN) d'Indret est spécialisée dans la propulsion navale.

- ✔ Pour ce qui vole, les sites de Bouguenais et de Saint-Nazaire construisent des éléments des programmes européens ATR et Airbus, du 320 au 380 !

Composite emploi

Aux secteurs nautique et aéronautique, il faut ajouter celui des constructions mécaniques, du travail des métaux, de la construction de chariots ; le développement constant des domaines de l'informatique, de la télécommunication, de l'électronique. Autre activité phare : le pôle énergétique qui s'est installé sur l'estuaire de la Loire – de Donges à Montoir-de-Bretagne. Il comprend un terminal méthanier et une raffinerie de pétrole à Donges. Au total, ce sont près de 100 000 emplois qui sont concernés par les airs, par les bateaux et par les industries de pointe. À cela s'ajoutent les salariés de l'industrie agroalimentaire et ceux du secteur tertiaire, localisé à Nantes et dans sa périphérie ; ce secteur emploie plus de 72 % des actifs – dans les banques, les archives, les ministères. L'université, les grandes écoles, le Centre hospitalier universitaire complètent cet ensemble du monde de travail et de la formation séparé de Paris par deux heures de TGV et bien desservi par les autoroutes.

La Loire-Atlantique des records

- ✔ n° 1 pour la construction de paquebots, avec les chantiers de l'Atlantique – et n° 1 mondial

- ✔ n° 1 pour la construction de chariots élévateurs, avec le groupe Manitou d'Ancenis – et n° 1 mondial

- n° 1 pour la production de mâche
- n° 1 pour la production de muguet
- n° 2 pour les raffineries (Donges)
- n° 3 des places financières
- n° 7 pour la production laitière
- n° 7 pour le tourisme

Sophie et les raisins

Voyez cette petite fille, fort jolie, un peu frêle, qui foule de ses deux pieds charmants le raisin que son grand-père a récolté… Nous sommes en 1783. Elle est orpheline de mère depuis trois ans. Son père a disparu dans l'océan Indien en 1782. Elle a pour prénom Sophie. Pour nom Trébuchet. Dans vingt ans à peine, elle va donner naissance à… Victor Hugo ! Cette scène se passe à Saint-Fiacre-sur-Maine, au sud de Nantes, en plein cœur d'un vignoble exploité aujourd'hui encore avec toute la passion qui l'a conduit jusqu'à notre époque.

De Jules Verne à Jean Rouaud

1836. Voyez-vous ce trois-mâts qui semble sommeiller sous le ciel du port de Nantes ? Voyez-vous maintenant ce petit garçon de 8 ans à peine qui s'arrête face au grand bateau endormi, regarde à droite, à gauche, puis droit devant. Quelques pas, et le voici qui escalade les bastingages ! Personne sur le navire… Une heure plus tard, l'enfant quitte le trois-mâts, ivre de bonheur : il vient de vivre sa première aventure, d'en imaginer cent autres ! Certaines sont peut-être connues de vous, parce qu'il les a développées, enrichies, racontées dans des livres qui ont pour titre : *Les Enfants du capitaine Grant, Vingt mille lieues sous les mers, L'Île mystérieuse*… Jules Verne – vous l'avez reconnu – a rapporté lui-même, à 66 ans, cet épisode de son enfance passée dans l'île Feydeau, à Nantes (du nom de Paul-Esprit Feydeau de Brou, intendant de Bretagne entre 1715 et 1727). Quant à la légende qui met en scène (et en Loire) le petit Jules Verne fuguant de la maison familiale en 1839 afin de s'embarquer sur un voilier en partance pour les Indes – son père le rattrapant à Paimbœuf, le sermonnant si vertement que l'enfant déclare :

« Désormais je ne voyagerai plus qu'en rêve » –, elle est fausse ! Montée de toutes pièces par des biographes, elle a effectué jusqu'à ce jour un brillant parcours, s'installant peut-être dans votre mémoire – d'où vous pouvez la chasser, dès ce jour…

D'autres célébrités littéraires sont issues de Loire-Atlantique : Abélard, né au Pallet en 1079, éminent professeur de philosophie, de théologie, amant de la jeune Héloïse – il subit la cruelle vengeance de l'oncle de la belle… – ; René Guy Cadou (1920-1951), poète né à Sainte-Reine-de-Bretagne. Plus proche de nous : Jean Rouaud, prix Goncourt 1990 avec son roman *Les Champs d'honneur*, revenu vivre après un long détour par Paris puis Montpellier à Campbon où il est né en 1952 – il y développe aujourd'hui avec son épouse Michèle, passionnée de théâtre, une animation culturelle dont l'un des temps forts se situe au début du mois de juin, lors des rencontres de La Ducherais où sont conviés, dans un cadre enchanteur, romanciers et poètes qui débattent de leur art.

Muscadet et gros-plant

À Saint-Fiacre-sur-Maine, on produit toujours un délicieux vin blanc : le muscadet – Saint-Fiacre-sur-Maine qui détient le record de France pour l'importance en surface de la vigne plantée par rapport à sa surface totale ! Tout près de Saint-Fiacre, Vallet, la capitale du muscadet, Le Pallet et son musée du vignoble, La Haie-Fouassière et sa Maison des vins, Le Loroux-Bottereau et son gros-plant… Bref, près de 3 000 professionnels du vin vous concoctent là-bas des nards dignes de celui des dieux de l'Olympe – à consommer, par exemple, avec des huîtres, du pain frais et du beurre salé, mmmmhhhh, avec modération !

Les travailleurs de la mer et de la terre

Les travailleurs de la mer reviennent au port de La Turballe avec anchois et thons, ceux du Croisic avec langoustines, soles et crevettes. Plus de 300 conchyliculteurs – ostréiculteurs et mytiliculteurs – fournissent en huîtres, coques et moules une partie du marché français. Pendant ce temps, dans les 8 500 exploitations agricoles du département, on pratique la polyculture – élevage sur 350 000 hectares. 770 millions de litres de lait sont produits par 75 000 vaches allaitantes. La production de viande se développe sous le signe de la qualité – la ville de Châteaubriant, par exemple, est devenue la capitale mondiale du… châteaubriant, délicieuse pièce de filet de bœuf (400 grammes) poêlée, accompagnée de pommes de terre. Enfin, dans le sud du département, on pratique le maraîchage pour produire la mâche, exportée dans toute l'Europe, les salades, les carottes, les tomates, les fraises, les fleurs – l'une d'entre elles, une rose, porte le nom de… Sophie Trébuchet ! Sans oublier le muguet porte-bonheur…

CÉLÉBRITÉ DU CRU

Rendez-vous, messieurs les Français ! Mmm… mais non !

L'a-t-il prononcé, *le* mot ? L'a-t-il crié ? L'a-t-il tu ? Ou bien seulement dit à voix basse, entre ses dents, pendant qu'en ce 18 juin 1815, la mitraille anglaise abattait à Waterloo les derniers carrés de la Grande Armée dont il était un général fougueux – né à Nantes en 1770, mort dans la même ville, en 1842 ? Il s'était illustré sur tous les champs de bataille de l'Empire, il accompagna son dieu Napoléon à l'Île d'Elbe. Il lui ouvrit la route des Cent Jours qui conduisit au sacrifice sur le Mont Saint-Jean ! Et puis Napoléon partit pour l'Île Sainte-Hélène. Pierre-Jacques-Étienne Cambronne (vous aviez compris qu'il s'agissait de lui, de son mot…) lui survécut, épousa… une anglaise, et finit par avouer que… oui… bien sûr, il avait sans doute dit ce mot… mais que les circonstances… comprenez-vous… Certes, certes, nous ne pouvons vous en vouloir, cher Pierre-Jacques-Étienne Cambronne, mais nous ne nous permettrons certainement pas de mentionner, ni d'écrire dans cette page, ce mot, votre mot historique – *Merde !* – répondu aux Anglais qui criaient aux Français en ce 18 juin 1815 : Rendez-vous ! Ce serait parfaitement inconvenant !

49 – Le Maine-et-Loire, châteaux de tuffeau

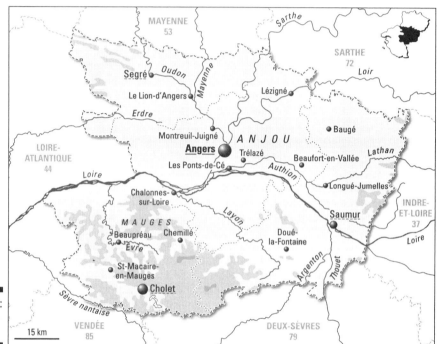

Figure 13-14 : Le Maine-et-Loire.

↙ 7 166 km²

↙ 750 000 Angevins ou Mainéliens

↙ Préfecture : Angers (158 000 Angevins)

↙ Sous-préfectures : Cholet (57 000 Choletais) ; Saumur (32 000 Saumurois) ; Segré (7 200 Segréens)

↙ Nombre de cantons : 41

↙ Nombre de communes : 363

Segréen au nord-ouest, Mauges au sud-ouest, Baugeois au nord-est, Saumurois au sud-est, Angers au centre de la douceur angevine…

La tendresse des pierres

La douceur angevine… Du Bellay l'a mise en rime dans ses *Regrets*. Tout est doux dans la cité, dans la région du roi René (1409 – 1460) : le bocage, le paysage et les saisons. Et puis les pierres de la maison… Du tuffeau, une pierre calcaire si tendre qu'elle préfère s'effriter plutôt que vous blesser ! Le temps qui passe en a raison. Mais la blancheur dont elle pare les demeures est celle des élégantes. Blancheur qui se marie à merveille avec le bleu sombre des schistes débités en minces feuilles : les ardoises. Angers s'est fait une spécialité de cette production. L'ardoise d'Angers – ou de Trélazé – c'est l'excellence sur le toit.

Cadre Noir : l'excellence à cheval !

Le Cadre Noir, c'est une longue histoire… Elle commence au début du XVIIe siècle : l'écuyer personnel du jeune Louis XIII, Monsieur de Saint-Vual, développe une académie d'équitation à Saumur. Un siècle et demi plus tard, Louis XV décide de faire construire dans la même ville ce qu'il voudrait *la plus belle école d'équitation du monde*. Elle accueille les officiers et sous-officiers chargés de l'instruction des régiments. À la fin du premier Empire, l'École de Saumur comprend deux manèges : l'un militaire, l'autre d'académie. Vers 1840, afin de se différencier des écuyers de l'École de cavalerie, habillés de bleu, les Cadres, qui portent déjà le lampion – ou bicorne – revêtent une tenue noire. Ainsi est née l'appellation Cadre Noir qui désigne l'excellence en cavalerie française.

Saumur Champigny, l'aristocrate…

Douceur aussi dans les terres. Et même au plus profond des terres, dans les grottes souterraines où vous conduit volontiers un vigneron qui y garde au frais sa production. Et quelle production : un Saumur-Champigny, par exemple – l'aristocrate des vins de Loire –, élevé avec soin, et qu'on vous cède presque à regret, avec mille recommandations pour la conservation, la dégustation. Partout des vignes parfaitement entretenues, sur les collines, sur les coteaux, ceux du Layon notamment, à l'ouest d'Angers, où naît… le blanc et très doux Côteau du Layon ! Un peu de mousseux pour terminer ? Voici du Saumur et de l'Anjou qui pétillent, des blancs, des rosés, et même des rouges. Une mise en joie de toutes les couleurs – avec modération, bien sûr !

Pour les pépins, numéro 1 !

Plus de 11 000 exploitations agricoles occupent le sol du Maine-et-Loire – réparti à égalité entre l'élevage et les cultures diverses – les champignons, le cassis, les céréales, la viticulture – 18 000 hectares ! –, les semences, la production de bulbes, de fleurs coupées. Et puis, voici les vergers d'Anjou qui hissent au premier rang le département pour ce qui est de la production de fruits à pépins !

Votre place en Anjou

Vous voulez migrer vers la cité du roi René ? Quelle va être votre place ? Êtes-vous un passionné d'informatique ? Voici pour vous, dans l'Anjou, Thomson, Bull et Packard-Bell qui vous proposent leurs services. Préférez-vous les produits de marque, telle la marque Yves-Saint-Laurent, ou bien le textile de luxe, ou bien encore l'industrie automobile – Angers, Cholet, Segré… À moins que, attiré par les effluves capiteux de quelque liqueur où se mêlent délicieusement mille fragrances orangées, vous ne choisissiez la distillerie Cointreau ? D'accord, mais à condition que ce ne soit pas un coin trop fréquenté – modération, toujours… Ah ! Vous faites des études ? Voici la Catho (l'Université catholique de l'ouest), l'École d'Application du Génie, l'École des Arts et métiers, l'École supérieure d'électronique de l'Ouest (ESEO), et bien d'autres établissements de qualité ! Vous êtes bien, à Angers !

Le Maine-et-Loire des records

✔ n° 1 en confection de vêtements pour enfants – et n° 1 européen

✔ n° 1 pour la production de plantes en pots

✔ n° 1 pour la production de pigeons

✔ n° 1 pour la production de cassis

✔ n° 1 pour la production de champignons

✔ n° 1 pour la production horticole

✔ n° 1 pour la production de fruits à pépins

CÉLÉBRITÉ DU CRU

Patrice Chéreau de Lézigné

Le jeudi 2 novembre 1944, dans le tout petit village de Lezigné, au nord-est d'Angers, près de la forêt de Chambriers, deux jeunes artistes peintres, les Chéreau, offrent au monde l'une de leurs plus belles œuvres. Elle a pour titre Patrice – Patrice Chéreau ! Rentrés à Paris, les Chéreau constatent avec émerveillement que leur œuvre ne cesse de prendre de la valeur – à l'école d'abord, puis au Lycée Louis-le-Grand, puis dans la grande aventure de la vie. Au fil des ans, l'acteur s'affirme, le metteur en scène étonne, le créateur de décors, de costumes, éblouit. En 1976, le grand Pierre Boulez lui demande de mettre en scène la tétralogie de Wagner pour le centenaire de l'opéra de Bayreuth ! Puis commence l'aventure de la Maison de la Culture de Nanterre qui devient le théâtre des Amandiers. Au cinéma, on le voit en 1982, dans le film d'Andrejz Wajda, *Danton*, dans celui de Youssef Chahine, *Adieu Bonaparte*, dans celui de Michael Mann, *Le dernier des Mohicans*, dans celui de Claude Berri, *Lucie Aubrac*… On le sent – metteur en scène – dans *L'Homme blessé* (1983), *La Reine Margot* (1994), *Ceux qui m'aiment prendront le train* (1998), *Son frère* (2003) – d'après le roman de Philippe Besson –, *Gabrielle* (2005). Et ce n'est pas terminé : l'œuvre Patrice Chéreau ne cesse de prendre de la valeur…

85 – La Vendée, Venise verte

Figure 13-15 :
La Vendée.

✔ 6 720 km²

✔ 575 000 Vendéens

✔ Préfecture : La Roche-sur-Yon (53 000 Yonnais)

✔ Sous-préfectures : Fontenay-le-Comte (16 000 Fontenaisiens) ;
Les Sables-d'Olonne (16 500 Sablais)

✔ Nombre de cantons : 31

✔ Nombre de communes : 282

Les marais, le bocage, la Gâtine ; l'Île d'Yeu, Noirmoutier, Fromentine ; Saint-Gilles-Croix-de-Vie, Les Sables-d'Olonne ; de Montaigu (qu'on rencontre en revenant de Nantes, en se dirigeant vers Les Herbiers) à Maillezais où séjourna, en l'abbaye, le joyeux Rabelais ; de La Roche-sur-Yon à Saint-Jean-de-Monts ; du Puy-du-Fou à Fontenay-le-Comte, voici la Vendée…

Les Vendées

La Vendée ? Les Vendées… En effet, celle du Nord, de l'Est et du Centre est un bocage aux formes de relief variées, et qui se permet une ascension à quelque 290 mètres à Saint-Michel-Mont-Mercure – point culminant du département. Celle du nord-ouest est celle du marais breton ; celle du sud la Vendée marais poitevin. Ce marais conserve l'empreinte de l'ancien golfe qui occupait son espace, la mer venant buter contre des hauteurs perdues aujourd'hui dans les terres et qui sont d'anciennes falaises. De ce golfe ne reste que l'anse de l'Aiguillon. Des canaux qui se fraient le passage sous des tunnels de verdure, de longs bateaux filant dans le silence paisible… voilà le marais qui aime bercer et conduire les rêves en dehors du temps ! Mais attention, tout Vendéen sait bien que ce n'est là qu'une image de sa Vendée, et qu'il en existe cent autres…

À table !...

La volaille fermière de Challans, le délicieux jambon de Vendée, subtilement salé, la sardine de Saint-Gilles-Croix-de-Vie, la mogette – les haricots ! –, l'inégalable brioche vendéenne… Le plat de résistance ? Ce sera un morceau de viande bovine – le département en est le premier producteur français – choisi dans les 720 000 têtes de bétail qui composent le cheptel à viande – dont 50 % de la race charolaise. À moins que vous préfériez du lapin ? La Vendée en est aussi le n° 1, avec une production de 19 000 tonnes par an ! Un peu de foie gras ? La Vendée en propose aussi, 4 000 tonnes par an, 25 % de la production nationale ! Une petite faim encore ? Il y a du chou, bien sûr… Tout cela est élevé ou cultivé sur 77 % de la totalité des terres du département – la moyenne nationale étant de 55 %.

L'étonnante aventure de Narcisse Pelletier

1858. Le jeune mousse Narcisse Pelletier, 14 ans, né à Saint-Gilles-Croix-de-Vie, d'un père sabotier et d'une mère ménagère, vogue vers la Chine sur le Saint-Paul. À Hong-Kong, le bateau embarque clandestinement, en plus de sa cargaison, trois cents Chinois qui espèrent faire fortune dans les mines d'or australiennes. Pour pallier le manque de vivres qui menace dès les premiers jours, le capitaine choisit la route la plus directe, mais aussi la plus dangereuse. Une tempête drosse le navire contre un îlot rocheux sur lequel sont abandonnés les Chinois, pendant que le capitaine, quelques hommes d'équipage et Narcisse, partent de nuit en chaloupe. Ils font escale près du cap Flattery, mais Narcisse épuisé, y est abandonné. Il s'avance dans la forêt et tombe nez à nez avec des cannibales qui immédiatement… l'adoptent – les Chinois restés sur l'îlot sont, quant à eux, capturés par d'autres cannibales, puis mangés…! Il va passer dix-sept années en leur compagnie, sans pouvoir donner de ses nouvelles ! Un bateau anglais le découvre enfin et le rapatrie en France. Son arrivée à Saint-Gilles, en 1875, est triomphale, ses parents sont au comble du bonheur. Mais il a laissé là-bas bien des secrets… Il meurt quelques années plus tard. Peut-être de chagrin…

Le Vendée Globe

Et l'emploi ? La Vendée se porte bien, malgré la conjoncture morose actuelle. Il faut dire que depuis les années 1960, elle a choisi d'installer son tissu industriel sur un réseau de petites entreprises familiales au nombre de salariés peu élevé – 84 % de ces entreprises comptent moins de vingt salariés. Elles se répartissent entre les secteurs de l'agroalimentaire, l'artisanat local, la mécanique, la métallurgie, la chimie, la plasturgie. Plus importante, l'industrie de la navigation de plaisance s'est taillée une excellente réputation dans le monde entier. Tous les quatre ans, le Vendée Globe – la course autour du monde – rassemble les meilleurs skippers pour une course à la voile autour du monde – la prochaine édition se déroulera en 2008.

La Vendée des records

- n° 1 pour la navigation de plaisance – notamment avec les chantiers Bénéteau-Jeanneau
- n° 1 pour la production de viande bovine
- n° 1 pour la production de lapins
- n° 2 pour le nombre de touristes accueillis annuellement (2 millions)
- n° 3 pour la production d'huîtres et de moules
- n° 3 pour les surfaces de vente d'hypermarchés et supermarchés
- n° 4 pour le débarquement de poisson frais
- n° 6 pour les ports de pêche : Les Sables-d'Olonne

Le Poitou-Charentes

Quatre départements : les Deux-Sèvres et leurs chèvres, la Vienne du Futuroscope, la Charente et son cognac, la Charente-Maritime et ses cagouilles (patience, vous allez savoir ce que désigne cet amusant vocable un peu plus loin)… La capitale de la région Poitou-Charentes est Poitiers.

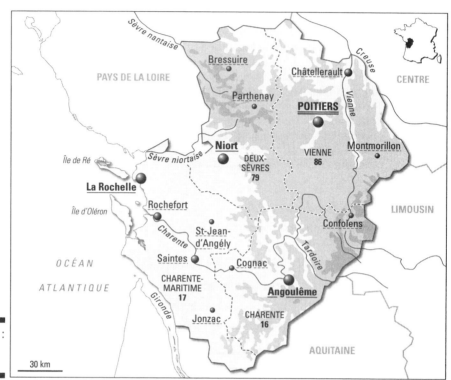

Figure 13-16 :
Le Poitou-
Charentes.

30 km

79 – Les Deux-Sèvres, nantaise et niortaise

- 5 999 km²

- 352 000 Deux-Sévriens

- Préfecture : Niort (60 000 Niortais)

- Sous-préfectures : Bressuire (20 000 Bressuirais) ;
  Parthenay (12 000 Parthenaisiens)

- Nombre de cantons : 33

- Nombre de communes : 307

Des chèvres, des pintades, des lapins, des melons, de multiples assurances pour vous garantir la vie, et un grand aventurier : René Caillé...

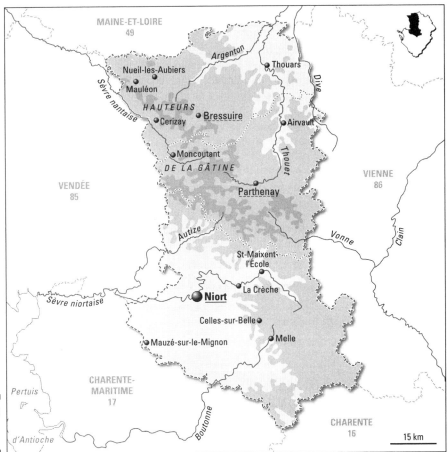

Figure 13-17 :
Les Deux-
Sèvres.

Le charme du bocage

Promenez-vous dans le département des Deux-Sèvres qui, comme son nom l'indique – et comme vous le savez déjà pour avoir suivi le cours des fleuves côtiers – héberge deux Sèvres, la Nantaise, et la Niortaise, vous tomberez sous le charme de son bocage, au nord-ouest, dans la région de Mauléon. Vous baignerez dans une atmosphère toujours douce, humide mais point trop ! Vous épouserez les hauteurs de la Gâtine, au centre, avant de glisser vers le Marais Poitevin, au sud-ouest. Et partout, vous verrez, au pré, des troupeaux de chèvres – le département est le premier producteur de lait et de fromage de chèvre – mais aussi des bovins, des ânes (appelés « baudets du Poitou ») et des mulets. À Niort qui emploie une grande partie des actifs, vous ne manquerez pas les façades des grands groupes que sont la MAIF, la MAAF, la Matmut, on vous assure…

René Caillé à Tombouctou

1809. Mauzé-sur-le-Mignon, au sud-ouest de Niort. Un petit bonhomme de dix ans, fasciné par la lecture de Robinson Crusoé que lui a faite son instituteur, rêve devant la carte du monde qu'il a découverte dans un grenier. À seize ans, il renonce au pétrin paternel, et part à l'aventure : il veut être le premier européen qui pénétrera dans Tombouctou, ville mythique de l'islam noir, réputée pour ses manuscrits rares, sa richesse et ses toits d'or ! 1816 : il embarque sur le bateau La Loire qui navigue de conserve avec… La Méduse au tragique destin ! Après plusieurs tentatives infructueuses, et un passage aux Antilles pour amasser un peu d'argent, il réussit à se mêler à une caravane en route pour Tombouctou où, après mille souffrances et privations, il entre le 20 avril 1828. Déception : la ville vient d'être pillée par les Touaregs, ses toits sont ordinaires et sa richesse un mirage ! Capturé comme esclave, il réussit à gagner le Maroc, puis Paris où il est fêté comme un héros. Il meurt prématurément, à 39 ans, entouré de ses quatre enfants et de sa femme.

Les Deux-Sèvres des records

- ✔ n° 1 pour le nombre d'établissements d'assurances mutuelles – Macif, MAIF, Matmut, Maaf…, à Niort.
- ✔ n° 1 pour le nombre de caprins – 250 000 têtes
- ✔ n° 1 pour la production de lait de chèvre
- ✔ n° 2 pour la production de melons
- ✔ n° 2 pour la production de pintades
- ✔ n° 2 pour la production de lapins
- ✔ n° 7 pour la production de brebis

86 – *La Vienne, entre deux massifs*

- ✔ 6 990 km^2
- ✔ 407 000 Viennois
- ✔ Préfecture : Poitiers (88 000 Pictaviens ou Poitevins)
- ✔ Sous-préfectures : Châtellerault (36 000 Châtelleraudais) ; Montmorillon (8000 Montmorillonais)
- ✔ Nombre de cantons : 38
- ✔ Nombre de communes : 281

Le château de Chambord
(Loir-et-Cher)

L'îlot du Grand Bé,
à Saint-Malo

Le Mont-Saint-Michel, en Normandie, dans le département de la Manche

Le cimetière américain
de Colleville-sur-Mer,
près d'Omaha Beach

Le lion de Belfort, sous les murs du château

La cathédrale Notre-Dame de Strasbourg

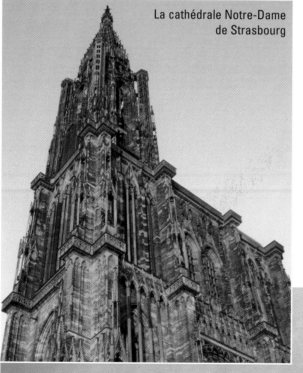

Les hospices de Beaune (Côte-d'Or)

La place Stanislas à Nancy (Meurthe-et-Moselle)

La Grande Arche de la Défense, imaginée par l'architecte Johan Otto Van Spreckelsen (Hauts-de-Seine)

L'abbaye de Saint-Denis

Rungis : le nouveau ventre de Paris

Le Kinemax du Futuroscope à Poitiers

Le viaduc de Millau

Nice et la promenade des Anglais (Alpes-Maritimes)

Le vieux port
de Marseille
(Bouches-du-
Rhône)

Le théâtre antique d'Orange

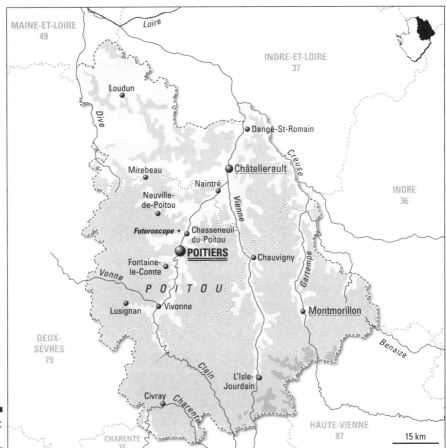

Figure 13-18 :
La Vienne.

La Vienne, c'est Poitiers, c'est le Poitou, c'est Loudun, ville natale de
Théophraste Renaudot, le fondateur de la gazette, du journal moderne –
Loudun, c'est aussi la ville des possédées, des nonnes ursulines surtout
possédées par le charme d'un beau ténébreux : Urbain Grandier qui finit sur
le bûcher... La Vienne c'est aussi...

Produits en croix

Cruciale, la Vienne – l'adjectif crucial vient du latin *crux*, *crucis*, qui désigne la
croix. La Vienne occupe le centre du croisement de deux axes : celui des
bassins et celui des massifs. En effet, l'axe des bassins Parisien et Aquitain
croise celui des massifs Armoricain et Central ; ces deux massifs sont
séparés par une dépression que vous avez déjà rencontrée : le Seuil du
Poitou. Et ce seuil, c'est le département de la Vienne qui consacre 68 % de sa
surface à son agriculture – plutôt des céréales et du vignoble au nord ; de
l'élevage au centre et au sud.

D'aventure en aventure

Depuis que Charles Martel y a arrêté les Arabes en 732, depuis que Jean le Bon y a été fait prisonnier par le Prince Noir le 19 septembre 1356, depuis que Diane en est partie pour séduire Charles VII – et pour lancer la mode des seins nus – Poitiers a vécu bien d'autres aventures. Celle de l'industrie automobile – Michelin et les pneus –, celle des conserves de champignons, des plats cuisinés, celle des fonderies, de la construction aéronautique – à Châtellerault où on répare et entretient toutes sortes de réacteurs. Poitiers vit aussi l'aventure du savoir, avec son université qui accueille plus de 27 000 étudiants dans des filières classiques, mais aussi dans des écoles de commerce, d'ingénieurs de haut niveau, ou bien d'administrateurs d'entreprises.

Changez d'univers à Poitiers...

Un soir de déprime, alors que votre parapluie venait de se retourner sous la bourrasque, que votre clé de voiture venait de tomber dans une grille d'égout, et que votre téléphone portable était resté suffisamment chargé pour recevoir l'appel de votre conjoint(e) courroucé(e) de votre retard, vous avez sûrement rêvé de changer d'univers ! Alors, il fallait prendre immédiatement le prochain train pour Poitiers ! Car, à Poitiers, vous pouvez, en un instant, et sans risque, partir pour le cosmos, visiter l'étrange Atlantide, devenir un citoyen de la gigantesque cité futuriste d'Akrils – attention, elle est en péril, et vous aussi par la même occasion, mais tout se termine bien... – ; à moins que vous préfériez le zoo des robots, la légende de l'étalon noir, ou bien une visite dans le Cyberworld, ou bien encore une ascension dans la Gyrotour, à 45 mètres d'altitude ! Tout cela, vous le trouvez au Futuroscope, créé en 1987 par le Conseil Général de la Vienne et son président d'alors, René Monory, acquis par le groupe Amaury en mars 2000 avant de retourner au Consei général de la Vienne, et à la région Poitou-Charentes. Il a accueilli près de 31 millions de visiteurs depuis son ouverture !

La Vienne en records

✔ n° 1 pour l'espérance de vie des femmes – 82,8 ans

✔ n° 2 dans le classement des parcs d'attraction – Futuroscope de Poitiers

✔ n° 3 pour la production de tournesol

✔ n° 7 pour l'espérance de vie des hommes – 75,1 ans

16 – La Charente, Cognac, Jarnac...

✔ 5 956 km^2

✔ 344 000 Charentais

✔ Préfecture : Angoulême (47 000 Angoumoisins)

☞ Sous-préfectures : Cognac (20 500 Cognaçais) ;
   Confolens (3 100 Confolentais)

☞ Nombre de cantons : 35

☞ Nombre de communes : 404

Au nord-ouest, les Terres froides, entre Villefagnan et Aigre ; au nord-est, les Terres chaudes, entre Confolens et Chabanais ; au centre, l'Angoumois, et sa capitale, Angoulême, créée le mardi 18 mai 1204 par une charte signée Jean sans Terre qui était alors… roi d'Angleterre !

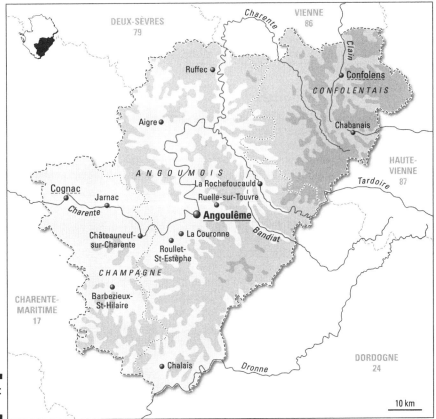

Figure 13-19 :
La Charente.

Des François et de drôles d'oiseaux

Petite révision des acquis : que savez-vous de la Charente ? Rien encore ? Mais si : rappelez-vous, c'était il y a quelques pages… On vous disait que la Charente était le fleuve des François – François Ier, né dans les vignes de Cognac, François Mitterrand, venu au monde à Jarnac. Vous l'aviez déjà oublié ? Vous le copierez cent fois – mais non, c'est pour vous faire peur, et d'ailleurs, vous n'aurez pas le temps, nous partons pour Cognac. Drôles d'oiseaux qui se poursuivent au-dessus de la ville… Ce ne sont pas des volatiles, mais des avions de chasse aux commandes desquels se trouvent des élèves-pilotes de l'école de l'armée de l'Air française.

Du cognac…

Cognac, évidemment, c'est… le cognac ! Les vins du Poitou, de l'Angoumois, de la Rochelle sont connus dès le XIIIe siècle et font le bonheur des viticulteurs qui les exportent en Hollande, en Angleterre, et jusqu'en Scandinavie. Hélas, la guerre de cent ans, puis les guerres de religion vont mettre à feu et à sang toute la région – la Charente perd 50 % de ses artisans dans la deuxième moitié du XVIe siècle ! Au XVIIe siècle, la région de Cognac distille les vins du Poitou, et fait vieillir leur eau de vie en fûts de chêne pendant plusieurs années. Cette eau de vie acquiert alors couleur et saveurs qui lui valent une réputation mondiale – aujourd'hui, 95 % de la production sont exportés.

… aux charentaises

Mais Cognac, ce n'est pas que le Cognac, c'est aussi l'industrie du verre, celle de la tonnellerie, celle des machines à récolter les grains de café ou les olives ; c'est la fabrication de matériaux de construction – Placoplâtre – et même de canoës-kayaks. Partons maintenant pour Angoulême qui, outre son festival annuel de la bande dessinée – en janvier – comporte une

LE SAVIEZ-VOUS ?

La charentaise, le retour ?

… les charentaises ! En réalité, elles ne sont quasiment plus fabriquées dans leur berceau d'origine. Entre 1960 et 2000, le nombre d'entreprises produisant ce genre de douillette pour pied est passé de 60 à… 6 ! Les charentaises, connues dans le monde entier, s'y sont carapatées… Accueillies dans des sites de production espagnols, puis maghrébins, puis chinois, elles n'ont laissé en France que la trace de leurs pas. Cependant, depuis quelques années, la charentaise renaît en France : à Montbron, en Charente, l'entreprise Le Relais a remis en route des machines vieilles de cinquante ans pour produire la charentaise traditionnelle, en matières naturelles, à semelles de feutre. Un délice pour le pied ! Sur les 55 millions de charentaises vendues chaque année dans l'Hexagone – la plupart venues de l'étranger –, Le Relais en produit 200 000.

L'histoire de la charentaise commence au XVIIe siècle, en 1666, exactement. Cette année-là, Colbert décide de créer l'arsenal de Rochefort. L'armée de l'époque se réorganise. Il faut tailler de nombreux uniformes de feutre. Mais que faire des chutes ? On les découpe d'abord en forme de chaussons à glisser dans les sabots. Puis, au XVIIIe siècle, un cordonnier donne à ce chausson son autonomie en lui cousant une semelle de feutre épais. Cent ans plus tard de nombreuses petites entreprises installées sur le bord de la Charente produisent des milliers de charentaises noires qui parcourent les jours et les nuits feutrées de l'Hexagone… Après 1945, l'Europe, puis le monde offrent leurs planchers à la charentaise qui a adopté le décor écossais. En même temps, elle entre dans le dictionnaire. Et quitte la France… avant d'amorcer, depuis Le Relais, son retour !

concentration de supermarchés et d'hypermarchés parmi les plus importantes de France. La Charente, c'est aussi la fabrication de tuiles, à Roumazières, la cimenterie à La Couronne ; c'est enfin la fabrication de chaussures en général, de chaussons en particulier, et tout particulièrement de chaussons que vous avec peut-être enfilés avant de vous mettre à lire ces lignes… : les charentaises !

La Charente des records

- n° 1 pour les festivals de bande dessinée – Angoulême
- n° 1 pour la production de… cognac
- n° 2 pour la production d'escargots – le petit gris, appelé cagouille

Jean Monnet, père de l'Europe

N'emporte pas de livres. Personne ne peut réfléchir pour toi. Regarde par la fenêtre, parle aux gens. Prête attention à celui qui est à côté de toi Tel est le conseil que donne à son fils Jean qui part pour Winnipeg, Monsieur Monnet, négociant en vins à Cognac. Jean Monnet est né le 9 novembre 1888. Après une carrière internationale prestigieuse qui le conduit près des grands chefs d'états aux heures les plus sombres du XXᵉ siècle, il devient commissaire au plan de 1947 à 1952, et commence à mettre en œuvre son grand projet : réconcilier la France et l'Allemagne afin de ramener la paix en Europe. Président de la communauté européenne charbon-acier (CECA), de 1952 à 1955, il œuvre pour que soit signé le 25 mars 1957 le traité de Rome créant la CEE (Communauté économique européenne). Avec Robert Schumann (1886-1963), Jean Monnet, mort en 1979, est considéré comme le père de l'Europe. En 1988, ses cendres ont été transférées au Panthéon.

17 – La Charente-Maritime, îles et ports

- 6 864 km²
- 586 100 Charentais-Maritimes
- Préfecture : La Rochelle (81 000 habitants)
- Sous-préfectures : Jonzac (4 500 Jonzacais) ; Rochefort (28 000 Rochefortais) ; Saintes (28 000 Saintais) ; Saint-Jean-d'Angely (8 500 Angériens)
- Nombre de cantons : 51
- Nombre de communes : 472

Figure 13-20 :
La Charente-
Maritime.

Bienvenue en Charente-Maritime. En connaissez-vous l'une des spécialités :
la jonchée ? Qu'est-ce ? C'est du lait caillé qu'on a mis dans un petit panier
tressé, un panier de joncs – ces herbes dures, fines et luisantes qui poussent
en lieux humides. Le caillé s'est égoutté et le fromage blanc demeure. On
l'aromatise d'eau de laurier amandé. Un peu de sucre... quel délice !
Maintenant, entrons dans le département...

Aunis et Saintonge

Tout en longueur, la Charente-Maritime : au nord, l'Aunis ; au sud la Saintonge.
Au nord, le Marais Poitevin ; au sud, de beaux vallons nés de frémissements
consécutifs au plissement pyrénéen. Au nord, La Rochelle ; au centre Saintes ;
au sud Jonzac. Et partout de quoi mettre en appétit : commençons par un
Pineau, le fameux Pineau des Charentes – un vin de liqueur obtenu par mutage,
c'est-à-dire par addition d'alcool, ce qui le conduit à titrer entre 15 °C et 20 °C ;
le Pineau des Charentes est blanc ou rosé, presque rouge parfois ; servez-le
frais, jamais glacé, et toujours avec modération ! Après le Pineau, voici un
melon des Charentes : lisse ou couturé, c'est un délice sucré !

La cagouille…

Ah ! Maintenant, une mouclade avec son persil et son jus acidulé ! Des huîtres pour continuer ? Allons les chercher à Marennes, à Oléron, sur les 450 kilomètres de côtes du département – dont plus de 200 km de plages ! Evidemment, vous allez goûter les cagouilles ! Impossible d'entrer en amitié avec un Charentais si vous ne vous familiarisez avec la préparation et la cuisson – grillés, ils sont craquants ! – des escargots petits gris ! Vous y ajouterez du sel de l'Île de Ré, du beurre de Surgères – mmmmhhh ! Une petite barquette fourrée au chocolat, à la fraise ou à l'abricot pour terminer, confectionnée par la biscuiterie Gringoire de Saint-Jean-d'Angély – succès assuré ! Enfin, vous l'attendez, un cognac à humer si vous ne consommez pas d'alcool – humez-le alors avec modération, tant ses arômes sont capiteux… Vous partez ? N'oubliez pas de vous procurer une réserve de sardines crues, de La Cotinière par exemple – à griller sur votre barbecue. Plus que vos pieds à satisfaire : une deuxième paire de charentaises ?…

CÉLÉBRITÉ DU CRU

De Brouage à Québec : Champlain

Je cherchai lieu propre pour notre Abitation, mais je n'en pus trouver de plus commode, ni mieux situé que la pointe de Québec, ainsi appelé des Sauvages, laquelle était remplie de noyers et de vignes. Aussitôt, j'employai une partie de nos ouvriers à les abattre pour y faire notre Abitation. Ainsi Samuel de Champlain – né en 1570 à Brouage, en Charente-Maritime – rapporte-t-il la fondation de la ville de Québec au Canada, en 1608. Nommé géographe royal par Henri IV, il avait débarqué à Tadoussac, sur le bord du fleuve Saint-Laurent le 26 mai 1603, fort bien accueilli par les indigènes. Revenu en France en 1610, presque quadragénaire, il

épouse Hélène Boulé qui n'a que… douze ans ! Évidemment c'est la dot de la jeune fille qui l'intéresse, il est convenu avec la famille qu'il faudra attendre au moins deux ans avant de consommer le mariage ! En 1612, il retrouve le Québec. À l'emplacement actuel de Montréal, il baptise une île du prénom de sa jeune épouse – aujourd'hui l'île Sainte-Hélène. Toute son existence est consacrée à la conservation de la colonie de Québec qu'il a fondée, afin que les Anglais ne s'en emparent pas. Il meurt le 25 décembre 1635, des conséquences d'une attaque d'apoplexie qui l'avait laissé paralysé.

La Charente-Maritime des records

- ✔ n° 1 pour la culture des huîtres, des moules et des palourdes – Marennes, Oléron, La Rochelle
- ✔ n° 1 pour la production d'escargots – le petit gris appelé cagouille
- ✔ n° 1 pour l'importation des bois tropicaux – port de La Pallice
- ✔ n° 2 pour l'importation de bois forestiers – port de La Pallice
- ✔ n° 3 pour l'exportation de céréales – port de La Pallice

Chapitre 14

Le Nord

● ●

Dans ce chapitre :

▶ Inventoriez les richesses agricoles et industrielles de la Haute-Normandie et de la Picardie

▶ Visitez le grand carrefour du Nord-Pas-de-Calais

▶ Devenez un expert des ressources et des activités d'Île-de-France

● ●

Très vaste, le Nord dont il est question ici ! Il comprend la Haute-Normandie, la Picardie, le Nord-Pas-de-Calais bien sûr..., et l'Île-de-France ! 4 régions, 15 départements. La Haute-Normandie aux plateaux calcaires, aux falaises à pic, se prolonge par la Picardie, terre fort ancienne et fort fertile qui marie harmonieusement tradition et modernité. Voies routières, autoroutières, ferroviaires, maritimes, caractérisent le Nord-Pas-de-Calais fort de son Histoire, riche de son identité ; l'Île-de-France aux cent visages ajoute aux performances agricoles et industrielles, la richesse culturelle. Prêt pour la visite ? Partons...

La Haute-Normandie

Deux départements : la Seine-Maritime, fleur bleue ; l'Eure, Evreux ; les Seinomarins et le lin ; les Eurois du Lieuvin, du Vexin, et les Ebroïciens, dont certains œuvrent pour l'envol d'Ariane V...

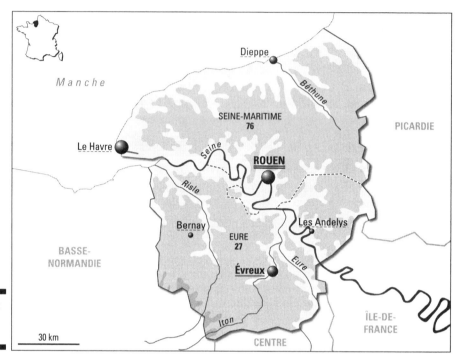

Figure 14-1 :
La Haute-
Normandie.

76 – La Seine-Maritime, écrite à la craie

- 6 278 km²
- 1 247 000 Seinomarins
- Préfecture : Rouen (109 000 Rouennais)
- Sous-préfectures : Le Havre (194 000 Havrais) ; Dieppe (36 000 Dieppois)
- Nombre de cantons : 69
- Nombre de communes : 745

Étourdissante !

Étourdissante, la Seine-Maritime ! Étourdissante, du Havre à Rouen, effervescente, bouillonnante, innovante, « suractive », créative, hardie, conquérante, bref, la Seine-Maritime, c'est une énergie brillante ! Après le déclin du textile, elle a misé sur la pétrochimie, sur les équipements mécaniques, sur la construction automobile. Plus de dix établissements industriels comptent au moins mille salariés. Les usines Renault de Sandouville et Cléon en emploient plus de six mille ! Autres employeurs importants : la raffinerie Total de Gonfreville-l'Orcher, les verreries de Saint-

Gobain Desjonquières, au Tréport et du Courval, dans le Pays de Bray. Au total, l'industrie, en Seine-Maritime – traitants et sous-traitants – fournit cent mille emplois, soit le cinquième des salariés du département ! L'artisanat, riche de ses 12 000 entreprises, garantit quant à elle 37 000 emplois.

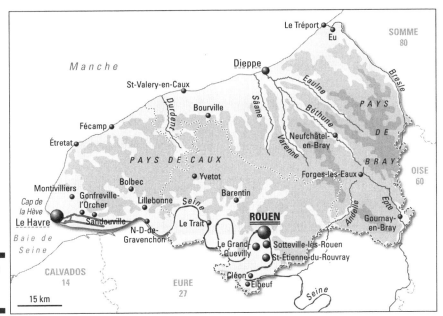

Figure 14-2 :
La Seine-
Maritime.

Fleur bleue...

Fleur bleue, la Seine-Maritime ? Certes, dans le Pays de Caux, et pour la meilleure des causes ou des cultures : celle du lin à partir duquel seront tissés des draps où s'enfouiront bien des rêves fleur bleue... La majeure partie des 8 000 exploitations agricoles se partagent deux activités : la culture des céréales dont les trois quarts sont exportés par le port de Rouen, et la production laitière ou l'élevage de veaux – race prim'holstein ou normande. Les autres exploitations se consacrent aux pommes à cidre, aux cerises (Jumièges), aux canards de Rouen, à la poule de Gournay, ou bien encore au colza qui parfume et colore la campagne avant de fournir, avec le blé et la betterave, de l'ester ou de l'éthanol, substituts du pétrole, pour le moteur de nos automobiles assoiffées.

La Seine-Maritime des records

✔ N° 1 pour le raffinage du pétrole, des huiles et additifs

✔ N° 1 pour la fabrication d'engrais

✔ N° 1 pour la culture du lin

CÉLÉBRITÉ DU CRU

Elle vendait des cartes postales…

Un oranger, sur le sol irlandais… Elle vendait des cartes postales… Qu'est-ce qu'elle a, mais qu'est-ce qu'elle a donc, ma p'tite chanson ? Salade de fruits, jolie, jolie, jolie… La tac-tac-tac-tique du gendarme…

Avez-vous fredonné ces airs ? Les fredonnez-vous encore ? Revoyez-vous le visage jovial et bon enfant de leur interprète ? Le revoyez-vous aussi dans les films *Le Corniaud, La Grande Vadrouille* ?... Bourvil ! Il s'appelait André-Zacharie Raimbourg-Ménart, né le 27 juillet 1917 à… Bourville – au sud-est de Saint-Valéry-en-Caux ! Le nom de scène qu'il décide de prendre afin de remplacer son premier pseudonyme – Andrel – est celui de son bourg natal, passé à l'apocope (l'amputation des dernières lettres d'un mot). Né orphelin – son père meurt à la guerre au début de 1917 – il décroche son certificat d'études à quatorze ans, devient apprenti boulanger à Rouen où il assiste à un spectacle donné par Fernandel. C'est, pour lui, une révélation : sa vie sera consacrée au spectacle ! Sa carrière commence par de petits contrats dans les cabarets parisiens, jusqu'en 1944 où, ému par une petite vendeuse des rues, il écrit et chante « Les Crayons » ! C'est la gloire ininterrompue ensuite. Films, chansons, opérettes, jusqu'au 23 septembre 1970 où il meurt d'un cancer, à 53 ans.

✔ N° 1 pour le flaconnage de luxe – n° 1 mondial également

✔ N° 1 pour le commerce extérieur et le nombre de conteneurs : Le Havre

✔ N° 1 pour l'exportation des céréales : Rouen

✔ N° 1 pour les porte-conteneurs : Le Havre, Port 2000

✔ N° 2 pour le trafic portuaire

LE SAVIEZ-VOUS ?

30 mars 2006 : inauguration de Port 2000 au Havre

Port 2000 ! Le Havre s'est mis sur son trente et un le 30 mars 2006, pour l'inauguration de son nouveau port – Port 2000 – destiné aux porte-conteneurs. Quatre kilomètres de quais ont été gagnés sur la Seine afin de permettre aux énormes navires de 350 mètres de longueur d'accoster directement pour y déposer leur cargaison – non loin, le port de le Havre-Antifer accueille les supertankers de 550 000 tonnes. Et les oiseaux alors ? Où vont-ils se poser, maintenant que ces quatre kilomètres béton-nés empiètent sur leurs aires d'atterrissage qui sont aussi le seuil de leur garde-manger ? Pas de panique : une île artificielle de 300 mètres de long sur 200 mètres de large a été créée à leur intention. Constituée de sable, de galets et de près de 60 000 tonnes de roches, elle est interdite à toute présence humaine ! Le Havre est le premier port français pour l'accueil des conteneurs, et l'un des tout premiers ports européens.

27 – L'Eure, sur la route de Louviers

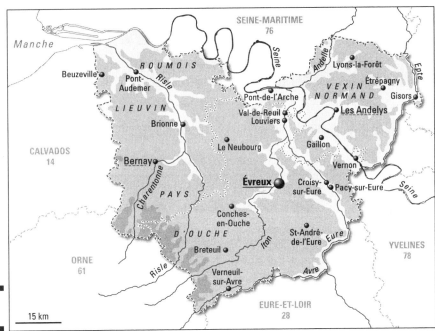

Figure 14-3 :
L'Eure.

- 6 040 km²
- 557 700 Eurois
- Préfecture : Evreux (54 000 Ebroïciens)
- Sous-préfectures : Les Andelys (9 400 Andelysiens) ; Bernay (11 700 Bernayens)
- Nombre de cantons : 43
- Nombre de communes : 675

Au nord-ouest, le Lieuvin ; au sud-ouest, le Pays d'Ouche ; au nord-est, le Vexin normand, au sud-est, la plaine de Saint-André ; au centre, la plaine de Neubourg… Voici l'Eure exacte…

Un V majuscule

L'Eure a la forme d'un grand V, d'un V majuscule dans le creux duquel se loge la Seine-Maritime. Un grand V comme celui de Vexin normand, la partie est du département, où alternent les champs de blé et de betteraves, coupés de quelques forêts, celle de Lyons, par exemple, une des plus grandes hêtraies d'Europe – à Lyons-la-Forêt, Jean Renoir puis Claude Chabrol ont décidé de tourner leur version filmée de Madame Bovary. Au centre de l'Eure, à l'ouest, au sud, la culture des céréales est dominante. Au nord-ouest, vous traverserez les bocages du Roumois où se pratique l'élevage. Même objectif et même sol argileux en Pays d'Ouche où se sont aussi installés des haras. La lettre V, c'est aussi – en même temps que Gisors, Evreux, Bernay ou Pacy-sur-Eure – Verneuil-sur-Avre, et surtout Vernon où la Snecma fabrique les moteurs de la fusée Ariane… V !

L'Eure des records

- ✔ N° 1 pour la fabrication des moteurs à ergol liquide destinés aux satellites – Ariane V

- ✔ N° 1 pour la production de Boursin : Croisy-sur-Eure

Sur la route de Louviers…

Sur la route de Louviers (bis) / Il y avait un cantonnier (bis) / Et qui cassait des tas d'cailloux / Et qui cassait des tas d'cailloux / Pour mettre sur l'passage des roues / Une belle dame vint à passer (bis) / Dans un beau carrosse doré (bis) / Et qui lui dit / – Pauv' cantonnier / et qui lui dit : Pauv' cantonnier ! / Tu fais un fichu métier / Le cantonnier lui répond (bis) : / – Faut qu'j'nourrissions nos garçons (bis) / Car si j'roulions / Carross' comme vous / Car si j'roulions carrosse comme vous / J'n'casserions pas d'cailloux / Cette réponse se fait r'marquer (bis) / Par sa grande simplicité (bis) / C'est c'qui prouve que / Les malheureux / C'est c'qui prouve que les malheureux / S'ils le sont c'est malgré eux .

Avez-vous chanté cette comptine sur les bancs de la maternelle ? N'y décelez-vous pas, maintenant que vous êtes peut-être devenu grand, un ton qui oscille entre la résignation et la révolte, dans un cadre très Ancien Régime ? À

moins qu'ayant conservé la fraîcheur de vos quatre ans, vous chantiez en ce moment à tue-tête dans votre salon, ou bien dans votre train de banlieue : *Sur la route de Louviers, il y avait un cantonnier.* Imaginez ceci : tous les passagers de votre wagon – selon certains précieux, on dirait maintenant « voiture SNCF » … – reprennent en chœur : *Sur la route de Louviers.* Et à votre descente sur le quai, toute la gare est contaminée, puis le pays entier… Au journal télévisé, le présentateur annonce : *Enfin une bonne note pour la France.* Et il commente : *Louviers, c'est une ville de 19 000 habitants, dans l'Eure. Pierre Mendès France en fut le maire de 1935 à 1958. On y fabrique du matériel audiovisuel, de la pâte à papier, de la laine. Depuis des décennies, on la connaît aussi pour cette comptine : Sur la route de Louviers. Figurez-vous que, ce matin, dans un train de banlieue…* Allez, essayez, dès demain, dans votre train, ou ailleurs, pour cette comptine, une relance. Et vous aurez déridé la France !

La Picardie

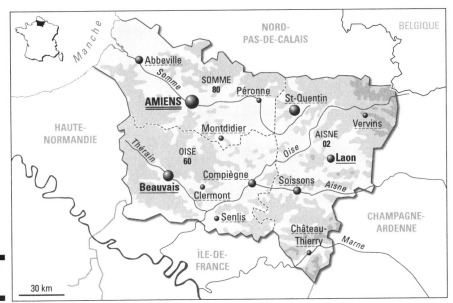

Trois départements. La Somme d'Amiens – ville où Jules Verne s'installe en 1871 au 23 boulevard de Guyancourt, puis au 44 de la rue Longueville, devenue boulevard Jules Verne ; c'est là qu'il est mort le vendredi 24 mars 1905 (il avait aussi vécu au 2 rue Charles Dubois, où se trouve aujourd'hui le Maison de Jules Verne). L'Oise du Valois et des châteaux. L'Aisne des petits pois, du Vermandois et de Racine…

80 – La Somme, Ponthieu, Santerre

- 6 170 km²
- 559 000 Sommois
- Préfecture : Amiens (140 000 Amiénois)
- Sous-préfectures : Abbeville (26 000 Abbevillois) ; Montdidier (6 600 Montdidériens)
- Nombre de cantons : 46
- Nombre de communes : 783

La première étape de la fabrication de vos biscuits, de vos pâtisseries, et de nombre de sauces que vous mijotez se situe dans la Somme, terre de la pomme de terre de fécule, et de bien d'autres choses encore…

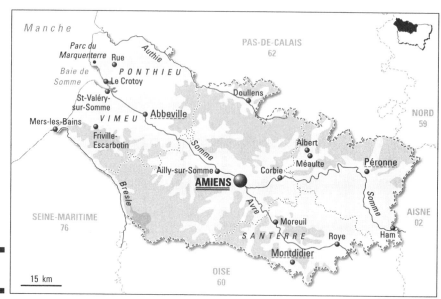

Figure 14-5 :
La Somme.

Du blé, des betteraves, des légumes...

Du limon, jusqu'à plusieurs mètres d'épaisseur, couche fertile qui garantit à la terre une qualité exceptionnelle, qui en fait une bonne terre, une terre saine, une *sana terra* : le Santerre ! Le Santerre est un plateau au sud d'Amiens où tout pousse comme en paradis : le blé, l'orge, la betterave à

Les plans et biplans de Potez

Le 30 septembre 1891, à Méaulte, près d'Amiens, naît un petit Henry au foyer des époux Potez. Très tôt passionné de mécanique, il devient ingénieur diplômé de l'École supérieure d'Aéronautique. Pendant la première guerre mondiale, il fait la rencontre de Marcel Bloch – qui prend, plus tard, le nom de Marcel Dassault. Tous deux se passionnent pour la construction d'avions. Ils conçoivent une hélice qui équipe les avions de chasse alliés, puis fondent une société d'études aéronautiques. Elle leur permet de construire un avion d'observation dont mille exemplaires leur sont commandés par le ministère des armées. Le premier exemplaire est livré le... 11 novembre 1918, jour de l'Armistice. Potez va poursuivre seul l'aventure : il construit le Potez 25, biplan monomoteur d'observation. L'État lui en commande 150 exemplaires. Il va alors revenir sur le lieu de sa naissance, Méaulte, pour construire une usine de production dont vont sortir des modèles qui cumulent les records. En 1940, Potez cesse son activité et se réfugie dans le Midi. Il meurt en 1981, à Paris. Aujourd'hui, à Méaulte, Airbus a pris son relais. On y fabrique la pointe avant de l'A 380, et certains éléments des autres avions de la gamme Airbus.

sucre, la pomme de terre, le colza, les légumes… Ces cultures sont aussi pratiquées dans le reste du département, dans le Vimeu et le Ponthieu à l'ouest, et souvent associées à l'élevage de bovins – vaches nourricières notamment –, de volailles et de chevaux. Entre Vimeu et Ponthieu, coule la Somme ; elle se dirige vers la baie qui porte son nom et comprend une réserve ornithologique de renommée internationale : le parc du Marquenterre – il occupe la partie sud de l'espace compris entre l'embouchure de l'Authie et celle de la Somme.

La Somme des records

- ✔ N° 1 pour la production de pommes de terre de fécule – la fécule entre dans la fabrication des biscuits, des pâtisseries, des sauces…

- ✔ N° 1 pour la robinetterie

- ✔ N° 1 pour la serrurerie

- ✔ N° 2 pour la production de pommes de terre de conservation

- ✔ N° 3 pour la production d'endives, de petits pois, de betteraves

60 – L'Oise, tracteurs et Chanel

- ✔ 5 860 km²

- ✔ 780 000 Oisiens ou Isariens

- ✔ Préfecture : Beauvais (58 000 Beauvaisiens)

- ✔ Sous-préfectures : Clermont (10 000 Clermontois) ; Compiègne (44 000 Compiégnois) ; Senlis (17 500 Senlisiens)

- ✔ Nombre de cantons : 41

- ✔ Nombre de communes : 693

Loin des oiseaux, des troupeaux, des villageoises, / Que buvais-je, à genoux dans cette bruyère / Entourée de tendres bois de noisetiers, / Dans un brouillard d'après-midi tiède et vert ? / Que pouvais-je boire dans cette jeune Oise ?...

C'est l'enfant de Charleville, Arthur Rimbaud qui se pose cette question à laquelle il n'a pas répondu… Sombre et terrible Rimbaud ! Lumineuse et douce Oise, pour nous, qui la visitons…

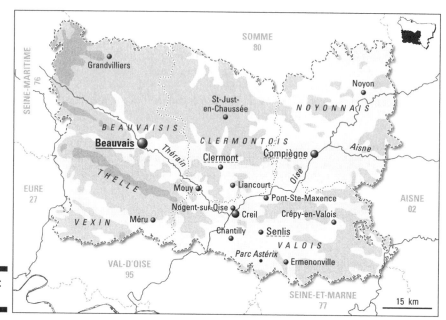

Figure 14-6 :
L'Oise.

Ils emblavent !

L'Oise et ses tracteurs. Cela peut paraître étonnant dans un département dont les centres urbains de Creil, Senlis ou Compiègne, n'ont réservé aucun couloir de circulation pour ces mastodontes du labour ! Et pourtant, enfoncez-vous dans les terres : ils sont là, qui ronronnent dans le lointain, rouges ou verts, préparant l'or futur des emblavures – du verbe « emblaver » qui ne signifie pas « souffrir à la tâche », mais « ensemencer une terre en blé ». Riche terre que celle de l'Oise. Le plateau picard, le Clermontois (au centre), le Vexin (au sud-ouest), le Valois (au sud-est) alternent les cultures de céréales, de betteraves et de colza. Le Noyonnais (au nord-est), le Beauvaisis associent aux cultures l'élevage bovin ou la production laitière, pendant que sous terre, entre Creil et Chantilly, on cultive le pâlot – mais délicieux – champignon de Paris !

Terre à limons, terre à châteaux...

Riche terre que celle de l'Oise... Terre à limons, terre à châteaux (plus de trois cents) et leurs forêts : Compiègne, Ermenonville, Halatte, Laigue... Celui de Chantilly par exemple, qui semble émerger des miroirs du temps, posés à ses pieds. Vous y contemplez, ébahi, les *Très riches heures du duc de Berry* (XVe siècle) – une reproduction, car l'original est en lieu sûr ! Vous en traversez les chambres où demeurent les ombres d'Henri IV, de celle qui fut son dernier amour : Charlotte de Montmorency, 15 ans – l'amoureux en a 56 ! Charlotte est mariée à Henri de Condé qui la soustrait aux avances royales, s'enfuyant avec elle aux Pays-Bas espagnols... Henri IV n'aura pas le temps d'aller la chercher, il meurt sous les coups de Ravaillac, le 14 mai 1610 ! Charlotte met au monde un petit Condé qui va devenir celui que l'Histoire retient sous le nom de Grand Condé, le vainqueur de Rocroi, le querelleur de La Fronde, le magicien d'eaux de Chantilly !

Je n'ai besoin de personne en Massey-Ferguson

Quelles sont ces fragrances délicates, capiteuses, qui titillent vos narines en passant par Compiègne ou Beauvais ? Chanel ? Yves Saint-Laurent ? Givenchy ? Bourgeois ? Le tout à la fois ! En effet, les cosmétiques et l'industrie chimique sont très présents dans l'Oise – justifiant en même temps le titre de tout à l'heure qui annonce *Chanel et tracteurs* : des tracteurs sont construits en Beauvaisis ; rutilants (du latin rutilus : d'un rouge ardent), ils quittent les usines et partent pour tous les terroirs de France où l'agriculteur, peut-être, fredonne : *Je n'ai besoin de personne / En Massey-Ferguson / Je n'reconnais plus personne / En Massey-Ferguson / J'appuie sur le starter / Et voici que je laboure la terre…* Autres constructions, celle des Caterpillars, engins de chantiers. L'industrie en Oise, c'est aussi l'agroalimentaire : Herta, Bahlsen, Gervais, Findus, Nestlé…

L'Oise des records

- ✔ N° 1 pour les vols à bas prix (low-cost)
- ✔ N° 1 pour la fabrication de tracteurs : Massey-Ferguson
- ✔ N° 2 pour la production de cresson

LE SAVIEZ-VOUS ?

Diane et Astérix

Chanel… Ses fragrances vous titillent encore les papilles ? Ouvrez les yeux : vous êtes sur l'hippodrome de Chantilly. Elégantes tenues des dames, grands chapeaux et parfums dans l'air de juin : aujourd'hui se court le prix de Diane Hermès - le premier prix de Diane fut couru en 1843. Une semaine plus tôt s'est disputé le Prix du Jockey Club, un galop sur la piste de 2 400 mètres, dont 600 mètres de dernière ligne droite ! D'avril à juillet vous pouvez faire vos paris à Chantilly - puis faire provision de malice et de sourire en visitant le parc Astérix, entre avril et octobre, près d'Ermenonville !

La crème des marmitons

Chantilly, c'est la dentelle, la porcelaine, c'est aussi la crème… Un soir de fête donnée par le Grand Condé, les invités eurent tant d'appétit que la crème vint à manquer. Courtisans, comtes, marquis, ducs et barons, il faut croire que tout ce grand monde-là était fort glouton, car Vatel, le cuisinier du Grand Condé, se suicida le 23 avril 1671, n'ayant pu satisfaire en poisson tous les aristocrates au solide appétit ! C'est Madame de Sévigné qui raconte l'affaire avec gourmandise en deux lettres à sa fille, précisant la façon un peu bouchère dont Vatel s'y prit pour passer de vie à trépas – avec son épée qu'il s'enfonça lui-même dans le ventre, trois fois !

Donc, un soir de fête à Chantilly – bien avant ce suicide – la crème venant à manquer, et Vatel fronçant le sourcil, un marmiton se dit : *Le seul moyen pour qu'elle enfle et se multiplie, c'est de la battre* ! Ce qu'il fit, en y ajoutant lait et vanille. Et courtisans de s'en réjouir et d'en louer le grand Vatel. Le nom du marmiton ? Il n'est pas dit dans la chanson, mais voici sa recette.

Munissez-vous d'un fouet à battre et battez 250 grammes de crème double à laquelle vous incorporez un verre de lait, puis 100 grammes de sucre vanillé. Battez, battez jusqu'à ce que la crème tienne au fouet – battez au frais car votre crème, au chaud, devient beurre ! En dix minutes, vous devez avoir réussi votre crème chantilly. Sinon, prudemment, de la cuisine, battez en retraite…

02 – L'Aisne, de Vermandois en Tardenois

- 7 369 km²
- 535 700 Axonais
- Préfecture : Laon (28 000 Laonnois)
- Sous-préfectures : Château-Thierry (16 000 Castelthéodoriciens ou Castrothéodoriciens) ; Saint-Quentin (61 000 Saint-Quentinois) ; Soissons (31 000 Soissonais) ; Vervins (2 900 Vervinois)
- Nombre de cantons : 42
- Nombre de communes : 816

Jean Racine naquit à La Ferté-Milon, dans l'Aisne, en 1639. La langue qu'il écrit possède la douceur et le charme infini de la Picardie… De Saint-Quentin à Château-Thierry, de Laon à Soissons, partout dans l'Aisne, même douceur, même charme…

Petits pois et carillon

Dans le nord du département – qui possède quelque dix kilomètres de frontière commune avec la Belgique – la Thiérache et ses bocages maintiennent au pacage les bovins, vaches surtout, destinées à la production laitière. Petits pois, carottes, haricots verts sont récoltés dans la région maraîchère située au sud-ouest de Saint-Quentin – le campanile de son hôtel de ville abrite un carillon de trente-sept cloches ; stationner quelques heures au pied de l'édifice, c'est, pour les oreilles, un délice ! Par ailleurs, du Vermandois au nord, au Tardenois au sud, céréales, betteraves – l'Aisne en est le n° 1 français – pommes de terre sont cultivées dans de grandes exploitations – elles sont au nombre de 6 000 environ, dans le département, chacune couvrant environ 84 hectares.

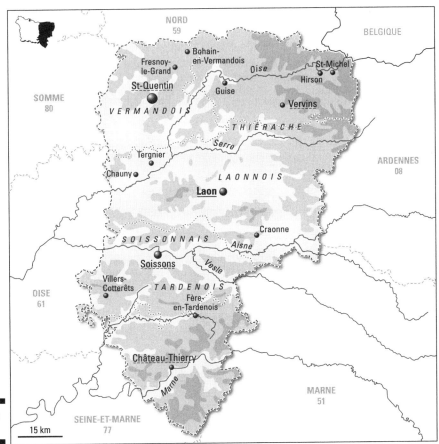

Figure 14-7 :
L'Aisne.

15 km

Nourritures terrestres

Les petits pois, les carottes et les haricots ne demandant qu'à être transformés pour être conservés, l'industrie agroalimentaire s'est développée dans l'Aisne – William Saurin, par exemple, ou bien LU et ses petits grillés, Vico et ses chips. La production de betteraves est traitée sur place par de grands groupes sucriers. Celle de poires, fruits rouges et pommes est utilisée pour la fabrication de tartes, de compotes ou de confitures. Toutes nourritures terrestres dont raffolent forcément les étudiants du site universitaire de Saint-Quentin IUT, initiés dans la branche qu'ils ont choisie – sciences et techniques, logistique de production – et, en l'occurrence, ici, à l'art de se raccrocher aux branches…

CÉLÉBRITÉ DU CRU

Delatour devient de La Tour

Chez les Delatour, en 1704, naît Maurice Quentin. Vous connaissez ce nom débité en trois tranches par la célébrité : de La Tour. Il faut dire que la gloire ne l'a pas épargné, ni de son vivant, ni après sa mort en 1788. Pourquoi ? Regardez la série de portraits qu'il a laissés : grâce à lui, Jean-Jacques Rousseau vous est familier, ou bien Voltaire, ou la marquise de Pompadour. Dans le Versailles de Louis XV, on se le dispute, on se l'arrache pour qu'il vous tire le portrait au pastel, sans corriger l'allure ou les erreurs de la nature. Sa franchise fait sa renommée. Faites attention, en visitant le musée de Saint-Quentin : peut-être que, sans vous en apercevoir, contemplant les portraits de Rousseau ou Voltaire, vous vous surprendrez, tant ils sont vrais, à leur parler…

L'Aisne des records

- ✔ N° 1 pour la production de betteraves
- ✔ N° 1 pour la transformation des pommes de terre
- ✔ N° 2 pour la production de blé tendre
- ✔ N° 4 pour la production de céréales

Le Nord-Pas-de-Calais

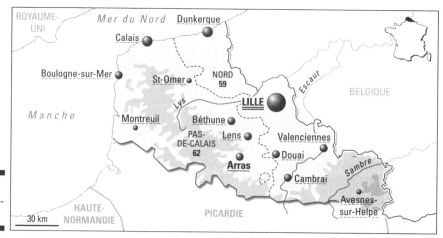

Figure 14-8 : Le Nord-Pas-de-Calais.

Deux départements pour le Nord-Pas-de-Calais : le Pas-de-Calais, et le Nord… La région est une voie de passage importante pour toutes sortes de transports qui s'effectuent par mer (mer du Nord et Manche), ou par voie fluviale, ferroviaire, autoroutière… Tout cela dans une douceur climatique où, bientôt, le Louvre installera une antenne. La ville de Lens a été choisie…

62 – Le Pas-de-Calais, natif d'Arras…

✔ 6 671 km²

✔ 1 450 000 Pas-de-Calaisiens

✔ Préfecture : Arras (44 000 Arrageois)

✔ Sous-préfectures : Béthune (29 000 Béthunois) ; Boulogne-sur-Mer (46 000 Boulonnais) ; Calais (78 500 Calaisiens) ; Montreuil (2 700 Montreuillois) ; Saint-Omer (17 000 Audomarois)

✔ Nombre de cantons : 77

✔ Nombre de communes : 894

Boulogne-sur-Mer et ses poissons, Calais et les passagers pour Albion (l'Angleterre), Lens, bientôt salle du Louvre…

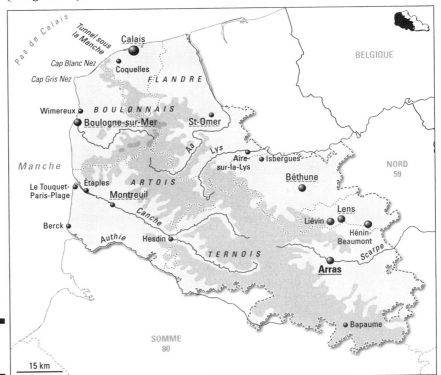

Figure 14-9 : Le Pas-de-Calais.

Coup de projecteur

Avec l'ami Bidasse / On ne se quitte jamais, / Attendu qu'on est / Tous deux natifs d'Arras-sse, / Chef-lieu du Pas-de-Calais… Sur des paroles de Louis Bousquet, et une musique d'Henri Mailfait, Fernandel lance Arras dans la chanson en 1958 et, par la même occasion, braque les projecteurs sur le Pas-de-Calais, dès qu'il est question… d'Arras. Et que voit-on aujourd'hui, sous ces projecteurs ? Sur la côte, tout d'abord, se trouve le premier port de pêche français : Boulogne-sur-Mer (300 000 tonnes de poissons y sont traitées chaque année !). Autre port n° 1 : Calais, mais pour le trafic des passagers. De Calais, partons vers le sud, pour Lens. En 2009, le Louvre y ouvrira ses portes. Vous avez bien lu : le Louvre ! Le musée parisien déménage – non pas en entier, mais six cents pièces auxquelles s'ajouteront des expositions temporaires.

9 300 exploitations

On voit aussi, en Pas-de-Calais, d'étranges petites montagnes, trop régulières, et qui rappellent l'époque minière, révolue. On voit une métallurgie et une sidérurgie développées, un secteur automobile important, une plasturgie dynamique, et une verrerie de ménage de renommée internationale. On voit une agriculture qui produit des betteraves à sucre, des céréales, des pommes de terre, des fleurs et des légumes – les 9 300 exploitations agricoles ont une surface moyenne de 52 hectares, parcourus par des tracteurs qui ont remplacé les robustes chevaux encore élevés dans le Boulonnais.

Avez-vous emprunté le tunnel ?

Déplaçons le projecteur sur Coquelles, tout près de Calais, et voyons cette entrée de tunnel… L'avez-vous déjà emprunté, ce tunnel de 50 kilomètres sous la Manche – ou bien est-ce lui qui vous a emprunté quelques subsides en actions si tôt essoufflées ? ... Quoi qu'il en soit, ce tunnel est une belle réussite – mais si ! Exploité par la compagnie Eurotunnel, les navettes se retrouvent sous la Manche, transportant à la vitesse de 130 km/h voitures, camions et bus. Les trains Eurostar pour les passagers filent à 140 km/h. La première jonction des chantiers de forage français et anglais eut lieu – peut-être vous souvient-il d'avoir assisté à cet événement historique en direct du journal de 13 h… – le 1er décembre 1990. Son inauguration eut lieu le 6 mai 1994, en présence de la reine Elisabeth II et du président de la République François Mitterrand.

Le Pas-de-Calais des records

✔ N° 1 des ports de pêche : Boulogne-sur-Mer

✔ N° 1 des ports pour le trafic des passagers : Calais

✔ N° 1 pour la production d'endives

✔ N° 1 pour la production de légumes de conserverie

✔ N° 1 pour la production de pommes de terre

✔ N° 1 pour la transformation des pommes de terre en frites surgelées (Mac Cain)

✔ N° 1 pour la transformation des céréales en amidon (utilisé notamment par les brasseurs)

✔ N° 1 pour la fabrication de la verrerie de ménage (Cristal d'Arques)

CÉLÉBRITÉ DU CRU

Vidocq et Vautrin

Il est né en 1775 à Arras. En 1791, il s'engage dans l'armée révolutionnaire – il n'a que seize ans ! Il se bat à Valmy le 20 septembre 1792, puis à Jemmapes, mais déserte, et passe à l'ennemi ! Il revient à Paris pendant la Terreur, se fait appeler Rousseau et en profite pour commettre vols et crimes. En 1796, il est arrêté et condamné à huit ans de travaux forcés. Mais il s'évade du bagne de Brest, puis de celui de Toulon. Pour en finir avec le bagne, il trahit son milieu de malfrats et obtient une amnistie générale. Nommé chef de la sûreté en 1811, il crée une police parallèle redoutablement efficace et composée… d'anciens forçats ! De scandales en scandales, il démissionne de la police, fonde une entreprise, fait faillite, redevient chef de la sûreté. Mais, à la suite de la répression de 1832 contre les républicains, il démissionne de nouveau et crée une police privée. Il fréquente les milieux littéraires, toujours en quête de héros troubles, et se retrouve ainsi croqué dans plusieurs romans de Balzac qui en fait son Vautrin, dans ceux d'Eugène Sue, d'Alexandre Dumas… Jusqu'à sa mort en 1857, il ne cesse d'alimenter la chronique des escroqueries de toutes sortes, et, curieusement, fait rêver encore !

59 – Le Nord, correspondance pour…

GÉO-NOMBRES

✔ 5 742 km²

✔ 2 577 000 Nordistes

✔ Préfecture : Lille (192 000 Lillois)

✔ Sous-préfectures : Avesnes (5 400 Avesnois) ; Cambrai (35 000 Cambrésiens) ; Douai (45 000 Douaisiens) ; Dunkerque (72 500 Dunkerquois) ; Valenciennes (42 500 Valenciennois)

✔ Nombre de cantons : 79

✔ Nombre de communes : 652

Le carnaval de Dunkerque pour amuser les p'tits (et les grands) Quinquins, la braderie de Lille… On sait se distraire, dans le Nord, on sait rire, mais on possède aussi un savoir-faire remarquable, connu et reconnu dans le monde entier…

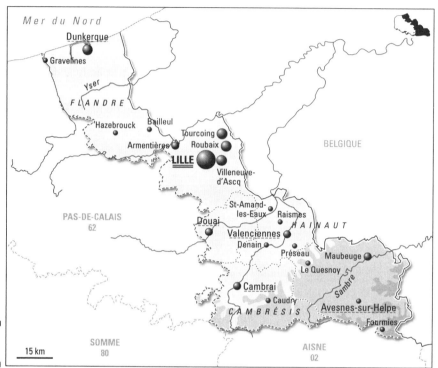

Figure 14-10 :
Le Nord.

Un atomixer, et du Dunlopilo...

Correspondance pour la Redoute à Roubaix, Les Trois Suisses... Tous, toutes, possédez-vous sans doute un de ces catalogues à partir desquels, sans faire un pas, sans dire un mot, sans dépenser quelque énergie que ce soit à supporter une vendeuse trop insistante ou un vendeur ronchon, vous vous habillez de pied en cap (mais si, cela s'écrit ainsi, le mot cap, ici, désignant la tête, de caput, capitis, en latin ; cap ne signifiant pas, dans ce contexte, qu'on commande une cape à la Redoute !), des dessous les plus personnels aux pardessus les plus vagues, en passant par les chaussettes de laine ou les bonnets de coton ! Vous pouvez aussi commander une tringle à rideau, un meuble de salle d'eau, un ordinateur, une moulinette, un frigidaire, un atomixer, et du Dunlopilo... N'est-ce pas que vous y reconnaissez un petit air de la Complainte du progrès, chanson de Boris Vian ?... Bien pratique, tout de même, ces catalogues, qui, de plus, rehaussent utilement le petit dernier qui veut s'émanciper et s'asseoir dangereusement sur une chaise pour grand...

Masquelours et Casadesus

Mais, le Nord, ce n'est pas qu'un catalogue ! C'est Dunkerque, le numéro un des ports pour le trafic hors produits pétroliers, pour les importations de minerais et de charbon – et peut-être aussi pour son fameux carnaval, reste de la grande fête qui se donnait pour le départ des pêcheurs vers les mers du Grand Nord ; les carnavaleux en bande ou *masquelours* font sonner pendant trois mois au moins – les fins de semaines… – fifres, trompettes, tambours et tambourins, jusqu'au rigodon, le grand chahut final ! Le Nord, c'est Lille, l'immense Lille, avec sa braderie de deux jours en septembre qui transforme la ville en caverne d'Ali Baba ! Lille, c'est l'orchestre national… de Lille que l'excellent Jean-Claude Casadesus a conduit en Europe, au Canada, en Amérique, au Japon, en Afrique…

Emile ! Tu ne fais que des bêtises !

Voilà un siècle et demi, le petit Emile Afchain, apprenti confiseur chez ses parents à Cambrai–, se trompe dans les proportions de sucre et de menthe qu'il mélange pour fabriquer des bonbons. Pour masquer sa bévue, il tente d'insuffler de l'air dans la préparation. *Tu ne fais que des bêtises*, lui lance sa grand-mère qui goûte cependant les bonbons issus de cette approximation arithmétique qui ne manque pas d'air. Elle les trouve excellents. Les clients de la confiserie en redemandent ! Les Bêtises de Cambrai viennent de naître et continuent de faire fondre de plaisir tous les palais qui les hébergent !

Le métro de Caracas

Le Nord, c'est le textile, moins qu'il n'y en eut, mais, du côté de Cambrai, il occupe toujours plus de deux cents entreprises. C'est un avenir industriel qui s'affirme avec la production d'acier, de zinc, de plomb, d'aluminium. C'est Renault à Douai, Toyota à Valenciennes. Ce sont les constructions ferroviaires : métro automatique de Lille ; un même type de métro circule aujourd'hui à Toulouse, à Jacksonville, à Atlanta, et même à Taipeh ! Fabriquée aussi dans le Nord : la navette qui circule dans le tunnel sous la Manche – le Shuttle – sans oublier le métro de Caracas ou la navette de l'aéroport de Chicago – que certains des 100 000 étudiants ou 4 000 chercheurs du département ont peut-être déjà empruntée sans se douter quelle était fabriquée chez eux !

Les chicons…

8 500 exploitations de 42 hectares en moyenne pratiquent la polyculture dans le nord du… Nord. Dans la région de Cambrai, le blé et la betterave dominent, tandis que dans le Hainaut, on cultive le lin, le tabac et le houblon – destiné à la fabrication de la bière – en même temps qu'on élève des bovins. Le maraîchage produit un tonnage important d'endives – les chicons – préparées de cent façons, et qui peuvent accompagner la flamiche au maroilles – au puissant accent fromager… – le waterzooi – soupe de poule et poisson – le lapin aux pruneaux ou l'andouillette de Cambrai…

Le Nord des records

- ✔ N° 1 pour la vente par correspondance
- ✔ N° 1 des ports pour le trafic hors produits pétroliers, pour les importations de minerai et de charbon, et pour le trafic de fruits
- ✔ N° 1 pour la valeur des achats et des ventes
- ✔ N° 1 des musées de province : Lille
- ✔ N° 2 pour les services boursiers et bancaires

Min p'tit Quinquin ? Ti ch'te r'connos, t'es d'min coin !

Dors min p'tit Quinquin Min p'tit pouchin min gros rojin / Te m'fras du chagrin si te ne dors point ch'qu'à d'main. / Ainsi l'aut' jour, eun pauv' dintelière, / In amiclotant sin p'tit garchon / Qui d'puis trois quarts d'heure, n'faijot qu'braire, / Tâchot d'lindormir par eun' canchon. / Ell' li dijot: Min Narcisse, / D'main t'aras du pain d'épice / Du chuc à gogo / Si t'es sache et qu'te fais dodo. / Dors min p'tit Quinquin Min p'tit pouchin min gros rojin / Te m'fras du chagrin si te ne dors point ch'qu'à d'main. / Et si te m'laich eun'bonn' semaine, / J'irai dégager tin biau sarau, / Tin patalon d'drap, tin gilet d'laine / Comme un p'tit milord te s'ras farau / J't'acaterai, l'jour de l'ducasse / Un porichinel cocasse, / Un turlutu, / Pour jouer l'air du capiau-pointu...

Lisez à voix haute cette chaleureuse et pittoresque invitation au sommeil que fredonnent les mamans du Nord à leurs petits « quinquins » qui ne veulent point dormir ! Vous entendez alors un état de la langue romane : le picard, ou plutôt le rouchi, qui est le parler picard du Valenciennois – issu du latin, tout comme la langue française. Nul doute que si le pouvoir royal se fût installé à Lille, à Denain, à Raismes ou à Préseau, la France entière entonnerait en cas de besoin *Dors min p'tit Quinquin !* Les poètes eussent eux aussi écrit en chtimi, ou chti (ainsi fut appelé le picard par ceux qui ne le parlaient pas, lors de la première guerre mondiale). Par exemple, ce début de poème de Verlaine : *Je fais souvent ce rêve étrange et pénétrant / D'une femme inconnue, et que j'aime, et qui m'aime...* donnerait, en picard, et plus précisément, en rouchi : *Ej fais souvent ch'te rêve étrange et pénétrant / D'eune finme qu'ej connos point, et qu'j'ai quèr, et qui m'a quèr...* (merci à Monsieur Roger Bar, de Marly, pour la traduction...) N'est-ce pas qu'une bonne dose de rouchi égaie la vie – et la poésie... ? On peut remarquer que le terme *quèr* est un héritage de la longue occupation espagnole du nord de la France ; il vient du verbe *querer* qui signifie *aimer*.

L'Île-de-France

Deux couronnes pour l'Île-de-France, c'est-à-dire deux ensembles de départements qui entourent la ville reine : Paris ! La grande couronne résulte du démembrement de la Seine-et-Oise en 1964, avec la création des départements du Val-d'Oise au nord, des Yvelines à l'ouest, et de l'Essonne au sud. S'y ajoute la Seine-et-Marne à l'est – 94 % de la région Île-de-France. La Petite couronne est composée des départements du Val-de-Marne, de Seine-Saint-Denis, et des Hauts-de-Seine, créés aussi en 1964 – Paris devenant, cette année-là, ville département. Paris est la capitale de (la France, bien sûr...) et de la région Île-de-France.

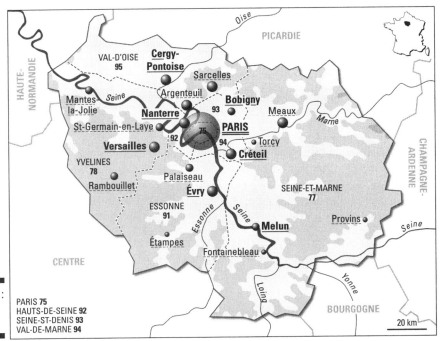

Figure 14-11 :
L'Île-de-
France.

PARIS **75**
HAUTS-DE-SEINE **92**
SEINE-ST-DENIS **93**
VAL-DE-MARNE **94**

91 – L'Essonne, villes nouvelles

- 1 804 km²

- 1 170 000 Essonniens

- Préfecture : Évry (51 000 Evryens) – Évry fait partie des cinq villes nouvelles créées en Île-de-France à partir de 1965

> ✔ Sous-préfectures : Étampes (22 500 Etampois) ; Palaiseau
> (30 500 Palaisiens)
>
> ✔ Nombre de cantons : 42
>
> ✔ Nombre de communes : 196

Essonne ! Voilà un nom qui sonne joliment. C'est le nom de la rivière qui s'en va doucement vers la Seine. Son nom vient du celtique *akw* qui signifie *eau*, et du ligure (langue des Liguriens qui vécurent entre Marseille et La Spezia) *onna* qui désigne l'eau. Ce qui donne donc : l'eau de l'eau... Et c'est tout aussi beau !

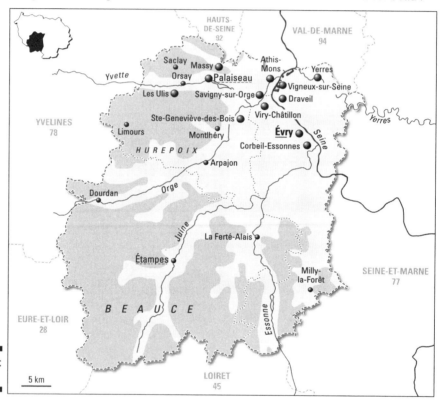

Figure 14-12 :
L'Essonne.

Beauce, Brie, Hurepoix, Gâtinais...

Territoires agricoles : 50 % ; surfaces boisées : 22 % ; autres territoires : 28 %. Voilà l'Essonne. Et les 50 % des territoires agricoles ne sont pas de mince réputation : ce sont le nord de la Beauce, au sud-ouest, et de la Brie, à l'est, c'est-à-dire des greniers à blé ! Au centre, se trouvent le Hurepoix et ses vallées de la Bièvre, l'Yvette et l'Essonne, propices aux cultures maraîchères. À la frontière avec la Seine-et-Marne, se trouve le verdoyant Gâtinais. Le département compte 1 050 exploitations agricoles dont la surface moyenne s'élève à 85 hectares.

Un tissu industriel dense

Plus on s'approche de Paris, au nord du département, plus les paysages agricoles s'estompent, au point de disparaître pour laisser la place à de nombreuses villes nouvelles au dense tissu industriel que dominent les productions en informatique, électronique, en télécommunications, avec IBM, Thomson et Alcatel, Helwett Packard, etc. Présence importante aussi du secteur biotechnologies et santé, avec 26 laboratoires spécialisés, et 3 centres de recherches nationaux. Sanofi-Aventis, le troisième groupe pharmaceutique mondial, emploie 1 500 personnes dans son centre de recherches. L'Essonne, c'est aussi un important pôle de l'optique en Île-de-France, avec Optics Valley. Enfin, les secteurs de la métallurgie, de la transformation des métaux, des équipements mécaniques, de l'aéronautique et de l'édition fournissent des milliers d'emplois.

Polytechnique à Saclay-Scientopôle

En pleine tourmente révolutionnaire, le 11 mars 1794, le Comité de salut public crée une commission de Travaux publics qui, elle-même, crée une école ouverte aux meilleurs élèves de France destinés à devenir des cadres scientifiques. Elle prend le nom d'Ecole polytechnique en 1795, remplit son rôle, mais les régimes politiques qui se succèdent laissent insatisfaits les élèves qui manifestent souvent leur mécontentement… Napoléon transforme alors Polytechnique en école militaire, lui donne une devise – *Pour la patrie, les sciences et la gloire* – et l'installe dans les locaux de l'ancienne école de Navarre sur la Montagne Sainte-Geneviève – vous pouvez voir aujourd'hui encore, l'inscription *École polytechnique* près du Panthéon. Fermée par Louis XVIII après les Cent Jours, elle acquiert un nouveau statut à sa réouverture, devient civile et chahuteuse, même après avoir retrouvé son statut militaire sous Louis-Philippe. Plutôt sage sous le Second Empire, elle est définitivement républicaine à partir de 1870.

En 1972 seulement, l'école s'ouvre aux meilleures lycéennes ! Polytechnique déménage de la Montagne Sainte-Geneviève en 1975 pour s'installer en 1976 à Palaiseau, dans l'Essonne. Le département héberge quatre autres grandes écoles – Supelec, l'Institut national des télécommunications (INT), l'Ensia, et l'École supérieure d'optique. Quant au plateau de Saclay, il est devenu un pôle de développement scientifique et technologique d'envergure européenne : 8 000 chercheurs et ingénieurs y viennent du monde entier chaque année partager leurs connaissances avec leurs homologues Français, et participer à des conférences destinées aux 23 000 étudiants de Saclay-Scientopôle.

L'Essonne des records

- ✔ N° 1 pour la production de cresson
- ✔ N° 1 pour la production de plantes aromatiques – et n° 1 mondial

Pas de pétrole ? Voire…

En France, on n'a pas de pétrole… Vous connaissez la chanson des années 1970, il fallait résister aux chocs pétroliers en faisant des économies. Pas de pétrole en France ? Voire… En voici en voilà, en Essonne : à La Croix-Blanche, à Vert-le-Grand, à Vert-le-petit, à Itteville… Quatre puits de pétrole sont exploités aujourd'hui dans le département. Ils produisent 290 000 tonnes de brut par an, 15 % de la production… française !

92 – Les Hauts-de-Seine en un méandre

- 176 km²
- 1 491 000 Altoséquanais – 8 471 habitants au km²
- Préfecture : Nanterre (87 000 Nanterriens)
- Sous-préfectures : Antony (61 000 Antoniens) ; Boulogne-Billancourt (108 000 Boulonnais)
- Nombre de cantons : 45
- Nombre de communes : 36 – on trouve ici moins de communes que de cantons, les grandes villes étant divisées elles-mêmes en plusieurs cantons ; Nanterre en comporte 24, Antony 12, Boulogne-Billancourt 9

Une grande partie de la petite couronne, les Hauts-de-Seine ! De hauts immeubles à la Défense, de grands arbres dans les forêts de Meudon, de Fausse-Repose au joli nom, et de la Malmaison aux grands souvenirs…

Comme un pouce…

Quelle drôle de forme, les Hauts-de-Seine ! Entre le haut de forme et le bonnet de futaine. De toute façon, département de têtes, avec un centre où beaucoup d'affaires se pensent : La Défense ! Une bande de terre, de Nanterre à Clichy, comme un doigt dans le gant de la Seine, comme un pouce ; et la paume en détour, d'Antony à Boulogne-Billancourt… Au creux de cette main : Paris, que nous verrons un peu plus loin. Une bande de terre, les Hauts-de-Seine ? Cherchez-la bien, cette terre que, dans les départements voisins, on laboure, on emblave ! De terre, point ! Ou presque : la surface agricole utilisée ne dépasse pas… 40 hectares – et la dimension moyenne des 20 exploitations agricoles se situe au-dessous de 2 hectares. Bref, les Hauts-de-Seine, vous l'avez compris, ne sont pas un département agricole. Pas du tout. En revanche, si vous voulez vous promener en forêt, voici celles de La

Malmaison, ou de Meudon ; voici le Parc de Saint-Cloud ou bien celui de
Sceaux. Et puis, le Bois de Chaville… Le Bois de Chaville ? Mais où est-il ?...

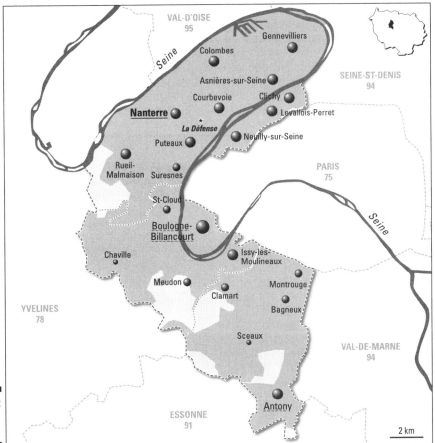

Figure 14-13 :
Les Hauts-
de-Seine.

Center Business District sur trois communes

Bienvenue au CBD – le Center Business District – que vous allez traverser les
yeux dans les gratte-ciel, en foulant le sol de trois communes : Courbevoie,
Puteaux et Nanterre. Ici se trouvent les sièges sociaux des grandes
entreprises nationales et internationales. Ici se trouve la Grande Arche
imaginée par l'architecte danois Johan Otto Von Spreckelsen, choisie par
François Mitterrand, inaugurée en 1989. Ses 87 000 m² de bureaux qui
accueillent plus de 2 000 employés sont couverts d'un toit de 30 000 tonnes
qui comporte une terrasse de près d'un hectare ! C'est le siège de sociétés
privées, de la Fondation pour les droits de l'homme, et du ministère de
l'Équipement. Au total, le CBD regroupe deux millions de m² de bureaux sur
150 hectares. Les 1 500 entreprises qui s'y trouvent emploient
150 000 personnes.

À Boulogne : TF1 ; Issy : La Cinq

Les nouvelles industries, la haute technologie, l'électronique, l'électricité – Colombes, Antony, Rueil-Malmaison – l'aéronautique à Châtillon, Dassault à Saint-Cloud, l'aérospatiale à Boulogne-Billancourt, l'Oréal à Clichy, Renault à Rueil-Malmaison, Peugeot à La Garenne-Colombes, Citroën à Asnières... On trouve tout cela et bien plus encore dans les Hauts-de-Seine : cette tour de verre à Boulogne-Billancourt, au bord du périphérique... lisez en bleu, blanc et rouge le logo qu'elle porte – deux lettres – TF : télévision française – et un chiffre – 1 : la première, l'héritière de ce qui fut dans les années cinquante, l'unique, en noir et blanc ! Un peu plus loin, là-bas : Issy héberge La Cinq.

GÉO-CHANSON

Ce jour-là au Bois de Chaville...

Ce jour-là au Bois d'Chaville y'avait du muguet / Si ma mémoire est docile c'était au mois d'mai / Au mois d'mai, dit le proverbe, fais ce qu'il te plaît / On s'est allongés sur l'herbe et c'est c'qu'on a fait / Comm' nous étions sous les branches / Bien dissimulés / Sam'-di-Soir et Franc'-Dimanche / N'en n'ont pas parlé / Le lend'main d'cett' aventure / Nous avons ach'té / Un traité d'puériculture / Et d'quoi tricoter. / Tout ça parc' qu'au bois d'Chaville / Y avait du muguet.

Ainsi Jacques Pills, en 1953 – ou Odette Laure ou Henri Decker – ont-ils chanté sur des paroles de Pierre Destailles et une musique de Claude Rolland, ce bois charmant, le bois de Chaville, qui vous a peut-être, vous aussi, transporté – sinon, courez-y vite, courez-y vite... Où est-il ? Vous ne le trouvez pas ? Alors, quittez la chanson où il est né, quittez la ville de Chaville, prenez le premier sentier dans la première forêt que vous rencontrerez, vers le nord. Vous venez de pénétrer dans la forêt de Fausse-Repose qui tient son nom d'un terme de vénerie – la reposée est le lieu où le cerf se cache pendant le jour ; pour déjouer les meutes, il peut multiplier ces reposées qui deviennent des fausses-reposées. C'est dans cette forêt que le bois de Chaville de Pierre Destailles a élu domicile...

L'École Centrale : Piston !

Michelin, Blériot, Eiffel, Peugeot, Latécoère, Schlumberger... Ces noms vous rappellent sans doute le pneu, le vol, la tour, l'avion, l'électricité... Tous sont issus de l'École Centrale de Paris. Fondée en 1829 afin de recruter des ingénieurs civils de haut niveau dans les domaines scientifiques et industriels, l'École Centrale des Arts et Manufactures, devenue Centrale Paris depuis 1969 – surnommée familièrement *Piston* –, est aujourd'hui installée à Châtenay-Malabry, au sud du département – où se trouvent aussi le CREPS (centre de formation pour les professeurs d'EPS) et une faculté de pharmacie.

Institut polytechnique féminin

À quelques kilomètres, à côté d'une faculté de droit et d'un IUT, un institut polytechnique féminin propose ses huit options : Aéronautique et Espace, Télécommunications, Ingénierie Industrielle et Logistique, Systèmes et

Réseaux Informatiques, Mécanique des Matériaux et des Structures, Énergétique et Environnement, Ingénierie d'Affaires et de Projets, Management des Systèmes d'Information. Plus au nord, Paris-X Nanterre, centre universitaire spécialisé dans les sciences humaines et sociales, accueille 35 000 étudiants et 2 000 enseignants chercheurs.

CÉLÉBRITÉ DU CRU

Janvier ! J'veux deux mille francs ! Janvier...

Ronchon, bougon, coléreux, confondant de naïveté, pathétique, tendre, rieur et fou furieux, grincheux comme un ressort de cauchemar... Cruchot, des gendarmes de Saint-Tropez ! Vous l'avez tous rencontré sur votre écran. Au cinéma, il est premier – avec son complice Bourvil – dans *La Grande Vadrouille* (1966) : 17,2 millions d'entrées ! Carlos Luis de Funès de Galarza – Louis de Funès – est né à Courbevoie le 14 juillet 1914, d'une famille appartenant à la noblesse sévillane. Longtemps abonné aux petits rôles, il ne commence vraiment sa carrière qu'en 1956 dans un film de Claude Autant-Lara : *La Traversée de Paris*, avec Jean Gabin et Bourvil – rappelez-vous Gabin tonnant contre de Funès : *Janvier, j'veux deux mille francs, Janvier, j'veux deux mille francs...* ; et

Janvier de répondre, braillard et franchouillard, *Rien du tout !...* avant d'abdiquer. Rappelez-vous Oscar, en 1959 ; *Pouic-Pouic*, en 1963 ; les cinq Gendarmes à partir de 1964 ; *Le Corniaud*, en 1965 ; *Hibernatus* en 1969, *La Folie des grandeurs* en 1971, avec Yves Montand, *Les aventures de Rabbi Jacob*, en 1973 – avec l'excellent Popeck – *L'Aile ou la cuisse*, avec Coluche, *La Soupe aux choux*, d'après le roman de René Fallet... L'extra terrestre – joué par Jacques Villeret mort le 28 janvier 2005 – a fini par emmener sur sa planète, un soir de 1983, le jeudi 27 janvier celui qui disait : *Le cinéma ? Je le fais sur un écran, pas dans la vie !* Celui qui demeure le plus grand des acteurs comiques français : Louis de Funès.

Les Hauts-de-Seine des records

🡒 N° 1 pour le PIB par habitant – le PIB est le produit intérieur brut, il représente la valeur de la production de services et de biens en une année

🡒 N° 1 des pôles tertiaires : La Défense – et n° 1 européen

🡒 N° 2 pour la dimension de son université – Nanterre Paris-X

75 – Paris, évidemment...

GÉO-NOMBRES

🡒 105,4 km²

🡒 2 159 000 Parisiens

🡒 20 arrondissements

À Paris / Quand un amour fleurit / Ça fait pendant des semaines / Deux cœurs qui se sourient / Tout ça parce qu'ils s'aiment / À Paris [...] Au café / On voit n'importe qui / Qui boit n'importe quoi / Qui parle avec ses mains / Qu'est là depuis le matin / Au café / Y'a la Seine / À n'importe quelle heure / Elle a ses visiteurs / Qui la regardent dans les yeux / Ce sont ses amoureux / À la Seine / Les ennuis / Y'en a pas qu'à Paris / Y'en a dans le monde entier / Oui mais dans le monde entier / Y'a pas partout Paris / Voilà l'ennui : À Paris / Au quatorze juillet / À la lueur des lampions / On danse sans arrêt / Au son de l'accordéon / Dans les rues / À Paris...

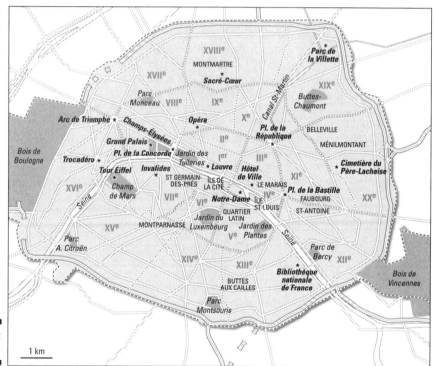

Figure 14-14 :
Paris.

1 km

C'était vos premiers pas... à Paris, avec l'amoureux de Paname, le compositeur Francis Lemarque (1917-2002)

Le cerveau

Paris ! Quelle ville étonnante ! On dirait la coupe d'un cerveau humain dans le sens de la hauteur. Comparons : l'aire qui sert à la compréhension des mots dans le cerveau correspondrait à peu près au 5e arrondissement – celui des éditeurs ! Celle du goût pourrait être située vers les grands musées – le Louvre, Orsay. Le centre moteur du langage ne se tiendrait pas sous la coupole de l'Académie française, mais précisément... à la Maison de Radio France ! Le domaine sensoriel couvrirait le quartier Pigalle ; l'aire assurant la localisation d'un objet dans l'espace croiserait l'emplacement de La Villette.

Quant au centre de compréhension des mots écrits, il se situerait à la... TGB, la Très Grande Bibliothèque de France !

Paris passé, présent et avenir...

Evidemment, tous ces rapprochements entre le cerveau humain et la tête pensante de la France sont fort approximatifs, et on peut à sa guise retrancher ou compléter telle ou telle localisation – placer le centre des perceptions en général à Bercy, celui des aires psychomotrices dans les lobes périphériques, et l'aire psycho-visuelle dans la rue Saint-Denis – il n'en demeure pas moins que Paris, depuis fort longtemps, se rappelle notre passé, pense notre présent, et prévoit nos lendemains !

Brève histoire de Paris

Notre passé se déroule au fil des rues de la capitale. De l'implantation de populations primitives voilà 40 000 ans sur les bords de la Seine à la création du 20e et dernier arrondissement en 1860 – le 1er janvier, 11 communes supplémentaires sont englobées dans la capitale qui ne comptait que 12 arrondissements bien différents de ceux d'aujourd'hui – de grandes étapes ont marqué l'évolution de Paris.

- IIIe siècle av. J.-C. : une peuplade gauloise, les Parisii, vit à l'emplacement de Paris qui porte le nom de Lutèce.

- Ier siècle av. J.-C. : une cité romaine est construite sur la rive gauche de la Seine – les thermes de Cluny en sont les vestiges.

- 300 de notre ère : Lutèce prend le nom de Paris (du latin *civitas parisiorum* : la cité des Parisi).

- 508 de notre ère : Clovis fait de Paris la capitale de son royaume.

- 885 : les Normands ravagent la ville.

- 1190 à 1213 : construction de l'enceinte de Philippe Auguste.

- 1605 à 1612 : Henri IV fait construire la Place Royale, devenue la Place des Vosges à la Révolution.

- 1785 : construction de l'enceinte des fermiers généraux, percée de portes pour la perception de taxes – ce qui fait dire aux Parisiens : *Le mur murant Paris rend Paris murmurant...*

- 1799 à 1815 : Bonaparte qui devient Napoléon Ier fait construire de nombreux monuments et améliore la distribution de l'eau.

- 1853 à 1870 : Haussmann transforme le Paris ancien et vermoulu en Paris moderne, lumineux et rayonnant.

Croissance et décroissance de la population

Le nombre de Parisiens varie considérablement au fil des siècles. On estime la population de la capitale à 50 000 personnes au XIIe siècle, presque 300 000 au milieu du XIVe siècle, mais 100 000 seulement en 1422, la guerre de Cent

Ans continuant de ravager le pays. Passée à 300 000 en 1600, à 650 000 en 1789, elle n'est plus que de 546 000 habitants en 1801 ! Elle dépasse un million en 1846, 2,2 millions en 1881, plus de 2,7 millions en 1901, 2,9 millions en 1921 – elle ne dépassera pas ce nombre. La décroissance de la population parisienne se poursuit jusqu'en 1999, – 2,125 millions d'habitants –, de nombreux espaces de bureaux étant créés, notamment dans le centre ; mais elle remonte depuis 2004 : 2,142 millions.

La capitale active

Paris, ville lumière, Paris éternelle, Paris des paillettes, Paris l'éblouissante, certes, mais le Paris actif existe aussi… Actifs les 21 000 établissements industriels qui emploient plus de 100 000 personnes, dont 44 000 dans l'édition et l'imprimerie. Paris concentre plus de 80 % de l'activité nationale dans ce secteur. Les secteurs de la fourrure, du cuir, de la joaillerie, du meuble et de l'habillement fournissent également des milliers d'emplois – le quartier du Sentier produit et commercialise près de la moitié du prêt-à-porter féminin de l'Hexagone ! Paris, c'est aussi 60 % des sièges sociaux des établissements industriels d'Île-de-France ; c'est un parc de plus de 20 millions de m² de bureaux où travaillent 61 % de cadres, une proportion largement supérieure à la moyenne nationale. Le Paris de la recherche, celui des universités – la Sorbonne – des grandes écoles – École Normale Supérieure, École des Mines de Paris –, le Paris de la presse nationale, celui de la télévision, des médias en général créent une activité professionnelle aux multiples visages.

Rive droite, rive gauche

20 millions de touristes visitent annuellement Paris et ses nombreux monuments : la tour Eiffel, l'arc de Triomphe, le Louvre, la cathédrale Notre-Dame, le Sacré-Cœur de Montmartre, le tombeau de Napoléon… Ils aiment flâner sur les Champs-Élysées ou dans les vieux quartiers du 6ᵉ arrondissement, situé sur la rive gauche, ceux du Marais, sur la rive droite. À l'origine cette rive droite est la plus adaptée au déchargement des marchandises, dans le secteur de l'Hôtel de ville actuel, où la Seine était bordée par la pente douce de la Grève (c'est là qu'on exécutait les condamnés à mort) ; la rive droite est alors devenue commerçante. La rive gauche, moins facile d'accès pour les bateaux, a été habitée par les étudiants dès le Moyen Âge – créant ainsi le quartier latin, cette langue étant celle de l'enseignement. De nombreux collèges s'élevèrent alors sur la Montagne Sainte-Geneviève, où se trouvent aujourd'hui le Panthéon, et les plus prestigieux établissements d'enseignement.

Paris des records

✔ N° 1 pour le secteur de l'édition

✔ N° 1 pour la haute couture, les industries de luxe

✔ N° 1 pour la fréquentation des musées

✔ N° 1 pour le nombre de monuments historiques

✔ N° 1 pour la densité de population

77 – La Seine-et-Marne, du Gâtinais à Mickey

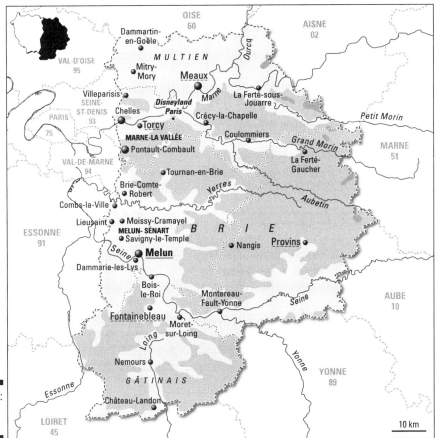

Figure 14-15 :
La Seine-et-
Marne.

GÉO-NOMBRES

- 5 915 km²
- 1 254 000 Seine-et-Marnais
- Préfecture : Melun (37 000 Melunais)
- Sous-préfectures : Fontainebleau (18 000 Bellifontains) ; Meaux (51 000 Meldois) ; Provins (12 500 Provinois)
- Nombre de cantons : 43
- Nombre de communes : 514

Du froment, du fromage, un aigle, de l'or noir, des roses, du gypse, des cerveaux qui inventent et une petite souris qui invite… Entrez en Seine-et-Marne !

Des blés, du brie...

Presque 6 000 km² ! Le département de Seine-et-Marne couvre la moitié de la région Île-de-France et ne compte que 10 % de sa population ! C'est dire combien la Seine-et-Marne vous réserve de paysages où alternent, selon les saisons, les labours ou les blés blonds – sur 150 000 hectares, en Gâtinais, en Brie – les champs de maïs, de betteraves, d'orge et les prairies. Prés verts où paît un troupeau producteur des 300 000 hectolitres de lait annuels qui vont être utilisés pour vous servir sur un plateau le brie – de Melun ou de Meaux, la ville de l'aigle du même nom : Bossuet, prédicateur tempétueux à la cour de Louis XIV, rappelez-vous l'oraison funèbre d'Henriette d'Angleterre : *Ô nuit désastreuse ! Ô nuit effroyable, où retentit tout à coup, comme un éclat de tonnerre, cette étonnante nouvelle : Madame se meurt ! Madame est morte !...* Le brie, fromage des rois, élu roi des fromages lors d'un concours que lança Talleyrand au Congrès de Vienne en 1814 – trente ambassadeurs s'y partageaient l'Europe comme un fromage...

De l'or noir !

Deux jours de consommation de pétrole en France... C'est ce qu'on extrait du sous-sol de Seine-et-Marne qui, pourtant, produit 25 % du pétrole extrait dans l'Hexagone ! Saint-Germain-Laxis, Chaunoy, Sivry, Chartrettes, Charmottes, Donnemarie, Brémonderie, Vulaines, La Vignotte, Malnoue, Champotran, Pézarches, Coulommes-Vaucoutrois, Île-du-Gord... De ces sites producteurs provient peut-être le carburant qui fait rouler votre automobile en Île-de-France en général, en Seine-et-Marne en particulier.

Polytechnicum, l'excellence...

Champs-sur-Marne. Passant avenue Blaise Pascal, vous lisez : Polytechnicum... Est-ce du latin ? Quelle déclinaison se cache derrière ces cinq syllabes qui convoient, on le sent, une idée d'excellence ? Vous vous demandez légitimement s'il s'agit de réunir différents établissements de haut niveau afin de favoriser la recherche et la réalisation de projets communs, pour acquérir une dimension internationale ? Oui – et bravo à vous d'avoir posé cette question fort pertinente et, on doit le reconnaître, fort bien formulée ! Polytechnicum, créé en 1994, c'est l'excellence qui se décline par la présence, entre autres, de l'École nationale des Ponts et Chaussées, l'École nationale supérieure Louis Lumière, l'École supérieure de commerce international, l'École supérieure d'ingénieurs en électronique et électrotechnique, le Conservatoire national des arts et métiers, l'École nationale des sciences géographiques, l'université de Marne-la-Vallée...

La Seine-et-Marne des records

✔ N° 1 pour les parcs d'attraction – Disneyland Resort Paris

✔ N° 1 des centres de recherche génétique des semences – n° 1 mondial

✔ N° 1 des sommets agroalimentaires européens – biennal à Marne-la-Vallée

✔ N° 2 pour la production de gypse

✔ N° 3 pour la production de silice industrielle – destinée à l'industrie du verre, à celle de la fonderie, au bâtiment, à la céramique, la chimie, l'électronique

CÉLÉBRITÉ DU CRU

D'Isigny à Disney

XIe siècle. 14 octobre 1066. Guillaume le Bâtard, fils de Robert, duc de Normandie et d'Arlette, fille d'un tanneur de Falaise, vainc à Hastings le roi d'Angleterre et prend sa place. Beaucoup de Normands qui ont combattu à ses côtés décident de demeurer sur cette terre conquise. Parmi eux, Hugues d'Isigny (d'Isigny-sur-Mer) et son fils Robert. Bientôt, leur nom est raboté par l'accent local et devient : Disney... Vous devinez la suite : l'émigration de la famille aux États-Unis au XIXe siècle, son installation dans une ferme, les difficultés pour élever les quinze enfants de la première génération américaine, parmi lesquels se trouve Keeple Disney. Keeple épouse Marie Richardson, une émigrante irlandaise qui lui donne onze enfants, dont un fils, Elias, né en 1859. Elias épouse Flora Call en 1888. Ils s'installent à Chicago où Flora dessine les plans de la maison qu'ils construisent. Une maison si fonctionnelle, si bien conçue et si peu chère que le ménage se transforme en entreprise prospère de construction et de vente de maisons particulières.

Le quatrième fils du couple naît le 5 décembre 1901. Ses parents lui donnent pour prénoms : Walter Elias – Walter est le prénom du révérend Walter Parr, ami de la famille. Walter Elias Disney : Walt Disney ! Disney : le père de Mickey, le pionnier du dessin animé, le magicien de *Blanche-Neige et les sept nains* (1937), de *Fantasia* (1940), de *Bambi* le petit faon orphelin (1942), d'*Alice au pays des merveilles* (1951)... Disney, le créateur des parcs d'attraction de Californie, de Floride, du Japon, et de... Disneyland Resort Paris, à Marne-La-Vallée, dans le département de Seine-et-Marne, à deux heures – et presque mille ans – d'Isigny...

Sénart Ville Nouvelle

Cesson, Combs-la-ville, Lieusaint, Moissy-Cramayel, Nandy, Réau, Savigny-le-Temple, Vert-Saint-Denis... Tout cela compose la ville nouvelle de Sénart Ville Nouvelle qui se situe à la frontière ouest du département. D'abord appelée Melun-Sénart en 1969, puis Sénart Ville Nouvelle en 1984, après une restructuration, elle rassemble près de 87 000 habitants et fournit 32 000 emplois. Ce secteur géographique est notamment dynamisé par la proximité de Garonor – zone industrielle et commerciale d'Aulnay-sous-Bois –, les entreprises Danzas, Faure et Machet, par quinze parcs d'activités, de zones artisanales, industrielles...

Marne-la-Vallée

Autre ville nouvelle : Marne-la-Vallée : 26 communes, 230 000 habitants. Marne-la-Vallée s'étend sur trois départements : Seine-et-Marne, Seine-Saint-Denis et Val-de-Marne. Elle concentre 100 000 emplois – notamment ceux qui sont offerts par Disneyland ou l'agroalimentaire, avec Herta, Nestlé et Carrefour. Dans le reste du département, l'emploi, c'est aussi l'édition et l'imprimerie avec les 700 salariés de Didier Québécor, à Mary-sur-Marne, c'est aussi le groupe Sagem – composants électroniques – installé à Montereau-Fault-Yonne, et qui emploie plus de 1 000 personnes.

UNE GÉO-CURIOSITÉ

La rose de Provins

Digestions difficiles ? Maux de gorge ? Peau attaquée par les microparticules en suspension dans l'air, par la pollution ? Une seule solution : les conserves sèches ou liquides de Rosa Gallica Officinalis – la rose de Provins ! Huiles essentielles, albumine, silice, acide gallique entrent dans sa composition. Thibault IV, comte de Champagne qui s'en alla en croisade – après qu'on l'eut accusé injustement, sans doute, d'avoir eu des tendresses hardies pour Blanche de Castille, la mère de Saint-Louis – en rapporta cette rose rouge violacé, en 1240 ! Et depuis, elle ne cesse de guérir, de soulager, d'adoucir, en liqueurs, en sirops – en bonbons, en gâteaux... Le chagrin d'amour ? Elle le guérit aussi : il suffit pour cela de sortir de chez soi en tenant à la main la rose de Provins. Pour aller où ? Chez le parjure ? Point du tout ! Seulement à l'aventure...

93 – *La Seine-Saint-Denis, petite et grande couronnes*

GÉO-NOMBRES

> ⤙ 236 km^2
>
> ⤙ 1 414 000 Séquanodionysiens – 5 987 habitants au km^2
>
> ⤙ Préfecture : Bobigny (45 000 Balbyniens)
>
> ⤙ Sous-préfectures : Le Raincy (13 500 Raincéens) ; Saint-Denis (87 000 Dionysiens)

Vous quittez Paris pour vous rendre à Roissy-en-France, votre lieu de départ pour des vacances qui transitent par le ciel ? Vous allez traverser une partie de la Seine-Saint-Denis. Vous partez d'Épinay-sur-Seine pour aller à Noisy-le-Grand, vous allez aussi traverser la Seine-Saint-Denis. Votre chemin croisera peut-être celui du vacancier de Roissy du côté de La Courneuve, non loin de Saint-Denis, non loin de la Seine aussi. D'où ce nom : Seine-Saint-Denis...

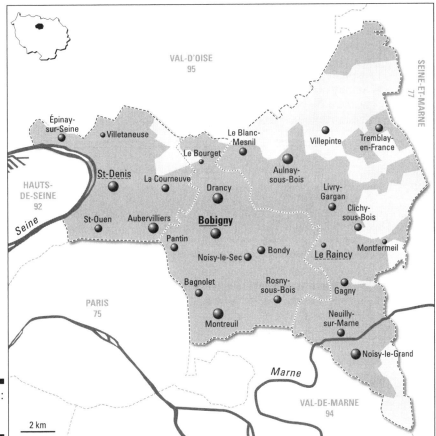

Figure 14-16 :
La Seine-
Saint-Denis.

2 km

La Plaine Commune

Additionnez les huit communes suivantes : Aubervilliers, Épinay-sur-Seine,
La Courneuve, L'Île-Saint-Denis, Pierrefitte-sur-Seine, Saint-Denis, Stains et
Villetaneuse. Qu'obtenez-vous ? 308 000 habitants, 13 000 entreprises qui
emploient 115 000 salariés ; deux universités qui rassemblent 45 000 étudiants :
Paris VIII propose huit unités de formation et de recherche : arts et
philosophie, territoires et économies, histoire et littérature, sociologie,
langues étrangères, informatique et technologies, psychologie,
communication, trois instituts : urbanisme, études européennes,
enseignement à distance, et deux IUT, informatique et génie logistique.
Paris XIII est spécialisée dans la communication, le droit, l'économie, les
langues, les lettres, les sciences humaines, la santé-médecine-biologie, les
sciences et technologies, les sciences sociales et les sports. Cette
concentration d'emplois et d'étudiants sur la communauté des huit
agglomérations précitées porte le nom de Plaine Commune.

Sur la route

Roulâtes-vous, en votre jeune âge, en DS, en CX, en BX, en AX, en ZX ou en Peugeot 205 ? Roulez-vous, dans votre nouvelle ou première jeunesse, en Saxo, en C3, en C2 ? Si vous avez répondu oui à cette question, votre voiture provenait ou provient fort probablement de l'usine Peugeot-Citroën d'Aulnay-sous-Bois. Créée en 1973, elle comprend une unité d'emboutissage, une autre de peinture, et deux chaînes de montage d'où sont sortis, en 2004, 418 000 véhicules, le record de production de l'usine !

Le Grand Stade de France

Vous avez remarqué son architecture particulièrement élégante, en passant sur l'autoroute qui vous conduit de Paris à Roissy. Vous avez peut-être suivi, assis sur ses gradins, un match de la coupe du monde de football 1998, ou bien vous avez assisté, depuis, à un spectacle mettant en scène Johnny Hallyday, la musique celtique, Bigard ou d'autres manifestations (championnat du monde d'athlétisme en 2003, match de rugby du tournoi France Angleterre, le 12 mars 2006, avec plus de 80 000 spectateurs...) : le Grand Stade de France ! C'est le plus grand stade français avec ses 80 000 places. Inauguré le 28 janvier 1998, lors du match France Espagne, il accueille la finale de la coupe du monde France Brésil le 12 juillet de la même année – la France gagne le match par 3 buts à 0 !

Dans les airs

Volâtes-vous sur Caravelle jadis ? Avez-vous volé sur Airbus naguère ? Volerez-vous sur l'A380 demain ? Vous passâtes, vous êtes passé, vous passerez forcément par Roissy-en-France où le premier aéroport français étend ses branches : Roissy Charles-de-Gaulle ! Certes, ce n'est pas toujours

Arégonde à Saint-Denis

Entendîtes-vous parler quelque jour d'Arégonde, l'épouse du terrible roi Clotaire Ier – roi qui poignarda deux de ses neveux pour régner, le troisième Clodoald s'enfuyant devint moine, son nom se transformant peu à peu en Saint-Cloud ? Non ? Vous n'êtes pas le seul... Cette reine quasiment anonyme est pourtant la première occupante de l'abbaye de Saint-Denis qui accueillit aussi la dépouille de Dagobert Ier (qui n'a jamais mis sa culotte à l'envers – il fallait entendre sous ce nom de la chanson composée en 1787, Louis XVI...), puis, à partir de Hugues Capet, tous les rois de France – dans la basilique construite au XIIe siècle sur le désir de l'abbé Suger, conseiller du roi Louis VII – le roi qui se sépara de sa trop belle reine Aliénor d'Aquitaine... Un seul roi n'y séjourne pas : Philippe Ier (1052-1108) enterré à Saint-Benoît-sur-Loire à la suite de son excommunication pour délit amoureux ! En 1793, toutes les sépultures royales sont violées. La nécropole est reconstituée en 1816, sur l'ordre de Louis XVIII.

facile de s'y retrouver : CDG 1 – terminal 1 –, CDG 2 – terminal 2 A, 2B... –, T9 ou plutôt, aujourd'hui, CDG 3, navettes en tous sens, entre les aéroports 1 et 2, navettes Air France pour Orly, l'autre aéroport, navettes Air France pour Paris, Roissybus qui vous laisse à l'Opéra, la gare TGV... Mais bien malvenue serait la mauvaise humeur : si on s'envole de ce lieu ou qu'on y atterrit, c'est qu'on a eu ou qu'on est sur le point d'avoir un commerce intime avec l'azur le plus pur, la lumière la plus éblouissante, et le meilleur du soleil, en l'air, au-dessus de toute grisaille !

Roissy CDG en chiffres

- 3 200 hectares sur trois départements : Seine-Saint-Denis, Val-d'Oise et Seine-et-Marne
- 90 000 salariés
- CDG 1 : 9,4 millions de passagers ;
- CDG 2 : 35 millions ;
- CDG 3 : 4,5 millions.

La Seine-Saint-Denis des records

- N° 1 des aéroports : Roissy Charles-de-Gaulle
- N° 1 des stades français, 80 000 places

Le P 38 du Petit Prince

Voulez-vous revivre l'histoire de l'aviation sur le site même où Charles Lindbergh atterrit à bord de son avion, le Spirit of Saint-Louis, le samedi 21 mai 1927 ? Allez au Bourget, aéroport destiné surtout à l'aviation d'affaires. Vous y visite-rez le musée de l'air et de l'espace : 140 appareils de toutes les époques. Moment d'émotion : les restes du Lightning P38 de Saint-Exupéry qui rejoignit le Petit Prince le 31 juillet 1944...

94 – Le Val-de-Marne, le ventre de la France

- 245 km²
- 1 256 000 Val-de-Marnais – 5 126 habitants au km²
- Préfecture : Créteil (83 000 Cristoliens)
- Sous-préfectures : L'Haÿ-les-Roses (30 000 L'Hayssiens) ; Nogent-sur-Marne (29 000 Nogentais)

✔ Nombre de cantons : 49

✔ Nombre de communes : 47

Vous partez pour Orly prendre l'avion ? La ville et l'aéroport sont situés dans le Val-de-Marne. L'extrémité de trois des quatre pistes se trouve… en Essonne ! Décollant des terres du Val-de-Marne, vous découvrirez le ventre de l'Île-de-France : Rungis et son marché ; ou bien Villeneuve-le-Roi, Villeneuve-Saint-Georges… Bon voyage !

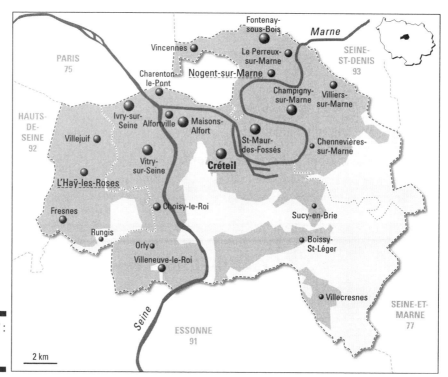

Figure 14-17 : Le Val-de-Marne.

Le Ventre de Paris

Étonnant roman que *Le Ventre de Paris* d'Émile Zola (1840-1902). Paru en 1873, il met en scène l'affrontement de ceux que l'auteur nomme les *gras* – les nantis, les bourgeois – et les *maigres* – les déclassés, les anarchistes, les rêveurs. Et tout cela se passe dans le cadre disparu – mais heureusement conservé dans les pages zoliennes – des Halles, situées alors à l'emplacement du Forum du même nom aujourd'hui. À la fin de l'histoire, le jeune Florent, évadé du bagne de Cayenne, y retourne après avoir été dénoncé par ceux qu'il voulait préparer à la révolte contre le pouvoir impérial. On se prend à rêver aujourd'hui d'un auteur qui nous servirait ainsi sa vision de la société, à travers de puissantes peintures du monde actuel,

d'habiles intrigues, pourquoi pas dans le nouveau ventre de Paris : Rungis !
Mais nos romanciers en décident autrement et nous servent de l'intime en
cocon. Réagissons…

Jeanneton 2, le retour

Notre héroïne s'appelle Jeanneton – vous l'avez rencontrée près des sources
de la Loire, rappelez-vous… Donc, Jeanneton a décidé de travailler à Rungis.
Que découvre-t-elle ? 232 hectares, près de 730 000 m² couverts. Elle a trouvé
un emploi dans l'une des 1 300 entreprises présentes sur le site, dont
470 grossistes, 260 producteurs-vendeurs, 220 courtiers et sociétés d'import-
export, 420 sociétés de services divers. Elle sait que le Marché où elle entre,
le cœur battant d'émotion (soyons romanesques !) nourrit 18 millions de
consommateurs européens !

Un nommé Dédé la Fripouille…

Pour la région parisienne, le Marché fournit 50 % des produits de la mer,
45 % des fruits et légumes, 35 % des viandes diverses et 50 % des fleurs et
plantes ! 20 400 acheteurs y viennent chaque jour – grossistes, restaurateurs,
sociétés d'import-export – ce qui représente 26 000 véhicules dont
3 000 énormes camions quotidiens, pour un chiffre d'affaires annuel de plus
de 7 milliards ! Jeanneton l'apprend, et soudain, naît dans sa petite tête de
coupeuse de joncs cette idée d'une incroyable audace : voler les 7 milliards
de la recette annuelle ! C'est alors qu'elle rencontre un nommé Dédé la
Fripouille…

Raté !

Ils ont réussi leur coup ! Sept milliards en petites coupures dans leurs
poches et cinquante valises. Que faire ? Fuir ! Ils prennent un taxi à remorque
et lui crient – c'est l'émotion – : *À l'aéroport !* Une chance : Orly est tout près !
Consacré d'abord à la formation des pilotes au début du siècle, le terrain
d'aviation d'Orly devient militaire après la première guerre, mais accueille

Maisons-Alfort et son école vétérinaire

En 1766, Claude Bourgelat, un écuyer du roi Louis XV, décida d'installer dans le château d'Alfort l'école vétérinaire qu'il avait créée deux ans plus tôt à Lyon. Depuis, sans discontinuer, des praticiens de haut niveau sont formés chaque année, qui peuvent soigner votre chien, votre chat, votre vache, votre dindon, votre python, votre hippopotame, votre souris verte, bref, toutes sortes d'animaux qui possèdent un avantage appréciable sur la race humaine : il n'existe pas, chez eux, de malades imaginaires. Pour vous inscrire à l'école vétéri-naire de Maisons-Alfort, il vous faut faire une classe préparatoire sélective. Vos études se termineront par le doctorat vétérinaire. Ensuite, vous inscrirez peut-être votre nom dans la liste des prestigieux élèves qui sont des bienfaiteurs de l'humanité : Camille Guérin et Pierre Calmette qui ont mis au point le BCG contre la tuberculose ou bien Gaston Ramon qui a inventé les antitétaniques et les antidiphté-riques. Ici, votre nom, peut-être, pour l'invention de…

aussi les passagers des dirigeables. À partir de 1954, il devient entièrement civil. Une première aérogare y est construite – l'aérogare Nord. L'aérogare Sud est inaugurée par le Général de Gaulle en 1961. Dix ans plus tard, nouvelle extension : l'aérogare Ouest. Aujourd'hui situé sur deux départements – Val-de-Marne (39 %) et Essonne (61 %) – il se compose des aérogares Sud et Ouest, et assure essentiellement les vols nationaux, les vols européens ou bien ceux qui ont pour destination le Maghreb ou les DOM-TOM – 25 millions de passagers. Et nos héros ? Ils viennent de se faire arrêter, car l'avion, trop chargé par les sept milliards, n'a pas pu décoller ! Facile d'écrire des romans, finalement…

Le Val-de-Marne des records

➤ N° 1 pour les marchés d'approvisionnement : Rungis

➤ N° 2 des aéroports : Orly

95 – Le Val-d'Oise, villes et Vexin

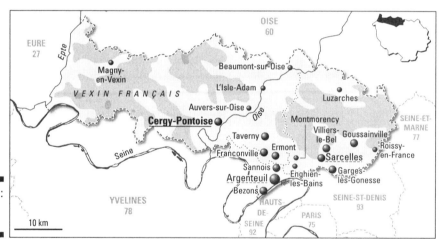

Figure 14-18 : Le Val-d'Oise.

➤ 1 246 km²

➤ 1 137 000 Val-d'Oisiens – 912 habitants au km2

➤ Préfecture : Cergy-Pontoise (55 500 Cergynois) – la préfecture se trouve à Cergy. L'ensemble Cergy-Pontoise fait partie des cinq villes nouvelles créées en Île-de-France.

➤ Sous-préfectures : Argenteuil (96 000 Argenteuillais ou Argentoliens) ; Pontoise (29 000 Pontoisiens) ; Sarcelles (59 000 Sarcellois)

➤ Nombre de cantons : 39

➤ Nombre de communes : 185

Du blé ! Des tonnes de blé dans un Val-d'Oise dont on ignore peut-être que la moitié de ses terres est consacrée à l'agriculture ! Du blé, mais aussi des betteraves, des pommes de terre, des oléagineux, des protéagineux, des fleurs, des pommes, des poires... Plus de 700 exploitations de près de 85 hectares en moyenne se répartissent les 60 000 hectares de cultures. À l'est du département, l'industrie se concentre : Dassault-aviation à Argenteuil, équipements électriques et électroniques, instruments d'optique et de nombreuses autres activités que dynamise la proximité de l'aéroport de Roissy CDG.

La pyramide renversée...

Non, non... Ne vous tordez pas le cou pour remettre à l'endroit cette bâtisse qui semble reposer sur une pointe et s'étale vers le ciel en s'élargissant, de sorte que chaque ligne de fenêtres se trouve au-dessus du vide ! Cette pyramide renversée n'est en rien le résultat d'une erreur de chef de chantier qui aurait lu à l'envers les plans qu'on lui a remis... Il s'agit de la création hardie de l'architecte Henri Bernard à qui fut commandé le nouveau bâtiment de la préfecture du Val-d'Oise : Cergy-Pontoise, cœur de la ville nouvelle qui est passée de 40 000 habitants en 1968 à 180 000 aujourd'hui ! Dans cet espace, 3 700 entreprises privées – parmi lesquelles on trouve Sagem, Thomson, CIC, 3M... – emploient près de 70 000 personnes ; le secteur public compte plus de 20 000 emplois.

25 000 étudiants fréquentent l'université ou les grandes écoles – École nationale supérieure d'électronique et de ses applications (ENSEA), École supérieure des sciences économiques et commerciales (ESSEC), Institut polytechnique Saint-Louis (IPSL), École nationale supérieure d'arts (ENSA)...

78 – Les Yvelines, au soleil du Château

✔ 2 284 km²

✔ 1 390 000 Yvelinois

✔ Préfecture : Versailles (89 000 Versaillais)

✔ Sous-préfectures : Mantes-la-Jolie (44 500 Mantais) ; Rambouillet (25 500 Rambolitains) ; Saint-Germain-en-Laye (40 500 Saint-Germanois ou Saint-Germinois)

✔ Nombre de cantons : 39

✔ Nombre de communes : 262

Un département agricole, les Yvelines ? Pourquoi pas... : plus de 40 % du département sont consacrés à l'agriculture ! On y compte 1 200 exploitations d'une surface moyenne de 74 hectares. Elles produisent des céréales, des oléagineux... Mais, les Yvelines, ce sont aussi Versailles et son Grand Louis ; ce sont Rambouillet, Saint-Germain, Marly ; ce sont de brillantes industries...

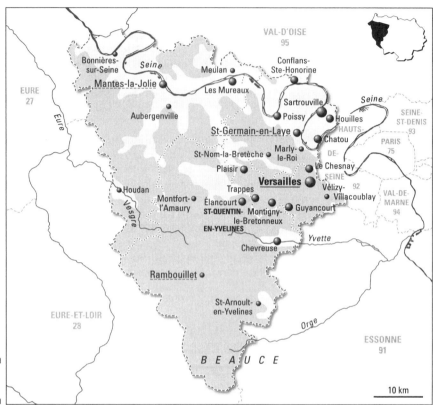

Figure 14-19 :
Les Yvelines.

L'idée de grandeur

Il est passé par ici, il ne repassera pas par là... Mais il est partout à Versailles, depuis qu'il s'y est installé définitivement, le 6 mai 1682 : Louis XIV ! Chaque année, il accueille près de trois millions de visiteurs en son château, dans ses salons, ses appartements, dans ses jardins ; des visiteurs tout éblouis de découvrir la Galerie des Glaces – dont la restauration s'achève en mai 2007 –, tout étonnés des dorures, des velours, des tentures ; tout surpris que tant de luxe se soit ainsi cristallisé en des temps de misère, sur la seule volonté d'un homme, et demeure comme un phare pour tous ceux que fascine ou qu'intrigue l'idée de grandeur.

Rambouillet, Saint-Germain, Marly

Quittons Versailles pour Rambouillet, au sud-ouest du département, au cœur d'une forêt de 22 000 hectares, composée de 25 % de résineux, et de 75 % de feuillus – dont 90 % de chênes. Dirigeons-nous vers le château : il est passé par ici, aussi, Louis le Grand ! Il achète le château en 1706 pour un de ses fils légitimés, le comte de Toulouse dont la mère s'appelle Françoise-Athénaïs de Rochechouart de Mortemart, marquise de Montespan ! Voulez-vous que nous fassions un détour par Saint-Germain, au nord-est, avant de rentrer à Versailles ? Il est aussi passé par là, le Roi Soleil ! Peu satisfait de l'allure du château qu'avait fait construire François Ier, il le fait agrandir par Mansart et charge Le Nôtre de dessiner ses jardins. Passons par Marly avant de regagner la cour. Louis y posséda aussi un château – détruit – où il aimait recevoir en privé – l'eau qui en approvisionnait fontaines et bassins était puisée à Bougival par une machine qui coûta une fortune.

Brillantes Yvelines

Royales Yvelines d'hier, celles des François, Louis, et Charles... Et les Yvelines d'aujourd'hui ? Les voici, brillantes aussi, mais d'une autre façon... Elles s'assurent l'excellence dans les hautes technologies – informatique, télécommunication, Matra Communication, Thalès CSF, Alcatel CIT... – à Saint-Quentin-en-Yvelines, Saint-Germain-en-Laye, à Vélizy-Villacoublay, Poissy Aubergenville, à Versailles. Elles occupent une place de choix dans l'industrie automobile qui emploie 25 000 personnes, dont plus de 7 000 pour Renault-Flins et plus de 8 000 pour PSA-Poissy. Elles se classent en tête dans le domaine de l'aéronautique où travaillent de façon directe ou indirecte près de 50 000 employés dans deux cents établissements – pour EADS, Thalès... Elles sont devenues le Versailles des biotechnologies... avec les laboratoires Servier, Rochas, GlaxoWellcome, Barnier, Ethypharm, Laboratoires Lacteol, Prosynthèse...

LE SAVIEZ-VOUS ?

Saint-Quentin-en-Yvelines et les sept communes

Saint-Quentin-en-Yvelines : 11 communes en 1972, année de sa création, 7 communes en 1984 – aujourd'hui encore – après la loi Rocard de 1983 qui modifie le statut des villes nouvelles : Élancourt, Guyancourt, La Verrière, Magny-les-Hameaux, Montigny-le-Bretonneux, Trappes, Voisins-le-Bretonneux. Sur les 7 000 hectares couverts par cette ville nouvelle – projet conduit par Paul Delouvrier, grand commis de l'Etat, à la demande du Général de Gaulle – plus de 40 % sont occupés par des espaces verts ou des plans d'eau. Image du mariage réussi entre la nature, la magie de l'eau, et un futurisme bien tempéré, le lac de la Sourderie (16 hectares), à Montigny-le-Bretonneux, est encadré par le Temple et les Arcades du Lac, ensemble imaginé par l'architecte catalan Ricardo Bofill, né en 1939. À ville nouvelle, université de proximité : c'est la vocation de l'université de Versailles-Saint-Quentin-en-Yvelines qui propose une UFR de sciences à Versailles, de sciences sociales à Saint-Quentin-en-Yvelines, de sciences juridiques et politiques à Saint-Quentin-en-Yvelines, et de médecine à Garches.

Chapitre 15

L'Est

....

Dans ce chapitre :

▶ Installez-vous en Champagne-Ardenne, le régal des palais

▶ Approfondissez votre connaissance de la Lorraine et de l'Alsace

▶ Régalez vos yeux et vos papilles en Bourgogne

▶ Prenez le temps de tout savoir de la Franche-Comté

....

*L'*Est, en cet ouvrage, tout aussi vaste que l'Ouest et que le Nord, rassemble la Champagne-Ardenne dont la formation géologique vous étonnera ; la Lorraine où se conjuguent le souvenir et l'avenir ; l'Alsace, riche de ses cultures, de ses vins et de son soleil ; la Bourgogne aux grands crus ; la Franche-Comté ingénieuse et industrieuse. Bonne route…

Figure 15-1 :
La
Champagne-
Ardenne.

La Champagne-Ardenne

Quatre départements : les Ardennes d'Arthur, la Marne des bulles, la Haute-Marne divine, l'Aube de Troyes… Châlons-en-Champagne est la capitale de la région Champagne-Ardenne.

08 – Les Ardennes, et le bonjour d'Arthur

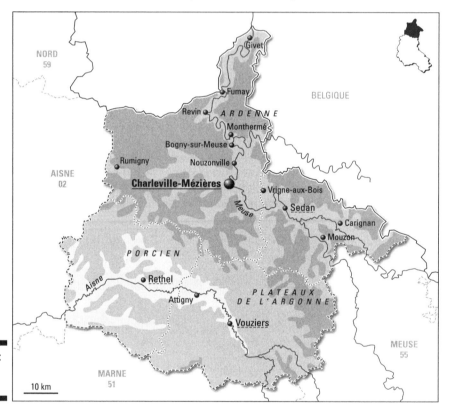

Figure 15-2 :
Les
Ardennes.

✔ 5 229 km²

✔ 288 000 Ardennais

✔ Préfecture : Charleville-Mézières (58 500 Carolomacériens)

✔ Sous-préfectures : Rethel (8 800 Rethélois) ; Sedan (21 500 Sedains) ;
  Vouziers (5 500 Vouzinois)

✔ Nombre de cantons : 37

✔ Nombre de communes : 463

Le département des Ardennes, et son éperon avancé dans la Belgique, fut aux premières loges au moment des invasions, des guerres. Le 30 décembre 1870 au soir, Arthur Rimbaud, 16 ans et quelques sonnets, assiste, depuis Charleville, au bombardement de la petite ville de Mézières, à sa capitulation le lendemain – après vingt-sept heures de pilonnage par 44 canons prussiens qui firent près de 50 victimes, détruisirent 269 maisons. Le 1er janvier 1871, Mézières et Charleville – qui n'a reçu que deux bombes – sont occupées par les Allemands qui, deux mois plus tard, défilent sur les Champs-Élysées…

Un trou de verdure ?

Les Ardennes ? *C'est un trou de verdure où chante une rivière / Accrochant follement aux herbes des haillons / D'argent ; où le soleil de la montagne fière / Luit. C'est un petit val qui mousse de rayons.* Évidemment, vous seriez capable de réciter la suite du *Dormeur du val* que vous apprîtes par cœur – pour votre bonheur – en quelque collège qui dérive lentement dans votre mémoire, comme un bateau ivre… *Le Bateau ivre*, autre poème, flamboyant celui-là, de l'auteur du *Dormeur du val* : Arthur Rimbaud (1854-1891), né à Charleville, préfecture des Ardennes ! Même si l'enfant du pays a maudit la terre de ses premiers pas, elle ne lui en veut pas et conserve sa mémoire en un musée que vous pouvez visiter à Charleville – la ferme de Roche, où il vécut en famille, a disparu au fil des guerres…

Voilà du boudin !

Déjeunez ardennais avec du boudin blanc de Rethel (viande de porc, lait, œufs frais), de l'andouille de Revin (60 % de viande, 40 % de chaudins – ce sont les gros intestins de porcs) ; un fromage : le carré des remparts (des remparts de Rocroi, où se déroula, le 19 mai 1643, la fameuse bataille qui mit fin à une menace d'invasion espagnole – remportée par Louis II de Condé, duc d'Enghien) ; en dessert : des chocolats d'Attigny ou de Sedan. Bon appétit !

Les mains à charrue

Un trou de verdure, les Ardennes ? En certains lieux, oui : dans le nord du département qu'entaille la Meuse ; dans la vallée de l'Aisne, au sud. Ailleurs, ce sont, au sud la Champagne crayeuse ; à l'ouest, les plaines du Porcien ; à l'est, les plateaux de l'Argonne. *La main à plume vaut bien la main à charrue !* écrivit le poète de Charleville, un soir de révolte. Oui, mais il faut bien labourer les 176 000 hectares des 4 000 exploitations du département… Les mains à charrue contribuent ainsi à produire, par ordre d'importance, du blé, de l'orge, du colza, du maïs, des betteraves, de la luzerne, des pois et des pommes de terre. La production de l'important cheptel laitier – 97 % de vaches prim'holstein sur 1 250 exploitations laitières, contre 3 600 en 1978 – est transformée par l'industrie agroalimentaire – notamment à Challerange avec Nestlé.

Les mains à tournevis

La main à charrue n'est pas la seule occupée, tant s'en faut : la main à tournevis et fer à souder, la main à clavier (d'ordinateur…) est très représentée dans le monde du travail, au point que l'industrie lui offre un emploi sur deux. Ces emplois sont fournis par de nombreuses petites entreprises familiales ou par de grands groupes : Deville, PSA Peugeot-Citroën, La Fonte Ardennaise, Electrolux, Tréfimétaux…

51 – La Marne, Champagne !

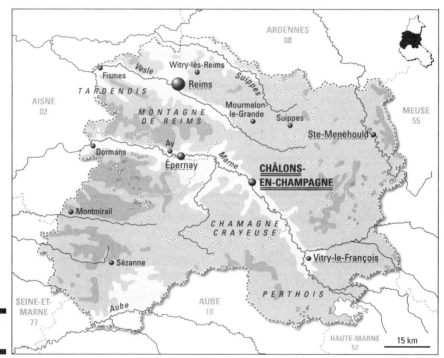

Figure 15-3 :
La Marne.

✔ 8 162 km²

✔ 562 000 Marnais

✔ Préfecture : Châlons-en-Champagne (50 500 Châlonnais)

✔ Sous-préfectures : Epernay (27 500 Sparnaciens) ; Reims (192 000 Rémois) ; Sainte-Ménehould (5 200 Ménéhildiens) ; Vitry-le-François (17 500 Vitryats)

✔ Nombre de cantons : 44

✔ Nombre de communes : 619

Toujours exposée, la Marne, lors des conflits européens. Napoléon, en février 1814, la parcourt, l'émaille de ses ultimes victoires : Champaubert, Montmirail… 1870, les Prussiens. 1914, les batailles de la Marne… On a peine à imaginer aujourd'hui ces paysages souffrant dans les pièges de la guerre tant la paix et l'harmonie habitent les campagnes.

Pour chanter matines et laudes

25 décembre 496. La ville de Reims est en effervescence : Clovis, le roi des Francs, vient se faire baptiser par l'évêque Rémi. Clovis accomplit ainsi la promesse qu'il a faite en remportant la bataille de Tolbiac : embrasser le culte de Clotilde, celle qui est devenue reine en l'épousant. Après l'immersion dans le baptistère, le nouveau chrétien royal s'empresse de se réchauffer les sangs en buvant le jus de la treille qui entoure la demeure de Rémi près d'Epernay. C'est un vin doux et léger qu'apprécient les religieux, grands spécialistes dans le délicat dosage du degré d'alcool qui doit pousser à chanter matines et laudes, ni trop fort, ni trop gaiement… Reims devient alors le lieu du sacre de tous les rois, ou presque : Henri IV, par exemple, ne peut être sacré à Reims : la ville est encore, à l'époque, aux mains des ligueurs catholiques extrémistes qui ne supportent pas ce protestant converti !

Brut ou demi-sec ?

Déçu de n'avoir pu goûter au vin du sacre rémois, Henri IV commande pour sa cour force vins de Champagne qui deviennent à la mode, surtout le vin gris, faiblement coloré, apprécié parce que sa couleur met longtemps à déteindre sur celui qui le consomme… Ce vin gris, ne se conservant pas en fût, est mis en bouteilles par les vignerons. Hélas, les bouteilles éclatent. C'est alors qu'entre en scène Dom Pérignon, moine à l'Abbaye bénédictine d'Hautvillers, 1668 à 1715. Responsable des vignes, il tente de multiples mariages de différents crus afin de mieux doser le caractère pétillant du vin gris. Ses efforts – et ceux des Anglais au XVIIIe siècle – conduisent au champagne que nous connaissons. En 1876, les Anglais, qui n'apprécient pas son goût sucré, demandent que soit créé un champagne brut, sans sucre. Ce qui est fait. Mais on conserve la version demi-sec que vous préférez peut-être…

17 grands crus !

La Marne, ce sont 17 grands crus de champagne provenant de 17 communes classées à 100 % dans l'échelle des grands crus : Sillery, Puisieulx, Beaumont-sur-Vesle, Mailly, Verzenay, Verzy, Louvois, Bouzy, Ambonnay, Tours-sur-Marne, Ay, Oiry, Chouilly, Cramant, Avize, Oger, Mesnil-sur-Oger. 22 000 des 30 000 hectares du vignoble producteur de champagne sont situés dans la Marne – les 8 000 hectares restants s'étendant sur les départements de l'Aube (presque 6 000 hectares), l'Aisne (2000 hectares), la Seine-et-Marne (20 hectares) et la Haute-Marne (20 hectares). 9 000 autres hectares de vignoble produisent, dans la Marne, des vins rouges ou blancs. Les terres du département produisent aussi des céréales, des pommes de terre, des betteraves, de la luzerne, des légumes, des oignons rouges, du pavot œillette médicinal…

Une industrie effervescente

La Marne : champagne pétillant, et industrie effervescente ! En effet, le secteur des grands ou moins grands crus a fait naître une industrie de l'emballage-conditionnement – Packaging-Valley. D'autres industries dynamiques garantissent aux Marnais des milliers d'emplois :

- ✔ l'équipement automobile – Valeo, Vallourec, Nobel Plastiques…
- ✔ le travail des métaux – Chausson outillage, ATS (spécialité de découpe au jet d'eau)
- ✔ la pharmacie – Boehringer Ingelheim
- ✔ la craie scolaire – Omya (extraite de la Champagne… crayeuse)
- ✔ l'homéopathie – laboratoires Boiron

CÉLÉBRITÉ DU CRU

Pierre Dac : Radio Paris ment…

Celui qui dans la vie, est parti de zéro pour n'arriver à rien dans l'existence n'a de merci à dire à personne. Mourir en bonne santé, c'est le vœu de tout bon vivant bien portant. Ce n'est pas parce qu'en hiver on dit "Fermez la porte, il fait froid dehors" qu'il fait moins froid dehors quand la porte est fermée. Une fausse erreur n'est pas forcément une vérité vraie. Rien n'est plus semblable à l'identique que ce qui est pareil à la même chose. Il faut une infinie patience pour attendre toujours ce qui n'arrive jamais. Ceux qui ne savent pas à quoi penser font ce qu'ils peuvent, toutefois et néanmoins, pour essayer de penser à autre chose que ce à quoi ils ne pensent pas. On dit d'un accusé qu'il est cuit quand son avocat n'est pas cru…

Du Pierre Dac, pensez-vous ? Vous avez raison ! Cet enfant de Châlons-sur-Marne est né le 15 août 1893, mort à Paris le 9 février 1975. Malice et tendresse, dérision, jusqu'à l'absurde – et du plus fin – Pierre Dac l'humoriste des années trente devient sérieux et engagé sur Radio Londres au cours des années tragiques de la seconde guerre mondiale. C'est lui qui lance le slogan *Radio Paris ment, Radio Paris ment, Radio Paris est allemand* (Radio Paris diffuse du matin au soir des émissions antisémites). Dans les années 50, il forme avec Francis Blanche un duo irrésistible, notamment dans le feuilleton diffusé sur Europe 1 : *Signé Furax* !

La Marne des records

- ✔ N° 1 pour les grands crus de champagne – près de 270 millions de bouteilles de champagne sont vendues chaque année.
- ✔ N° 1 des sucreries – et n° 1 mondial
- ✔ N° 1 pour la fabrication de fécule – et n° 1 mondial
- ✔ N° 1 pour la production de luzerne déshydratée, destinée à l'alimentation animale
- ✔ N° 1 des coopératives céréalières – et n° 1 européen

✔ N° 1 pour l'exportation de malt – et n° 1 mondial

✔ N° 3 pour les sociétés meunières

CÉLÉBRITÉ DU CRU

Moutonet, Jehan Pistolet, c'est de lui !

Clopinard, c'est de lui ! Bill Blanchard, c'est de lui aussi ! Et Clairette, et Poussin et Poussif, c'est encore de lui ! Moutonet, Jehan Pistolet ? Tout le monde, ou presque, sait qui c'est... Belloy, Oumpah-Pah ? Le voilà ! Plus dur : Tanguy et Laverdure, et leurs avions, c'est de son crayon ! Et pour la fin, les plus malins, les plus hardis, les plus doués en rixe : Astérix et Obélix - c'est encore et toujours de lui ! Qui ? Le complice de Goscinny, vous ne connaissez que lui... Uderzo, Albert ! Il est né dans la Marne, à Fismes, près de Reims, le 25 avril 1927, et le ciel ne lui est encore pas tombé sur la tête !

52 – La Haute-Marne, un caprice des dieux...

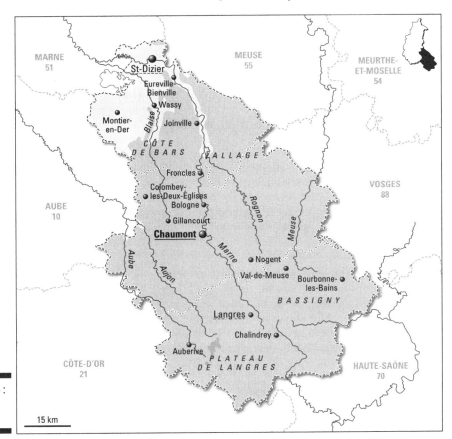

Figure 15-4 :
La Haute-
Marne.

15 km

✔ 6 211 km²

 ✔ 189 000 Hauts-Marnais

 ✔ Préfecture : Chaumont (28 500 Chaumontais)

 ✔ Sous-préfectures : Langres (10 500 Langrois ou Langonnais) ; Saint-Dizier (33 000 Bragards ou Bragars)

 ✔ Nombre de cantons : 32

 ✔ Nombre de communes : 432

Le Vallage au nord, le plateau de Langres au sud. Le Bassigny à l'est… Chaumont au centre. Bienvenue en Haute-Marne.

Aux anges !

Deux petits anges ailés en vol stationnaire et robe blanche légère… Ils vous regardent, attendris, ils ont l'air si bons… Entre eux, un soleil ou une médaille jaune beurre, on ne sait… Et puis, ce bleu pur de l'azur… Enfin, en lettres d'or, cette inscription comme une promesse de bonheur divin : *Caprice des Dieux* ! Fébrile, vous ouvrez la boîte, libérez le fromage de son papier blanc… Le voici ! Lame brillante – de Nogent – qui doucement s'enfonce, vous en prépare une part… Mmmmhhh ! Allons ! la volupté fromagère, c'est bien, mais ne voulez-vous point savoir d'où vient ce Caprice ?

Miko, Bongrain, jusqu'à plus faim !

Ce Caprice satisfait vient d'Illoud en Haute-Marne, dans le pays Bourmontais – il y est né en 1956 ! Au nord du département, se trouve le pays du Der, aux mille étangs et mille prairies, situé au pied de la côte de Champagne, en Champagne humide. Le Der, c'est aussi une immense forêt, presque 20 000 hectares de chênes et charmes – *der* signifie *chêne*, en celte. La Haute-Marne peut s'enorgueillir de posséder aussi la fabrique d'emmental Entremont – quel délice avec tout en général, avec les spaghettis en particulier… En Haute-Marne aussi : Miko, des glaces aux mille parfums pour mille plaisirs, ou bien quelque produit Bongrain – spécialités laitières et fromagères – jusqu'à plus faim !

Châteaux, métro…

Avez-vous remarqué, en visitant tout à l'heure Versailles, dans les Yvelines, les plaques de fonte des cheminées ? Elles proviennent des maîtres des forges de la vallée de la Blaise – une rivière qui prend sa source à Gillancourt, et sur la rive gauche de laquelle se trouve… Colombey-les-Deux-Églises avec la grande croix de Lorraine de son grand homme : le Général de Gaulle. De la Haute-Marne proviennent aussi les sorties du métro parisien, style Art nouveau, dessinées par Hector Guimard (1867-1942).

Lames, prothèses, poulets…

Et aujourd'hui ? Les industries de l'automobile, de l'armement, de la coutellerie – lames Nogent ! – de l'aéronautique, bénéficient du savoir-faire de plus de cinq mille Hauts-Marnais dans le secteur de la métallurgie, à Saint-Dizier, Froncles, Nogent, Bologne… Savoir-faire de haut niveau également pour la fabrication des prothèses et instruments chirurgicaux, dans la plasturgie, la sous-traitance automobile ou aéronautique. L'agriculture ? C'est l'élevage, la production laitière, les fromages, la production céréalière dans le Vallage, l'exploitation forestière. Mais aussi le tendre, le délicieux poulet fermier du plateau de Langres !

CÉLÉBRITÉ DU CRU

L'enfant de Langres : Diderot

Les habitants de Langres ont de l'esprit, de l'éducation, de la gaieté, de la vivacité et le parler traînant. Ils ont des livres, ils lisent et ne produisent rien. Leur ville est bien murée. Ils ont la commodité, hiver comme été, d'en faire le tour des remparts couverts…

Qui parle ainsi, ou du moins, qui écrit ainsi ? Un écrivain ! Parmi les plus grands, sinon le plus grand, le plus entreprenant, le plus productif, le plus étonnant, le plus habile, le plus drôle, le plus audacieux de tout le XVIIIe siècle – on pourrait ajouter de tous les temps, mais ce serait un peu trop, quoique… – l'enfant du pays, le fils de Langres : Denis Diderot (1713-1784) ! Lisez ou relisez *Jacques le Fataliste, Le Neveu de Rameau, La Religieuse*… Plongez-vous dans la contemplation de quelque réimpression des planches de son *Encyclopédie raisonnée des sciences et des arts*… N'est-ce pas que son talent, c'est du génie !

10 – L'Aube de l'andouillette

GÉO-NOMBRES

- ✔ 6 004 km²
- ✔ 293 000 Aubois
- ✔ Préfecture : Troyes (63 000 Troyens)
- ✔ Sous-préfectures : Bar-sur-Aube (6 600 Baralbins ou Barsuraubois) ;
- ✔ Nogent-sur-Seine (6 100 Nogentais)
- ✔ Nombre de cantons : 33
- ✔ Nombre de communes : 433

Évidemment, il n'y a pas que l'andouillette, à Troyes. Et l'Aube ne peut être seulement associée à la spécialité – délicieuse – de son chef-lieu de département ! Que fait-on d'autre de l'aube au soir, dans l'Aube ? Suivez le guide…

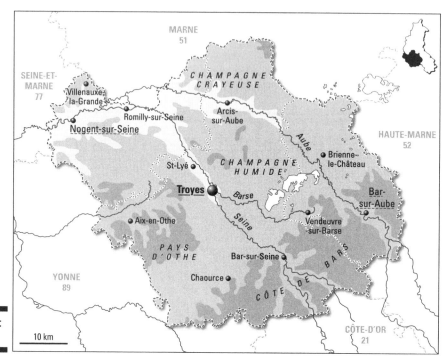

Figure 15-5 :
L'Aube.

10 km

A.A.A.A.A.

A.A.A.A.A. ! Avez-vous remarqué cette rafale de voyelles qui accompagne souvent sur un menu de restaurant, petit ou grand, l'andouillette que vous vous apprêtez à commander ? Quelle est la signification de ces 5 A ? C'est fort simple, ils désignent l'Association Amicale des Amateurs d'Andouillette Authentique ! Et, à ce titre, ces amateurs aux papilles surdouées, au palais à l'ancienne, veillent à la qualité de la fabrication et de la présentation de ce mets entre tous roboratif – de robur, en latin : la force – : l'andouillette !

15 000 porcs par jour !

Depuis longtemps, les membres de l'AAAAA ont couronné l'andouillette de Troyes, dans l'Aube. Il faut dire que son parcours historique est prestigieux : Louis II le Bègue en fit servir après son sacre en 878 ; Louis XIV en était friand, et Napoléon l'adorait ! Composée de gros intestins – les chaudins – et d'estomacs de porcs coupés dans le sens de la longueur, elle est toujours fabriquée aujourd'hui à Troyes, par la société Lemelle qui en expédie plus de vingt millions d'unités par an aux quatre coins de la France et du monde – ce qui représente les abats de 15 000 porcs par jour !

Le chou de Brienne

Vous êtes-vous bien sustenté – c'est, en langage soutenu, la façon de demander si vous avez bien mangé… – avec l'andouillette de Troyes ? Vous êtes donc prêt à effectuer une remontée du département, en partant du sud-est, du Barrois – côte des Bars –, plateau caillouteux qui porte les vignobles de champagne. Ce champagne se déguste nature, mais il peut aussi entrer dans la composition d'une délicieuse choucroute, confectionnée avec les choux cultivés dans la région de Brienne-le-Château – 30 % de la production nationale.

Un chaource ?

Vient ensuite la Champagne humide dont les sols imperméables sont favorables aux prairies pour l'élevage et à la forêt. Remontons vers l'ouest : voici le pays d'Othe, appelé aussi petite Normandie, avec ses pommiers à cidre – la choucroute au cidre est aussi un délice ! Un peu de fromage, maintenant ? Ce sera du chaource : une pâte molle à base de lait de vache cru, et qui accompagne divinement une fondue aux champignons ! La Champagne crayeuse, moitié nord du département, est un grenier à céréales – un rendement moyen de près de 85 quintaux à l'hectare ; si ce chiffre ne vous dit rien, pensez que pendant des siècles, le rendement d'un hectare de blé s'élevait à 5 ou 6 quintaux, c'est-à-dire seulement trois fois la semence utilisée !

Dynamiques industries et enseignement

La betterave à sucre obtient aussi d'excellents rendements, et approvisionne la sucrerie d'Arcis-sur-Aube. Nous entrons dans le domaine de l'industrie avec un pôle emballage-conditionnement. Pour l'habillement, les marques Devanlay-Lacoste, Petit Bateau, ou bien Scandale fournissent des milliers d'emplois aux Aubois – le Centre national de recherche spécialisé dans la maille a été implanté à Troyes par l'Institut français du textile et de l'habillement. Le commerce du vêtement s'est considérablement développé ces dix dernières années avec la construction des magasins d'usines –

Savoir faire l'andouillette

Vos ingrédients : 2 andouillettes de Troyes – ou davantage selon le nombre de convives ;

2 cuillerées à soupe de moutarde de Meaux ; 2 cuillerées à soupe de crème fraîche ;

100 grammes d'échalotes ; un petit verre de vin blanc ; sel, poivre, noix de muscade… Comment procéder : dorez les andouillettes à feu vif dans une casserole. Retirez-les de la casserole. Émincez vos échalotes, puis faites-les revenir deux minutes dans la casserole.

Ajoutez le vin blanc et la moutarde. Vous obtenez une sauce que vous devez réduire de moitié – en la chauffant – avant d'ajouter de la crème fraîche selon l'épaisseur désirée. Assaisonnez avec le poivre, le sel, la noix de muscade. Faites réchauffer l'andouillette dans cette sauce. Servez avec un blanc sec – bu avec modération – et un gratin dauphinois. Puis décidez de faire cette recette le plus souvent possible. C'est du bonheur pour la vie ! Cochon qui s'en dédit…

84 000 m² qui fournissent 1 100 emplois. Rubrique enseignement : une université qui offre davantage de souplesse dans le cursus des études – inspirée du système américain – a été créée en 1994 : l'UTT. Elle forme des ingénieurs de haut niveau, notamment dans le secteur des nanotechnologies.

L'Aube des records

✔ N° 1 pour la production de chanvre

✔ N° 2 pour la production de champagne

✔ N° 2 pour la production de choucroute

✔ N° 3 pour la production de luzerne

✔ N° 7 pour la production de pommes de terre

✔ N° 8 pour la production de betteraves

La Lorraine

Quatre départements : la Meuse et ses douloureux souvenirs ; la Moselle ; la Meurthe-et-Moselle et leur reconversion ; les Vosges et leurs Ballons…

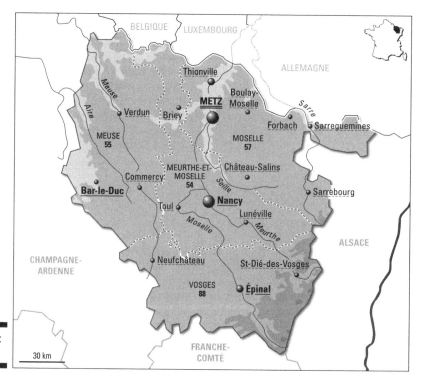

Figure 15-6 :
La Lorraine.

30 km

55 – La Meuse, Verdun, Douaumont...

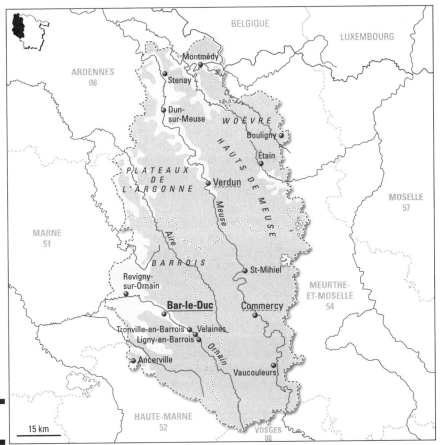

Figure 15-7 :
La Meuse.

15 km

✔ 6 216 km²

✔ 193 000 Meusiens

✔ Préfecture : Bar-le-Duc (18 500 Barrois ou Barisiens)

✔ Sous-préfectures : Commercy (7 500 Commerciens) ; Verdun (21 500 Verdunois)

✔ Nombre de cantons : 31

✔ Nombre de communes : 498

Barrois, Argonne à l'ouest ; Hauts de Meuse, Woëvre à l'est ; au centre, coule la Meuse, du sud au nord. En son voyage vers le Rhin, elle passe par Verdun...

Effroyable

Verdun ! Trois cents jours ! Trois cents jours et trois cents nuits de combats, du 21 février 1916 à décembre de la même année ! Le Fort de Douaumont est pris par les Allemands le 25 février. De Bar-le-Duc s'organise le transport de troupes fraîches vers les lieux du combat – c'est la Voie Sacrée. Trois cents jours et trois cents nuits de courage, d'héroïsme, de peur, de terreur et d'effroi. Connaissez-vous ce nombre de la démence : 25 millions d'obus sont tirés pendant la bataille de Verdun ! 6 obus au m², oui : 6 obus au mètre carré ! Et tous ces corps démembrés, déchiquetés, ceux de jeunes gens de vingt ans ! Aujourd'hui, dans un silence impressionnant, au cœur du champ de bataille, se dresse l'ossuaire de Douaumont, au-dessus duquel se dresse une colonne de 46 mètres de hauteur, en forme d'obus. La bataille fit, au total, plus de 700 000 morts, blessés ou disparus !

La paix des vergers

La Meuse conserve intacte sa mémoire douloureuse, tout en se donnant pour vainqueur la vie. Du Barrois dans le sud-ouest à la Woëvre dans le nord-est, en passant par l'Argonne et les Hauts-de-Meuse, le département est structuré en 25 communautés de communes qui rassemblent plus de 90 % de la population afin de définir des programmes d'action en fonction des ressources locales. Les activités traditionnelles d'élevage, de production laitière et de fromage se poursuivent et se développent. Aux cultures d'oléagineux, s'ajoutent de nombreux vergers aux dimensions modestes, mais aux fruits variés et savoureux : mirabelles, cerises, abricots, pêches, pommes, quetsches, poires... L'industrie se partage entre l'agroalimentaire et l'électronique à Verdun ; à Velaines, découpage, emboutissage de pièces ; à Bar-le-Duc, le textile, la mécanique, le placage du bois, l'imprimerie, l'usinage des métaux, et... de délicieuses confitures de groseilles !

SAVEURS DE FRANCE

Les dragées de Verdun

Il y eut le geste ample et élégant des Grecs fort anciens qui, après l'arrondi de leur bras sorti du chiton – leur vêtement deux pièces – plongeaient dans le miel leur amande avant de la déguster. Il y eut, plus tard, le même geste des Romains, en toge, qui plongeaient aussi la petite baie de l'amandier dans un mélange de miel et d'épices. Et puis il y eut, à Verdun, en 1220, un apothicaire-confiseur de génie qui inventa la dragée telle que nous la connaissons, transportable et consommable n'importe où. Elle avait la réputation de purifier l'haleine et de faciliter la digestion. Les rois ne se privèrent pas de ce doux remède, en les disposant toujours dans leur drageoir personnel — on appelait les dragées des « épices de chambre » ! On en consomma ensuite beaucoup dans les fêtes de famille, les mariages par exemple, emportant quelques exemplaires de ce délice sucré pour ceux qui n'avaient pu venir ! Aujourd'hui, chez Braquier de Verdun – ou Girard de Paris –, c'est encore, c'est toujours la dragée !

La Meuse des records

✔ N° 1 pour la production de confitures de groseilles épépinées à la plume d'oie

✔ N° 3 pour la production de mirabelles

57 – La Moselle, ses mirabelles...

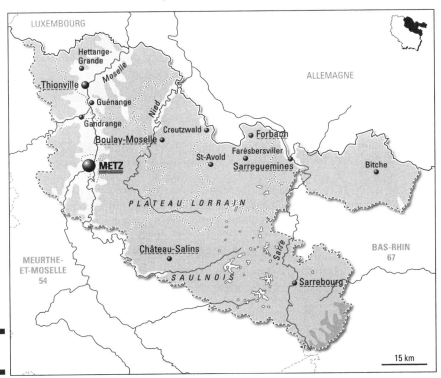

Figure 15-8 :
La Moselle.

✔ 6 216 km²

✔ 1 033 000 Mosellans

✔ Préfecture : Metz (128 000 Messins)

✔ Sous-préfectures : Boulay-Moselle (4 500 Boulageois) ; Château-Salins (2 900 Castelsalinois) ; Forbach (24 000 Forbachois) ; Sarrebourg (14 200 Sarrebourgeois) ; Sarreguemines (24 000 Sarregueminois) ; Thionville (42 500 Thionvillois) ; Metz-Campagne (sous-préfecture qui rassemble 142 communes autour de Metz : 211 000 habitants)

✔ Nombre de cantons : 51

✔ Nombre de communes : 730

M comme Moselle, comme Metz, Marly, Montigny, Maizières… M comme mirabelles, comme minette, comme la montgolfière où prit place l'enfant de la Moselle : Pilâtre de Rozier…

Un gros gueulard !

Quel gros gueulard ! Mais non, ce n'est pas ici un terme vulgaire ou déplacé qui désignerait un individu ronchon, c'est la désignation du sommet d'un haut-fourneau… Par le gueulard – certains peuvent culminer à 30 mètres de hauteur on introduit le minerai de fer (la minette) et le coke – (obtenu par la distillation de la houille à l'abri de l'air) qui, mélangés et chauffés, vont produire de la fonte – affinée elle-même par chauffage ensuite, elle produira l'acier. La Moselle a longtemps vécu de cette activité, mais, depuis les années soixante-dix, les mines, progressivement, ont fermé leurs portes et galeries, et elle a dû entamer sa reconversion.

Le Quattropole

Beaucoup d'emplois, dans la région de Thionville, sont proposés par le Grand Duché de Luxembourg. La ville de Metz fait partie du Quattropole Luxembourg – Metz – Sarrebruck – Trêves, un réseau transfrontalier de villes aux projets communs dans le domaine des technologies de communication modernes, et qui propose des emplois aux petites et moyennes entreprises. L'industrie en Moselle maintient ou développe ses pôles de production : aciéries à Gandrange ; pneumatiques, plasturgie, constructions automobile mécanique – Forbach, Saint-Avold, Metz –, bonneterie, serrurerie et faïence à Sarreguemines ; verrerie, bois et chaussure (Mephisto) à Sarrebourg ; cristallerie de Bitche ; plasturgie à Saint-Avold.

CÉLÉBRITÉ DU CRU

Lâchez tout !

Lâchez tout ! Ceux qui retiennent avec des cordes le gros œuf de papier de 21 mètres de hauteur et de 13 mètres de diamètre, en ce 21 novembre 1783, à la lisière du Bois de Boulogne, près du château de la Muette, à Paris, lâchent tout ! Alors, la montgolfière – l'invention des frères Montgolfier qui, deux mois plus tôt, a emporté des animaux et les a ramenés vivants – s'élève doucement dans l'air. Deux hommes ont pris place dans la nacelle. Louis XVI eût préféré qu'on y installât deux condamnés à mort tant il estime le risque important. Mais il s'est laissé convaincre et a permis à Jean-François Pilâtre de Rozier et au marquis d'Arlandes de prendre place dans la nacelle fixée sous le ballon. Les deux hommes alimentent en paille sèche le feu qui envoie l'air chaud nécessaire au vol du ballon. Au-dessus des Tuileries, ils sont à 1 000 mètres d'altitude ! Ils atterriront quelques minutes plus tard sur la Butte aux Cailles. C'est un triomphe, ils sont fêtés comme des héros. Mais le 15 juin 1785, Pilâtre de Rozier et son adjoint Pierre Romain, qui tentent de traverser la Manche dans le sens France Angleterre sont ramenés vers la terre par un coup de vent. Le ballon s'écrase. Il n'y a pas de survivants. Pilâtre de Rozier était né à Metz, le 30 mars 1754.

Céréales et mirabelles

Plus de trois cent mille hectares sont exploités dans le département. Le nombre d'exploitations dépasse les cinq mille, pour une surface moyenne de 60 hectares. La vallée alluviale de la Seille – 120 kilomètres de l'étang de Lindre où elle prend sa source, jusqu'à Metz où elle rejoint la Moselle – dont tous les villages étaient détruits après la guerre de 1914-1918, et toutes les réserves d'eau contaminées – développe aujourd'hui (outre l'industrie du sel) une agriculture dynamique et performante. Blé, orge, maïs, fourrage sont produits dans tout le département qui s'oriente aussi vers la production de viande. Nombreux sont encore les vergers qui assurent la production de mirabelles – petites prunes jaunes – de coings, pommes, poires, cerises, abricots…

La Moselle des records

✔ N° 2 pour la production de mirabelles

✔ N° 2 pour la production d'électricité

✔ N° 3 pour la production de colza

54 – La Meurthe-et-Moselle de Stanislas

✔ 5 241 km²

✔ 722 000 Meurthe-et-Mosellans

✔ Préfecture : Nancy (106 000 Nancéiens)

✔ Sous-préfectures : Briey (5 300 Briotins) ; Lunéville (21 500 Lunévillois) ; Toul (17 500 Toulois)

✔ Nombre de cantons : 44

✔ Nombre de communes : 594

On dirait une botte, ou un pied de géant… La Meurthe-et-Moselle est taillée pour aller de l'avant ! De Longwy à Baccarat, en passant par Nancy, de Longuyon à Bayon, en passant par Pont-à-Mousson, voici la Meurthe-et-Moselle (qui se rencontrent à Frouard).

Stanislas, le retour…

De fer forgé, les grilles qui permettent de pénétrer sur la place Stanislas à Nancy – vous avez déjà croisé Stanislas au fil de ces pages, rappelez-vous, ce roi déchu de Pologne qui s'évanouit le jour où on vint lui annoncer que sa fille allait épouser Louis XV ! Du fer au cœur de Nancy, même si la zone ferrière, au temps de son exploitation, n'était pas la plus importante – 18 000 hectares, contre 43 000 à Briey, dans le nord du département. Du fer qui a longtemps été associé à l'image, à la richesse de la Meurthe-et-Moselle, reléguant son agriculture au second plan. Aujourd'hui, tout est fini – ou presque – pour le fer.

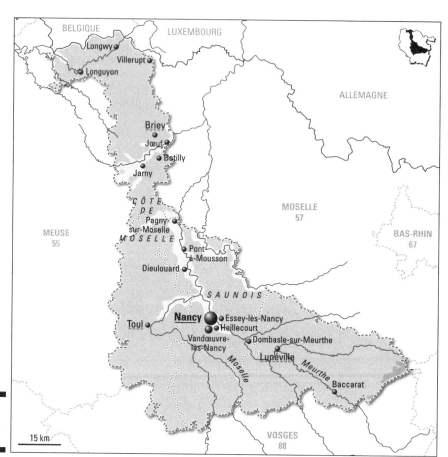

Figure 15-9 :
La Meurthe-
et-Moselle.

Cristal et logistique

Le département a accentué certaines de ses activités traditionnelles ou bien s'est reconverti : le travail du verre et du cristal – Baccarat et Daum –, la plasturgie – Loraplast, à Essey-lès-Nancy –, l'automobile – Sovab à Batilly –, la chimie – Solavy à Dombasle-sur-Meurthe, Novacarb à La Madeleine –, la pharmacie et parapharmacie – les laboratoires Boiron à Messein – le travail des métaux à Pont-à-Mousson et ses fonderies d'où sortent les fameuses plaques d'égout marquées PAM, et connues dans le monde entier. La Meurthe-et-Moselle, c'est aussi le bois associé à la production de papier ou de carton ; c'est une reconversion réussie dans la logistique des transports ; 2 500 personnes y travaillent sur le million de m² qui leur est consacré – Transalliance, le premier groupe français de logistique, s'est installé à Nancy.

Malt et Saint-Hubert

Et l'agriculture ? On parle plutôt aujourd'hui de l'agro-industrie... Elle est céréalière sur les plateaux calcaires des grandes exploitations – 3 400 exploitations de 81 hectares en moyenne dans le département –, pour la production de farine et de malt destiné aux brasseries ; elle est laitière pour le fromage surtout – et pour vous mesdames qui désirez garder la ligne, elle fabrique le beurre allégé Saint-Hubert, à Ludres ! ; elle produit de la viande à partir de ses zones d'élevage, dans la région de Lunéville, par exemple ; elle maintient une activité viticole dans la région de Toul. Bref, son dynamisme actuel et ancestral, auquel ne fait plus d'ombre la sidérurgie, apparaît au grand jour !

La Meurthe-et-Moselle des records

- N° 1 pour la production de mirabelles – et n° 1 mondial
- N° 1 pour la valeur de la production forestière
- N° 1 pour la production de bicarbonate de soude

CÉLÉBRITÉ DU CRU

Henri Poincaré, le surdoué !

Les Poincaré ! Quelle brillante famille ! Elle a donné à la France un président de la République de 1913 à 1920. Né à Bar-le-Duc (Meuse), fils d'un ingénieur des Ponts et Chaussées né à Nancy et brillant mathématicien : Henri Poincaré, né le 29 avril 1854. Henri – cousin de Raymond – a pour père un neurologue, professeur à la faculté de médecine. Henri est un élève surdoué, il termine premier à plusieurs reprises au concours général, obtient ses baccalauréats en lettres et en sciences, est reçu à Normale Sup, à Polytechnique... Il devient ingénieur des Mines. Maître de conférences à la Sorbonne, il va publier plus de trente ouvrages qui vont faire faire un pas de géant aux mathématiques. En 1889, il reçoit le prestigieux prix que le roi Oscar de Norvège, passionné de mathématiques, remet à l'auteur du mémoire jugé le meilleur. Mais ses calculs comportent une erreur remarquée par un jeune mathématicien qui revoit le manuscrit pour sa deuxième publication... Poincaré refait ses calculs et débouche sur de nouvelles perspectives mathématiques ! Élu à l'Académie française en 1909, il meurt el 17 juillet 1912.

88 – Les Vosges, Epinal...

GÉO-NOMBRES

- 5 874 km^2
- 383 000 Vosgiens
- Préfecture : Épinal (38 500 Spinaliens)
- Sous-préfectures : Neufchâteau (8 500 Néocastriens) ; Saint-Dié-des-Vosges (24 000 Déodatiens)

|► Nombre de cantons : 31

|► Nombre de communes : 515

De Neufchâteau à Saint-Dié, de Charme à Plombières, voici les Vosges. Au centre : Epinal. À l'ouest, le Xaintois ; à l'est le massif vosgien, la perle bleue de Gérardmer...

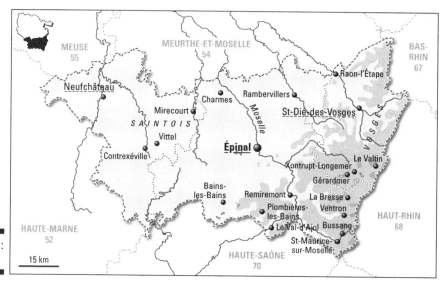

Figure 15-10 :
Les Vosges.

Des bois

Que de bois, que de bois... Le département des Vosges est couvert à presque 50 % par la forêt ! Au total, 289 000 hectares. Plutôt des sapins à l'est. Au centre et à l'ouest, sur le plateau lorrain, en Vôge et Saintois, poussent des feuillus auxquels les sols calcaires et argileux donnent une qualité recherchée par les luthiers ! De nombreuses scieries débitent le bois destiné au bâtiment – charpente, menuiserie. D'autres entreprises le transforment en papiers de toutes sortes, dont le papier journal. D'autres encore le préparent pour l'ameublement, la fabrication de parquets... Tout cela garantit des milliers d'emplois, même si la forêt se relève difficilement de la tempête catastrophique du 26 décembre 1999.

De l'eau

Fatigué du monde et du bruit ? Vous allez trouver dans les Vosges, tout ce qu'il faut pour vous ressourcer. Et d'abord, des sources... Celles de Vittel, Contrexéville, Plombières et Bains-les-Bains à partir desquelles on a construit, au XIXe siècle, des stations thermales où vous pouvez combattre en douceur vos rhumatismes, les ennuis de votre appareil digestif, les troubles de vos reins – Napoléon III venait à Plombières-les-Bains calmer les douleurs que lui occasionnaient ses coliques néphrétiques. Lorsque vous êtes guéri, vous pouvez vous livrer aux plaisirs du ski ou des raquettes dans la neige des sept stations de sports d'hiver qui vous tendent les flocons : La Bresse, Bussang, Le Valtin, Gérardmer, Ventron, Saint Maurice sur Moselle ou Xonrupt Longemer !

Du lait

La surface agricole utile occupe 38 % du département. Si vous avez parcouru les Vosges, vous avez sûrement remarqué cette petite vache robuste, bien en chair, blanc et noir : la vosgienne. Importée de Scandinavie au XVIIe siècle, pendant la guerre de Trente ans, elle produit un lait crémeux aux saveurs affirmées qui permet de confectionner un fromage possédant aussi ces deux qualités : le Munster géromé. Le troupeau des vosgiennes s'élève à 8500 têtes. Elles ont pour compagnes dans les champs environnants les montbéliardes, bonnes laitières qui assurent la production d'une viande de qualité ; les simmental, appréciées pour leur capacité à absorber les fourrages grossiers ; enfin les prim'holstein à la croissance précoce garantissant un flot de lait aisément trait et de grande qualité. Tout cela pour des plaisirs qui se nomment : Munster, Emmental Grand Cru, Brouère, Géramont, Montagnard, Crousti'Cho, Poil de Carotte, Brie Président…

CÉLÉBRITÉ DU CRU

Les beaux dessins de Jean-Charles Pellerin

En 1756, naquit à Epinal Jean-Charles Pellerin. Son père, fabricant de cartes à jouer, lui apprit le métier. Le fils dépassa le père et créa des cartes d'une telle qualité qu'après une exposition à Paris, en 1806, son nom et ses produits se mirent à circuler dans la France entière ! Il se lança alors dans la fabrication d'images populaires représentant des personnages de contes, des animaux, des images religieuses ou des scènes de vie, tout cela vendu dans les villes et les campagnes par les colporteurs. Il utilise pour ce faire la gravure sur bois ; les dessins sont ensuite colorés au pochoir.

Son grand succès, ce sont les images où se cache un personnage dont il faut découvrir le profil ou le visage dans un arbre, dans la verdure, dans les vaguelettes de l'eau… Son trait simple, sa façon d'offrir à ses acheteurs une vision simplifiée des situations ou des événements complexes poussent certains à qualifier sa production de simpliste – vous connaissez l'expression : *c'est une image d'Epinal…* Pourtant quel plaisir pour les yeux – et pour l'esprit las des complications – ces images d'Epinal, qui avaient disparu après un douloureux dépôt de bilan, mais qui ont pu être ressuscitées par 50 actionnaires spinaliens auxquels on peut adresser cinquante mercis, et cinquante bravos !

Les Vosges des records

- ✔ N° 1 pour la production des eaux minérales
- ✔ N° 1 pour la variété des essences de bois
- ✔ N° 4 pour la production de mirabelles
- ✔ N° 5 pour la production de maisons en bois

L'Alsace

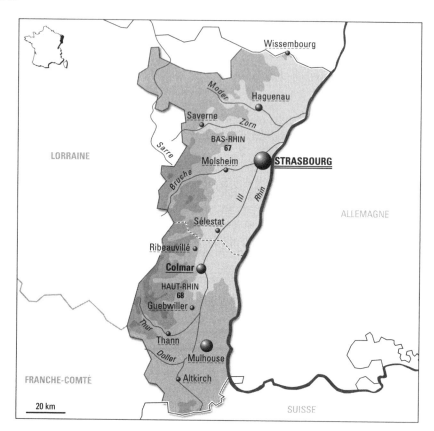

Deux départements : le Bas-Rhin au nord… et le Haut-Rhin, au sud ! Le Rhin coule à l'est de la région. À l'ouest se trouve le massif vosgien. Dans la partie est se déploie la plaine d'Alsace, riche en fertiles alluvions, tandis que l'ouest des coteaux calcaires est occupé par les vignes et les forêts. Strasbourg est la capitale de l'Alsace. Strasbourg, au destin européen…

67 – Le Bas-Rhin, cœur de l'Europe

✔ 4 755 km²

✔ 1 062 500 Bas-Rhinois

✔ Préfecture : Strasbourg (268 000 Strasbourgeois)

✔ Sous-préfectures : Haguenau (34 000 Haguenoviens) ; Molsheim (9 500 Molsheimois) ; Saverne (12 000 Savernois) ; Sélestat (18 000 Sélestadiens) ; Wissembourg (8 500 Wissenbourgeois)

✔ Nombre de cantons : 44

✔ Nombre de communes : 526

Une partie du plateau lorrain au nord-ouest, une partie des Vosges au sud-ouest ; à l'est, une partie de la plaine d'Alsace… Au milieu de cette partie est : Strasbourg. Voilà le Bas-Rhin.

Figure 15-12 :
Le Bas-Rhin.

La cathédrale Notre-Dame

Comment va Stanislas ? Est-il remis de son évanouissement survenu au début du chapitre 12 ? Fort bien ! Annoncez-lui que nous nous rendons à la cathédrale Notre-Dame de Strasbourg – 142,8 mètres de hauteur avec sa flèche ! Nous sommes le 15 août 1725, il est temps de célébrer le mariage que le roi de France lui-même – le futur mari – a annoncé à tout le royaume le 27 mai ! Marie, l'heureuse fiancée royale est-elle prête ? Partons ! Papa Stanislas Leszczynski et sa fille Marie Leszczynska entrent en premier dans la cathédrale de Strasbourg somptueusement décorée. Les Strasbourgeois leur font fête. Mais qui est cet individu chamarré d'or, d'écharpes d'honneur, de dentelles et de brocarts, qui s'avance dans l'allée ? Est-ce lui, le roi ? On nous annonçait un jeune homme de vingt ans, fringant, et voici un duc d'âge mûr, quasi blet ! C'est que le mariage n'est pas le mariage... Marie épouse son futur Louis par procuration. Le vrai, le grand mariage, c'est le 5 septembre, à Fontainebleau...

Strasbourg, cœur de l'Europe

Strateburgum, la cité des routes : Strasbourg ! Des bonheurs, des malheurs et des horreurs. Strasbourg a connu tout cela. Bonheur de l'acte de naissance de la langue française : le serment de Strasbourg, en 842 – Charles le Chauve et Louis le Germanique se jurent assistance et fidélité contre... leur frère Lothaire. Malheurs et horreurs des guerres successives, jusqu'à la fin de la dernière guerre mondiale. La réconciliation européenne vient ensuite : la ville de Strasbourg, cœur de l'Europe, est choisie pour siège du Parlement européen élu au suffrage universel direct depuis 1979 – à Bruxelles siègent le Conseil de l'Europe qui possède le pouvoir exécutif, et la Commission européenne, chargée du contrôle et de la gestion des différents secteurs de sa compétence ; le secrétariat général du Parlement européen, et la Cour de justice se trouvent à Luxembourg.

Manger, boire...

Partons maintenant pour une promenade en campagne, dans la plaine d'Alsace. Nous allons dénombrer 8 311 exploitations agricoles pour une surface moyenne de 23,7 hectares. À quoi les terres exploitées sont-elles consacrées ? Promenons-nous encore dans la campagne, observons, calculons, établissons des pourcentages : les céréales occupent 33,6 % des surfaces – maïs d'abord, puis blé et orge –, la viticulture 22,7 %, – localisée sur les collines sous-vosgiennes, elle produit les fameux riesling, gewurztraminer, tokay, crémant d'Alsace –, la polyculture élevage, 10,4 % ; la polyculture seule, 5,4 % ; l'élevage seul, 10,9 % ; les autres cultures – chou à choucroute, houblon pour la bière, betteraves, tabac, asperges de Lampertheim et Hoerdt, vergers – occupent 17 % des surfaces.

... travailler en Bas-Rhin

Retour en ville, à Strasbourg ou à Obernai, où vous pouvez savourer votre Kronenbourg – brasserie créée en 1664 ! – avec l'un des 1 700 employés qui l'ont fabriquée sur place ! Détour par Sélestat, dans le sud du département, pour visiter les établissements d'où sort la cuisine que la publicité loge dans vos rêves : Schmidt. Autres secteurs pour vos haltes dans la production industrielle : le travail du cuir à Goxwiller ; la construction automobile à Strasbourg, à Reichshoffen, à Schirmeck ; les biotechnologies, les technologies de l'information à Illkirch-Graffenstaden – où se trouvent deux écoles d'ingénieurs ainsi que les facultés de pharmacie et d'informatique de Strasbourg. Enfin, n'oublions pas que Strasbourg est un port où nous pouvons embarquer nos achats qui s'ajouteront aux 9 millions de tonnes du trafic de son port autonome !

Le Bas-Rhin des records

CÉLÉBRITÉ DU CRU

✔ N° 1 pour la production de choucroute

✔ N° 1 pour la production de bière

Johannes Gensfleisch

Grâce à lui, grâce à son invention, ou du moins aux perfectionnements décisifs qu'il a apportés à une invention déjà ancienne, vous allez apprendre de lui ceci : on ne connaît presque rien de sa vie ! On sait simplement qu'il serait né à Mayence vers 1400, que son véritable nom est Gensfleisch, que sa famille vient s'installer à Strasbourg en 1434. C'est là qu'il construit, dans le plus grand secret, sa première presse d'imprimerie à caractères mobiles. Son premier ouvrage imprimé dans la ville de Mayence où il est retourné est la Bible, tirée à 180 exemplaires. Voulez-vous contempler l'un de ces exemplaires ? Demandez-le à la Bibliothèque nationale de Paris, ou bien à la British Library de Londres. Gutenberg, qui fut dépossédé de tous ses droits sur son invention, est mort en 1468.

68 – Le Haut-Rhin, en voiture !

GÉO-NOMBRES

✔ 3 525 km^2

✔ 730 100 Haut-Rhinois

✔ Préfecture : Colmar (67 500 Colmariens)

✔ Sous-préfectures : Altkirch (5 500 Altkirchois) ; Guebwiller (12 000 Guebwillerois) ; Mulhouse (112 000 Mulhousiens) ; Ribeauvillé (5 100 Ribeauvillois) ; Thann (8 200 Thannois)

✔ Nombre de cantons : 31

✔ Nombre de communes : 377

Au nord-ouest, les Vosges du Grand Ballon ; au nord-est, Colmar et le sud de la plaine d'Alsace ; au sud, le Sundgau. Mulhouse, enfin, carrefour de la France, l'Allemagne et la Suisse.

Un joli petit rêve

Beaux jours en bord de mer, faim d'aventure et soif d'air qui soulève d'enthousiasme la chevelure ? Pose romantique ou séductrice, une main au volant, le coude à la portière… Le tout à ciel ouvert ? N'est-ce pas qu'il est facile de mettre sur la route de votre imagination un petit rêve accessible, élégant et nerveux, racé, et qui aurait pour nom CC ? Oui, Peugeot CC, la 206 décapotable capable de vous faire croire que dès le prochain virage, la grande vie vous attend, là, tout près, sur la Riviera ! Roulez, roulez, vous y parviendrez… Mais sachez, en attendant, que votre CC n'est pas née d'un coup de baguette magique : il en a fallu des heures de travail, de perfectionnement, depuis l'ouverture du site de Mulhouse, en 1962 – PSA Peugeot Citroën en mai 1976, avant qu'elle ne sorte des chaînes de montage qui emploient aujourd'hui plus de 12 000 personnes. 206, 206 CC, 307, C4… Au total, plus de 400 000 véhicules sortent chaque année de Mulhouse, sans compter les pièces détachées qui partent pour l'Iran, le Brésil ou l'Argentine !

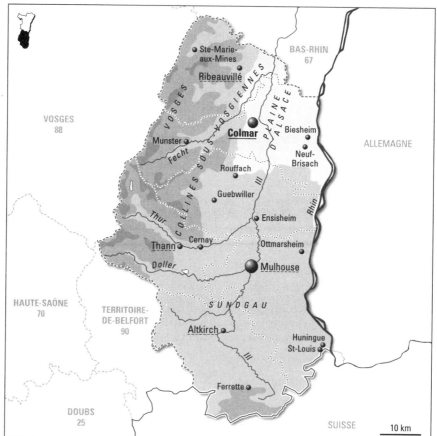

Figure 15-13 : Le Haut-Rhin.

Roulements à bille, chewing-gums…

Bien sûr, il existe dans le Haut-Rhin d'autres secteurs de production : les roulements à bille à Colmar, à Sainte-Croix-en-Plaine, le laminage de l'aluminium avec Alcan Péchiney Rhénalu, à Biesheim, l'électricité et l'électronique avec Sony à Ribeauvillé, la chimie et la parachimie dans la Bio-Valley située sur le Rhin – en collaboration avec la ville de Bâle –, et à Thann ; peut-être transportez-vous un peu du Haut-Rhin dans votre poche si vous aimez les chewing-gums Wrighley, fabriqués à Neuf-Brisach ; peut-être conservez-vous au frais un peu du même département dans votre cave, si vous prévoyez de déguster du riesling, du muscat d'Alsace, du tokay, du gewurztraminer, du sylvaner, du pinot blanc ou du pinot noir – seul cépage en Alsace qui produise un vin rouge ! Et tout cela avec modération, bien sûr, en parcourant la route des vins par exemple – elle est longue de 120 kilomètres, et vous réserve mille bonheurs de saveurs ! Beaucoup de toutes ces productions transitent par les ports de Colmar-Neuf-Brisach (plus de 500 000 tonnes de trafic) ou Mulhouse-Rhin (plus de 6 000 000 de tonnes de trafic).

Un peu de kouglof ?

Une petite faim ? Voici, pour la combler, un gros gâteau, la spécialité alsacienne : le kouglof ! Tenez, si vous le voulez, confectionnons-le ensemble. Il vous faut 500 grammes de farine, 150 grammes de beurre, 150 grammes de sucre, 150 grammes de raisins de Corinthe, 20 grammes de levure de boulanger, 3 œufs, 20 cl de lait que vous faites tiédir, des amandes et du kirsch. Sans oublier le moule à cannelures approprié. Commencez par faire macérer les raisins dans le kirsch, délayez la levure dans la moitié du lait tiédi, ajoutez un peu de farine ; mettez la farine dans un saladier en y creusant un puits central ; déposez-y le levain ; abandonnez le tout pendant une heure ; versez ensuite le sucre, le reste de lait et les œufs ; mélangez la pâte à la main ; ajoutez le beurre coupé en lamelles, puis mélangez de nouveau – allons, courage, c'est difficile pour vos petits bras moyennement musclés, mais le résultat va être délicieux ! Laissez ensuite la pâte doubler de volume. Beurrez le moule. Mettez les amandes au fond des cannelures. Laissez encore lever jusqu'à ce que la pâte déborde. Mettez au four pendant une heure ! Mmmmmh, que cela sent bon !

La Bourgogne

Au pied d'une vigne / Je naquis un jour / D'une mère digne / De tous mes amours. / Depuis ma naissance / Elle m'a nourri, / En reconnaissance/ Moi je la chéris. / Joyeux enfants de la Bourgogne / Je n'ai jamais eu de guignon. / Quand je vois rougir ma trogne / Je suis fier d'être bourguignon…

En 1831, Henry Pary écrit cette chanson qui a fait le tour du monde et qu'on assortit aujourd'hui de l'obligatoire mention : avec modération… Il n'empêche : la franche gaieté bourguignonne poursuit son chemin ensoleillé – malgré les hivers rigoureux de son vieux Morvan, à cheval sur l'Yonne et la Nièvre. La Bourgogne et ses vins… La Bourgogne – capitale Dijon – et ses canaux… En route !

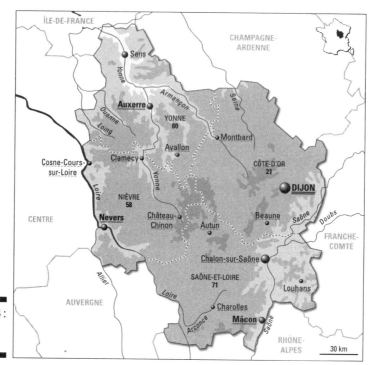

Figure 15-14 :
La
Bourgogne.

89 – L'Yonne, de Colette à Guy Roux

- ✔ 7 427 km²
- ✔ 337 000 Icaunais
- ✔ Préfecture : Auxerre (41 000 Auxerrois)
- ✔ Sous-préfectures : Avallon (9 000 Avallonnais) ; Sens (28 500 Sénonais)
- ✔ Nombre de cantons : 42
- ✔ Nombre de communes : 453

Le Sénonais au nord, la Terre Plaine au sud, le Tonnerrois à l'est, la Puisaye à l'ouest. Et, au centre, l'Auxerrois, avec Auxerre – et son A.J... Préparez-vous à effectuer un petit exercice littéraire et critique à la fois : la comparaison de deux extraits de textes dont vous connaîtrez ensuite les auteurs respectifs.

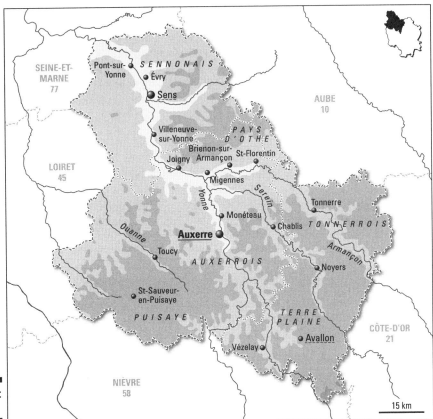

Figure 15-15 :
L'Yonne.

Premier extrait

J'appartiens à un pays que j'ai quitté. Tu ne peux empêcher qu'à cette heure s'y épanouisse au soleil toute une chevelure embaumée de forêts. Rien ne peut empêcher qu'à cette heure l'herbe profonde y noie le pied des arbres, d'un vert délicieux et apaisant dont mon âme a soif... Viens, toi qui l'ignores, viens que je te dise tout bas : le parfum des bois de mon pays égale la fraise et la rose ! Tu jurerais, quand les taillis de ronces y sont en fleurs qu'un fruit mûrit on ne sait où – là-bas, ici, tout près – un fruit insaisissable qu'on aspire en ouvrant les narines. Tu jurerais, quand l'automne pénètre et meurtrit les feuillages tombés, qu'une pomme trop mûre vient de choir, et tu la cherches et tu la flaires, ici, là-bas, tout près... Fin du premier extrait

Deuxième extrait

Il nous faut reconstruire une autre équipe pour espérer sortir du mois d'août pas trop mal. Et quand je dis que l'objectif de la saison c'est d'abord d'assurer le maintien, c'est une position réaliste, la preuve en est avec cette cascade de blessés », a déclaré Guy Roux après la victoire de l'équipe de...

Et maintenant, voici le travail à faire : comparez ces deux extraits de textes, dégagez-en les qualités littéraires, géographiques et sportives. Pour ce dernier critère, évidemment, le premier texte est fort mal placé, alors que le second texte témoigne d'une parfaite connaissance du sujet ; son auteur, Guy Roux, locomotive de l'A.J. Auxerre maîtrise parfaitement les mots suivants : *équipe, objectif, saison et maintien*. Son équipe a réussi à atteindre les meilleurs objectifs au fil des saisons et à garantir son maintien en 1ère division…

Littérairement…

Littérairement, en revanche, Guy Roux – né à Colmar le 18 octobre 1938, et qui a conduit l'A.J. Auxerre de la DH à la ligue 1 où elle a gagné quatre coupes de France – est battu. Battu par celle que vous avez reconnue tant sa phrase vous enveloppe, vous enivre comme la plus douce, la plus parfumée des brises de mai : Colette (1873-1954) ! Ce pays qu'elle a quitté, ce sont les environs de Saint-Sauveur-en-Puisaye, où elle est née, au sud-ouest du département – elle en est partie à vingt ans. Géographiquement, les deux textes sont fort carencés. Employons-nous à les compléter… Parlons de l'agriculture – céréales au nord, élevage et cultures au sud. Parlons de viticulture : 19 communes proches d'Auxerre – dont Chablis – produisent le délicieux chablis, trois autres l'irancy (Irancy, Cravant et Vincelotte) ; on trouve aussi tout près le bourgogne chitry, l'épineuil, le côtes saint-Jacques, le sauvignon de saint-bris – à consommer avec modération.

Du pétrole dans l'Yonne !

L'industrie, dans l'Yonne, c'est l'agroalimentaire – les produits laitiers Senoble –, la farine – minoterie de Sens –, les profilés en aluminium à Joigny, les semi-remorques Fruehauf à Auxerre, les chauffe-eau Charot à Sens, la plasturgie, l'électronique, l'informatique à Tonnerre, et… du pétrole ! Oui, du pétrole qui fut extrait dans les années soixante d'un gisement situé sur la petite commune d'Évry (300 habitants), à dix kilomètres au nord de Sens, un pétrole, au dire des témoins de l'époque, d'une belle qualité, aussi fluide que celui du Sahara, pétrole encore abondant dans le sous-sol de l'Yonne… La vie de l'Yonne possède son porte-voix : le journal l'*Yonne républicaine*, un dynamique organe d'information né le 24 août 1944, jour de la libération

CÉLÉBRITÉ DU CRU

Tiens, voilà le petit Larousse !

À Toucy, dans l'arrondissement d'Auxerre, naquit, le 23 octobre 1817, d'un père maréchal-ferrant et charron, et d'une mère cabaretière, un enfant prénommé Pierre. Adolescent, il découvre Diderot et décide de devenir, comme son idole, encyclopédiste. Après avoir suivi des cours gratuits à la Sorbonne, il ouvre, en 1852, une maison d'éditions qui va lui permettre de publier son œuvre majeure : le Grand Dictionnaire universel du XIXe siècle. Dix-sept volumes écrits en onze ans ! Il vous manque son nom de famille, n'est-ce pas ? Eh bien, lorsqu'il avait cinq ou six ans, on s'exclamait, en le voyant passer dans les rues de Toucy : Tiens, voilà le petit Larousse ! Et on avait raison, c'était effectivement le petit Pierre Larousse…

d'Auxerre, et qui tire aujourd'hui à près de 40 000 exemplaires. On peut le lire, par exemple, en se laissant aller au fil de l'eau, sur le canal de Bourgogne…

L'Yonne des records
✔ N° 1 pour la production de cornichons
✔ N° 1 pour la surface de colza cultivé
✔ N° 2 pour la production de colza
✔ N° 12 pour la production de céréales

58 – La Nièvre, bolides, bois et labours

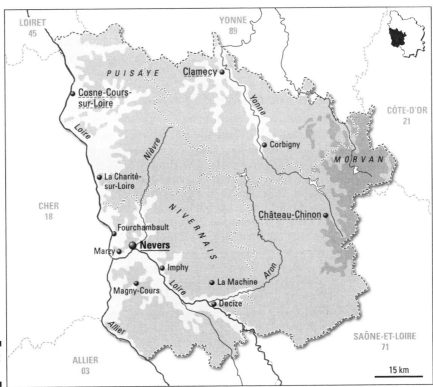

Figure 15-16 : La Nièvre.

✔ 6 816 km²
✔ 222 000 Nivernais
✔ Préfecture : Nevers (44 000 Neversois)

> ✔ Sous-préfectures : Château-Chinon (2 800 Château-Chinonais) ; Clamecy (5 200 Clamecycois) ; Cosne-Cours-sur-Loire (12 000 Cosnois)
>
> ✔ Nombre de cantons : 32
>
> ✔ Nombre de communes : 312

Nous sommes à l'ouest de la région Bourgogne, avec, au nord, la Puisaye ; au centre, le Nivernais ; à l'est, le Parc régional du Morvan. En piste, nous avons une course à faire…

Au nord de Nevers : Wroooow, wroooow…

Wwrooooo… Rwooooooo… Ainsi les dessinateurs de bandes dessinées restituent-ils par la typographie le bruit des voitures qui vous filent sous le nez à la vitesse de l'éclair ! Wrooooo… Vous êtes dans la Nièvre, un département rural, occupé par la forêt – la grande forêt de Bertranges, notamment, au nord de Nevers – et les terres agricoles, à 95 % ! Une agriculture qui privilégie la viande de boucherie, avec les races nivernaises et charolaises, dans le sud-est du département, tandis qu'au nord-ouest, on associe les cultures et l'élevage ; une sylviculture qui exploite ses nombreuses forêts. Alors, pourquoi ce Wroooooww… ?

Magny-Cours : de la piste de karting…

Rwoowoowoow… Vous approchez de la source sonore. Un moteur. Mais un moteur surpuissant ! Un feulement d'abord, puis une sorte de colère, de rage de vaincre, un sifflement de fauve en chasse, en course… Course ? Bon sang, mais c'est bien sûr : en ces 14, 15 et 16 juillet 2006, nous approchons d'un circuit où se déroule le grand Prix de Formule 1 : Magny-Cours. Propriété du Conseil général de la Nièvre, il est l'aboutissement d'une toute petite piste de… karting, inaugurée en 1959. La petite piste deviendra grande à partir de la visite du Président François Mitterrand, le 18 novembre 1988. Des terrains sont acquis et la construction d'un technopôle est envisagée.

CÉLÉBRITÉ DU CRU

Un grand nivernais : Raoul Follereau

1930. Cordillère des Andes. Dans le ciel, un petit avion passe en slalomant entre les sommets. Sur le siège avant, son pilote se retourne pour sourire aux deux passagers assis sur le siège arrière, le seul siège arrière, de sorte que le passager porte sur ses genoux… la passagère ! Qui sont-ils, ces audacieux aventuriers ? Le pilote s'appelle Jean Mermoz ! Et les deux passagers ? Madeleine et… Raoul Follereau. Pourquoi ce jeune homme, né à Nevers le 17 août 1903, diplômé de la Sorbonne, avocat et journaliste, se trouve-t-il entre ciel et terre dans un avion de l'aéropostale, avec sa femme Madeleine sur les genoux ? La réponse est simple et étonnante : tous deux ont décidé de faire de leur vie un combat pour la dignité humaine ; et pour la défendre, ils doivent explorer le monde ; ils doivent donc explorer le monde pour la défendre. En 1936, ce combat prend une voie plus précise à la suite d'un reportage effectué en plein Sahara sur Charles de Foucauld : Raoul Follereau y a rencontré des lépreux. Il va désormais consacrer toutes ses forces au combat contre cette maladie, créant, en 1954, la journée mondiale des lépreux. Il s'est éteint à Paris, le 6 décembre 1977.

... au circuit de Formule 1

Ce technopôle existe aujourd'hui, géré par Fibre active, l'agence de développement de la Nièvre qui regroupe l'ensemble des activités liées aux sports mécaniques, mais aussi aux activités industrielles et technologiques. Récemment, un centre de transfert technologique, Magnytude, a été ouvert. En 1989, le circuit est inauguré, il peut désormais accueillir les grands prix de Formule 1. Le premier de ces Grands Prix est couru le 7 juillet 1991, devant 100 000 spectateurs. Une nouvelle piste de karting est ouverte en 1994. En 2005, le circuit accueille quatre épreuves internationales : le World Touring Car Championship, Grand Prix de France de Formule 1, le Bol d'Or et le Championnat du Monde Superbike.

La Nièvre des records

✔ N° 1 des chênaies

✔ N° 1 pour le pin Douglas

✔ N° 1 des circuits français de Formule 1 – c'est le seul...

21 – La Côte-d'Or, côte d'argent...

✔ 8 765 km²

✔ 513 000 Côte-d'Oriens

✔ Préfecture : Dijon (154 000 Dijonnais)

✔ Sous préfectures : Beaune (23 000 Beaunois) ; Montbard (6 700 Montbardois)

✔ Nombre de cantons : 43

✔ Nombre de communes : 707

Au nord, le Châtillonnais ; au nord-est, le plateau de Langres ; à l'ouest, l'Auxois ; au centre, jusqu'au sud, la Côte-d'Or et ses noms précieux, ses joyaux délicieux...

Contemplation sans modération !

Partez de Dijon, prenez vers le sud la N74. Roulez un peu... Et la fête commence ! Ils sont tous là, comme à la parade, qui vous regardent avec ce qu'on pourrait imaginer un bon sourire gorgé de bon soleil ! Nommons-les ensemble, comme on nommerait de vieux amis, connus depuis longtemps, depuis toujours, mais qu'on a peut-être oubliés, ou qu'on ne nous a jamais présentés, même si souvent on a pu entendre leur nom. Direction Beaune. Sur votre droite, à peine sorti de Dijon : voici Gevrey-Chambertin, et puis Moret-Saint-Denis, Vougeot, Vosnes-Romanée, Nuits-Saint-Georges ! Ah, quel bonheur que la contemplation ne soit pas soumise à la modération : le paysage est à vous couper le souffle – villages cossus, vignobles idéalement entretenus, à flanc de coteau, et si pleins de promesses !

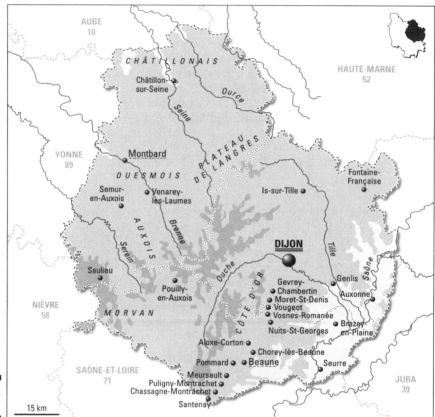

Figure 15-17 :
La Côte-d'Or.

15 km

Les Hospices de Beaune

Chaque année, du monde entier, on court, on vole vers Beaune, vers les Hospices de Beaune. Ces hospices, destinés aux pauvres, aux lépreux si nombreux après la guerre de Cent Ans, furent construits en 1443 par Nicolas Rollin. Nulle toiture au monde n'est comparable aux leurs, aucun assemblage de couleurs n'est plus en harmonie avec les paysages, tout en déclinant à l'envi une étonnante géométrie. Le troisième dimanche de novembre, donc, on peut acheter le vin qui provient des 61 hectares des Hospices. Le produit de cette vente est destiné à l'entretien des bâtiments, mais aussi à l'amélioration des services hospitaliers. En un après-midi, ce rendez-vous planétaire rapporte près de 4 millions d'euros ! Si vous achetez un tonneau de ce précieux liquide, enlevez-le avant six mois car, passé ce délai, la vente est résiliée !

Les côtes de Beaune

Après les côtes de nuits que nous venons de longer, voici maintenant les côtes de Beaune : Aloxe-Corton, Chorey-lès-Beaune, Beaune, Pommard, Volney, Meursault, Puligny-Montrachet, Chassagne-Montrachet... Avez-vous compris, maintenant que vous venez de parcourir ces cinquante kilomètres entre Dijon et Santenay, pourquoi on appelle ce département la Côte-d'Or ? Les vins qui s'en iront d'ici connaîtront les plus riches palais ! Les côtes de nuits sont généreux, puissants, tanniques et colorés – à servir avec un bœuf bourguignon, forcément, mais aussi un civet, un canard rôti. Les côtes de Beaune doivent beaucoup à d'éminents spécialistes des vignes : les moines – ceux de Cîteaux par exemple, l'abbaye est créée par Robert de Molesme en 1098. Ces vins sont blancs avec des arômes de noisette, de miel et de pain grillé, ou rouges – tanniques (Pommard), corsés (Aloxe-Corton) ou fins (Volnay).

Dijon : la moutarde au verjus

Il faut bien sortir un peu de ce vignoble ensorceleur – toujours avec modération, bien sûr !... Visitons le reste du département : polyculture-élevage dans l'Auxois et le Morvan à l'ouest, production de lait dans la vallée de la Saône, au sud-est, culture de céréales et d'oléagineux au nord, dans le Chatillonais. Repassons par Dijon, la capitale de la moutarde – dont la renommée fut acquise grâce au Dijonnais Jean Naigeon qui, en 1752, eut l'idée de faire macérer les graines de moutarde dans le verjus (suc acide que l'on extrait du raisin cueilli vert) plutôt que dans le vinaigre – il suffisait d'y penser ! On trouve aussi de l'industrie chimique, électronique, de la métallurgie, les sociétés importantes, telles que Peugeot, Thomson, Schneider, Nestlé, ou bien de nombreuses petites entreprises de moins de 50 personnes qui garantissent à elles seules plus de 40 % de l'emploi.

La Côte-d'Or des records

✔ N° 1 pour la concentration de grands crus

✔ N° 1 pour la production d'oignons

✔ N° 1 pour la moutarde de Dijon

✔ N° 2 pour la déshydratation des oignons

71 – La Saône-et-Loire, l'effet bœuf

✔ 8 574 km²

✔ 547 000 Saône-et-Loiriens

✔ Préfecture : Mâcon (36 500 Mâconnais)

✔ Sous-préfectures : Autun (18 500 Autunois) ; Chalon-sur-Saône (53 000 Chalonnais) ; Charolles (3 500 Charollais) ; Louhans (7 000 Louhannais)

✔ Nombre de cantons : 57

✔ Nombre de communes : 574

Nous sommes au sud-est de la région Bourgogne. Au nord : l'Autunois et ses bois, autour d'Autun ; au sud, le Charolais, autour de Charolles ; à l'est, la Bresse. S'y fraient un chemin la Saône et la Loire…

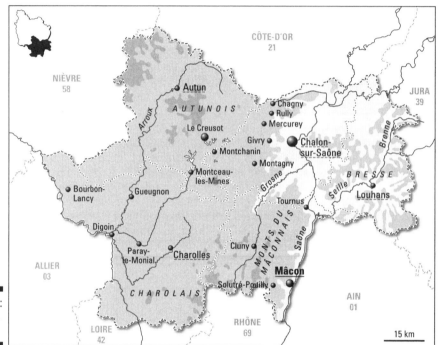

Figure 15-18 : La Saône-et-Loire.

Du persillé ?

Bonjour, monsieur ! (Répondez, c'est à vous qu'il s'adresse…). Bonjour, monsieur le boucher ! (Après des considérations sur le temps qu'il a fait, le temps qu'il fait, et le temps qu'il fera, monsieur le boucher va vous demander…) Qu'est-ce que je vous sers ?... (Vous hésitez, vous allez encore lui demander de la tendreté – et non de la tendresse, réservée aux sentiments – ; c'est alors qu'il vous propose…) J'ai du persillé ! (Mais vous ne savez absolument rien du persillé, rien de rien ! Vous imaginez que c'est peut-être une viande qu'il faut servir avec du persil, finement haché… Alors, après une courte hésitation, vous demandez…) Et… euh… c'est quoi le persillé ? (Écoutez bien le boucher qui va défendre son bifteck…) Le persillé, ah ! le persillé !...

Charolles, berceau du persillé

Le persillé, c'est, entre les fibres de la viande, la présence d'un délicat réseau de lipides, plus fins que fil, et qui donne à la chair que vous cuisez son onctuosité, son fondant… Le persillé ? Sa patrie, c'est la Saône-et-Loire ! Son berceau, c'est Charolles où est apparue la race charolaise à robe claire et crème, partout présente en France pour l'excellence de sa viande ! Son objectif, c'est votre assiette… Applaudissements nourris de tous les clients du magasin ; le boucher salue, couteau à la main, tranche dans le vif et vous demande : « Alors, je vous en mets combien ? » Vous ne répondez pas, du moins pas tout de suite… Votre imagination vient de vous jouer un bon tour : vous êtes en Saône-et-Loire…

Moulin à vent… et autres vins de Bourgogne

554 000 hectares de surface agricole utile – premier des départements français –, dont les deux tiers sont utilisés en prairies naturelles pour l'élevage des vaches allaitantes charolaises. Les céréales occupent plus de la moitié des 160 000 hectares de terres arables qui fournissent aussi des fourrages et des plantes oléagineuses. Enfin, le voici, celui qui de tous ses raisins lorgne votre persillé : le vignoble, le plus vaste vignoble de Bourgogne – 13 580 hectares ! Que choisirez-vous pour accompagner votre viande rouge ? Un chénas, un moulin à vent, un saint-amour, un juliénas ? Un saint-véran, un pouilly-fuissé, un pouilly-vinzelles, un pouilly-loché ? Un viry clessé ? Un mâcon rouge ? Ou bien, situés plus au nord, un mercurey, un montagny, un rully, un givry, un bouzeron ?…

Après la mine

L'industrie ? Après la crise du bassin minier – Creusot Loire Industrie dépose son bilan en 1984 –, elle demeure bien vivante, avec l'agroalimentaire qui fournit le tiers des emplois, le textile – Dim à Autun –, l'activité conditionnement et emballage. De grands groupes industriels se sont installés dans le département : Iveco, Usinor-Industeel (qui a remplacé Creusot Loire Industrie), Framatome, Alcatel, la Snecma – moteurs d'avions. À tous ces emplois s'ajoutent ceux que fournissent de nombreuses PME spécialisées dans la plasturgie, l'électronique, la logistique…

CÉLÉBRITÉ DU CRU

Nicéphore Niépce, il y a photo…

Nicéphore ! Quel curieux prénom ! Cherchez-le dans quelque répertoire, vous ne le trouverez pas : c'est un prénom unique. Et pour cause : son inventeur est le seul à l'avoir porté. Nicéphore Niépce, né à Chalon-sur-Saône le 7 mars 1765, fut prénommé par ses parents Joseph. Mais, à 22 ans, il décide qu'on l'appellera désormais Nicéphore, ce qui signifie, en grec *celui qui porte les victoires*. Sa victoire à lui, ce sera l'invention du procédé de la photographie – il fixe sa première image le 28 mai 1816. Il fonde, avec Louis-Jacques Daguerre, la société Niépce et Daguerre. Hélas, il meurt en 1833, avant que les perfectionnements apportés à son invention produisent enfin la photographie – mot qui n'apparaît qu'en 1839.

Deux persillés !

Alors, combien de biftecks ? Minute… Il reste, à l'est du département, la Bresse ; la Bresse avec ses volailles – son poulet de chair, son canard fondant, sa dinde royale, sa fine pintade, son oie, rare, mais présente. 137 éleveurs produisent ici plus de 750 000 volailles de Bresse (AOC : appellation d'origine contrôlée) par an. Au total, la production Bresse AOC, label rouge – conditions d'élevage imposées par un cahier des charges – et standard s'élève à plus de 8 millions de têtes ! Pour couronner le tout, terminons par le bassin de Louhans et celui de Chalon-sur-Saône, grands producteurs de chrysanthèmes, et de légumes. À propos de légumes… Oui, monsieur le boucher, mettez-moi, s'il vous plaît, deux persillés !

La Saône-et-Loire des records

🖙 N° 1 pour la surface agricole utile (SAU)

🖙 N° 1 pour le cheptel allaitant

🖙 N° 1 pour la production de chrysanthèmes

La Franche-Comté

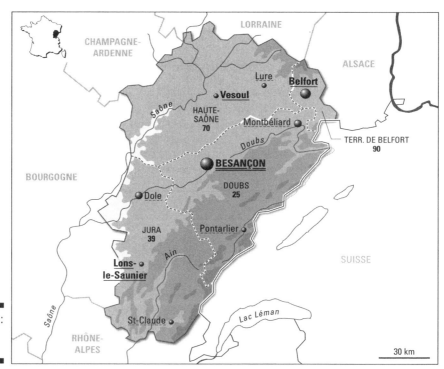

Figure 15-19 :
La Franche-
Comté.

Quatre départements : la Haute-Saône et sa chanson, le Territoire de Belfort et son lion, le Doubs et Besançon, le Jura et son vin jaune... Forts contrastes entre les vallées industrielles où la densité de population est importante, et les pâturages verdoyants où paissent les placides bovins, forts contrastes entre l'été chaud et les neiges de l'hiver ; mais une unité reconnue par tous ceux qui y vivent ou qui la traversent : l'incomparable charme de la Franche-Comté aux mille saveurs... Besançon est sa capitale.

70 – La Haute-Saône, t'as voulu voir...

- 5 360 km²
- 234 000 Hauts-Saônois
- Préfecture : Vesoul (19 000 Vésuliens)
- Sous-préfecture : Lure (9 500 Lurons)
- Nombre de cantons : 32
- Nombre de communes : 545

Au centre, la Saône et ses méandres ; des plateaux gréseux à l'ouest ; à l'est, la trouée de Belfort, autrement appelée Porte d'Alsace ; la Vôge et ses grès au nord ; les Vosges et leur granite au nord-est ; au sud, le robuste Ognon qui cascade vers la Saône... Et au centre, Vesoul ! Bienvenue en Haute-Saône !

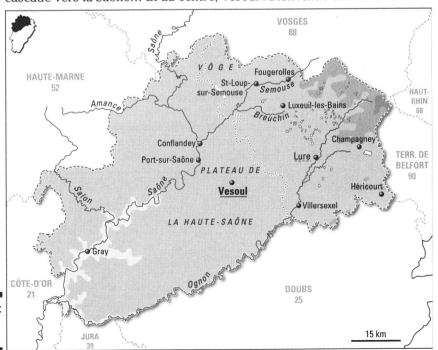

Figure 15-20 :
La Haute-
Saône.

Pourquoi Vesoul ?

T'as voulu voir Vierzon / Et on a vu Vierzon / T'as voulu voir Vesoul / Et on a vu Vesoul / T'as voulu voir Honfleur / Et on a vu Honfleur / T'as voulu voir Hambourg / Et on a vu Hambourg / J'ai voulu voir Anvers / Et on a revu Hambourg / J'ai voulu voir ta sœur / Et on a vu ta mère / Comme toujours…

On sent, dans ce couplet fort connu du fort joyeux Jacques Brel (1929-1978), que l'atmosphère est tendue dans ce couple de promeneurs – qu'on pourrait qualifier aussi de couplet… Elle veut voir Vierzon, dans le Cher, ils vont donc à Vierzon – seul son désir à elle semble compter, au détriment de son plaisir à lui – ; elle veut voir Vesoul, ils vont à Vesoul… Avant d'aller plus loin dans le voyage et dans la crise de communication entre ces deux âmes déroutées, posons-nous cette question : que voulait-elle voir à Vesoul, et plus généralement, dans la Haute-Saône ?

Le sabot de Frotey

Voulait-elle grimper sur le sabot de Frotey-lès-Vesoul, un gros rocher coiffé d'un petit rocher qu'on peut escalader à VTT et qui domine la vallée du Durgeon ? Voulait-il, lui, plutôt faire à pied l'ascension de la colline de la Motte d'où l'on découvre les monts du Jura, le plateau de Langres et, parfois, les Alpes ? Voulait-elle se promener dans la campagne, y découvrir que l'élevage bovin est souvent associé à la culture des betteraves, du blé, de l'orge, du colza ou du maïs ? Eût-il préféré se perdre dans les 42 % du territoire qui sont couverts par les bois de chênes, de hêtres, de sapins et d'épicéas, garants d'une dynamique sylviculture ?

La cancoillotte

Aurait-elle aimé inventorier l'industrie du département : celle des fils métalliques à Conflandey, celle des pièces détachées pour PSA Peugeot Citroën à Vesoul ? Celle du textile à Demangevelle, Lure, Saint-Loup-sur-Semouse ? Celle des matières plastiques à Marnay, à Valay, à Breuchotte, à Héricourt, à Gray, à Plancher Bas, à Luxeuil-les-Bains ? Nul ne le saura jamais. À moins de questionner la mère de la jeune femme, qu'ils ont dû retrouver, *comme toujours…* Mais à quelle adresse ? Le mystère demeurera entier ! On espère seulement pour eux qu'ils ont pu goûter les spécialités du

Lucrèce Borgia, d'Abel Gance…

Vous l'avez (peut-être) vue dans *Le Cordon bleu*, un film de 1931, sous le nom de Cora Lynn, ou bien dans *Lucrèce Borgia* (1935) d'Abel Gance, le film qui la rend célèbre, ou bien encore dans *De Mayerling à Sarajevo* de Max Ophüls. Gérard Philipe, dans *l'Idiot* de Dostoïevski, Jean Marais, dans *l'Aigle à deux têtes* de Cocteau ont joué à ses côtés. En 1975, Patrice Chéreau lui offre un rôle dans *La Chair et l'orchidée*… Vous vous rappelez sa présence au charme sûr, presque ferme… La grande Edwige Feuillère, née à Vesoul le 29 octobre 1907, morte à Paris le 13 novembre 1998, à 91 ans.

département : le kirsch de Fougerolles, le jambon de Luxeuil, ou bien la cancoillotte, le fameux et onctueux fromage franc-comtois !

La Haute-Saône des records

▮ ✔ N° 1 pour la production de fils métalliques

90 – Le Territoire de Belfort, du lion !

▮ ✔ 609 km^2

▮ ✔ 140 000 Belfortains

▮ ✔ Préfecture : Belfort (54 000 Belfortains)

▮ ✔ Nombre de cantons : 15

▮ ✔ Nombre de communes : 102

Un millième du territoire, mais quelle réputation dans l'Histoire : courage et héroïsme – mais aussi, le fameux Japy ! Partons sur leurs traces…

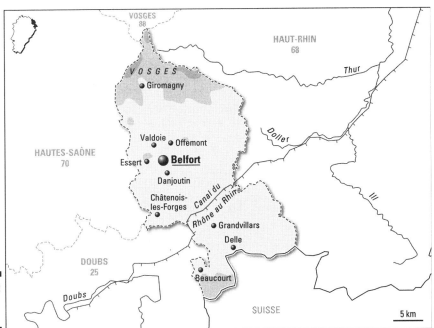

Figure 15-21 : Le Territoire de Belfort.

Le génial Japy

4 septembre 1870. La République est proclamée en France, mais les Prussiens vont bientôt être aux portes de Paris. Le retour à la paix va faire perdre à la France l'Alsace, une partie de la Lorraine, mais lui laisser le Territoire de Belfort – trouée de Belfort pour les militaires ; porte de la Bourgogne ou porte de l'Alsace pour les géographes. Ce territoire a longtemps bénéficié d'un entrepreneur de génie : Frédéric Japy, fils d'un charron, né à Beaucourt, le 22 mai 1749 ; c'est là qu'il crée, en 1777, après son apprentissage, sa fabrique de pièces d'horlogerie. Grâce à ses machines, il révolutionne l'artisanat traditionnel – un artisan, à son domicile, pouvait fabriquer 24 ébauches de montres par an ; Japy, dans son usine, en fabrique 40 000 !

Des machines à écrire...

Conscient du traumatisme que peut causer ce mode de production dans la population, Japy se transforme en presque père pour ses ouvriers : « Je veux que mes ouvriers ne fassent avec moi et les miens qu'une seule et même famille. Mes ouvriers doivent être mes enfants et en même temps mes coopérateurs. » L'affaire se développe, devient un empire qui trouve de nouveaux débouchés après la mort de son créateur en 1812 – émaillerie, pompes, machines agricoles, machines à écrire... Aujourd'hui, toutes les usines Japy ont fermé. Et un musée Japy a été ouvert, à Beaucourt.

Bartholdi, Denfert-Rochereau, le lion...

Aujourd'hui, le département se remet de la crise industrielle qui l'a atteint de plein fouet dans les années 90 avec la fermeture du site belfortain de Bull. Les emplois sont fournis par PSA Peugeot Citroën – implanté dans le Doubs – et, à Belfort, par Alstom qui fabrique des locomotives, notamment celles du TGV. Si vous visitez Belfort – ville fortifiée par Vauban – vous remarquerez un lion monumental, au pied de la falaise, sous les murs du château...

LE SAVIEZ-VOUS ?

Forts comme des lions

Le lion de Belfort fut construit par Auguste Bartholdi, entre 1875 et 1880. Haut de 11 mètres, long de 22, composé de pièces de grès rouge-rose des Vosges assemblées sur place, il rend hommage aux combattants de Belfort, commandés par Denfert-Rochereau.

Sous-équipés et manquant de munitions, ils résistèrent aux Prussiens du 4 novembre 1870 au 28 janvier 1871. Vous pouvez voir une version réduite de ce lion au milieu de la place Denfert-Rochereau, à Paris.

25 – Le Doubs ; « Alors, dans Besançon... »

Figure 15-22 :
Le Doubs.

🖉 5 234 km²

🖉 507 000 Doubiens

🖉 Préfecture : Besançon (125 000 Bisontins)

🖉 Sous-préfectures : Montbéliard (29 000 Montbéliardais) ; Pontarlier
(20 000 Pontisaliens)

🖉 Nombre de cantons : 35

🖉 Nombre de communes : 594

Voici de nouveau l'Ognon – nous l'avons rencontré au sud de la Haute-Saône,
il coule maintenant... au nord du Doubs, non qu'il ait modifié son cours, mais
il sert de frontière entre les deux départements. Nous sommes dans le massif

du Jura aux nombreux plateaux calcaires. De Besançon et son Hugo, à Morteau et sa saucisse, en passant par Ornans et son Gustave Courbet (1819-1877), de Montbéliard ou Sochaux, et leurs Peugeots, au lac de Saint-Point (3e lac naturel français), voici le Doubs…

Vieille ville espagnole…

Il y eut bien sûr Victor, notre grand Victor à tous (Hugo… 1802-1885) qui naquit dans Besançon, ainsi qu'il le raconte, si modestement, dans son recueil *Les Feuilles d'Automne* :

Ce siècle avait deux ans ! Rome remplaçait Sparte, / Déjà Napoléon perçait sous Bonaparte, […] Alors dans Besançon, vieille ville espagnole, / Jeté comme la graine au gré de l'air qui vole, / Naquit d'un sang breton et lorrain à la fois / Un enfant sans couleur, sans regard et sans voix ; / Si débile qu'il fut, ainsi qu'une chimère, / Abandonné de tous, excepté de sa mère, […] Cet enfant que la vie effaçait de son livre, / Et qui n'avait pas même un lendemain à vivre, / C'est moi.

Le palais Granvelle

Ville espagnole, Besançon ? Oui ! D'abord ville du Saint-Empire romain germanique, elle est chérie de Charles-Quint qui choisit pour conseiller d'état et chancelier Nicolas de Granvelle – les Perrenot de Granvelle sont issus d'une famille de modestes paysans parvenus aux plus hautes fonctions en deux générations. De 1534 à 1542, Granvelle fait construire un palais dans lequel vous pouvez aujourd'hui visiter le Musée du Temps, consacré à l'horlogerie qui fut la principale activité de la ville et de ses environs jusque dans les années 1930. En 1656, Besançon est rattachée à l'Espagne. Henri IV puis Richelieu tentent alors de faire de Besançon une ville française, en vain. C'est Louis XIV qui y parvient, par le traité de Nimègue, en 1678, qui rattache la Franche-Comté à la France.

La saga Peugeot

Quelle rime peut-on trouver au rimeur Hugo ? Vous avez cinq secondes… Réponse ? Peugeot ! Bravo ! Longue et passionnante histoire que celle de la famille Peugeot : elle commence avec Jean Pequignot-Peugeot qui fabrique au XVIIIe siècle des moulins à eau. L'affaire tourne bien, ce qui permet à ses descendants de se lancer, à partir de 1855, dans la fabrication de moulins à café, puis de machines à coudre, de scies, de pièces d'horlogerie, de pendules et de vélos – le lion symbole de la marque, apparaît en 1858. Lorsqu'ils lancent leur tricycle à vapeur, lors de l'Exposition universelle de 1889, la confiance du public leur est depuis longtemps acquise. En 1894, le quadricylce à pétrole qui remporte la course Paris-Rouen est un Peugeot. Armand Peugeot crée, en 1895, la Société des automobiles Peugeot – Sochaux devient site de production en 1912. L'activité automobile ne cesse de se développer ensuite, le succès étant toujours au rendez-vous.

Le Doubs à l'heure industrielle

Aujourd'hui, des usines de Sochaux-Montbéliard, qui occupent 265 des 400 hectares de la commune de Sochaux…, près de 20 000 salariés, construisent 1 800 véhicules par jour – la 307 et la 607. L'industrie, dans le Doubs, c'est aussi la sous-traitance pour l'automobile ; c'est l'agroalimentaire – le chocolat de Pontarlier, la saucisse de Morteau, de Montbéliard, l'emmental grand cru, le comté, le jambon fumé du Haut-Doubs… Les forges d'Audincourt, après avoir fonctionné pendant 350 ans, ont fermé en 1968, ainsi que les filatures Japy et la fabrique de chaînes pour animaux Jenny. Aujourd'hui, le tissu indutriel d'Audincourt comporte notamment la société Faurecia qui a peut-être fabriqué le siège de votre voiture… L'industrie horlogère se maintient dans le Haut-Doubs, grâce à la proximité de la spécialiste en ce domaine : la Suisse – et malgré le triomphe du quartz… Les 43 % du département occupés par la forêt alimentent l'industrie du bois.

39 – Le Jura, son étonnant vin jaune

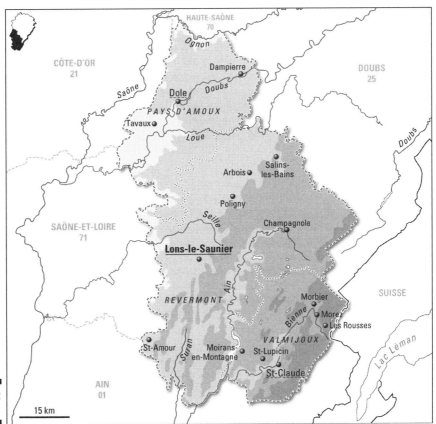

Figure 15-23 : Le Jura.

- ↙ 4 999 km²

- ↙ 254 000 Jurassiens

- ↙ Préfecture : Lons-le-Saunier (20 000 Lédoniens)

- ↙ Sous-préfectures : Dole (27 000 Dolois) ; Saint-Claude (13 000 Sanclaudiens)

- ↙ Nombre de cantons : 34

- ↙ Nombre de communes : 545

Long, long, le lac de Vouglans – 2ᵉ retenue artificielle de France ! –, dans le sud du département : 35 kilomètres de long pour 450 mètres de large ! Vous y pratiquerez le ski nautique, la voile ou la pêche. De Dole, au nord, dans le pays d'Amoux, à Saint-Amour au sud dans le Revermont ; de Lons-le-Saunier à l'ouest (le 29 mai 1923, l'écrivain Bernard Clavel y est né) à la forêt de la Joux à l'est, voici le Jura…

Un goût de noix

Vous venez de vous installer confortablement dans un restaurant jurassien. Vous avez commandé un coq aux morilles, la spécialité de la région. On s'enquiert maintenant du vin que vous choisissez pour accompagner ce mets délicieux. On vous propose du vin jaune. Vous connaissiez jusqu'à présent le rouge, le blanc, le rosé, le gris, mais le jaune… Alors, oui, un vin jaune. Le voici : effectivement, sa couleur est le jaune ; vous vous dites, pour avoir goûté des bordeaux à la robe semblable, que ce vin doit être moelleux et doux. Première gorgée… ourrrch !... C'est surprenant, voire déroutant. C'est un vin très sec, qui persiste en bouche. On en reprend alors, pour s'assurer qu'on a bien tout compris de ses saveurs… un peu, une fois, deux fois, et finalement, on lui trouve un goût de noix, on s'y habitue, et c'est exquis, ma foi…

Comté, comté, comté…

Sortant de table, peut-être allez-vous visiter une fruitière. Peut-être, approchant de cette fruitière, allez-vous penser que les fruits ont une odeur peu commune… Forcément : la fruitière, dans le Jura, désigne de petites coopératives où s'élabore le fromage (ou le vin) : le comté au goût de bon pain (*comté, comté, comté, comté*… comme dans la publicité…), le morbier, le vacherin, la cancoillotte. Passant par Dole, vous remarquerez la plaine fertile où croissent les céréales. Poursuivant votre voyage, vous serez ravi de découvrir un peu partout la forêt – 46 % de la surface du département qui alimente nombre de PME. L'industrie, c'est l'étonnante vitalité de la Plastics Vallée – Saint-Claude, Saint-Lupicin, Morez, Moirans (rattachées à Oyonnax dans l'Ain). On y fabrique des jouets, des lunettes, des objets de toilette, des bijoux, des téléphones, des éléments de voitures… C'est aussi l'horlogerie, la taille de diamants, les aciéries, l'imprimerie…

Le Jura des records

- ✔ N° 1 pour la production de lunettes
- ✔ N° 1 pour la production de jouets
- ✔ N° 8 pour la surface en forêt

Allons enfants de la patrie...

Non, Rouget de l'Isle n'est pas né à Lille ! Il a vu le jour à Lons-le Saunier, le 10 mai 1760. Après son passage à l'école militaire de Mézières d'où il sort avec le grade d'aspirant lieutenant, il commence à composer de la musique. L'une de ses odes est interprétée lors de la fête de la Fédération, le 14 juillet 1790. Le 24 avril 1792, à Strasbourg, alors que vient d'être déclarée la guerre au roi de Bohême et de Hongrie, le maire, Dietrich, lui demande de composer un beau chant pour le peuple soldat qui surgit à l'appel de la patrie. Toute la nuit, Rouget de Lisle travaille dans l'exaltation. Au petit matin, son chant de guerre pour l'armée du Rhin est prêt. Il l'interprète en public le soir du 25 avril, chez Dietrich, accompagné par un clavecin et un violon. Ce chant soulève l'enthousiasme. Il est repris dans beaucoup de provinces françaises, notamment dans le Midi. Les volontaires marseillais arrivent à Paris en le chantant — ainsi naît son nouveau nom : *La Marseillaise*. Après avoir parcouru champs de bataille et barricades, elle ne devient l'hymne national français qu'en 1879, sous la IIIe République.

Chapitre 16

Le Centre

. . . .

Dans ce chapitre :

▶ Placez-vous au centre de la France, au cœur de ses beautés

▶ Découvrez le Limousin, sa porcelaine, ses tapisseries, ses écoliers…

▶ Laissez-vous impressionner par la beauté volcanique de l'Auvergne

. . . .

*L*e Centre, dans ce livre, rassemble… la région Centre, le Limousin et l'Auvergne. Dans la région Centre, plus précisément dans le département du Cher, se trouverait le centre géographique de la France ; mais la méthode utilisée pour le situer différant selon les spécialistes de la question, quatre centres de la France ont été identifiés : Bruère-Allichamps, Saint-Amand-Montrond, Saulzais-le-Potier et Vesdun. Et la liste des candidats n'est pas close… Peut-être vous demandez-vous quel est le centre de toutes les terres émergées du monde ? Il s'agirait de l'île Dumet, dans le Morbihan, face à Piriac-sur-Mer (mais d'autres penchent pour un point situé à 70 kilomètres au nord-est de cette île…). Quittons ces distractions d'arithméticiens pour retrouver le centre de la France, avec le Limousin de Limoges, et l'Auvergne de Clermont-Ferrand…

Le Centre

Six départements : l'Eure-et-Loir et sa cathédrale, le Loiret et Charles VII, le Loir-et-Cher, l'Indre-et-Loire de François, l'Indre d'Aurore, le Cher d'Augustin… Plaine de Beauce, forêts, taillis, étangs et marais de Sologne, collines du Perche et du Berry, côteaux du Val de Loire… Le centre de la France est gorgé de plus de 2 000 heures de soleil par an ! Orléans est la capitale de la Région Centre.

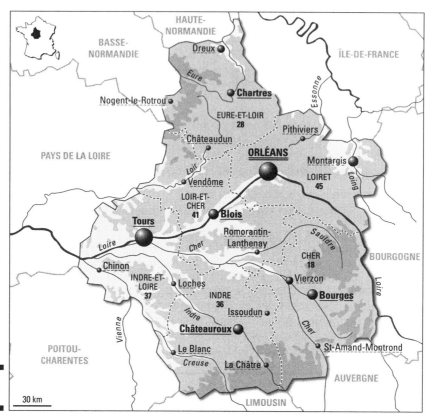

Figure 16-1 :
Le Centre.

28 – L'Eure-et-Loir, il était une foi...

- 5 880 km²
- 415 000 Euréliens
- Préfecture : Chartres (43 000 Chartrains)
- Sous-préfectures : Châteaudun (15 500 Dunois) ; Dreux (33 000 Drouais) ; Nogent-le-Rotrou (13 000 Nogentais)
- Nombre de cantons : 29
- Nombre de communes : 403

Le Thymerais au nord, le Dunois au sud, le Perche à l'ouest, la Beauce qui s'étend et rayonne de Chartres et sa cathédrale... Quelques collines et la grande plaine. Telle est l'Eure-et-Loir que voici dans le détail, mais d'abord en poésie...

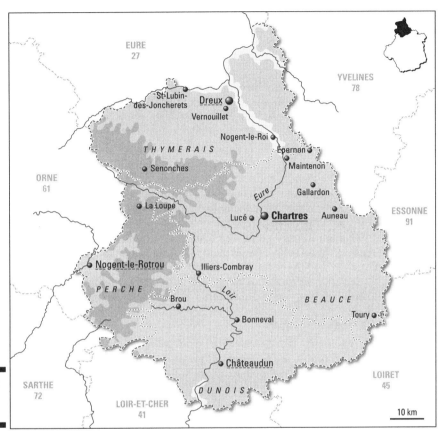

Étoile de la mer…

Étoile de la mer voici la lourde nappe / Et la profonde houle et l'océan des blés / Et la mouvante écume et nos greniers comblés, / Voici votre regard sur cette immense chape / Et voici votre voix sur cette lourde plaine / Et nos amis absents et nos cœurs dépeuplés, / Voici le long de nous nos poings désassemblés / Et notre lassitude et notre force pleine. / Étoile du matin, inaccessible reine, / Voici que nous marchons vers votre illustre cour, / Et voici le plateau de notre pauvre amour, / Et voici l'océan de notre immense peine. / Un sanglot rôde et court par delà l'horizon. / À peine quelques toits font comme un archipel. / Du vieux clocher retombe une sorte d'appel / L'épaisse église semble une basse maison. / Ainsi nous naviguons vers votre cathédrale. / De loin en loin surnage un chapelet de meules / Rondes comme des tours, opulentes et seules / Comme un rang de châteaux sur la barque amirale.

Un guide nommé Péguy

Bienvenue en Eure-et-Loir ! Le poète qui vous y accueille s'appelle Charles Péguy. Il est né à Orléans en 1873 (mort au combat en 1914, le 5 septembre à Villeroy, en Seine-et-Marne), mais son puissant lyrisme spirituel s'est surtout manifesté dans l'évocation qu'il a faite de la cathédrale Notre-Dame de Chartres – le poème entier comporte 99 strophes, vous avez lu les cinq premières. Évidemment, lorsqu'il commence par *Étoile de la mer*, vous avez peut-être une seconde d'hésitation, en prenant pour vous cette apostrophe ! Même s'il n'en est rien, vous pouvez bénéficier quand même de cette présentation qui souligne, à travers les expressions *lourde nappe, immense chape, lourde plaine*, le caractère extrêmement plat du relief de la Beauce. Elle occupe une grande partie du département.

L'océan des blés

La vocation céréalière de la Beauce est soulignée par le poète lorsqu'il parle de la *profonde houle, de l'océan des blés, du chapelet des meules* – le texte est écrit au début du siècle dernier, on moissonne encore à l'ancienne. L'adjectif *opulentes* qui qualifie les meules met en relief l'importance des rendements sur cette riche terre à céréales, rendements fort élevés encore aujourd'hui. Au blé s'ajoutent les cultures de colza, de tournesol, de betteraves, de pommes de terre, d'orge et de maïs – cultivés aussi dans la Beauce dunoise au sud, et le Thymerais-Drouais au nord. À l'ouest se trouvent les collines du Perche qui annoncent la Normandie avec leurs bocages occupés par les vaches laitières et les pommiers.

La Cosmetic Valley

L'industrie, ce sont de nombreuses PME spécialisées dans la plasturgie, l'électronique, la métallurgie. C'est aussi l'industrie pharmaceutique près de Dreux – Ibsen, Leo Pharma… C'est l'industrie agroalimentaire avec Ebly à Châteaudun, Andros et ses confitures à Auneau. C'est enfin la belle réussite de Cosmétic Valley créée en 1994 et présidée par Jean-Paul Guerlain. 70 % de ses cent entreprises et de ses 7 000 professionnels se trouvent en Eure-et-Loir. On y trouve Paco Rabanne, Lancaster-Coty, Pacific Europe, Guerlain… (dans le Loiret, Christian Dior ; dans les Yvelines, l'Oréal ; dans l'Eure, Yves-Saint-Laurent). Son rôle est de promouvoir la culture de plantes aromatiques, de développer de nouveaux parfums, de conditionner et expédier les produits finis…

UNE GÉO-CURIOSITÉ

Un chœur inexplicable

Au milieu des terres où, chaque saison, tout recommence, tout se recrée, de la germination aux épis mûrs qui tombent en grains, la cathédrale de Chartres se dresse, permanence du temps, de la pierre et du mystère. 4 000 figures sculptées, 5 000 personnages multicolores dans les vitraux, sur la façade occidentale, le portail royal du XIIᵉ siècle – merveille de l'Art roman –, l'ensemble consacré en octobre 1260 ; la flèche de 1513 – le clocher neuf – qui accompagne celle élevée en 1160… Rien de tout cela n'explique Notre-Dame de Chartres. Péguy a construit, pour l'approcher, une cathédrale de mots, tout autour. Mais il demeure au large de son chœur. Inexplicable.

L'Eure-et-Loir des records

- ✔ N° 1 pour l'exportation de parfums et cosmétiques
- ✔ N° 1 pour la production de blé tendre
- ✔ N° 1 pour la production de blé dur
- ✔ N° 1 pour la production de pois

45 – Le Loiret, Orléans, Beaugency...

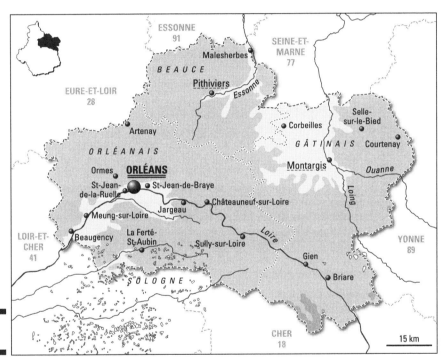

Figure 16-3 :
Le Loiret.

- ✔ 6 775 km²
- ✔ 634 000 Loiretains
- ✔ Préfecture : Orléans (118 000 Orléanais)
- ✔ Sous-préfectures : Montargis (17 000 Montargois) ; Pithiviers (10 000 Pithivériens)
- ✔ Nombre de cantons : 41
- ✔ Nombre de communes : 334

Beauce et Gâtinais au nord… La Loire en accent circonflexe un peu décalé avec, sur sa pointe, Orléans… Et puis, à découvrir, la Cosmétic Valley – qu'est-ce ? Un western de la beauté ? Peut-être …

À notre si gentil dauphin…

C'était au temps où Charles VII avait tout perdu. Depuis le honteux traité de Troyes, le 21 mai 1420, les Anglais, installés à Paris, gouvernaient la France. Dans les campagnes, autour d'Orléans assiégée en 1429, les paysans désolés avaient mis en mots et en chansons les carillons de leurs clochers, prévoyant les conquêtes prochaines de l'Anglais prédateur : *À notre dauphin si gentil / Hélas, que lui reste-t-il : Orléans, Beaugency, Notre-Dame-de-Cléry, Vendosme, Vendosme*… Mais Jeanne d'Arc surgit, et vous connaissez la suite ! Aujourd'hui, tout est calme dans le secteur d'Orléans. Les Anglais en visite sont de sympathiques touristes et les heures noires de la guerre de Cent Ans sont bien loin ! Dans la paix des campagnes, le blé est abondant – d'excellente qualité boulangère –, surtout dans le nord du département – Grande Beauce, Gâtinais de l'ouest.

Cerisiers rouges et pommiers blancs

Beauce et Gâtinais produisent aussi une orge de brasserie recherchée pour les bières haut de gamme. À Pithiviers, une importante malterie s'est implantée. Elle est voisine d'une grande sucrerie qui absorbe la production de betteraves sucrières du département – avec Corbeilles, Toury et Artenay. Le Loiret compte aussi plus de 1 500 hectares de vergers – 1 000 hectares de pommiers, 400 hectares de poiriers, 100 hectares de cerisiers. Le Val de Loire est spécialisé en horticulture, légumes – 1 000 hectares pour la conservation, 700 hectares d'oignons, 100 hectares de cultures sous serre –, plants, fruits et fleurs.

L'intraitable traiteur…

Une petite faim à midi ? Faites-vous servir par l'intraitable traiteur Pierre Martinet, de délicieuses carottes râpées, ou bien un taboulé, des betteraves rouges ou bien une piémontaise, le tout élaboré et conditionné à La Selle-sur-le-Bied ! Pour plat de résistance ? Pourquoi pas un poulet fermier de l'Orléanais ? Du fromage ? 330 éleveurs ont trait leurs 6 000 vaches pour vous préparer en coopératives quelque bonne pâte molle ou ferme. Et la firme Senoble a mis au point pour vous des produits lactés gorgés de plaisir ! Un dernier dessert ? Une charlotte aux fraises par exemple, confectionnée avec amour et avec des biscuits Brossard de Pithiviers ! Après le déjeuner, refaites-vous une beauté avec la Cosmétic Valley – prolongement des sites de l'Eure-et-Loir – : Shiseido à Gien, L'Oréal à Ormes, Christian Dior à Saint-Jean-de-Braye. L'industrie, c'est aussi la métallurgie, la sous-traitance automobile – notamment les composants moteur à Saint-Jean-de-la-Ruelle. Enfin, dans le secteur tertiaire, Orléans est le siège de nombreux grands groupes ou sociétés. Son université compte plus de 20 000 étudiants.

CÉLÉBRITÉ DU CRU

Aristide Bruant : Je cherche fortune...

Chantons ensemble ! Si vous êtes tout seul, chantez tout seul, les voisins vous entendant reprendront sûrement votre refrain et tout le quartier va se mettre à entonner à tue-tête : *Je cherche fortune / Tout autour du Chat noir / Et au clair de la lune / À Montmartre, le soir !* Ou bien, chantons ceci : *À la Bastille, on l'aime bien Nini Peau d'Chien / Elle est si belle et si gentille / Qu'on l'aime bien / Qui ça ? Nini Peau d'Chien : Ou ça ? À la bas-ti-i-ille !* Connaissez-vous le parolier de ces airs ? Il est né à Courtenay, en Loiret dans le Gâtinais, le 6 mai 1851, et meurt à Paris le 11 février 1925. Chansonnier entré au cabaret *Le Chat Noir* en 1881 – qui prend pour nom *Le Mirliton* un peu plus tard –, il est aussi l'auteur de pièces de théâtre et d'un dictionnaire de l'argot. Son ami le peintre Toulouse-Lautrec (1864-1901) immortalise la silhouette de ce personnage haut en couleurs sur la fameuse affiche où on le voit coiffé de son large chapeau et de son écharpe rouge.

Le Loiret des records

✔ N° 1 pour la production des betteraves rouges

✔ N° 2 pour la production de plantes à massifs

✔ N° 2 pour la production de plantes vivaces

41 – Le Loir-et-Cher au cœur des rois

GÉO-NOMBRES

✔ 6 343 km²

✔ 321 000 Loir-et-Chériens

✔ Préfecture : Blois (52 000 Blésois)

✔ Sous-préfectures : Romorantin-Lanthenay (19 500 Romorantinais) ; Vendôme (19 000 Vendômois)

✔ Nombre de cantons : 30

✔ Nombre de communes : 291

Le département du Loir-et-Cher ressemble à deux pièces d'un puzzle qu'on aurait emboîtées de part et d'autre de la Loire ; la première portant en son centre Vendôme ; le seconde étant bordée au sud par Romorantin-Lanthenay ; et au centre : Blois.

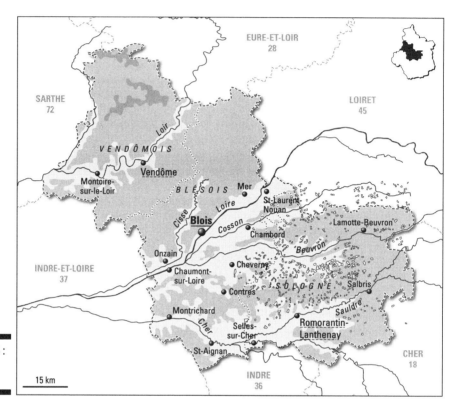

Figure 16-4 :
Le Loir-et-Cher.

15 km

Une chanson unique

Ma famille habite dans le Loir et Cher, / Ces gens-là ne font pas de manières. / Ils passent tout l'automne à creuser des sillons, / À retourner des hectares de terre. / Je n'ai jamais eu grand chose à leur dire / Mais je les aime depuis toujours. / De temps en temps, je vais les voir. / Je passe le dimanche dans le Loir-et-Cher. / Ils me disent, ils me disent : / Tu vis sans jamais voir un cheval, un hibou. / Ils me disent : / Tu n'viens plus, même pour pêcher un poisson. / Tu ne penses plus à nous. / On dirait que ça te gêne de marcher dans la boue…

Delpech… Vous l'aviez sur le bout de la langue : Michel Delpech ! L'interprète de tant de tubes des années soixante, soixante-dix, et même quatre-vingt. Il est né le 26 janvier 1946 à… Courbevoie ! Mais c'est en Loir-et-Cher que se situe le berceau de sa famille. Voilà pourquoi il a écrit la seule chanson du répertoire français qui cite ce département !

Blé, vin, bois

Donc, selon Michel Delpech, les gens du Loir-et-Cher passent l'automne à creuser des sillons, à retourner des hectares de terre… Des hectares, c'est vague. Voici du précis : en Loir-et-Cher, on cultive 275 000 hectares de terre arable dont 164 000 hectares de céréales – en Beauce –, 44 000 hectares d'oléagineux, 15 000 hectares de cultures fourragères. Le reste est occupé par les vignes – le cheverny, le cour-cheverny (un blanc issu du cépage romorantin introduit dans la contrée par François Ier), les coteaux du vendômois, et le valençay, à boire avec les fromages de chèvre AOC – ou par d'autres cultures : asperges vertes et blanches, fraises, champignons. Les bois (50 % de chênes, 25 % de pins, 12 % de châtaigniers, 7 % de bouleaux, 6 % d'autres essences) occupent plus de 200 000 hectares, et les étangs, fort nombreux, près de 10 000, essentiellement au sud du département, en Grande Sologne.

Jambon, madeleine, chocolat

Vous êtes au volant de votre voiture qui bénéficie du système à injection HDI de Delphi diesel systems, de phares Valéo, d'une colonne de direction Nacam ; vous vous êtes frotté le cuir chevelu ce matin avec du Pétrole Hahn (avec ou sans cheveu, il ne faut jamais perdre espoir…) ; parce que vous avez un petit creux, vous mangez, tout en conduisant (arrêtez-vous sur le bord de la route, ce n'est vraiment pas prudent ce que vous faites), donc, en stationnement sur le bord de la route, vous dégustez une tranche de jambon Paul Prédault, puis une madeleine Morina, et enfin, du bon chocolat Poulain ! Et parce que vous vous sentiez patraque, ce matin, vous avez pris des produits homéopathiques Dolisos. Et puis vous avez exercé votre souffle dans une trompe de chasse Milliens (n° 1 mondial). C'est qu'il vous faut être en forme : vous êtes pilote d'avion, et votre planche de bord est fabriquée par Thalès ! Savez-vous que tout ce qui vient d'être cité provient du Loir-et-Cher ? N'est-ce pas que maintenant, il vous est plus cher ?

Allez chez François Ier…

Le Loir-et-Cher royal, ce sont les châteaux : Blois, où l'inconsolable Valentine Visconti, jolie veuve de Louis d'Orléans assassiné en 1407, grava sur un mur une signature d'éternelle fidélité : *Rien ne m'est plus, plus ne m'est rien* ; Cheverny construit en pierre de Bourré qui, comme les hommes, blanchit avec le temps ; Chaumont-sur-Loire que Catherine de Médicis acheta pour l'échanger contre Chenonceau, la résidence préférée de Diane de Poitiers – sa rivale dans le cœur d'Henri II, mort dans un tournoi le 30 juin 1559 ; et puis Chambord, Chambord le grand, Chambord le magnifique que conçut Léonard de Vinci quelques mois avant sa mort – 365 cheminées, 440 pièces, un escalier à double révolution, Chambord, le rêve de François Ier qui était accoutumé de dire à ceux qu'il y emmenait : *Allons chez moi !* Même s'il n'est plus là, l'invitation tient toujours… Allez chez lui !

Le Loir-et-Cher des records

✔ N° 1 de la colle pour emballages carton et étiquettes

✔ N° 1 de l'appareillage de mesure tridimensionnelle

✔ N° 1 du séchoir à cheveux professionnel

✔ N° 1 de la trompe de chasse (et n° 1 mondial)

37 – L'Indre-et-Loire, le Chinon de François !

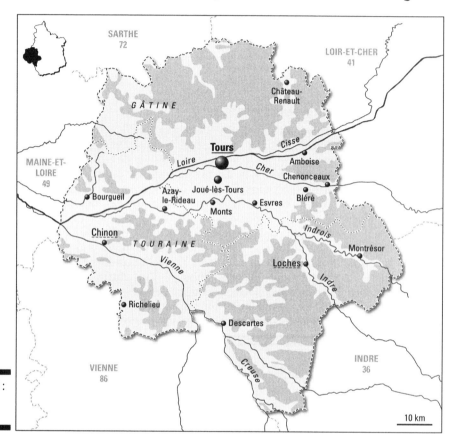

Figure 16-5 :
L'Indre-et-
Loire.

GÉO-NOMBRES

↙ 6 127 km²

↙ 568 000 Tourangeaux

↙ Préfecture : Tours (138 000 Turons ou Tourangeaux)

↙ Sous-préfectures : Chinon (9 500 Chinonais) ; Loches (7 000 Lochois)

↙ Nombre de cantons : 37

↙ Nombre de communes : 277

Un petit tour en Indre-et-Loire, en partant du grand Tours, et voilà que se présentent d'importants personnages qui ont donné leur nom à des villes : Richelieu, Descartes ! Ou bien des villes qui ont donné leur nom à des bouquets choisis : Bourgueil, Chinon (le lieu de prédilection d'Alcofribas Nasier – c'est une anagramme, mélangez les lettres et un fameux écrivain apparaîtra…). Ou bien des châteaux sur le bord de la Loire, où coule l'Histoire…

Enfans, beuvez à pleins guodetz

*De ce poinct expedié à mon tonneau je retourne. Sus à ce vin(s), compaings !
Enfans, beuvez à pleins guodetz ! Si bon ne vous semble, laissez le. [...] Tout
beuveur de bien, tout goutteux de bien, alterez, venens à ce mien tonneau, s'ilz
ne voulent ne beuvent ; s'ils voulent, et le vin plaist au guoust de la seigneurie
de leur seigneuries, beuvent franchement, librement, hardiment, sans rien
payer, et ne l'espargnent. Tel est mon decrest. Et paour ayez que le vin faille !
Autant en tireray par la dille, autant en entonneray par le bondon. Ainsi
demeurera le tonneau inexpuisible. Il a source vive et vene perpetuelle !*

C'est du Rabelais, du pur Rabelais, dans le texte ! Du plus savoureux, du
goûteux, du musclé ! Extrait de la préface du Tiers Livre, vous devinez qu'il
invite ses lecteurs à faire honneur à son Chinon ou son Vouvray – bien sûr,
avec modération...

La brune confiture de Rabelais

Avec modération, et pas n'importe comment : un chinon, un bourgueil ou un
saint-nicolas-de-bourgueil se boivent frais ! Leur bouquet qui rappelle la
framboise (bourgueil) ou la violette (chinon) se fane à la chaleur – sauf s'ils
sont corsés et vieux de quelques années. Ils accompagnent un pot-au-feu, des
pêches ou des fraises. Et c'est délicieux ! On peut aussi les déguster avec la
brune confiture – c'est ainsi que Rabelais et Balzac appellent une autre
spécialité tourangelle : les rillettes. On le consomme avec un saint-maure-de-
touraine, un fromage de chèvre AOC depuis 1980. Jamais d'excès, toujours en
gourmet ! L'Indre-et-Loire, ce sont aussi 150 arboriculteurs qui produisent
75 000 tonnes de pommes – idared, granny smith, reine des reinettes,
jonagold... Ce sont 6 000 exploitations de 51 hectares en moyenne ;
130 000 m² de bâtiments avicoles ; 600 exploitations caprines ;
200 exploitations porcines...

De la tannerie au Tupperware

L'industrie en Indre-et-Loire, ce furent, aux XVIe et XVIIe siècles, la soierie, la
tannerie, l'exploitation de carrières, le travail du bois, l'imprimerie. Puis, au
XIXe siècle, se développent des activités en rapport avec le chemin de fer :
constructions ferroviaires, fabrication d'équipements industriels. Le XXe et le
XXIe siècles apportent les industries modernes : le caoutchouc (Michelin,
Hutchinson), le plastique (Tupperware), l'électronique (Radiall, Vermon,
Microelectronics), la pharmacie (Sanofi, Chemineau...), le travail des métaux,
du bois, le textile, l'habillement, les cuirs et chaussures...

36 – L'Indre pour Aurore

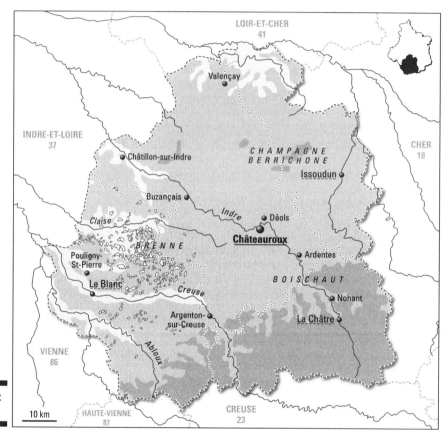

Figure 16-6 :
L'Indre.

↙ 6 791 km²

↙ 232 000 Indriens

↙ Préfecture : Châteauroux (53 000 Castelroussins)

↙ Sous-préfectures : Issoudun (15 000 Issoldunois) ; Le Blanc (7 500 Blancois) ; La Châtre (5 000 Castrais)

↙ Nombre de cantons : 26

↙ Nombre de communes : 247

La Brenne et ses étangs à l'ouest ; au sud, le Boischaut où vécut la bonne dame de Nohant : George Sand – dont Balzac dit : « C'est un homme ! »... ; au nord-est, la Champagne berrichonne ; au centre Châteauroux...

L'enivrant (an-ni !) parfum des moissons

En juillet, si vous traversez le nord du département, dans la Champagne berrichonne, l'or des blés vous environne – l'or de l'orge également… –, le parfum des moissons vous enivre (prononcez : an-nivre, et non é-nivre, comme Johnny…) L'Indre du nord, ce sont aussi les tournesols, les protéagineux. L'Indre de l'ouest, c'est la Brenne aux mille étangs, devenue un parc naturel régional – vous y rencontrerez, à Fontgombault, le dernier fabricant de barques traditionnelles. L'Indre du sud, c'est le Boischaut et ses bocages. En Brenne et Boischaut, les vaches allaitantes et bœufs charolais et limousins sont élevés dans 3 400 exploitations. L'élevage des chèvres alpines permet la production de fromages AOC : Pouligny-Saint-Pierre, Valençay

D'hier à aujourd'hui

Des forges près de Châteauroux, des activités de tannerie, de mégisserie (commerce des peaux), de maroquinerie, le travail de la laine, les porcelaines de Saint-Genou… La manufacture Balsan qui produit 600 000 mètres de drap par an, la confection des chemises hommes qui fournit 30 % du marché national, l'usine d'aviation de Déols… Tout cela c'était dans le passé. Aujourd'hui, le paysage industriel a changé : la confection n'est plus un secteur phare, la logistique et la sous-traitance automobile l'ont remplacée à la tête des activités les plus porteuses. 750 industries sont installées dans le département, parmi lesquelles Montupet pour l'aluminium, Sitram pour l'inox.

CÉLÉBRITÉ DU CRU

George Sand et Chip-Chip

Nohant, au sud-est de Châteauroux. Belle et vaste maison bourgeoise. Deux ailes en saillie. Une entrée centrale, porte pleine surmontée d'un arceau vitré, lui-même dominé par une curieuse ouverture circulaire, comme un gros œil qui surveillerait les allées et venues. Par là sont entrés les familiers de la maîtresse des lieux : Frantz Liszt, Honoré de Balzac, Gustave Flaubert, le peintre Delacroix, et surtout le virtuose, le tendre et tourmenté Frédéric Chopin qu'elle aima d'un amour protecteur et quasi maternel. Pourtant, ils se séparèrent en 1847. Chip-chip – c'est ainsi qu'elle l'appelait – mourut deux ans plus tard. Née le 1er juillet 1804 à Paris, elle fut élevée à Nohant, dans cette propriété appartenant à sa grand-mère. Morte le 8 juin 1876, elle y est enterrée, dans le cimetière familial, à l'ombre d'un if centenaire. Qui donc ? L'auteur de *La Mare au Diable*, de *La Petite Fadette*, de cent autres romans ou presque, de pièces de théâtre, de mémoires… : Aurore Dupin, baronne Dudevant, dite George Sand.

18 – Le Cher pays d'Augustin

- 7 235 km²
- 313 000 Berrichons
- Préfecture : Bourges (77 000 Berruyers)
- Sous-préfectures : Saint-Amant-Montrond (12 500 Saint-Amandois ou Amandins) ; Vierzon (31 500 Vierzonnais)
- Nombre de cantons : 35
- Nombre de communes : 290

Le Sancerrois au nord, la Champagne berrichonne à l'ouest, une avancée en pointe, au sud, entre l'Indre et l'Allier, vers la Creuse. Et tant d'abbayes, de châteaux à mystères, tant de manoirs qui ont imprimé leur silhouette dans les pages du *Grand Meaulnes*, le roman d'Alain-Fournier, l'enfant de La Chapelle d'Angillon…

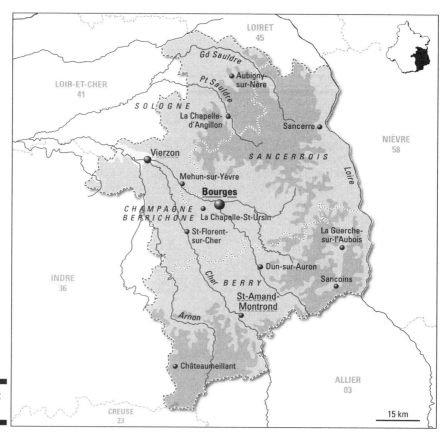

Figure 16-7 :
Le Cher.

Un château de brumes en Sologne

Un jeune homme amoureux, un domaine mystérieux, une jeune fille blonde, étrange, une rencontre, une phrase : « Vous êtes belle »... Une fête qui se termine par un coup de feu... La quête du bonheur qui semble aboutir... (Il faut toujours se méfier des rêves : parfois, ils se réalisent !) Faites du *Grand Meaulnes* votre compagnon pendant les trois cents pages du roman d'Alain-Fournier, né le 30 octobre 1886 à La Chapelle d'Angillon en Sologne. Il vous emmène en carriole à cheval dans les sentiers du Cher, vers un château de brume – puisqu'il faut bien apprendre un jour que c'est cela, la métaphore de l'amour. Paysage à mystère où chacun court le risque de trouver sa vérité, le Cher... D'autres vous diront qu'il y a là, entre étangs et taillis, de fameux gibiers en cavale. À chacun sa quête.

Le crottin de Chavignol

Nord-est du Cher : le Sancerrois, où, comme chacun sait, on produit le sancerre, ce vin fruité, fort ancien – puisque Grégoire de Tours le cite dès le VIe siècle ! Dégustez-le avec – modération évidemment – un crottin de chavignol, délicieux fromage de chèvre dont le troupeau est abondant en Sancerrois. Pourquoi ce mot : crottin ? L'origine en est le petit creux de terre où se plaçaient les lavandières au bord de l'eau. Cette excavation, le crot, était pratiquée dans une terre argileuse dont les paysans ont fait des moules à lait caillé, d'où ce nom donné au fromage : le crottin. Et pourquoi Chavignol ? Parce que c'est le nom du berceau du crottin, un petit village en Sancerrois, où l'on élève des chèvres depuis des temps immémoriaux.

Armes et porcelaine

Parlons industrie : l'armement et les industries de défense constituent les activités majeures du bassin d'emploi de Bourges – de grands groupes y sont implantés : GIAT Industrie, la DGA, MBDA. Les TIC – technologies de l'information et de la communication – y ont aussi leur place, ainsi qu'un pôle capteurs et automatismes. À Vierzon, les secteurs de la mécanique, de la métallurgie, des moules et des modèles, de la chimie et de l'environnement, fournissent de nombreux emplois. La porcelaine qui a fait la renommée de la ville y est toujours fabriquée.

Le Limousin

De Haute-Vienne, viennent les chevaux de la Garde Républicaine ; de la Creuse vient (probablement) la Dame à la Licorne installée sur sa tapisserie au musée du Moyen Âge à Paris ; de la Corrèze, viennent les grilles de métal du Grand Stade de France, les portes de la Grande Bibliothèque de Paris... Le tranquille Limousin sait aussi se faire Parisien... Limoges est la capitale de la région Limousin.

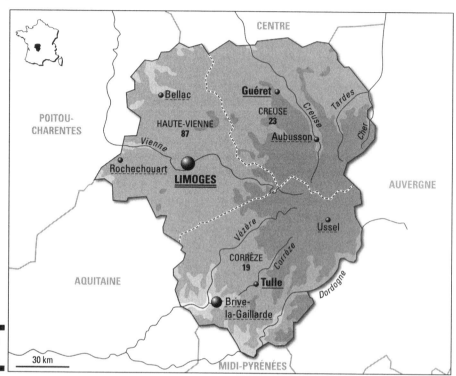

Figure 16-8 :
Le Limousin.

87 – La Haute-Vienne, avec l'argile de Saint-Yrieix…

✔ 5 520 km²

✔ 357 000 Haut-Viennois

✔ Préfecture : Limoges (138 000 Limougeauds)

✔ Sous-préfectures : Bellac (5 000 Bellachons) ; Rochechouart (4 000 Rochechouartais)

✔ Nombre de cantons : 42

✔ Nombre de communes : 401

Magnifique, la porcelaine de Limoges, connue dans le monde entier. Saviez-vous que son histoire commence… en Chine ?

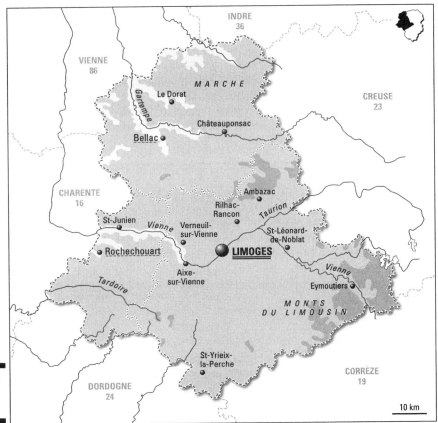

Figure 16-9 :
La Haute-
Vienne.

Leçons de chinois

Voulez-vous apprendre le chinois ? Oui ? Bien ! Commençons immédiatement. Première leçon : prononcez le mot *kao*. Il signifie « haut » – ne confondez pas avec KO qui signifie plutôt qu'on fait connaissance avec le bas… Donc, *kao* : haut. Deuxième leçon : prononcez le mot *lin*. Il signifie « colline ». Maintenant, réunissez ces deux mots de chinois – qui font déjà de vous un familier de l'Empire du milieu – : *kao-lin*. Et soudain vous vous dites : mais je le connais, celui-là, je l'ai déjà rencontré, ce kaolin ! Le prononçant alors, je parlais donc chinois ! Par ma foi, voilà plus de quarante ans (ou plus ou moins) que je dis du chinois sans que je n'en susse rien (ainsi parlait – ou presque – Monsieur Jourdain de Molière…) Oui, mais où va-t-on, avec ce chargement de kaolin ?…

Des collines de kaolin

Nous allons à Saint-Yrieix-la-Perche, dans le département de la Haute-Vienne. C'est là qu'un chirurgien remarqua un jour que sa femme utilisait pour laver son linge une argile plus pure que pure ! En 1765, il s'en ouvrit à un pharmacien de Bordeaux, Villaris, qui se douta que cette argile était semblable à celle que les Chinois utilisaient depuis des siècles pour fabriquer leur porcelaine si fine, si délicate, si résistante – une argile qu'ils extrayaient de certaines hautes collines, de certaines kao-lin, d'où ce nom pour la plus pure des argiles à porcelaine : le kaolin ! Deux ans plus tard, de la manufacture de Sèvres sortaient les premières porcelaines fabriquées à partir du kaolin de Saint-Yrieix-la-Perche. En 1771, grâce à Turgot, le Limousin possède sa première manufacture de porcelaine. Aujourd'hui, la porcelaine de Limoges est célèbre dans le monde entier, avec les marques Bernardaud et Haviland.

GÉO-MOTS

Limogeons limoger !

Au début de la première guerre mondiale, le général Joffre – généralissime de l'armée française – relève de leurs fonctions des officiers qu'il juge peu compétents. Il les envoie à Limoges. Dans l'argot militaire naît alors le terme « limoger » qui est associé un peu plus tard au sens plus général du verbe *disgracier*. Depuis, on utilise sans se poser trop de questions, à tour de plume ou de clavier, ce mot que les limougeauds ne portent pas forcément dans leur cœur. Il figure même dans tous les dictionnaires ! Des synonymes pourtant remplaceraient avantageusement ce terme qui gagnerait à se faire plus discret, ne serait-ce que par honnêteté par rapport à une ville des plus accueillantes et sympathiques. Elle vit naître, entre autres, Auguste Renoir (1841-1919) et Étienne de Silhouette (1709-1767), ministre des finances de Louis XV, qui voulut créer l'impôt par tête, payable par tous les sujets du royaume, y compris les nobles dont il proposait de réduire les pensions. Ceux-ci le chassèrent en si peu de temps que son nom désigne un profil vaguement esquissé…

Du jambon et des pommes

On a exploité, en Haute-Vienne, des gisements d'uranium – avec la Cogema – jusqu'en 2001. De l'or, aussi, mais les sites ont fermé. Les industries, aujourd'hui, ont pour nom Legrand – constructions électriques –, International Paper – papier, carton, imprimerie –, Meillor – équipements automobile –, Madrange – agroalimentaire qui fabrique, notamment, le jambon préféré de Julie Lescaut… En agriculture, aux céréales s'ajoute le colza dont la production augmente. Bovins, vaches allaitantes, veaux de boucherie, ovins et porcins sont présents dans nombre des 6 500 exploitations du département qui produit aussi des pommes de terre, et des pommes golden. Enfin, dans la région du Dorat et de Saint-Léger-Magnazeix, 50 éleveurs fournissent des chevaux anglo-arabes destinés à des concours, des épreuves hippiques, ou bien à… la Garde Républicaine !

La Haute-vienne des records

⬛ ✔ N° 2 pour la production de chevaux anglo-arabes

23 – La Creuse, son bœuf, sa tapisserie

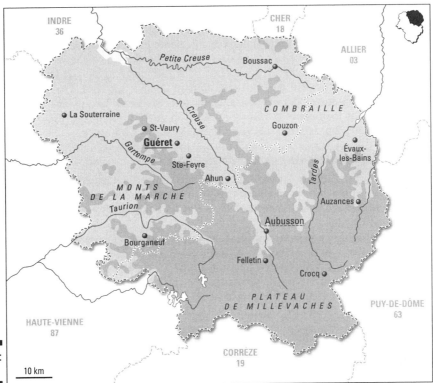

Figure 16-10 :
La Creuse.

10 km

GÉO-NOMBRES

- 5 565 km²
- 123 000 Creusois
- Préfecture : Guéret (15 500 Guérétois)
- Sous-préfecture : Aubusson (5 100 Aubussonnais)
- Nombre de cantons : 27
- Nombre de communes : 260

On peut tout imaginer à partir de la représentation de la Dame à la Licorne sur une tapisserie exposée au musée du Moyen Âge, à Paris. Mais ce qui ne fait aucun doute, c'est l'excellence de la composition, signée des tapissiers d'Aubusson, suppose-t-on avec raison, ou de ceux de Felletin, c'est presque certain...

La Dame à la Licorne fait tapisserie...

Le goût : la dame prend une dragée (de Verdun, peut-être...). L'odorat : la dame tresse des fleurs. L'ouïe : la dame joue d'un instrument à clavier. Le toucher : la dame touche la corne de la licorne (un animal fabuleux au corps de cheval et qui porte au milieu du front une longue et fine corne à la fois rectiligne et torsadée). La vue : la dame tient un miroir. Si vous visitez le musée du Moyen Âge, à Paris – le musée de Cluny – vous verrez cette œuvre étonnante, tissée en six pièces vers 1500, retrouvée par Prosper Mérimée dans le château de Boussac, dans la Creuse, en 1841. Quelle est sa signification ? La représentation des cinq sens ? Peut-être... La devise qu'on lit sur le sixième panneau rejoindrait cette interprétation : *À mon seul désir*. Mais il en existe beaucoup d'autres, sages ou hardies.

Tapissiers d'Aubusson, de Felletin ?

Où fut-elle fabriquée ? Nul ne le sait non plus. Certains penchent pour la Flandre, mais plus nombreux sont ceux qui reconnaissent là le travail des tapissiers d'Aubusson (et de Felletin). Dans cette petite ville, on possède un savoir-faire en tapisserie depuis le XVIe siècle. Des privilèges lui sont accordés par Henri IV. Richelieu, toujours un peu ronchon, s'occupe davantage des vicomtes d'Aubusson que de la tapisserie : il faut raser leur château du XIe siècle ! L'habile Colbert accorde de nouveaux privilèges à la ville qui prospère désormais avec ses créations fort réputées et appréciées jusqu'en 1789 qui guillotine aussi le luxe. Au XXe siècle, elles renaissent avec Lurçat, Gromaire, Picart le Doux, Saint-Saëns, Jullien, Tourlière, Wogensky, Dom Robert...

Le plateau de Millevaches et le fromage Boursault

Au sud du département se trouve une partie du plateau de Millevaches – ce nom ne signifie pas qu'on peut y compter mille vaches... Il s'agirait plutôt, selon les uns, d'une réécriture de mille sources en langue vernaculaire ancienne, le plateau donne naissance à la Vienne, la Creuse, la Corrèze et la Vézère. Selon les autres Millevaches est la réunion de *melo*, terme gaulois signifiant « lieu » (ou du latin *moles* : masse), et de vacua, mot latin signifiant « vide », l'ensemble désignant le lieu vide que fut, entre le IIIe siècle et le début du Moyen Âge, ce plateau le plus élevé du Limousin – qui s'étend sur la Creuse, mais aussi sur la Corrèze et la Haute-Vienne. Les grandes zones de landes y alternent avec les espaces reboisés de résineux. Dans la partie nord, les Monts verdoyants de la Marche et la Combraille, sont des zones d'élevage (races limousine et charolaise). Faites un détour par Auzances où vous découvrirez l'un des plus tendres, l'un des meilleurs fromages qui soient : le Boursault !

19 – La Corrèze fait salon

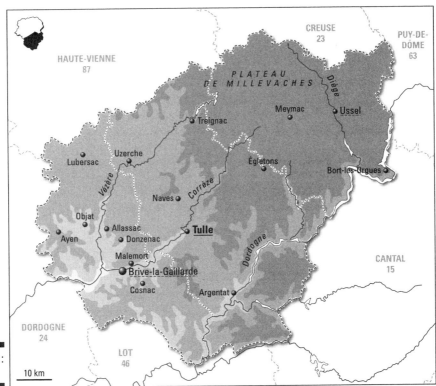

Figure 16-11 :
La Corrèze.

- 5 857 km²
- 234 000 Corréziens
- Préfecture : Tulle (82 000 Tullistes)
- Sous-préfectures : Brive-la-Gaillarde (52 000 Brivistes) ; Ussel (12 000 Ussellois)
- Nombre de cantons : 37
- Nombre de communes : 286

La Corrèze ? Une foule de savoir-faire ! Électronique, métallurgie, mécanique, agroalimentaire, travail du bois, agriculture, culture des noix, culture...

Les grilles du Grand Stade de France

Devinette : quel est le rapport entre le grand stade de France à Saint-Denis et la Corrèze ? Mystère… Non : le lien qui unit la Corrèze et le Grand Stade est un lien de fer : les grilles de celui-ci ont été fabriquées par les entreprises de celle-là ! La Corrèze possède un savoir-faire exceptionnel dans le domaine de la métallurgie, en fonderie alliage, mécanique générale et de précision… Elle s'illustre aussi dans les domaines de l'électricité, de l'électronique – on y fabrique des composants de la fusée Ariane et des avions Airbus. De grands groupes se sont développés ou installés dans le département : la société des fonderies d'Ussel, GIAT industrie (à Tulle). Par ailleurs, la société Deshors, à Brive, est le premier producteur européen de moules pneumatiques. Ces activités prennent place dans la Mécanic vallée – à laquelle appartiennent aussi l'Aveyron et le Lot. Cette Mécanic Vallée qui rassemble les énergies pour les multiplier a été créée par un groupe d'industriels en 1998.

Petits pots pour bébé, noix pour parents

Que donner à manger à bébé à midi ? Et puis ce soir ?... Pas d'inquiétude : en Corrèze, on s'occupe de l'appétit de votre descendant direct ! On lui prépare moult petits pots au délicieux contenu (50 % de la consommation nationale de petits pots pour bébé sont produits en Corrèze, notamment par Blédina). Et pour vous, parents ? De la charcuterie d'Ussel, ou un bifteck Charal, conditionné à Egletons ? En dessert, pourquoi pas une pâtisserie préparée par Les Délices de Ninon, à Malemort, puis quelques noix d'Ayen (une franquette, une marbot, une lara, une corne ou une fernor) commercialisées par Perlim ?

Les portes de la Grande Bibliothèque

Partons maintenant pour la Grande Bibliothèque, à Paris. Vous vous demandez pourquoi… Dès que vous allez franchir une porte, vous aurez la réponse : plus de huit mille des portes de la Grande Bibliothèque sont

Les écoliers de Brive font la foire

Ils font corps avec la Corrèze ; ils écrivent des histoires bien charpentées, ajustées, chevillées à l'âme ; ils proposent une vision du monde qui marie la passion et la lucidité ; une école est née de leurs convictions, de leur bon sens, de leur génie : l'école de Brive. Un roman, un livre de l'école de Brive, c'est à coup sûr des pages comme des paysages qui donnent envie d'aller plus loin. Qui sont-ils ces écoliers brivistes ? Ils s'appellent Christian Signol, Michel Peyramaure, Yves Viollier, Denis Tillinac… Écoliers et maîtres à la fois, grands maîtres de l'excellence de la langue française, ils ont créé en 1973, avec Georges Brassens, la première foire du livre à Brive. Depuis, cette manifestation annuelle qui rassemble des centaines d'écrivains de toute la France est fréquentée par des milliers de visiteurs (plus de 120 000 ces dernières années) qui viennent rencontrer leurs auteurs favoris – et acheter, au total, plus de 40 000 livres ! Un prix de la langue française y est remis par un jury composé de membres de l'Académie française et de l'Académie Goncourt. Le prix de poésie de l'Académie Stéphane Mallarmé y est aussi décerné.

taillées dans le bois des forêts de Corrèze ! Une visite au Louvre ? L'un de ses grands parquets provient aussi de l'usine ultramoderne d'Ussel qui traite annuellement plus de deux millions de m3 de bois. 45 % de la surface du département sont occupés par la forêt qui approvisionne nombre de PME ou grandes entreprises spécialisées en menuiserie, charpente, fabrication de meubles, de panneaux, de chalets…

La Corrèze des records

✔ N° 1 pour la fabrication de petits pots d'alimentation pour bébé

✔ N° 1 pour la fabrication de moules pneumatiques

✔ N° 2 des salons littéraires

L'Auvergne

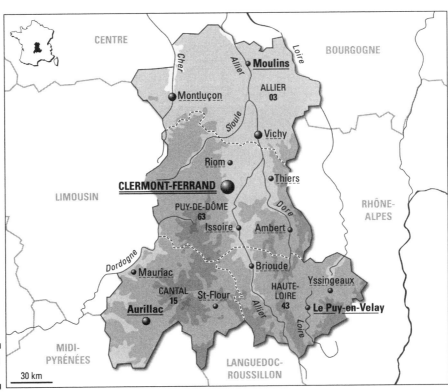

Figure 16-12 :
L'Auvergne.

30 km

Quatre départements : l'Allier, le Puy-de-Dôme, la Haute-Loire, le Cantal… L'Auvergne se situe sur le plateau du Massif Central. De l'océan, elle conserve l'influence, avec d'abondantes précipitations. Mais ses tendances continentales lui font souvent faire le grand écart des températures, avec des étés secs, et des hivers rigoureux… Clermont-Ferrand est la capitale de la région Auvergne.

03 – L'Allier

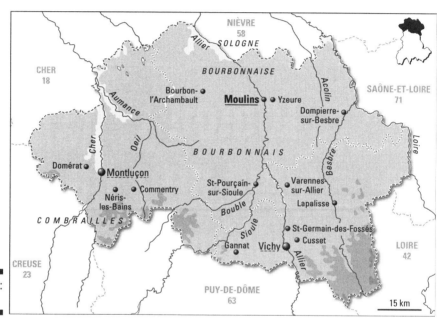

Figure 16-13 : L'Allier.

🖊 7 340 km²

🖊 345 000 Éléavérins

🖊 Préfecture : Moulins (23 000 Moulinois)

🖊 Sous-préfectures : Montluçon (44 500 Montluçonnais) ; Vichy (27 500 Vichyssois)

🖊 Nombre de cantons : 35

🖊 Nombre de communes : 320

De Montluçon à Moulins : le Bourbonnais. De Gannat à Cusset, de Saint-Pourçain-sur-Sioule à Varennes-sur-Allier : la pointe de la Limagne. Et la rivière éponyme : l'Allier (*éponyme* désigne ce qui donne son nom à un ensemble ; *Le Horla* est une nouvelle de Guy de Maupassant qui donne son nom au recueil tout entier ; c'en est la nouvelle éponyme).

Charolais du Bourbonnais

Tendu dans le triangle Montluçon à l'ouest, Moulins au nord et Vichy au sud, le Bourbonnais étale ses plaines et ses plateaux. 530 000 vaches charolaises l'occupent, ainsi que 376 000 moutons ! Les 512 000 hectares de surface agricole utile du département qui couvre 734 000 hectares sont mis en valeur par plus de 10 000 personnes travaillant dans 7 300 exploitations agricoles. 100 000 hectares fournissent du blé tendre et du maïs – une petite cure de chiffres ne nuit jamais... Les bovins bénéficient de labels d'origine : Charolais du Bourbonnais, Charolais Label rouge : Cœur de France et Bourbonnais...

Volailles fermières d'Auvergne

Les volailles – volailles fermières d'Auvergne –, les porcs – porc fermier d'Auvergne – sont également reconnaissables sur le marché. Un peu de vin du crû pour terminer ce tour d'horizon des terres généreuses ? Alors, ce sera un Saint-Pourçain – blanc fruité, rosé gouleyant ou rouge chaleureux ; avec modération, évidemment... –, qui provient des six cents hectares de vigne du département. L'agroalimentaire prend le relais de l'agriculture ou d'autres productions : la Socopa transforme et conditionne la viande, Royal Canin fabrique de l'alimentation pour animaux de compagnie.

Grues Potain, isolateurs, balles de tennis...

L'industrie est tirée vers le haut depuis longtemps par les grues de bâtiment Potain, le n° 1 mondial dans ce secteur. Elle bénéficie d'une excellente visibilité grâce à Sermeto, au premier rang des fabricants européens des mâts d'éclairage. L'industrie, c'est aussi la société Landys et Gyr qui fabrique des compteurs d'électricité, la Sagem qui produit des systèmes de navigation inertielle (ils captent les accélérations et les rotations du véhicule – avion par exemple – sur lequel ils sont fixés) ; c'est la Sediver, spécialisée dans la production – n° 1 mondial – des isolateurs électriques ; c'est la NSE qui travaille pour l'aéronautique et l'électronique ; c'est Dunlop France qui fabrique des pneus de motos ; c'est la NSE à Nizerolles – câblage, intégration de systèmes câblés – ; c'est Louis-Vuitton à Saint-Pourçain-sur-Sioule

Eaux de Vichy

L'industrie éléavérine (de l'Allier...), ce sont aussi les pièces moulées pour la fabrication des chaussures avec Gouillardon-Gaudry, les cosmétiques qui s'inscrivent dans le concept vichyssois santé, beauté, forme, dans la proximité de ses villes de cure thermale : Néris-les-Bains, Bourbon l'Archambault, ou Vichy. Vous y soignerez le dysfonctionnement de votre foie, de votre vésicule, ou bien votre diabète, les troubles de votre digestion, vos rhumatismes, vos migraines, bref, un peu tout... Les eaux de Vichy, connues dans le monde entier, appartiennent à l'Etat. Elles sont exploitées par une compagnie qui fut fondée en 1853. Une douceur pour terminer ? Ce sera une pastille Vichy, délicieux petit octaèdre tout blanc qui donne un petit coup de pouce à votre digestion...

CÉLÉBRITÉ DU CRU

Albert Londres

Notre rôle n'est pas d'être pour ou contre, il est de porter la plume dans la plaie... Ainsi parle Albert Londres, né à Vichy en 1884. Après des études à Lyon, il arrive à Paris avec l'intention de devenir poète. Pressentant que la strophe peut le conduire à la catastrophe, il accepte un travail de journaliste parlementaire. En 1914, il est réformé pour santé précaire et faible constitution... Il devient alors reporter de guerre. Son premier article raconte l'incendie de la cathédrale de Reims, le 19 septembre 1914. Il va ensuite parcourir le monde pour le *Petit Journal*, puis pour *l'Excelsior* et *Le Petit Parisien*. De tous les pays qu'il visite, il revient avec des reportages d'une grande sincérité qui remuent l'opinion, révèlent des excès – le bagne de Cayenne, les souffrances du peuple russe, les conséquences du colonialisme au Congo, au Sénégal... Il meurt en 1932 dans l'incendie – peut-être criminel... – du bateau qui le ramenait de Chine vers la France, avec un dangereux reportage sur des trafics secrets entre grandes puissances. Depuis 1933, le prix Albert Londres – créé par sa fille – est remis chaque année à un journaliste grand reporter de langue française.

L'Allier des records

- ✔ N° 1 pour la grue de bâtiment – et n° 1 mondial
- ✔ N° 1 pour la production d'isolateurs électriques
- ✔ N° 1 pour la construction de mâts d'éclairage
- ✔ N° 2 des départements allaitants

63 – Le Puy-de-Dôme, fromages et pneus

GÉO-NOMBRES

- ✔ 7 970 km²
- ✔ 617 000 Puydômois
- ✔ Préfecture : Clermont-Ferrand (142 000 Clermontois)
- ✔ Sous-préfectures : Ambert (8 000 Ambertois) ; Issoire (15 000 Issoiriens) ; Riom (20 000 Riomois) ; Thiers (14 500 Thiernois)
- ✔ Nombre de cantons : 61
- ✔ Nombre de communes : 470

Les Puys à l'ouest, la Limagne au centre, les monts du Forez et du Livradois à l'est, Clermont-Ferrand au centre... Voilà le Puy-de-Dôme.

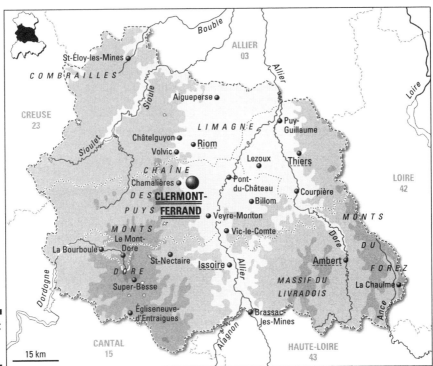

Figure 16-14 :
Le Puy-de-
Dôme.

Carte includes labels: Boule, ALLIER 03, St-Éloy-les-Mines, COMBRAILLES, Allier, CREUSE 23, Aigueperse, Sioule, LIMAGNE, Puy-Guillaume, Châtelguyon, Riom, Loire, Volvic, Lezoux, Thiers, LOIRE 42, Sioulet, CHAÎNE, Chamalières, DES CLERMONT-FERRAND, Pont-du-Château, Courpière, PUYS, Billom, MONTS, Veyre-Monton, MONTS, Le Mont-Dore, Vic-le-Comte, DU, La Bourboule, Dore, Dordogne, St-Nectaire, Issoire, Allier, Ambert, FOREZ, DORE, La Chaulme, Super-Besse, MASSIF DU LIVRADOIS, Égliseneuve-d'Entraigues, Ance, Brassac-les-Mines, CANTAL 15, Alagnon, HAUTE-LOIRE 43, 15 km

Une fantaisie...

Toujours les grands axes, toujours les grandes villes, toujours leurs mille et mille habitants, toujours du chiffre, toujours du nombre, impressionnant. Et si nous nous accordions, entrant dans le Puy-de-Dôme, une fantaisie : trouver un tout petit bourg, un tout petit village, quelque cent habitants, comme une intimité des terres et de la pierre à la solitude savoureuse... Alors dirigeons-nous, voulez-vous, vers Lyon – dans le Rhône –, puis Saint-Etienne – dans la Loire. De Saint-Etienne, partons vers le nord-ouest, jusqu'à Saint-Just-Saint-Rambert. Descendons maintenant vers le sud-ouest – faites confiance au conducteur qui a sa petite idée... ; passons Saint-Bonnet-le-Château, Estivareilles. Première route à droite. Nous traversons Les Villards. Attention ! Nous franchissons la frontière entre la Loire et le Puy-de-Dôme...

La chapelle aux cinq pierres et la fourme d'Ambert

Encore quelques kilomètres, et nous y voici : La Chaulme – 130 habitants ! Quel bonheur, n'est-ce pas ? Ce paysage des monts du Forez, tout en rondeurs, tout en silence minéral et végétal... Tiens, une chapelle, très ancienne – elle date du IXe siècle, au temps de Charles le Chauve. Regardez, au-dessus de l'entrée, les cinq pierres qui rappellent au paysan de l'époque la nature de la dîme qu'il doit acquitter au clergé – c'est, aussi, le but du voyage… – : l'une représente le beurre, l'autre le saucisson, la troisième les œufs, la quatrième, le foin, et la cinquième ? C'est la fourme d'Ambert, le fameux fromage au lait de vache, à pâte délicatement persillée, cylindre de 19 centimètres de haut et de 13 centimètres de large, affiné en cave fraîche pendant 28 jours, déjà connu au IXe siècle, et qui a obtenu son AOC personnelle en 2002 ! 43 cantons du Puy-de-Dôme, 3 cantons de la Loire et 5 cantons du Cantal produisent la fourme d'Ambert, ville que, partant de La Chaulme, vous atteignez – après moult lacets ! – direction nord-ouest.

CÉLÉBRITÉ DU CRU

Pensées de Chamfort

Voulez-vous quelques pensées spirituelles sur l'amour, ou sur d'autres sujets ? En voici cinq : 1) *Le mariage et le célibat ont tous deux des inconvénients.* 2) *Il faut préférer celui dont les inconvénients ne sont pas sans remède.* 3) *L'amour, tel qu'il existe dans la société, n'est que l'échange de deux fantaisies et le contact de deux épidermes.* 4) *En vivant et en voyant les hommes, il faut que le cœur se brise ou se bronze.* 5) *Donner est un plaisir plus durable que recevoir, car celui des deux qui donne est celui qui se souvient le plus longtemps.* Elles sont de Chamfort – non, pas Alain, mais Nicolas, Sébastien-Roch Nicolas de Chamfort, né à Clermont-Ferrand le 6 avril 1741. Brillant auteur et lecteur de salons jusqu'à la Révolution, il devient secrétaire du club des Jacobins. Ami de Mirabeau, il lui écrit ses discours. Il est ensuite nommé directeur de la Bibliothèque nationale, mais il est emprisonné pour s'être élevé, en privé, contre la Terreur ! Il tente alors de se suicider et meurt le 13 avril 1794 des suites d'une opération destinée à le sauver.

Saint-Nectaire, bleu d'Auvergne…

SAVEURS DE FRANCE

Voulez-vous encore du fromage ? Un fromage au bon goût d'herbe tendre ? Voici le saint-nectaire (AOC) au lait de vache, à pâte pressée, non cuite, qui trouve son origine à Saint-Nectaire, voilà des siècles – Saint-Nectaire-le-Bas, dans la vallée, avec sa station thermale, et Saint-Nectaire-le-Haut, le vieux village –, situé à 22 kilomètres à l'ouest d'Issoire. Voici encore le bleu d'Auvergne, AOC depuis 1975, fromage au lait de vache, à pâte persillée, fabriqué surtout dans le Puy-de-Dôme et le Cantal – mais aussi dans l'Aveyron, la Corrèze, la Haute-Loire, le Lot et la Lozère. Et puis, vous pouvez poursuivre cette exploration de l'Auvergne fromagère en faisant halte à Égliseneuve d'Entraigues, afin de visiter la renommée Maison des fromages d'Auvergne – l'été surtout, mais hors saison, sur demande, on peut vous préparer une visite en groupe. Les 406 000 hectares de surface agricole cultivée en Puy-de-Dôme produisent aussi des céréales, des betteraves, des oléagineux.

Michelin, trois frères

Tous ces souples virages de montagne ont sollicité vos pneus – sans doute des Michelin, de Clermont-Ferrand. Marche arrière… En 1889, les trois frères Michelin, Michel, André et Edouard décident de créer une entreprise afin de fabriquer des objets en caoutchouc – matière introduite en Auvergne par une écossaise qui avait inventé une machine à confectionner des balles pour enfants. Ils produisent d'abord des patins de freins – sans oublier de fournir au voyageur à l'arrêt grâce aux patins, un guide, le fameux Guide Michelin qui naît avec le siècle, en 1900. Toutes sortes de pneus pour bicyclettes, automobiles, avions sont ensuite créés. En 2005, l'Airbus A 380 décolle – et atterrit – grâce aux pneumatiques Michelin à l'excellente réputation, dans le monde entier.

UNE GÉO-ANECDOTE

Michelin et les bibs

On reconnaît la marque Michelin – notamment dans la caravane du Tour de France… – grâce à son personnage fétiche, créé en 1898. Il représente un empilement de pneus qui a pris une forme humaine et un sourire sympathique. L'idée de ce bonhomme Michelin est née en 1894, lorsque Édouard dit à son frère, en montrant la pile de pneus à l'entrée de leur stand à la foire de Lyon : *Il ne lui manque plus que les bras pour en faire un bonhomme* ! Le dessinateur Marius Rossillon – dit O'Galop – réalise le projet des frères Michelin à partir d'une affiche réalisée pour une brasserie, sur laquelle on pouvait voir un homme ventru qui déclarait : *Nunc est bibendum* (« Maintenant, il est l'heure de boire », phrase du poète latin Horace). Le terme « Bibendum » est conservé. Le message publicitaire s'appuie sur les performances des pneus Michelin qui, selon ses concepteurs, « boit » les clous, les cailloux et tous les obstacles… Bibendum s'est affiné, est devenu, pour les Auvergnats *Bib* – les employés Michelin sont devenus les Bibs. Enfin, après son entrée dans le Grand Robert de la langue française, Bibendum a été élu meilleur logo du siècle par un jury international !

Le Puy-de-Dôme des records

✔ N° 1 des stations thermales pédiatriques

✔ N° 1 pour la production de pneumatiques

43 – La Haute-Loire, son film...

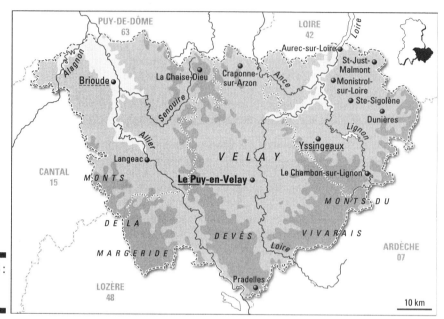

Figure 16-15 :
La Haute-
Loire.

- 4 977 km²
- 217 000 Altiligériens
- Préfecture : Le Puy-en-Velay (22 500 Ponots ou Aniciens)
- Sous-préfectures : Brioude (7500 Brivadois) ; Yssingeaux (7 200 Yssingelais)
- Nombre de cantons : 35
- Nombre de communes : 260

Vous voici dans le sud-est de l'Auvergne. À l'ouest, les monts de Margeride ; au sud, la chaîne du Devès. Au sud-est, le Vivarais. Au centre, le Velay et ses paysages entre le mythe et la magie …

Raclette, Saint-Agur et lentille verte

Pendant qu'en 1968, les étudiants du quartier latin tentaient de trouver sous les pavés de Paris, la plage, plus de 40 % des habitants de la Haute-Loire trouvaient encore leur bonheur sur les 240 000 hectares de surface cultivée représentant la moitié du département. Aujourd'hui, cette surface n'occupe plus que 10 % de la population, dans 6 300 exploitations d'environ

38 hectares en moyenne. On y élève des vaches laitières, au nord-est – l'Yssingelais, autour d'Yssingeaux – et sur la chaîne du Devès, nourries de céréales récoltées sur place. À Brioude, la production de lait – 110 millions de litres – est utilisée pour la fabrication de 12 000 tonnes de fromage dont la délicieuse raclette ! Dans le Velay, on fabrique une exquise pâte persillée : le Saint-Agur. On peut le déguster avec la désormais reconnue lentille verte du Velay – AOC depuis 1975 !

Rubans, dentelles et sacs poubelle

Des rubans, des dentelles, des écharpes, des accessoires de mode, le tout en textiles fabriqués dans l'est et le centre du département ; 400 000 tonnes de film polyéthylène par an, fabriqués à Sainte-Sigolène et destinés à l'emballage ou à l'agriculture, au bâtiment, à la surgélation, aux sacs poubelle… ; l'activité mécanique et la transformation des métaux ; l'électronique ; la transformation du bois – meubles, caisses, palettes – ; telles sont les productions majeures de l'industrie de la Haute-Loire.

CÉLÉBRITÉ DU CRU

Mouton-Duvernet, soldat à seize ans

Montparnasse, Vavin, Denfert-Rochereau, Mouton-Duvernet… Stationnons un instant station Mouton-Duvernet. Vous êtes-vous demandé, vous qui peut-être empruntez chaque jour la ligne 4 du métro parisien qui est ce Mouton-Duvernet, Régis-Barthélemy de son prénom… ? Il est né au Puy-en-Velay, le 3 mars 1769. Engagé volontaire à seize ans, il va faire toutes les guerres de la Révolution, suivre Bonaparte puis Napoléon, jusqu'à Dresde en

1813, où il est fait prisonnier. De retour en France, il se rallie à son Empereur pour les Cent-Jours puis, après Waterloo, se cache un temps. Lorsqu'il revient à Paris, croyant les passions apaisées après l'exil de Napoléon à Sainte-Hélène, il est arrêté et, malgré l'intervention de sa femme auprès de Louis XVIII, fusillé le 27 juillet 1816, chemin des Etroits – aujourd'hui Quai –, à Lyon.

La Haute-Loire des records

✔ N° 1 pour la fabrication de film polyéthylène – emballage, agriculture

✔ N° 1 pour l'altitude moyenne des départements – plus de 800 mètres

✔ N° 1 pour le pourcentage d'agriculteurs dans le nombre d'actifs – 15 %

15 – Le Cantal, son silence de Plomb

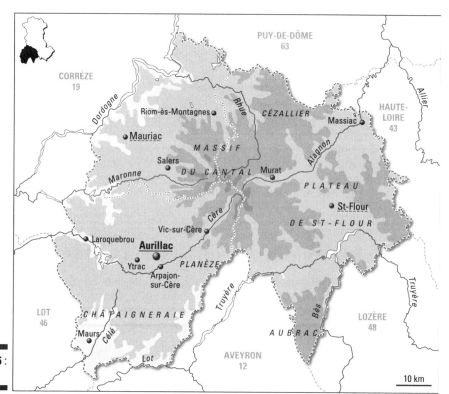

Figure 16-16 :
Le Cantal.

GÉO-NOMBRES

✔ 5 726 km²

✔ 149 000 Cantaliens

✔ Préfecture : Aurillac (33 000 Aurillacois)

✔ Sous-préfectures : Mauriac (4 500 Mauriacois) ; Saint-Flour
   (7 600 Sanflorins)

✔ Nombre de cantons : 27

✔ Nombre de communes : 260

Au centre, le fameux plomb du Cantal qui culmine à 1 855 mètres. Au nord, le parc national des volcans d'Auvergne. Au sud-est, les gorges de la Truyère et le viaduc de Garabit ; Au sud-ouest, Aurillac et ses parapluies…

La salers, ou la passion d'un Sagranier

Avez-vous remarqué, vous promenant dans les champs, dans les prairies, ces vaches rousses aux longues cornes, fines et pointues, qui forment dans l'espace comme un grand V ? Pour certaines, les pointes extrêmes de cette lettre esquissent une légère horizontalité, de sorte qu'apparaît un semblant de guidon de vélo, et on est fort tenté d'enfourcher la bête, de saisir les pointes de ses cornes et de la lancer dans une course folle dans le peloton du Tour de France… Quittons ce discours dérailleur, revenons à la vache rousse : c'est une salers. Les caractéristiques de sa race se sont fixées au XIXe siècle – l'appellation « race bovine de Salers » date de 1852 –, grâce à un Sagranier (habitant de Salers), passionné d'agronomie : Ernest Tyssandier d'Escous (1813-1889). Une viande de qualité, un lait riche – à partir duquel est fabriqué, du 1er mai au 30 octobre, le fromage AOC salers, meule de 40 centimètres de diamètre, et presque 50 kilogrammes ! –, voilà les atouts majeurs de cette vache présente aujourd'hui sous toutes les latitudes !

Du cantal et des broutards

Le Cantal, c'est aussi le cantal : trois formats pour ce fromage délicieusement acidulé, connu dès le XIIIe siècle, aujourd'hui AOC, produit tout autour du Plomb du Cantal (centre de la chaîne des Puys), et dans les départements environnants – Aveyron, Corrèze, Haute-Loire, Puy-de-Dôme – : le cantalet (8 à 10 kilogrammes), le petit cantal (20 à 22 kilogrammes), le cantal (36 à 40 centimètres de diamètre pour un poids qui oscille entre 35 et 50 kilogrammes). Le troupeau producteur de lait est principalement concentré dans la Châtaigneraie (sud du département) et sur les plateaux de Saint-Flour, les zones montagneuses au climat le plus rude étant délaissées. Dans les prairies, les veaux qui ont brouté l'herbe jusqu'au sevrage, devenus des broutards, sont envoyés vers le bassin parisien ou exportés vers l'Italie. Et maintenant, petite halte près d'un ruisseau où l'on aime pratiquer ici la pêche à l'anguille, si le cœur vous en dit !

Le viaduc de Garabit

De loin, on dirait l'élégant tracé d'une écriture qui aurait pris des libertés avec les lettres pour s'inscrire dans la finesse mathématique, chaque courbure, chaque ajustement métallique additionnant pour un bond de géant les équations résolues. Nous avons traversé Saint-Flour, puis dépassé Ruynes pour aller jusqu'à lui : le viaduc de Garabit ! 564,69 mètres de longueur de tablier, 122 mètres de hauteur, 678 768 rivets, cinq années de construction, de 1880 à 1885, une mise en service en 1888. On put alors, sur la ligne Marvejols-Neussargues, franchir les gorges de la Truyère – affluent du Lot – grâce à l'ingénieur Léon Boyer, mort en 1886, et à la société Gustave Eiffel. Aujourd'hui, le viaduc de Garabit a perdu son importance dans le transport des voyageurs – un train le franchit une ou deux fois par jour, à 40 km/h. Demeure son intemporelle élégance…

Le parapluie carré

Imaginez maintenant, dans la seconde, un parapluie… Comment le voyez-vous ? Circulaire, sans doute. Eh bien, il en existe aussi de forme carrée ! Réparables par vous-même au cas où le vent les a trop taquinés. Vous en voulez un, évidemment : il vous reste à le commander à la société Délos France, à Aurillac ! Aurillac, la capitale du parapluie – rond ou carré ! Chaque année, 15 millions de parapluies sont vendus dans l'Hexagone. 450 000 d'entre eux sont fabriqués en France, dont 300 000 à Aurillac. Autres industries : la fabrication de meubles, de produits pharmaceutiques et d'emballages en plastique. Par ailleurs, plus de 3 000 petites entreprises maintiennent l'artisanat bien vivant, notamment dans le bâtiment.

Jacques Faizant, son chêne abattu…

Plus de quarante ans à la une du *Figaro* ! Telle est la performance accomplie par Jacques Faizant, né le 30 octobre 1918, à Laroquebrou, un petit bourg de 1 000 habitants, dans le Cantal. Dessinateur de presse, Jacques Faizant qui avait commencé sa vie professionnelle dans l'hôtellerie, se considérait d'abord comme un journaliste : *Je dis rarement que je suis dessinateur; je dis que je suis journaliste ; je fais passer ce que j'ai envie de dire par le truche-ment du dessin.* Son plus célèbre dessin paraît à la une du *Figaro*, le 10 novembre 1970, lendemain de la mort du Général de Gaulle : on y voit Marianne – le symbole de la République – qui pleure sur un chêne abattu…*Le Point, Paris-Match, Jours de France, La Vie catholique, La Voix du Nord, Le Dauphiné Libéré, Les Dernières Nouvelles d'Alsace* ont aussi publié des dessins de Jacques Faizant qui s'est éteint le 14 janvier 2006, à Suresnes.

Le Cantal des records

🖝 N° 1 pour la production de fromages

🖝 N° 1 pour la production de parapluies

Cinquième partie
Vous êtes de la région ?... (2)

Dans cette partie...

Devenu un arpenteur des départements, expert et riche d'informations générales, pittoresques ou étonnantes sur toute la partie nord de la France, vous vous apprêtez à aborder les régions du sud. Sachez que leurs paysages, leur agriculture, leurs industries, leurs spécialités sont tout aussi variés, tout aussi étonnants ou performants que ceux que vous avez emmagasinés dans votre mémoire de pérégrin – ne vous laissez pas impressionner par ce mot sorti des réserves de l'ancien français : il désigne le voyageur, l'étranger ! Poursuivez maintenant votre pérégrination à travers la cinquantaine de départements – de métropole ou d'outre-mer –, qu'il vous reste à visiter. Et puis, si vous les aimez, recommencez, ou bien transportez-y vos étés...

Chapitre 17
Le Sud-Est

. . . .

Dans ce chapitre :

▶ Régalez-vous des spécialités de la région Rhône-Alpes

▶ Profitez de la lumière, des couleurs et des parfums de la PACA

▶ Séjournez dans l'île où la beauté a élu domicile

. . . .

Huit départements, dans la région Rhône-Alpes ; six départements, dans la région Provence-Alpes-Côte-d'Azur ; deux départements en Corse. Et un soleil unique et généreux qui donne aux terres l'abondance, aux fruits la pulpe tendre, le jus sucré, à la vie la gaieté…

Rhône-Alpes

Huit départements pour cette région qui va du Massif Central à l'ouest aux Alpes à l'est : la Loire et son Forez ; l'Ain et son poulet ; la Haute-Savoie et ses jouets ; le Rhône et son Beaujolais ; la Savoie et son soleil ; l'Isère et son Beyle ; la Drôme et sa clairette ; l'Ardèche et ses bruyères… La capitale de la région est Lyon.

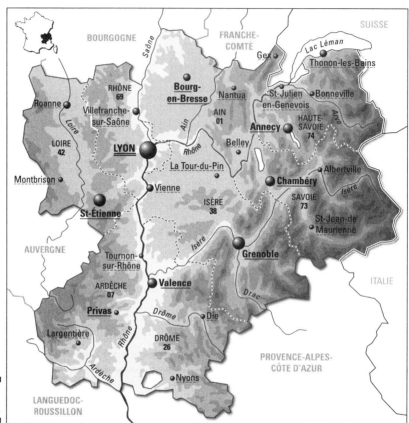

Figure 17-1 :
Rhône-Alpes.

42 – La Loire, « Un pays nommé Forez... »

- 4 781 km²

- 732 000 Ligériens

- Préfecture : Saint-Étienne (185 000 Stéphanois)

- Sous-préfectures : Roanne (41 000 Roannais) ; Montbrison (16 000 Montbrisonnais)

- Nombre de cantons : 40

- Nombre de communes : 327

Tout en hauteur, le département de la Loire : 40 kilomètres de largeur d'ouest en est ; 110 kilomètres de longueur, du sud au nord, de Saint-Étienne à Roanne, en passant par Feurs...

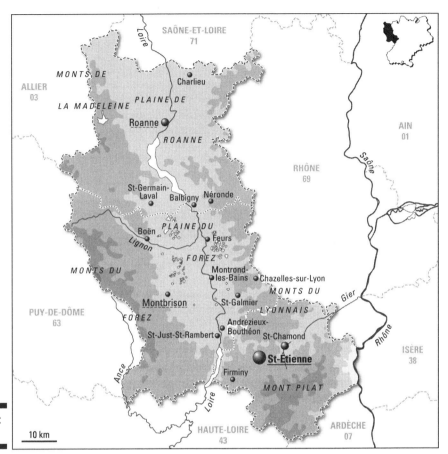

Figure 17-2 :
La Loire.

10 km

Un lac immense

Un petit effort ! Grimpez jusqu'au sommet des monts du Forez et regardez, à l'est, cette longue plaine qui s'étend de Saint-Just-Saint-Rambert au-delà de Néronde. C'est la plaine du Forez. Imaginez qu'ici, à l'ère tertiaire, s'étendait un lac immense. Sous l'eau : Feurs, Montbrison, Saint-Galmier ! Sous l'eau : Boën et Saint-Germain-Laval, Balbigny… Evidemment non puisque ces villes n'existaient pas, mais imaginez les sites où elles se trouvent, leurs rues et magasins parcourus de poissons d'eau douce, c'est un spectacle étrange… Aujourd'hui, au creux de la plaine, coule la Loire qui charrie depuis des temps immémoriaux des légendes de serpent terrible qui se réveille et mange les habitants – ce sont les crues du fleuve ! Le département ajoute à cette plaine et à ses bords montueux, le commencement de la plaine de Roanne.

Le premier chemin de fer à Saint-Étienne

Prenons le train pour Saint-Étienne. À la sortie de la gare, sur votre droite, se trouve un petit monument commémoratif, une stèle dont l'inscription rappelle que c'est ici que naquit, en 1827, la première ligne de chemin de fer. Ils s'agissait alors de transporter la houille – Saint-Étienne était le premier bassin houiller de France – jusqu'à Andrézieux. 20 kilomètres ! Ensuite, elle était chargée sur des bateaux à fond plat qui la convoyaient vers Paris. L'idée du chemin de fer était née de l'imagination et des compétences de l'ingénieur Beaunier (1779-1835). Un autre ingénieur, Claude Verpilleux, fait construire une deuxième ligne entre Saint-Étienne et Lyon. Elle sert au transport des marchandises et des voyageurs. À l'époque, les 144 kilomètres de voie ferrée sont les seuls en France.

Pulls et orthèses

Aujourd'hui, les voies ferrées sillonnent la France dans tous les sens, et Saint-Étienne a subi la grave crise des bassins houillers. Son industrie cependant est dynamique. Elle se développe dans les secteurs de l'optique, de la logistique, de la mécanique et des biens d'équipement industriels, du textile : le département, dans sa partie sud, est l'un des premiers producteurs mondiaux de textiles à usage médical, paramédical, sportif et technique. La production d'orthèses couvre 60 % du marché français – une orthèse est un appareil orthopédique destiné à pallier la déficience d'un membre ou d'une partie du corps, blessé ou malade. 70 % des pull-overs français sont fabriqués dans la région de Saint-Étienne qui approvisionne aussi en soieries les grands couturiers. On y exerce tous les métiers du textile. Par ailleurs, 900 entreprises transforment le bois récolté dans les forêts qui occupent le quart du département.

Le Forez selon Honoré d'Urfé

Auprès de l'ancienne ville de Lyon, du côté du soleil couchant, il y a un pays nommé Forez, qui en sa petitesse contient ce qu'il y a de plus rare au reste des Gaules. Au cœur du pays est le plus beau de la plaine, ceinte, comme d'une forte muraille, des monts assez voisins et arrosée du fleuve de Loire, qui, prenant sa source assez près de là, passe presque par le milieu, non point encore trop enflé ni orgueilleux, mais doux et paisible. Plusieurs autres ruisseaux en divers lieux la vont baignant de leurs claires ondes, mais l'un des plus beaux est Lignon, qui vagabond en son cours, aussi bien que douteux en sa source, va serpentant par cette plaine depuis les hautes montagnes de Cervières et de Chalmazel, jusques à Feurs où Loire le recevant, et lui faisant perdre son nom propre, l'emporte pour tribut à l'Océan...

Ainsi Honoré d'Urfé (1567-1625) décrit-il le Forez où sa famille possède un château sur les bords du Lignon – Honoré est né à Marseille. Il y situe l'action de son roman fleuve... *L'Astrée* – l'histoire du berger Céladon, et de la bergère Astrée dont les familles contrarient le bonheur, ainsi que le bonheur d'Honoré fut contrarié par la famille d'Urfé...

La fourme de Montbrison

Dans la plaine de Roanne courent, galopent et broutent les bovins qui, avant de finir dans votre assiette, sont estampillés du label Charolais prairie. Dans celle du Forez, la culture des céréales occupe une place importante, mais l'élevage est également présent – bovin, caprin et équin (pur-sang et trotteurs). Sur les monts du Forez, les vaches laitières fournissent le lait qui se transforme en fourme de Montbrison. Dans les vergers du Pilat, au sud de Saint-Étienne, on récolte des pommes, des cerises, des poires, des pêches – et on confectionne de délicieuses confitures, ou des jus de fruit.

La Loire des records

✔ N° 1 pour la production d'orthèses et de bas de contention

✔ N° 1 pour la production de textiles à usage technique, médical et sportif

✔ N° 1 pour la production de pull-overs fabriqués en France

01 – L'Ain, le poulet de Bresse...

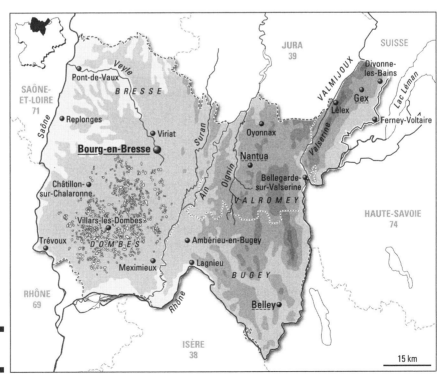

Figure 17-3 :
L'Ain.

- 5 762 km²
- 547 000 Inistes
- Préfecture : Bourg-en-Bresse (43 500 Burgiens)
- Sous-préfectures : Belley (8 500 Belleysans) ; Gex (8 000 Gessiens) ; Nantua (4 000 Nantuatiens)
- Nombre de cantons : 43
- Nombre de communes : 419

Lorsqu'on tente de pousser la porte étymologique des mots afin d'atteindre la chambre secrète où, des sons initiaux, est née la forme connue de nous, on retrouve souvent à l'œuvre les mêmes mots-parents. Ainsi l'Ain : ce mot viendrait de *onna* que nous avons déjà rencontré, racine ligure qui signifie *eau*. Presque tout ce qui nomme les cours d'eau signifie *eau*… Partons au fil de l'Ain…

Le miel des Dombes

Le poulet de Bresse… (chaque année, il se vend environ 11 millions de poulets de chair et coquelets, 585 000 poulets de Bresse, 3,3 millions d'autres volailles, 151 millions d'œufs) Son histoire vous fut contée naguère en ces pages qu'il suffit de tourner pour la retrouver. Parce que, dans l'Ain, il n'y a pas que le poulet…On dénombre aussi plus de 200 000 bovins, près de 200 000 porcs, 30 000 ovins, 9 000 chèvres, 6 000 chevaux, 600 000 poules pondeuses, et des millions d'abeilles réparties dans les 12 000 ruches du département qui produisent le succulent miel de pays des Dombes !

Terres de Bresse, du Bugey…

Les terres ? Près de 100 000 hectares sont consacrés aux céréales, 13 000 aux oléagineux, 2 000 aux cultures maraîchères, et… 10 000 aux jachères, conséquence de la politique agricole commune ! La Bresse-ouest couvre environ 105 000 hectares, la Bresse-est 20 000, la Dombes 100 000, le Bugey 230 000, le Pay-de-Gex 15 000, la plaine de l'Ain 40 000, le Val-de-Saône 34 000, le bassin de Belley et le Haut-Rhône 35 000. Et les hommes ? Près de 11 000 actifs agricoles travaillent sur plus de 6 000 exploitations dont la surface moyenne s'élève à 42 hectares.

Les peignes d'Oyonnax

Remontons maintenant jusqu'aux racines de l'industrie majeure de l'Ain. Jusqu'aux racines des cheveux… Et pour cause : l'industrie initiale de cette région est celle… des peignes ! En effet, Léger, un ministre des rois mérovingiens du VIIe siècle (devenu plus tard, saint Léger) accorde à la ville d'Oyonnax le privilège de la fabrication des peignes – une chevelure abondante et bien entretenue est indispensable au vrai Mérovingien ! La production artisanale de peignes de buis va se poursuivre jusqu'à l'invention du celluloïd au XIXe siècle. Oyonnax se forge alors une réputation mondiale avec ses peignes fabriqués dans cette nouvelle matière. Vers 1930, le plastique remplace le celluloïd. Après la seconde guerre mondiale, l'industrie du plastique prend un nouvel essor autour d'Oyonnax dont la région porte aujourd'hui le nom de Plastics vallée – déjà présentée dans le département du Jura, et qui produit toutes sortes d'objets – meubles Roset, Grosfillex, Carrier, jouets Berchet…

Des câbles

L'industrie, à Bourg-en-Bresse, c'est la tréfilerie, la fabrication de fils d'aciers qui vont être assemblés afin de fournir de solides câbles, tels ceux qui permettent de vous conduire à l'Aiguille du Midi, ceux qui vous grimpent dans les étages au moyen d'ascenseurs, ou bien qui vous permettent d'emprunter des ponts suspendus. Les câbles burgiens équipent aussi la Pyramide du Louvre ! C'est aussi, avec Renault Trucks, la filière de la carrosserie industrielle – après des années de production de camions, notamment les Berliet, dans les années 1960. C'est, dans tout le département, 11 500 PME dont 11 000 emploient moins de 50 salariés.

Ouvrez, ouvrez le Parc aux oiseaux…

Les flamants rouges de Cuba, les manchots de Cachagua, ceux de Humbolt, la volière de Pantanal où volent les plus beaux oiseaux d'Amérique du sud. Et puis des autruches africaines, des condors des Andes, des colibris, des canards de toutes espèces, bref, vous allez voir évoluer plus de 400 espèces du monde entier ! Où cela ? Au Parc des oiseaux, à Villars-les-Dombes, les Dombes aux mille étangs ; le Parc des oiseaux est installé autour de l'un de ces étangs sur les bords duquel un petit train vous conduit au milieu du peuple ailé.

L'Ain des records

🗸 N° 1 pour la production de volailles de consommation

🗸 N° 1 pour la production de jouets en plastique

74 – La Haute-Savoie, le top !

🗸 4 388 km²

🗸 677 000 Savoyards

🗸 Préfecture : Annecy (53 000 Anneciens)

🗸 Sous-préfectures : Bonneville (11 000 Bonnevillois) ; Saint-Julien-en-Genevois (9 500 Juliénois) ; Thonon-les-Bains (30 000 Thononais)

🗸 Nombre de cantons : 34

🗸 Nombre de communes : 294

Privilège de la Haute-Savoie qui honore ainsi son adjectif inaugural : le plus haut sommet d'Europe, le mont Blanc – 4 808,75 mètres aux dernières nouvelles –, se trouve sur ses terres où l'on skie tout l'hiver...

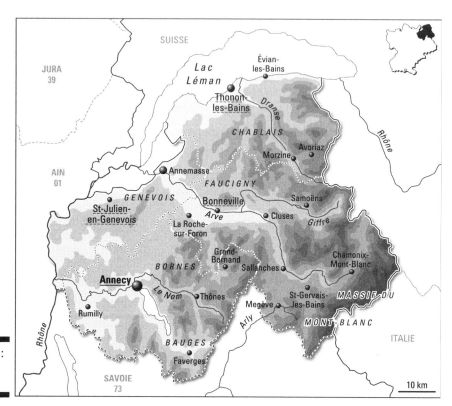

Figure 17-4 :
La Haute-Savoie.

Un généreux décolletage

Oui, bien sûr, la Haute-Savoie, c'est la montagne, c'est la neige, c'est le ski... Mais savez-vous que ce département est le premier dans le secteur du décolletage ? Mis à part l'échancrure d'un col pour élégante, vous n'avez aucune idée de ce qu'est le décolletage ? Eh bien voici : le décolletage consiste en la fabrication de petites pièces métalliques, dans une même barre de métal ou couronne de fil, avec perçages ou filetages à la demande. En Haute-Savoie, plus de 500 entreprises pratiquent cette activité. D'autres se sont spécialisées dans la mécanique de précision.

Cuisines Mobalpa, jouets Vulli...

De grands groupes sont présents dans le département : Téfal, Dassault, Dynastar. L'industrie du bois et de l'ameublement est également très importante avec Mobalpa, par exemple, ou Fournier. On fabrique aussi des vêtements de sports d'hiver, et avant de partir sur les pistes, on déguste

On compte moins de 800 000 naissances annuelles en France

Les demandeurs d'emploi en France, toujours plus nombreux

Dans le métro parisien... Avec ses 2 147 857 habitants, Paris est la ville la plus peuplée de France

L'espérance de vie en France est de 76,7 ans pour les hommes et de 83,8 ans pour les femmes

La vigne en France couvre une superficie
de 850 000 hectares

La moissonneuse-batteuse,
dinosaure de métal

La forêt couvre aujourd'hui 15 millions d'hectares.
Ici, la forêt de Compiègne

Élevage de vaches : les Français consomment
l'équivalent de 460 litres de lait par an

Pêcheurs près de Guilvinec en Bretagne

L'A320 d'Airbus à Toulouse

1 600 km de voies nouvelles ont été construites pour le TGV – qui utilise aussi 6 000 km de voies classiques

Carlos Ghosn, PDG de Renault, dans l'usine de Sandouville en Normandie

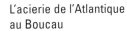

L'acierie de l'Atlantique au Boucau

La centrale nucléaire de Nogent, dans l'Aube

La mer de Glace, sur le site du Montenvers, au-dessus de Chamonix

Tourisme vert : un gîte rural

Tourisme blanc : le ski

Le Centre Pompidou : 5 341 064 visiteurs par an

Tourisme bleu : sur la plage, à Cannes

quelque produit fabriqué sur place par Nestlé ou Entremont, on se sustente avec un emmental, un reblochon ou une tomme, fromages savoyards ! Enfin, les jouets Vulli, les sacs de montagne Millet et les laboratoires pharmaceutiques Fabre (Saint-Julien-en-Genevois) sont implantés en Haute-Savoie.

De la glisse…

Donc, la Haute-Savoie, c'est – ainsi qu'il le fut dit –, la montagne, la neige et le ski. Vous avez déjà traversé les stations-phares d'Avoriaz ou Chamonix dans l'un des chapitres précédents. Voici maintenant Châtel, à la frontière suisse ; Combloux, située comme en un balcon, face au Mont-Blanc ; voici Flaine, l'un des plus grands domaines skiables de France ; voici Le Grand Bornand, autour du Mont Lachat, au cœur des Aravis ; voici Les Gets, au cœur des Portes du Soleil (un domaine sans limite entre la France et la Suisse, au pied des Dents Blanches et des Dents du Midi), avec son authentique village savoyard. Poursuivons notre glisse avec Morzine, Praz de Lys, Praz-sur-Arly au superbe décor, Saint-Gervais, MontBlanc, Samoëns et son nouveau télécabine 8 places, et Thollon Les Memises, la station familiale avec une vue magnifique sur le Léman !

CÉLÉBRITÉ DU CRU

Jeannie Longo, née à Annecy…

Un bac scientifique, un Deug en informatique et mathématiques appliquées aux sciences sociales, une maîtrise de gestion des entreprises à l'Institut d'études commerciales de Grenoble, un Dess en droit et économie du sport… Voilà pour le parcours scolaire et universitaire. Changeons maintenant d'orientation… 1975 : championne de France scolaire de ski alpin ; 1979 : triple championne de France universitaire de ski ; 1982 : double championne du monde citadine de ski… Est-ce tout ? Non ! En selle : 944 victoires, 115 courses de côtes gagnées, 38 records du monde, championne olympique, 13 fois championne du monde, 30 médailles – championnats du monde et Jeux Olympiques –, 51 titres de championne de France, meilleure performance mondiale en une heure à Mexico en 1996 (48, 159 km/h) ; record du monde de l'heure à Mexico, en 2000 (45,094 km/h) ; record du monde des victoires obtenues en une année (hommes et femmes confondus) !… Son nom ? Jeannie Longo, née le 31 octobre 1958, à Annecy… Ces diplômes, ce palmarès, cette volonté de vaincre, de se dépasser, cette énergie… On en a le souffle coupé ! Et, en plus, elle joue merveilleusement du piano ! Silence admiratif…

La Haute-Savoie des records

✔ N° 1 pour le décolletage

✔ N° 1 pour le tourisme d'hiver

✔ N° 2 pour le tourisme d'été

69 – Le Rhône, beaujolais et logiciels

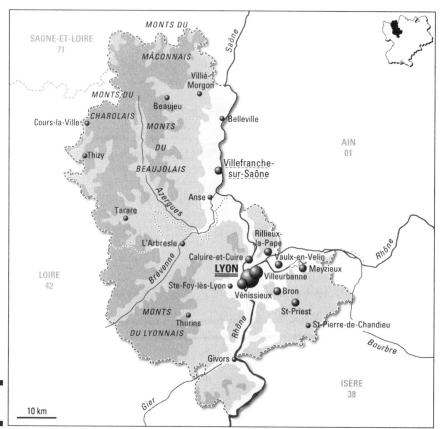

Figure 17-5 :
Le Rhône.

10 km

GÉO-NOMBRES

✔ 3 249 km²

✔ 1 646 000 Rhodaniens

✔ Préfecture : Lyon (455 000 Lyonnais)

✔ Sous-préfecture : Villefranche-sur-Saône (32 000 Caladois)

✔ Nombre de cantons : 54

✔ Nombre de communes : 293

Que lisez-vous, au nord du département ?... Juliénas, Chénas, Fleurie, Chiroubles, Villié-Morgon… Voilà sans doute un quinté gagnant que vous connaissez : celui des nectars du Beaujolais ! Embarquons sur la Saône, pour d'autres découvertes, jusqu'à Lyon où le Rhône prend le relais…

Un hectare, un nectar...

Département de taille réduite – 3 249 km² –, le Rhône compte pourtant plus de 9 000 exploitations agricoles – on y élève des bovins, et, autour de Lyon, on pratique le maraîchage. La taille moyenne de chaque exploitation est elle aussi fort réduite, puisqu'elle n'est que de 17 hectares ! Alors, les paysans sont-ils contraints de vivoter avec une vache et trois poules pour que chacun puisse subvenir à ses besoins ? Hum... Regardez plutôt le nom de la région située au nord du département : Beau-jo-lais ! Voilà l'explication : le tiers des exploitations agricoles du Rhône sont viticoles, et n'ont souvent besoin que de quelques hectares pour produire leur nectar ! Et quel nectar ! De Villié-Morgon jusqu'au sud de Villefranche-sur-Saône, voici le morgon, le régnié, le côtes de brouilly, le brouilly, le beaujolais villages, et le beaujolais !

Beaujolais et rosette

La vinification beaujolaise est particulière : les vendanges sont exclusivement manuelles. Les grappes entières sont mises en cuve. Au fond, elles produisent leur jus qui fermente et libère du gaz carbonique. En zone intermédiaire, les grappes flottent, macèrent dans le jus. La pellicule du raisin libère alors progressivement des tanins qui préparent les arômes. Dans la zone supérieure, la fermentation a lieu dans une atmosphère composée de gaz carbonique. L'ensemble de ce processus fermentaire aboutit à la production d'un vin idéalement fruité – et maintenant, goûtez un peu de rosette de Lyon (saucisson sec), avec un beaujolais-villages – avec modération ! Alors ?...

Fête des framboises

Des framboises, rose tendre, toute la journée, et à foison ! Voilà ce que vous propose la petite ville de Thurins, au sud-ouest de Lyon, chaque année depuis 1985 ! La journée du fruit y est en effet organisée. La Framboise y est reine, avec d'autres fruits, en confitures, en sirops, en sorbets... 25 000 personnes profitent de ce rendez-vous. Et vous ?...

Pétrole en stock à Gerland

L'appétit de Lyon et du Rhône pour l'industrie occupe un quart des salariés du département. Ils travaillent dans le secteur de la métallurgie, fabriquent des machines pour le textile, pour la chimie, du matériel frigorifique ou thermique, des pièces détachées pour les grandes marques automobiles. Beaucoup de sites industriels se trouvent au sud de Lyon. Dans le quartier de Gerland, sur plus de cent hectares, sont stockés les produits des grandes compagnies pétrolières nationales et internationales. Par ailleurs, la seule raffinerie installée en Rhône-Alpes – sur les treize grandes raffineries françaises – se trouve à proximité de Lyon qui mène une efficace politique pour la protection de l'environnement, la qualité de l'air et la maîtrise des déchets industriels.

Lyon, capitale de la soie

Maintenant, marche arrière dans le temps : le 23 novembre 1466, le roi Louis XI, désireux d'éviter la fuite des capitaux vers l'Italie où sont fabriquées de riches étoffes, ordonne que soit créée à Lyon une manufacture de la soie. Lyon boude cette décision jusqu'à ce que François Ier relance l'idée. La corporation des ouvriers de la soie est créée. On fabrique alors des tissus unis. Au début du XVIIe siècle, Barthélemy de Laffemas et Olivier de Serres tentent d'implanter la culture du vers à soie dans le midi, afin de récolter le fil précieux – produire en France, réduire les importations, multiplier les exportations, bref, enrichir le pays ! Réussite mitigée. Colbert, surintendant des finances de Louis XIV, reprend l'idée et la fait triompher : Lyon devient la capitale de la soie !

Lire Villermé...

Après une difficile période pendant la Révolution (la Convention réprime durement une révolte des soyeux), le succès est au rendez-vous jusqu'à la Restauration. En 1831 et 1834, les canuts se révoltent pour obtenir de meilleures conditions de travail : ils sont obligés de travailler de seize à dix-huit heures par jour au pied de leur métier pour un salaire de misère, et sont contraints d'y faire travailler tout autant femme et enfants dans des conditions déplorables. De plus, l'installation des métiers Jacquard a réduit la main d'œuvre – il suffit de lire quelques extraits de l'ouvrage du docteur Villermé (1782-1863) : *Tableau physique et moral des ouvriers employés dans les manufactures de coton, de laine et de soie*, pour comprendre la détresse des familles de l'époque.

Mourguet fait le guignol

Son travail perdu, un tisseur de soie de Lyon, Laurent Mourguet (1769-1844) dut trouver un autre moyen de gagner sa vie après la répression ordonnée par la Convention. Devenu arracheur de dents puis, vers 1805, entrepreneur de spectacles, il présentait des personnages empruntés à la commedia dell'arte. En 1808 Laurent Mourguet hérite d'une marionnette italienne originaire du village de Chignolo. Il la baptise « Chignol », puis « Guignol », plus sonore. Les Grenoblois adoptent Guignol, esprit frondeur, qui tourne tout en dérision : le bourgeois, le gendarme, la religion. Souvent, l'un de ses complices demande du Juliénas, de sorte que ce vin devient fort en vogue dans les bouchons lyonnais, ces restaurants où on peut déguster le tablier de sapeur – (gras double), la jambe de bois (pot-au-feu), des quenelles ou de la cervelle de canut (fromage blanc aux échalotes, à la crème, à l'huile et au vin blanc). La notoriété de Guignol s'étend. Il sort de Lyon, s'assagit, change peu à peu de public, et loge désormais dans le rire des petits enfants.

Aujourd'hui, les tissus à usage technique (TUT)

L'industrie textile poursuit cependant sa progression. Les conditions de vie s'améliorent peu à peu jusqu'au XXe siècle où l'activité se mécanise de plus en plus. Aujourd'hui, la production de la soie en région lyonnaise représente… 0,5 % de la production nationale de textile – 350 tonnes de fil de soie, 300 tonnes de tissus. Mais on y conserve un savoir-faire séculaire, et une excellence inégalée. À l'industrie de la soie s'est substituée l'industrie plus générale des textiles de France – notamment les TUT (tissus à usage technique, en pleine expansion). L'économie rhodanienne, c'est aussi l'informatique, notamment pour la réalisation de logiciels, secteur en constante progression. Enfin, la recherche (près de 10 000 chercheurs) et l'artisanat (plus de 40 000 entreprises) demeurent essentiels pour le dynamisme du département.

CÉLÉBRITÉ DU CRU

Hector Guimard, le Ravachol de l'architecture

Le Ravachol de l'architecture ! C'est le surnom explosif – Ravachol est un anarchiste qui fit exploser plusieurs bombes en 1892 – que donnent à Hector Guimard (Lyon, 1867 – New York, 1942) ses adversaires. Il faut dire qu'il les surprend avec ses créations audacieuses, héritières de l'Art nouveau, un art né en Angleterre et qui privilégie le retour aux sources médiévales afin de combattre la sécheresse des constructions industrielles. Guimard imagine, Guimard invente, au point qu'il crée son propre style où le métal et le végétal semblent s'être donné rendez-vous. En 1899, il est chargé de décorer les sorties des premières stations de métro, œuvres près desquelles vous passez peut-être quotidiennement, indifférent, jusqu'à maintenant…

Le Rhône des records

- N° 1 pour la production de beaujolais
- N° 1 pour la fabrication de logiciels
- N° 2 pour les marchés de gros – Lyon, après Rungis

73 – La Savoie : « Ô temps… »

GÉO-NOMBRES

- 6 028 km²
- 393 000 Savoisiens ou Savoyards
- Préfecture : Chambéry (58 000 Chambériens)
- Sous-préfectures : Albertville (19 000 Albertvillois) ; Saint-Jean-de-Maurienne (10 000 Mauriennais ou Saint-Jeannais)

> ✔ Nombre de cantons : 37
>
> ✔ Nombre de communes : 305

Lumière sur les sommets, lumière sur le scintillement des neiges, sur les stations, lumière... solaire qui devient de l'énergie ! Où ? Ici...

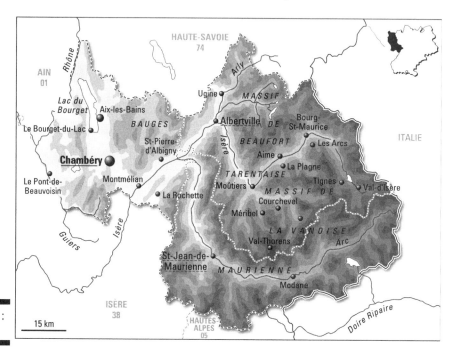

Figure 17-6 :
La Savoie.

Soleil de Savoie !

Soleil ! La Savoie c'est la neige, certes, mais c'est aussi et surtout le soleil ! Au point qu'on y trouve la plus grande concentration de chercheurs dans le domaine des énergies solaires. 50 % de la production nationale d'énergie solaire thermique provient de la Savoie – Chambéry et Montmélian sont les premières villes françaises pour le nombre d'installations en solaire thermique et photovoltaïque (conversion de l'énergie lumineuse en électricité). L'Institut national de l'énergie solaire (l'INES) est installé dans le département. Et sous ce soleil généreux des Alpes du Nord où sont enregistrés chaque année 500 millions de passages aux remontées mécaniques, les 60 stations de ski de Savoie accueillent dans les meilleures conditions tous les amateurs de glisse – en 1992, les Jeux Olympiques d'hiver qui se déroulent à Albertville dynamisent durablement l'économie de toute la région.

Métallurgie, minéraux non métalliques

L'industrie savoyarde repose principalement sur la métallurgie et la sidérurgie (Ugitech, Péchiney). De grands groupes ont permis l'installation d'un tissu de sous-traitance dans le travail des métaux. Le secteur de la mécanique – traitement des surfaces – le traitement des matériaux – cuirs, plastiques, papier (Hasbro-France), carton, textiles – et la chaudronnerie sont également bien implantées dans le département, ainsi que les activités concernant l'électronique – les TIC, technologies de l'information et de la communication –, le matériel électrique (Merlin-Gerin) et le traitement des minéraux non métalliques – coupe, meulage, façonnage du granite, du marbre, du calcaire, de l'ardoise et d'autres pierres ; ou bien préparations à base de minéraux non métalliques pour fabriquer des briques, des pierres réfractaires, de la céramique, du verre… Enfin, l'agroalimentaire fournit des salaisons, des plats cuisinés, des pâtes, du fromage (reblochon, beaufort, tomme…), du vin…

Jacquère, Altesse, Gringet, et autres cépages…

Le vignoble le plus haut de France se trouve en Savoie, dans le Faucigny, à 850 mètres d'altitude. Il s'agit du gamay du domaine Garin. Le département s'illustre aussi dans une spécialité peu connue : la production de plants de vigne – 2ᵉ producteur français. 40 % du vignoble champenois, ainsi que de nombreux autres vignobles français et étrangers, sont approvisionnés en plants par la Savoie. 7 cépages uniques au monde y sont cultivés : le jacquère, l'altesse, le gringet, la molette, la mondeuse blanche et la mondeuse noire – et même un huitième : la roussette d'Ayze ! Vins primeurs et vins de garde sont aussi produits en Savoie, tels que le bergeron, la roussette et le malvoisie. C'est en Savoie que se tient le congrès national des œnologues, en 2006 !

Ô temps, suspends ton vol…

Ô temps, suspends ton vol… Savez-vous qu'il s'agit du temps qui planait sur le lac du Bourget (au nord-est de la Savoie), en 1816 ? Le poète Alphonse de Lamartine (1790-1869) séjournant sur ses berges y rencontra Julie Bouchaud des Hérettes, mariée au physicien Charles, de trente-huit ans son aîné. Leurs amours se poursuivent à Paris. L'année suivante, ils doivent se retrouver sur les bords du lac, mais Julie meurt de tuberculose à Paris. Le poète écrit alors *Le lac*, poème où se trouvent ces fameux vers :

O temps, suspends ton vol ! Et vous, heures propices / Suspendez votre cours ! / Laissez-nous savourer les rapides délices / Des plus beaux de nos jours !… Assez de malheureux ici-bas vous implorent, / Coulez, coulez pour eux ; / Prenez avec leurs jours les soins qui les dévorent ; / Oubliez les heureux…

Un peu de glisse ?

À Val d'Isère, dans l'espace Killy ? Val Thorens plus haute station d'Europe ? Valfréjus, au-dessus de Modane ? Valloire, au pied du Galibier ? Valmeinier, la station village ? Valmorel, premier domaine de Tarentaise ? La Norma, 1 350 mètres d'altitude ? La Plagne dans le Paradiski ? La Rosière et son domaine skiable international ? La Tania, près d'une magnifique forêt d'épicéas ? La Toussuire, petite station authentique ? Les Aillons, dans le massif des Bauges ? Le Corbier, dans le domaine des Sybelles ? Les Arcs-Bourg-Saint-Maurice, au pied de l'Aiguille rouge ? Les Karellis, la station animée ? Les Menuires et ses Grands Espaces ? Les Saisies et son Espace Cristal ? Méribel et ses 16 télécabines ? Montchavin-les-Coches et ses vieux murs ? Peisey Vallandry, au sud-ouest du massif des Arcs ? Pralognan-la-Vanoise, Saint François Longchamp, Saint-Sorlin d'Arves, Sainte-Foy Tarentaise, Tignes ou Val Cenis ? Bonnes vacances…

La Savoie des records

- N° 1 pour les énergies solaires
- N° 1 pour la construction de composants électroniques
- N° 1 pour la destination du tourisme de montagne
- N° 2 pour la production de plants de vigne

38 – L'Isère, pleine d'énergie

- 7 431 km²
- 1 145 000 Isérois
- Préfecture : Grenoble (157 000 Grenoblois)
- Sous-préfectures : La-Tour-du-Pin (7 000 Turipinois) ; Vienne (31 000 Viennois)
- Nombre de cantons : 58
- Nombre de communes : 533

Il est loin le temps où le jeune Henri Beyle quittait Grenoble, sa ville natale, en la maudissant ! Il faut dire que, perdant sa mère adorée à sept ans, confié à une tante et un précepteur aux méthodes d'éducation plus que rigoureuses, et supportant mal un père avare et mesquin, c'est surtout contre une ambiance familiale qu'il se révoltait. Depuis, il est devenu le grand Stendhal (1783-1842), auteur de *Le Rouge et le noir*, *La Chartreuse de Parme*, romans qui vous ont sûrement passionné (e)… Grenoble ! On ne peut maudire la ville de Grenoble : le magnifique paysage dont elle s'entoure, le dynamisme dont elle fait preuve, tout concourt à donner aux industriels, aux multinationales, l'envie d'y planter leur logo, leur drapeau, ou leur étendard…

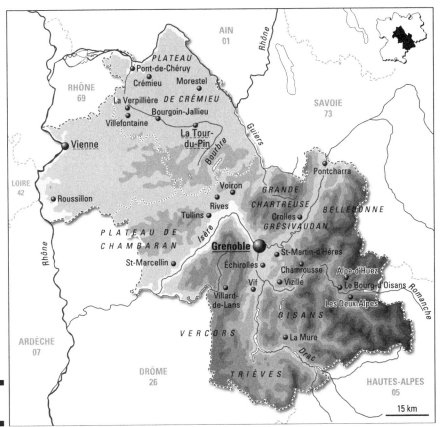

Figure 17-7 :
L'Isère.

Les nanotechnologies

Le tissu industriel de l'Isère en général, mais surtout de la région de
Grenoble, ce sont des PME et des multinationales qui développent les
technologies de l'information et de la communication. L'industrie
informatique y est fort implantée, avec les groupes Cap Gemini, Sun
Microsystems , Hewlett-Packard, Bull, Xerox… 6 500 emplois sont assurés
par l'électronique professionnelle, avec Schneider Electric, Honeywell, Jay
Electronic ; Radiall fabrique des connecteurs et des cordons coaxiaux, des
composants pour fibres optiques. Les technologies des circuits intégrés, les
microtechnologies et même les nanotechnologies (objets à l'échelle
moléculaire !) font de Grenoble le site européen n° 1 pour la
microélectronique européenne – un pôle d'innovation (Minatec) a été créé
pour ce secteur. La chimie, la pharmacie, les biotechnologies et l'industrie
papetière sont également fortement implantées en Isère.

Du picodon, des noix...

Le saint marcellin, le saint félicien, au lait de vache ; le picodon au lait de chèvre, vous connaissez ? Ces fromages proviennent des troupeaux qui broutent les herbages de la Chartreuse et du Vercors. Beaucoup de produits, dont ces fromages, sont vendus à la ferme, dans le département : petits fruits rouges, pâtes de coing, pleurotes à l'huile d'olive et aux herbes, confit de pigeon, viande de bœuf, volailles, vins des Balmes dauphinoises, noix du Grésivaudan ou de la Bièvre – une AOC : la noix de Grenoble –, et même laine mohair ! L'agroalimentaire est bien représenté avec Martinet, l'intraitable traiteur (vous l'avez déjà rencontré...), Luxos, n°1 des pâtés en croûte, les brioches Pasquet, le jambon Sara Lee, Danone et ses yaourts...

Glissons !

À l'Alpe-D'Huez et son Pic Blanc, culminant à 3 330 mètres dans le massif des Grandes Rousses ? Alpe du Grand Serre, aux portes de l'Oisans ? Auris en Oisans, la station familiale ? Autrans, la capitale du ski nordique, au cœur du parc naturel du Vercors ? Chamrousse qui domine Grenoble, et qui se situe à 1 700 mètres, au sud du massif de Belledonne, face à l'Oisans, à la Chartreuse et au Vercors ? Les 2 Alpes, et le plus vaste glacier skiable d'Europe ? Méaudre, à ski sur les pistes, à pied ou en raquettes dans la forêt ? Villard-de-Lans avec ses grands espaces qui font penser au Grand Nord canadien ? C'est au choix...

Hector Berlioz, La Côte-Saint-André...

Paris, 1827. Une jeune actrice irlandaise Harriet Smithson joue le rôle d'Ophélie dans la pièce de Shakespeare *Hamlet*. Un soir, un jeune homme, français, assiste à la représentation, en anglais. Et comme il ne connaît pas un seul mot de la langue de Shakespeare, il ne comprend qu'une seule chose, c'est qu'il vient de tomber éperdument amoureux d'Harriet ! Comment la conquérir ? En écrivant la symphonie la plus étonnante, la plus géante qui soit ! Le jeune homme se met au travail. Il est né à la Côte-Saint-André, près de Grenoble, le 11 décembre 1803. Sa mère fort pieuse, et son père médecin, rêvent d'en faire...un médecin.

Mais le jeune homme – Hector Berlioz que vous avez reconnu – envoyé à Paris, s'inscrit au conservatoire. Bientôt sa symphonie destinée à conquérir Harriet est terminée. Il la fait jouer en 1830 – Harriet est absente. Puis en 1832 – Harriet est présente... Berlioz ose, Harriet cède. Les voilà mariés. Les voilà parents. Les voilà séparés ! Berlioz devient un compositeur fort apprécié dans les pays européens, sauf dans le sien : la France ! Remarié avec sa maîtresse, Marie Recio, de qui il a un fils, il meurt à 65 ans, après les avoir perdus tous les deux. La *Symphonie fantastique*, le *Requiem*, *Harold en Italie*, et cent autres œuvres... Écoutez-les, c'est du génie !

L'Isère des records

■ ✔ N° 1 pour la microélectronique

26 – La Drôme, panier de fruits

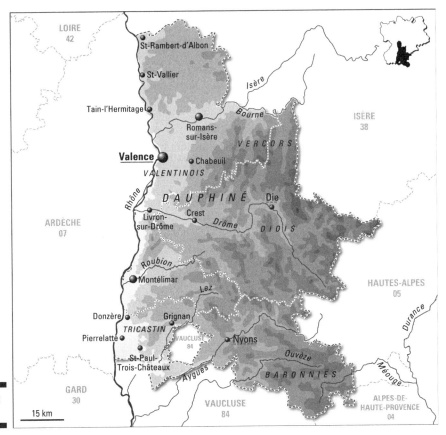

Figure 17-8 :
La Drôme.

15 km

⮣ 6 530 km²

⮣ 458 000 Drômois

⮣ Préfecture : Valence (67 000 Valentinois)

⮣ Sous-préfectures : Die (4 800 Diois) ; Nyons (7 000 Nyonsais)

⮣ Nombre de cantons : 36

⮣ Nombre de communes : 639

Du sud au nord : les Baronnies, le Diois, le Vercors. Du nord au sud :
Anneyron, Valence, Montélimar, Pierrelatte… Visitons, maintenant, la Drôme
aux trois visages…

L'immense verger drômois

Les hauts plateaux du Vercors, à l'est, c'est la Drôme. Les collines verdoyantes, au nord, c'est la Drôme. Des oliviers, de la lavande, comme un air de Provence… c'est la Drôme. La Drôme aux trois visages est unique. On y vient en famille. On aime sa diversité. On se dit qu'on se promène dans un panier de fruits, parce que la couleur, la saveur des pêches, des abricots, des poires, des cerises, la proximité des vergers, installent dans l'atmosphère comme un appétit de douceur. La Drôme, c'est un immense verger, le premier de France !

Bovins, caprins, ovins, vins

La Drôme, c'est aussi l'élevage bovin, destiné principalement à la production de lait dont on fait, par exemple, l'excellent fromage de Romans, à pâte molle – Romans, petite ville située à 18 kilomètres de Valence, est célèbre pour son joli pont de pierre, et pour son industrie de chaussures de luxe. La Drôme, c'est l'élevage caprin dont le lait fournit le picodon – AOC de la Drôme – ; il a la forme d'un disque plat, arrondi, de 2,5 centimètres de haut et de 4 à 7 centimètres de diamètre. La Drôme, c'est l'élevage ovin, dans le sud surtout, destiné à la production de viande. Ce sont aussi les tendres pintadeaux. Tout cela arrosé, par exemple, de la pétillante Clairette de Die, un vin au goût léger et fruité, élaboré selon l'ancestrale méthode dioise – la seconde fermentation est faite en bouteille, comme pour le champagne. Côtes-du-rhône Villages, Crozes-Hermitage, Côteaux du tricastin et châtillon en Diois sont aussi produits dans la Drôme.

CÉLÉBRITÉ DU CRU

Louis Mandrin, dit Belle Humeur

Nous étions vingt ou trente / Brigands dans une bande, / Tous habillés de blanc à la mode des, vous m'entendez, / Tous habillés de blanc / À la mode des marchands. / La première volerie / Que je fis dans ma vie, / C'est d'avoir goupillé / La bourse d'un, vous m'entendez, / C'est d'avoir goupillé / La bourse d'un curé… / J'entrai dedans sa chambre, / Mon Dieu, qu'elle était grande, / J'y trouvai mille écus, / Je mis la main, vous m'entendez, / J'y trouvai mille écus, / Je mis la main dessus.[…] / Monté sur la potence / Je regardai la France / Je vis mes compagnons / À l'ombre d'un, vous m'entendez, / Je vis mes compagnons / À l'ombre d'un buisson. / Compagnons de misère / Allez dire à ma mère / Qu'elle ne m'reverra plus / J'suis un enfant, vous m'entendez, / Qu'elle ne m'reverra plus / J'suis un enfant perdu.

Passant près de l'église de Valence, voyez sous vos pieds cette dalle : « Ici fut exécuté Louis Mandrin (1724-1755) ». Né à Saint-Étienne de Geoirs, près de Romans, Mandrin a 18 ans quand son père meurt. Il doit élever ses neuf frères et sœurs. Compromis dans une bagarre, il devient contrebandier, dirige une bande fort bien organisée et, libérant des prisonniers et dépensant à foison, s'acquiert la sympathie de toute la région. On le surnomme *Belle Humeur* ! Arrêté le 11 mai 1755, trahi par deux membres de sa bande, *Belle Humeur* est roué vif sur la place de Valence le 25 du même mois. Sa légende de bandit magnanime commence alors…

De Thalès à Trigano

L'industrie est très active dans le département. Des systèmes de navigation pour avions, des équipements pour hélicoptères, des systèmes d'information sont fabriqués à Valence par Thalès. Ascom Monetel fabrique des automatismes. Courbis et Gerflor sont spécialisés dans la plasturgie ; Ceralep, Jars, Novoceram, Revol, produisent de la céramique, Fabricom, Pavailler, Solystic, des machines spéciales, Autajon, Emin-Leydier, Iggesund, Spinnler, des emballages. Marques Avenue (magasins d'usines) vient de s'implanter dans la Drôme, de même que Servipac emballages, l'agroalimentaire Thiriet, les résidences mobiles Trigano ou les pâtisseries Pasquier sud.

La Drôme des records

- ✔ N° 1 pour la production des pêches et des abricots
- ✔ N° 2 pour la production des poires Williams et les olives de bouche

07 – L'Ardèche, « ...brin de bruyère... »

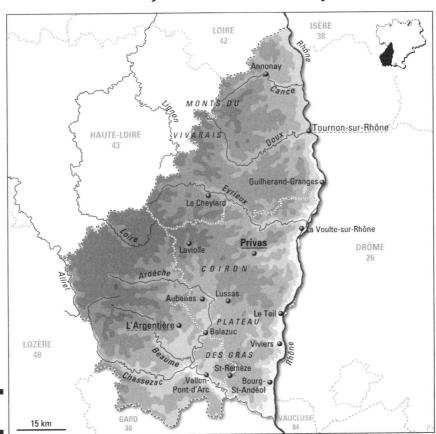

Figure 17-9 : L'Ardèche.

15 km

✏ 5 529 km²

✏ 299 000 Ardéchois

✏ Préfecture : Privas (9 700 Privadois)

✏ Sous-préfectures : Largentière (2 200 Largentiérois) ; Tournon-sur-Rhône (10 800 Tournonais)

✏ Nombre de cantons : 33

✏ Nombre de communes : 339

À l'ouest, les Monts du Vivarais et les Cévennes ; à l'est, du nord au sud : le Rhône ! Et partout ou presque, des châtaignes et des myrtilles, et des brins de bruyère – connaissez-vous ce poème de Guillaume Apollinaire :

J'ai cueilli ce brin de bruyère / L'automne est morte souviens-t'en / Nous ne nous verrons plus sur terre / Odeur du temps brin de bruyère / Et souviens-toi que je t'attends…

Bon voyage dans la douceur de l'Ardèche…

Le poète a toujours raison…

De plaines en forêts de vallons en collines / Du printemps qui va naître à tes mortes saisons / De ce que j'ai vécu à ce que j'imagine / Je n'en finirai pas d'écrire ta chanson / Ma France / Au grand soleil d'été qui courbe la Provence / Des genêts de Bretagne aux bruyères d'Ardèche / Quelque chose dans l'air a cette transparence / Et ce goût du bonheur qui rend ma lèvre sèche / Ma France… Chanson d'amour pour elle, la France ! Chanson de Jean Ferrat, en 1969, comme une géographie du cœur ! Les bruyères d'Ardèche, à Saint-Remèze, ou dans la vallée de la Glueyre, ou à Laviolle, peut-être vers le Mont-Gerbier de Jonc… Jean Ferrat, le poète, a raison : le goût du bonheur est dans les fleurs de sa chanson – et dans les pas du promeneur dont les yeux s'éblouissent de la lumière sur Balazuc ou sur la plaine de Lussas.

Les châtaignes ardéchoises

En vous promenant sur les sentiers d'automne, en Ardèche, vous allez remarquer des bogues vertes et piquantes, ouvertes sur des fruits à l'enveloppe marron brillant, qu'on dirait lustrés, et qui ne s'offrent qu'à la main prudente, habile à éviter les pièges des aiguilles encore tendues : les châtaignes – qu'il ne faut pas confondre avec les marrons d'Inde, non comestibles. L'Ardèche est le premier producteur de châtaignes. Vous promenant en été, vous verrez mille et mille cerisiers alourdis de rouge, des framboisiers criblés de rose tendre – le département est le deuxième producteur de ces deux catégories de fruits. Et puis voici des abricotiers…Tout près, le bourdonnement des ruches d'où sortira le miel de lavande, de sapin, d'acacia, de châtaigniers…

Du cornas et des cartoufles

Voici la vigne, voici les vins : le cornas, célèbre depuis le Xe siècle ; le saint-joseph, vin favori de… Charlemagne ! Le saint-péray, né au XVe siècle, débaptisé momentanément à la Révolution, et devenu : Péray-vin-blanc ; et puis les côtes de Vivarais ; les vins de pays des coteaux de l'Ardèche, cépage viognier ou chatus. Voulez-vous goûter la cartoufle ? C'est une pomme de terre plutôt rouge et violette récoltée en Vivarais – cartoufle est le nom que donnait Olivier de Serres, ministre d'Henri IV, à la pomme de terre – ; elle sert à confectionner la mique – boulette – et la bombine – cartoufle et viande. Un peu de porc et de sanglier régionaux pour terminer ? Oui, mais avec de l'huile d'olive régionale !

PME et grands groupes

70 % des emplois de l'industrie sont proposés par des PME de moins de 500 salariés. Elles sont spécialisées dans le travail du bois, dans le papier, le carton, l'industrie chimique, le plastique, le caoutchouc, dans la métallurgie, le matériel électrique et électronique, le textile et l'habillement, le cuir et la chaussure, dans l'agro-alimentaire. De grands groupes sont implantés en Ardèche – Novartis, Castel Schneider Electric, Euralis Lejaby, Simmons… – ; ils représentent 30 % de l'emploi industriel.

La recette du gâteau aux châtaignes

Pour faire un gâteau aux châtaignes, faites fondre au bain-marie 1 kilogramme de confiture de châtaignes parfumée à la vanille, et, dans le même récipient, 200 grammes de beurre. Retirez votre récipient du feu et ajoutez quatre jaunes d'œufs. Peu avant, vous aurez battu en neige ferme les quatre blancs que vous incorporez alors. Garnissez d'une feuille d'aluminium beurrée un moule à cake. Versez votre préparation dans le moule que vous recouvrez d'aluminium. Mettez le tout au bain-marie à four chaud, pendant cinquante minutes. Sortez votre gâteau du four. Laissez reposer un jour. Et dégustez…

L'Ardèche des records

- ✔ N° 1 pour la production de myrtilles sauvages
- ✔ N° 1 pour la production de châtaignes
- ✔ N° 3 pour l'agritourisme

Provence-Alpes-Côte d'Azur

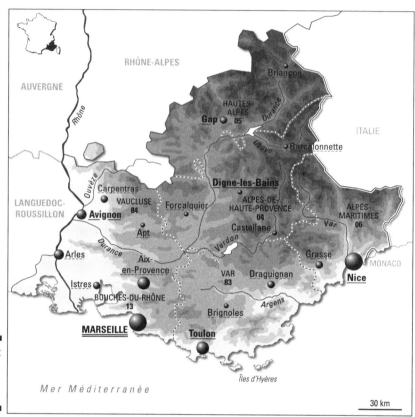

Figure 17-10 :
Provence-
Alpes-Côte-
d'Azur.

Six départements : Les Hautes-Alpes du titan ; les Alpes-de-Haute-Provence du canyon ; le Vaucluse des bories ; les Bouches-du-Rhône de l'OM ; le Var des porte-avions ; les Alpes-Maritimes du parfum… La ville de Marseille est la capitale de cette région riche de sa pétrochimie, de son tourisme, de ses technologies de pointe…

05 – Les Hautes-Alpes, Serre-Ponçon le titan

- 5 549 km²
- 127 000 Haut-Alpins
- Préfecture : Gap (39 000 Gapençais)
- Sous-préfecture : Briançon (12 000 Briançonnais)

✔ Nombre de cantons : 30

✔ Nombre de communes : 177

Du sud-ouest au nord-est : Gapençais, Dévoluy, Champsaur, Embrunais, Briançonnais, Queyras… Briançon où s'élance la Durance…

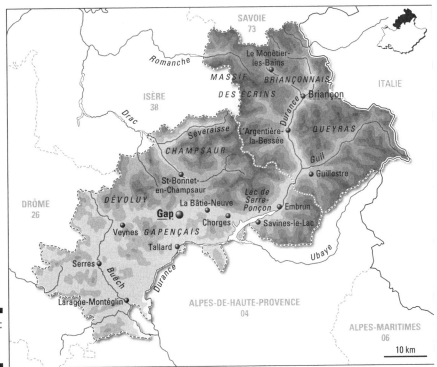

Figure 17-11 :
Les Hautes-
Alpes.

Dompter la Durance !

Silence serein des neiges en altitude et sur les pentes du Briançonnais. Tout semble figé dans l'immaculé. Mais, encore une fois, la branloire pérenne est là ! Le soleil, au fil de la saison nouvelle se fait insistant ; la neige fond, l'eau court, galope vers la vallée, de partout, elle serpente, s'enfle, grossit encore dans son errance, se jette dans la Durance, affluent du Rhône… Et voici la rivière qui monte, monte, sort de son lit, engloutit tout, emporte des vies. Et sur ses bords sans nom coulent les pleurs. La Durance, l'imprévisible ! Surtout entre 1843 et 1856, années d'inondations exceptionnelles, meurtrières. L'idée naît alors de dompter la rivière, de l'apprivoiser.

La Durance domptée...

L'ingénieur Ivan Wilhem élabore un projet de retenue des eaux, en 1895. Il choisit Serre-Ponçon pour construire le barrage. Les travaux commencent... en 1955, et s'achèvent en 1961. Un géant est né : c'est la deuxième plus grande retenue artificielle d'Europe (1,2 milliards de m³) ! Elle couvre 2 800 hectares, alimente 16 centrales hydroélectriques, 10 % de la production française ! Elle irrigue 150 000 hectares de cultures, par l'intermédiaire du canal de la Durance. Marseille, Sisteron, et beaucoup d'autres communes du Var reçoivent d'elle leur eau potable ou industrielle. Et tout autour du lac de Serre-Ponçon, dans le soleil (300 jours par an), se proposent à vous parapente, balades en forêt, vélo tout terrain, cyclotourisme ; à Savines-le-Lac, rafting, canoë-kayak, ski nautique, aviron, natation, mais aussi pêche, tennis, escalade, équitation...

Le tiers du département au-dessus de 2 000 mètres

Dans Hautes-Alpes, l'adjectif Hautes n'est en rien un ornement gratuit ou stylistique : le tiers du département se situe au-dessus de 2 000 mètres ! La surface cultivable n'occupe que 6,3 % du département. On y cultive des céréales qui sont associées à l'élevage. On y pratique la culture maraîchère et fruitière qui bénéficie de l'irrigation par aspersion. Dans le nord, on élève surtout des ovins – les Hautes-Alpes possèdent l'un des plus importants cheptels ovins en France. Du vin, peut-être ? Il y a 150 ans, le département comptait 8 500 hectares de vigne, produisant du valserres, du remollon... Aujourd'hui, les vignes ne couvrent que 150 hectares d'où proviennent le Carignan, l'Espanec, le Cinsault ou le Mollard. Bonne dégustation, avec modération !

04 – Les Alpes de Haute-Provence, le grand Canyon...

- 6 925 km²
- 145 000 Bas-Alpins
- Préfecture : Digne-les-Bains (18 500 Dignois)
- Sous-préfectures : Barcelonnette (3 500 Barcelonnettes) ; Castellane (1 700 Castellanais) ; Forcalquier (4 500 Forcalquiériens)
- Nombre de cantons : 30
- Nombre de communes : 200

Au centre, Dignes-les-Bains ; au sud-ouest de Dignes, le plateau de Valensole, puis la ville de Manosque. Et Manosque, c'est Giono ! Ne connaissez-vous point Giono ? L'un des plus grands écrivains français ? Lisez dès maintenant *Regain*. Puis revenez à cette page afin de mieux connaître la région du roman, et son département...

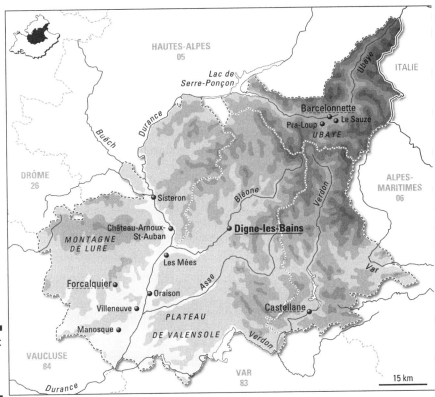

De Barcelonnette à Mexico : les frères Arnaud

Au pied des montagnes : des étendues moissonnées ; plus loin, des montagnes de fruits ; des bois un peu partout ; des prairies dispersées où paissent de placides bovins roux ; et puis ce parfum de lavande… Les Alpes de Haute-Provence ! Partons pour le nord-est du département, à Barcelonnette d'où on gagne, l'hiver, les stations de Pra-Loup, Sauze Super-Sauze, Sainte-Anne, Larche et Saint-Paul ; pendant les autres saisons, Barcelonnette quitte sa couverture de neige pour offrir mille balades à travers ses prairies et ses vergers. N'oubliez pas, si vous y séjournez, de vous faire conter la folle aventure des frères Arnaud. Comme beaucoup de Barcelonnettes, ils firent fortune au Mexique dans le tissu, puis revinrent au pays pour se faire construire de riches demeures, entre 1880 et 1930 !

Rafting, canyoning…

Voici maintenant, à l'est, le Haut-Verdon, zone de haute montagne riche de sa faune et de sa flore très variées, de ses sports d'hiver et sports d'eaux vives, de ses petits hameaux, tout cela dans le Parc National de Mercantour, 210 000 hectares protégés, entre 500 et 3150 mètres d'altitude, l'une des plus grandes réserves naturelles européennes ! Cap vers le sud, vers le vertigineux sud, avec les gorges du Verdon, leur Grand Canyon, pour le rafting, le canyoning, le canoë-kayak, après avoir traversé les vastes cultures du plateau de Valensole, la vallée du soleil ! Allons vers l'ouest : voici Forcalquier, ses collines et ses vignobles, sa lavande, ses plantes aromatiques…

Littérature et cultures

Bienvenue à Manosque où se promènera, jusqu'à la fin des temps, celui qui acquit une renommée mondiale, sans en bouger, ou presque : Jean Giono (1895-1970). Sa Provence exaltée, chacune de ses pages remplie de lignes de chance, comme un labour fertile, bien plus apte à restituer du pays l'invisible envoûtement que la géographie de cours, tout cela tient au cœur, longtemps. L'agriculture, ce sont d'autres mots que ceux de la littérature : céréales, arboriculture, bovins, ovins, lavande, miel et truffes. L'industrie : agroalimentaire, viande de boucherie ; mécanique, électronique, informatique ; la chimie avec Elf-Atochem, à Saint-Auban.

84 – Le Vaucluse, la cerise sur le Ventoux

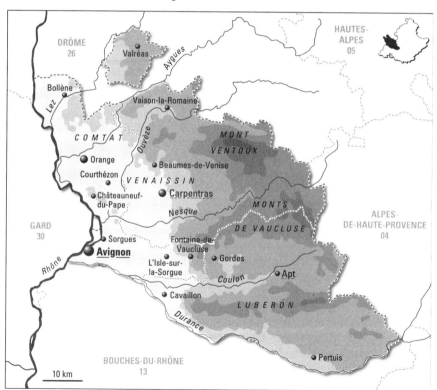

Figure 17-13 : Le Vaucluse.

- 3 567 k^m2
- 518 000 Vauclusiens
- Préfecture : Avignon (89 000 Avignonnais)
- Sous-préfectures : Apt (11 500 Aptésiens ou Aptois) ; Carpentras (28 000 Carpentrassiens)
- Nombre de cantons : 24
- Nombre de communes : 151

Jeudi 13 juillet 1967. Le coureur cycliste Tom Simpson, né en Angleterre en 1937, escalade le mont Ventoux, lors de la 13e étape du Tour de France. Soudain, il chute. On tente de le relever. Trop tard : Tom Simpson est mort. La chaleur (35 °C) ne fut sans doute pas la seule cause de ce drame… Beaucoup d'autres Tours de France ont escaladé ce mont du Vaucluse depuis ce jour de l'été 1967 où le dopage atteignit son sommet, sans qu'on sache vraiment aujourd'hui où il en est… Entrons dans le département, visitons le Lubéron, Cavaillon, Avignon, Vaison…

Un peu de Vaucluse dans la Drôme

Évidemment, regardant le département de Vaucluse (oui, oui, on devrait dire le département de Vaucluse, ce nom provenant d'un village qui s'appelait Vaucluse, sans article, et porte aujourd'hui le nom de Fontaine-de-Vaucluse), donc, regardant le département du ou de Vaucluse, on s'étonne d'en découvrir une partie enclavée dans celui de la Drôme, comme prise en otage, ou bien stoppée dans une tentative de fuite… Ni l'un, ni l'autre ! C'est tout simplement le résultat d'une fantaisie de l'Histoire : lors d'un ultime ajustement du contour des départements, en 1800, le canton de Suze-la-Rousse fut rattaché à la Drôme, ce qui eut – et a toujours – pour effet de faire du canton de Valréas, Vauclusien, une sorte d'île tranquille en terre étrangère, ce qui, au quotidien, ne se voit guère…

Les bories, petites maisons de pierres sèches

Prenons donc notre envol du canton de Valréas, et planons sur le Vaucluse (ou sur Vaucluse…). Voyez d'abord ce mont que les coureurs du Tour de France escaladent à grands coups de pédales et petit braquet : c'est le mythique Ventoux ! Voyez plus au sud, les monts du Vaucluse ; plus au sud encore, le Lubéron et ses bories, on en découvre même tout un village, près de Gordes… Atterrissons. Et marchons vers ce village étonnant : les bories – du latin *boaria* : qui concerne les bœufs – est une construction en pierres sèches, posées les unes sur les autres, sans joint, de sorte que, à mesure qu'on monte les murs, l'ensemble s'arrondisse et forme aussi le toit. Ces bories servaient aux bergers qui s'y abritaient avec leur troupeau. Aujourd'hui, ce sont souvent de petites maisons aménagées pour passer quelques jours au contact de la nature.

Deux palais pour un pape...

Décollage immédiat pour Avignon. Atterrissage immédiat – c'est tout près... Quel est donc ce palais monumental, qui allie élégance et massivité, avec ses tours crénelées, ses fines tourelles qu'on dirait suspendues entre ciel et terre, ses 15 000 m² ? Ce palais, ce sont deux palais... Au temps où, pour des raisons politiques, religieuses et... économiques, les papes résidaient en France, au XIVe siècle, l'un d'eux, Benoît XII, fit construire ce qu'on appelle aujourd'hui le Palais vieux. Son successeur, Clément VI, décida d'effectuer quelques travaux d'agrandissement qui aboutirent à la construction du Palais neuf – celui qui entoure la cour d'honneur. En 1417, le palais perd son pape qui s'en va vivre à Rome, définitivement, laissant en héritage, à Avignon, la meilleure part de sa magnificence. Près de 700 000 visiteurs s'y succèdent chaque année, le classant dans les dix monuments les plus visités de France !

Orange et Vaison, les romaines...

Étendons, de nouveau, nos grandes ailes pour survoler Orange et son théâtre antique construit au premier siècle. C'est le théâtre romain le mieux conservé au monde – son mur de scène mesure 37 mètres de hauteur. Classé au patrimoine mondial de l'Unesco, il permet d'accueillir près de 10 000 spectateurs pour le festival de musique lyrique qui y est organisé depuis 1971 – les Chorégies. Dernière envolée, cette fois en direction de Vaison-la-Romaine (durement touchée par les débordements de l'Ouvèze, le 22 septembre 1992), ses vestiges gallo-romains qui couvrent plus de quinze hectares, sa cité médiévale que les comtes de Toulouse ont perchée au XIIe siècle au sommet du rocher de la Haute Ville.

Du balai...

Retour sur le plancher des vaches, qui ne sont guère nombreuses en Vaucluse (c'est une façon de ne pas employer *dans le*, devant Vaucluse...), les ovins et les caprins sont en revanche présents sur les pentes des monts du Vaucluse et du Ventoux. On cultive des céréales dans le nord-ouest, du sorgho et du tournesol dans le Comtat (ou Comtat Venaissin, premier producteur de truffes en France !), partie nord du département, anciennement propriété des papes du Palais magnifique. La principale production en Vaucluse (façon, cette fois d'éviter le *de* ou le *du*...) ce sont les fruits ! Ceux qui font les délices de la bouche : cerises (le département en est le premier producteur national), abricots, pommes, pommes d'amour (tomates), melons... Et ceux qui font les délices du palais des œnologues professionnels, amateurs, ou occasionnels – vous vous trouvez forcément dans l'une des trois catégories, sinon, passez votre chemin. Donc, la vigne...

Châteauneuf-du-pape...

De la vigne qui pousse sur des sols composés de sable et de loess, et qui donne un vin léger, naissent les côtes-du-rhône – produite dans 6 départements, sur 163 communes, de Vienne au sud d'Avignon. De celle qui pousse sur des sols arides, caillouteux, provient un vin fin, fruité : le côtes-du-rhône villages – plus puissants sont ceux qui viennent d'un terrain argilo-calcaire. Sur les gros quartz mélangés à de l'argile, poussent des vignes qui donnent le nectar appelé Châteauneuf du Pape, de réputation mondiale ! Sur les sols composés d'alluvions d'argiles rouges caillouteuses, naît le raisin duquel coule le Gigondas. Sur les alluvions et terrasses calcaires du quaternaire croissent les grappes qui donnent le Vacqueyras. Enfin, au pied des Dentelles de Montmirail – des crêtes de calcaire érodées, finement travaillées par le temps, près de Beaumes-de-Venise, dans le nord du département – sur des sables, marnes et grès, le fameux muscat, le muscat de Beaumes-de-Venise – modérissimo !

CÉLÉBRITÉ DU CRU

Olivier Messian, traducteur des oiseaux

Il est né à Avignon, le 10 décembre 1908, mort à Clichy, le 27 avril 1992. Son art et son génie se sont manifestés dans une écriture musicale tout à fait originale – toute sa vie passionné par le chant des oiseaux, il a restitué à sa façon leurs modulations, allant les recopier *in situ*, en pleine nature. Sa perception visuelle des sons – selon son affirmation – le conduit à pratiquer une écriture neuve qui peut, dans un premier temps, dérouter, d'autant plus qu'il y incorpore des rythmes hindous transposés selon sa méthode d'écriture. Bref, ses œuvres sollicitent bien plus l'esprit et une bonne culture musicale que la sensibilité immédiate. Ceux qui ont assisté à l'intégralité de son opéra en trois actes et huit tableaux *Saint François d'Assise* possèdent une bonne expérience de ce qu'a apporté au patrimoine musical français Olivier Messian.

Le Vaucluse des records

- ✔ N° 1 pour la production de cerises de bouche
- ✔ N° 1 pour la production de raisins de table
- ✔ N° 1 pour la production de pommes golden
- ✔ N° 1 pour la production de truffes
- ✔ N° 1 pour la production de plants de vigne
- ✔ N° 1 pour la production de côtes-du-rhône
- ✔ N° 1 pour la production de balais de sorgho : Courthézon
- ✔ N° 2 pour la production de melons
- ✔ N° 2 pour la production de tomates

13 – Les Bouches-du-Rhône, 1ᵉʳ de la PACA

Figure 17-14 :
Les
Bouches-du-
Rhône.

- 5 087 km²
- 1 879 000 Bucchorhodaniens
- Préfecture : Marseille (808 000 Marseillais)
- Sous-préfectures : Aix-en-Provence (390 000 Aixois) ;
  Arles (52 000 Arlésiens) ; Istres (41 000 Istréens)
- Nombre de cantons : 53
- Nombre de communes : 119

La Camargue, les Alpilles, la Crau, l'Estaque, la Sainte-Victoire de Cézanne, Aix-en-Provence, Aubagne de Pagnol, Marseille, Martigues, Arles… On entend presque l'accent…

La peste à Marseille

Des Antilles, le sucre, le café, le cacao arrivent par bateaux entiers ! Des industries se développent : celle de la savonnerie – le fameux savon de Marseille, à l'huile d'olive –, des raffineries de sucre, de la faïencerie, des manufactures de tabac… De somptueuses demeures sont bâties par les armateurs qui font fortune. Est-ce là le Marseille d'aujourd'hui ? Non : ce tableau date du milieu du XVIIIᵉ siècle, à l'époque où la cité fondée par les Phocéens – (des Grecs venus d'Asie Mineure), la Turquie – en 600 av. J.-C. – se relève d'une épidémie de peste commencée en 1720.

Arriver comme Belsunce...

Plus de 50 000 personnes, sur les 90 000 que comptait la ville, sont mortes de cette épidémie – au total, 100 000 dans toute la Provence. L'évêque d'alors, Monseigneur Belsunce, se dévoue jour et nuit auprès des pestiférés. La ville a donné son nom à l'un de ses quartiers, lui a bâti un institut, lui a dressé une statue aux bras et mains grands ouverts, ce qui a fait naître deux expressions : arriver comme Belsunce, et se faire payer chez Belsunce, qui dans l'un et l'autre cas, a les mains vides... Donc, en 1750, la ville, relevée de son malheur, prend un essor qui la conduit à la première place des ports français. Elle fait commerce avec le Levant, l'Afrique, les Caraïbes. Le Vieux port est abandonné pour de nouvelles installations à la Joliette, à l'Estaque. Les voies ferrées, les usines se multiplient.

Premier port pétrolier

Aujourd'hui, après les aménagements décisifs effectués dans les années 1960 – le complexe industriel et portuaire construit autour de l'étang de Berre –, le palmarès marseillais est impressionnant : premier port pétrolier de France et de Méditerranée, deuxième centre de raffinage du pétrole qui comporte quatre raffineries – le premier étant situé en basse-Seine. L'industrie pétrochimique (Berre, Lavéra), la métallurgie lourde, celle de l'acier (Ascométal, Sollac), de l'aluminium fournissent bon nombre d'emplois, ainsi que la zone industrielle installée autour du golfe de Fos.

Eurocopter, SNCM...

Les grandes sociétés poursuivent leur activité et n'abandonnent pas leur dynamique de croissance, malgré la crise économique : la CMA-CGM, troisième armateur mondial, la Comex – compagnie d'expertise maritime –, la SNCM – société nationale maritime Corse-Méditerranée. La société Eurocopter – filiale d'EADS –, installée à Vitrolles, à la pointe de la technologie aéronautique, fabrique, pour plus de 130 pays dans le monde, des hélicoptères civils ou militaires.

Le MNATP déménage à Marseille

Connaissez-vous le MNATP ? Avec cette manie des sigles, évidemment, si vous ne connaissez le MNATP, vous ignorez qu'il s'agit du Musée national des arts et traditions populaires. Créé en 1937 par Georges-Henri Rivière, il est d'abord destiné à conserver des objets ou des informations concernant la mémoire de la ruralité active. En 1969, le musée est transféré au Bois de Boulogne. En 2005, il ferme ses portes afin que soit préparé son grand voyage vers Marseille ! En effet, en 2008, élargissant son horizon, le MNATP sera devenu Le Musée des civilisations de l'Europe et de la Méditerranée, riche de collections nationales et internationales.

CÉLÉBRITÉ DU CRU

Tête de Basile Boli...

L'O.M. ! L'Olympique de Marseille ! C'est plus de cent ans d'histoire et de gloire, de victoires auxquelles sont associés les plus grands noms du football. L'O.M. est né en 1892, mais c'est en 1900 qu'il trouve son nom définitif : Olympique de Marseille. À cette époque, dans la région, on appelle souvent football ce qui est devenu aujourd'hui le rugby. Et on appelle *association* le jeu de balle au pied devenu le football que l'on connaît – du mot *association* est né le mot *soccer* qui désigne le foot en Amérique du nord. Le palmarès de l'O.M. – blanc et bleu ciel – est impressionnant, coupes et championnats de toutes sortes au cours du XXᵉ siècle, dont, en 1993, la coupe des Champions, remportée contre le Milan AC, sur une tête de Basile Boli, un fait unique dans les annales des clubs de football français...

Des calissons pour Jeanne

La ville d'Aix-en-Provence, ce sont bien sûr – entre autres... – les calissons, friandises qui furent offertes le 10 septembre 1454 à la jeune Jeanne de Laval, 21 ans, qui épousait sans passion et sans joie le roi René, le bon roi René d'Anjou, comte de Provence, 45 ans. Composées d'amandes, de sucre et de melon confit, ces friandises firent retrouver à la belle son sourire, et plus tard assez de belle humeur pour donner à son mari plusieurs enfants qui eurent à leur tour des enfants... Tous moururent avant leur père et grand-père. Le neveu du roi René, devenu roi à son tour, mourut sans enfants, en 1481. La Provence revint alors à la France.

Dynamique pays d'Aix

Aujourd'hui, le Pays d'Aix, c'est – outre Eurocopter – le développement de nouvelles énergies, avec le Commissariat à l'énergie atomique de Cadarache, c'est la logistique et le transport ; c'est l'agroalimentaire avec les brioches Pasquier, le jambon ABC, les olives Tramier, les fruits secs Saman, l'huile d'olive AOC, les boissons Orangina, Coca-Cola... Ce sont aussi les centres de recherche en dermatologie, nutrition, allergologie, lutte contre le vieillissement. De grandes sociétés spécialisées dans l'un ou l'autre secteur se sont implantées dans la région : Esthederm, Daniel Jouvance, Cegipharma, Phytomédica, Dietiac... C'est encore l'Europôle méditerranéen de l'Arbois qui s'étend sur 4 500 hectares et qui a pour ambition d'accompagner les entreprises qui se développent, en intégrant le respect de l'environnement. C'est enfin le tourisme : avec trois cents jours de soleil, le pays d'Aix accueille 800 000 touristes par an, qui visitent abbayes, petits villages, châteaux (Vauvenargues, Cabriès...)

Riz, fruits, château simone...

Vous avez déjà traversé la Camargue dans les pages précédentes, vous connaissez ce paysage étonnamment sauvage et marécageux, l'envol de ses flamants roses, le galop de ses chevaux en liberté, ses petits taureaux de combat. Vous savez qu'on y produit du riz – ainsi que dans le Crau –, mais cette production est en régression, contrairement à celle des fruits et des légumes. Partout où les pentes le permettent, l'olivier est installé, notamment pour la production d'huile. Il est voisin des vignes qui sur des sols pauvres en humus donnent des côtes de provence, et sur des éboulis calcaires produisent la palette – Château Simone –, au pied de la montagne Sainte-Victoire – vous apercevez cette vigne sur les toiles de Cézanne...

CÉLÉBRITÉ DU CRU

La Sainte-Victoire de Paul Cézanne

Deux adolescents dans la vallée de l'Arc, près d'Aix-en-Provence, en 1854. L'un se croit poète, il écrit des vers : *Elle tombe la grêle / Bientôt elle se mêle / À ces noirâtres eaux...* L'autre, qui est sûr de devenir un grand peintre, les lit en dessinant. Et les critiques de l'aspirant peintre pleuvent ! L'apprenti poète aperçoit le dessin, et se met à en souligner les défauts... Finalement, le dessinateur deviendra écrivain – son nom : Emile Zola (1840-1902). Et son ami poète deviendra le peintre Paul Cézanne (1839-1906) ! Cézanne est le fils d'un modeste

apprenti chapelier qui a fait fortune... dans la banque, laissant à son fils l'aisance nécessaire à la pratique de son art. Refusé à l'École des Beaux-arts, à cause de ses accès d'humeur, Cézanne – que Zola croquera dans son roman *L'Œuvre* – est d'abord lié aux impressionnistes, en 1874. Il s'en sépare trois ans plus tard, se heurte à l'incompréhension du public, mais connaîtra une gloire internationale vers 1900. La montagne Sainte-Victoire qu'il a représentée à de nombreuses reprises demeure associée à son nom.

Les Bouches-du-Rhône des records

- ✔ N° 1 des ports pétroliers – Marseille
- ✔ N° 1 pour les greffes d'organe
- ✔ N° 1 pour la construction d'hélicoptères
- ✔ N° 1 pour la production d'aubergines
- ✔ N° 2 des centres de raffinage
- ✔ N° 4 des aéroports : Marignane

83 – Le Var, frégates et porte-avions

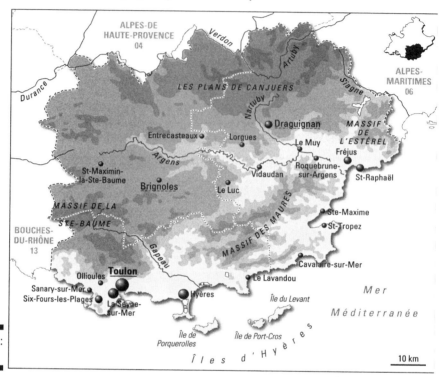

Figure 17-15 :
Le Var.

- 5 973 km²
- 951 000 Varois
- Préfecture : Toulon (167 000 Toulonnais)
- Sous-préfectures : Brignoles (14 000 Brignolais) ; Draguignan (35 000 Dracenois)
- Nombre de cantons : 43
- Nombre de communes : 153

Vous allez – enfin peut-être, à moins que vous ne le sachiez déjà – savoir par quoi et pourquoi le Var se distingue de tous les autres départements français…

Chez les Maralpins...

Vous n'êtes pas sans savoir que – ce qui signifie : vous savez que… – ou bien vous n'êtes pas sans ignorer que – ce qui signifie vous ignorez que… – les départements portent tous ou bien le nom d'un fleuve, ou bien celui d'une rivière, d'une chaîne de montagne, d'une particularité du relief intérieur ou littoral ; bref, on peut trouver dans le département ce qui justifie son nom, ce qui est conforme au bon sens. Or, si vous vous rendez dans le Var, et que, sans en parler à quelque autochtone, vous décidez de chercher le cours d'eau qui donne son nom au département, vous allez chercher longtemps ! En effet, le Var coule… dans le département voisin, les Alpes-Maritimes ! Comment cela ? Les Maralpins (habitants des Alpes-Maritimes qui préfèrent à Maralpins : Azuréens – c'est plus chic…) se seraient rendus coupables d'un détournement de fleuve ? Et personne ne s'en serait aperçu ?

Le fleuve rosé…

Allons donc ! Tous les Varois le savent : lorsque le comté de Nice a été annexé par la France en 1860, le département du Var a été amputé de sa partie est : l'arrondissement de Grasse. Et cet arrondissement contenait le Var qu'il a été impossible de restituer à ses anciens possesseurs varois. Ont-ils reçu une compensation ou un dédommagement en liquide ? Point du tout ! Cela ne les empêche ni de dormir, ni de faire de leur département le premier producteur de miel, d'olives, de figues, de tulipes, de roses coupées, tout en se classant à un rang fort honorable pour la récolte des châtaignes ; qui dit mieux ? Ah… Un enchérisseur ? Oui : il ne faut pas oublier que le Var est non seulement le premier producteur de vin rosé sur le plan national, mais qu'il détient aussi, dans ce (savoureux !) domaine, le record du monde – la vigne y occupe près de 40 % de la surface agricole utile ; les 7417 exploitations agricoles du département ont une moyenne de 11,5 hectares ! Dont acte.

D'Entrecasteaux à Versailles

Bien avant Alexandre, avant Périclès, au temps où les tyrans Dracon, Solon, Pisistrate et Clisthène imposaient à la Grèce ses premières lois (VIe siècle av. J.-C.), on commençait à déguster, en Provence, le vin rosé ! C'est dire l'expérience acquise aujourd'hui : plus de deux millénaires et demi ! Et, descendant les siècles, le rosé de Provence a toujours fait halte dans les cours les plus prestigieuses, transporté d'abord par le bouche à oreille, puis par voie terrestre ou par bateau, à Londres ou à Paris. Madame de Sévigné, qui séjournait régulièrement chez sa fille, au château de Grignan, à Entrecasteaux, en emportait à Versailles, de sorte que Louis XIV en fit l'un de ses vins préférés. Aujourd'hui, la production est encore largement dominée par les rosés légers, fins et fruités – trois AOC : Côtes de Provence, Coteaux Varois, Bandol – ; mais les rouges et les blancs souples, aromatiques, sont à découvrir – avec modération, cela va sans dire.

Toulon : onze bassins de radoub

Gaaaaaaarde à vous ! Nous arrivons dans la plus belle rade d'Europe (si, si, c'est vrai, visitez toutes les rades d'Europe, et vous serez convaincu !...) le premier port militaire de France : Toulon – de *telo* : le pied de la montagne, et de *Martius* : dieu romain de la guerre ! Après avoir été un centre fournisseur de pourpre impériale et guerrière pour Rome – on l'obtenait en écrasant des cochenilles présentes sur les chênes – Telomartius devient Toulon. Charles VIII y crée les premiers chantiers navals. Pendant la Révolution, Bonaparte s'illustre au siège de la ville en la reprenant aux Anglais qui venaient de s'en emparer. Au milieu de la dernière guerre mondiale, le 27 novembre 1942, la flotte française se saborde dans le port de Toulon afin de ne pas tomber aux mains de l'ennemi. Aujourd'hui, Toulon qui compte onze bassins de radoub (réparation et entretien des navires) est le port d'attache du porte-avions Charles-de-Gaulle.

CÉLÉBRITÉ DU CRU

Monsieur 100 000 volts, de Toulon

En 1936, au conservatoire de Nice, on s'émerveille d'entendre et de voir jouer un petit pianiste prodige de neuf ans : François Silly, né à Toulon, le 24 octobre 1927. En 1942, l'enfant devenu adolescent, s'installe à Paris avec sa mère et son beau-père – il a peu connu son vrai père qui a quitté le foyer. Avec son frère Jean, François intègre le mouvement de résistance à l'occupant, qui s'est créé en Savoie. Puis vient la Libération. François Silly commence à chanter dans les cabarets parisiens. Il décide de changer de nom. Il choisit celui de son père adoptif : Bécaud, et le fait précéder de son deuxième prénom : Gilbert. La rencontre avec Edith Piaf, avec les compositeurs Pierre Delanoé et Jacques Pills propulse Gilbert Bécaud vers le succès. Un succès tel qu'en 1954, à l'Olympia, le public électrisé par celui qui devient Monsieur 100 000 volts, se met à casser des fauteuils ! *Je t'appartiens, Les Marchés de Provence, Et maintenant, Mon père, L'Orange, Nathalie, Les Dimanches à Orly…* Laissez-vous aller, fredonnez un peu de Bécaud, afin qu'il n'ait pas complètement disparu, le 18 décembre 2001…

Le Var des records

- ✔ N° 1 pour la production de miel
- ✔ N° 1 pour la production d'olives
- ✔ N° 1 pour la production de figues
- ✔ N° 1 pour la production de vin rosé – et n° 1 mondial
- ✔ N° 1 pour la production de tulipes
- ✔ N° 1 pour la production de roses coupées
- ✔ N° 1 pour la culture des oliviers
- ✔ N° 1 des ports militaires de France
- ✔ N° 2 des départements boisés

06 – Les Alpes-Maritimes au parfum

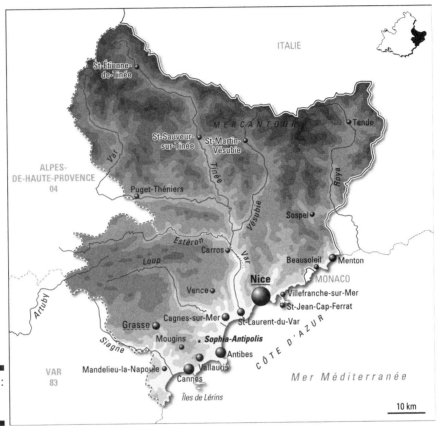

Figure 17-16 : Les Alpes-Maritimes.

- 4 299 km²
- 1 049 000 Maralpins ou Azuréens
- Préfecture : Nice (350 000 Niçois)
- Sous-préfecture : Grasse (45 000 Grassois)
- Nombre de cantons : 52
- Nombre de communes : 163

Eh bien quelle surprise ! Voici le Var qui coule dans les Alpes-Maritimes – mais, désormais, vous connaissez toute l'histoire de cette anomalie, vous venez de la lire dans la page consacrée au département… du Var. Vous fûtes donc mis au parfum – transition pratique pour vous faire baigner dans celui des Alpes-Maritimes…

Les citrons de Menton

Êtes-vous venu à Menton entre le 10 et le 26 février 2006 ? Non ? Dommage : vous eussiez assisté à la 73e fête du citron ! Plus de deux cent mille personnes s'y sont pressées... comme chaque année depuis 1920. Pourquoi ? À cette époque, Menton était le premier producteur de citrons en Europe ! Depuis, la place est prise par l'Espagne et l'Argentine, mais les citrons demeurent une occasion annuelle de réjouissances, de défilés admirés par des touristes venus du monde entier, et par les Mentonnais !

Les fêtes de Nice

Dans le même temps, des chars envahissaient la ville de Nice afin de livrer bataille... de fleurs pour le Carnaval annuel, l'une des nombreuses fêtes niçoises : le festin des cougourdons, la fête des maïs, le renouvellement du vœu, la fête de la Saint-Pierre, la fête du Malonat, la fête de l'Assomption, la fête de la San Bertoumieu, la fête de Catherine Ségurane, la fête de Sainte Réparate, Lou Présépi, la fête du Port, la fête de la Calena, la fête de Saint-Isidore, la fête de la Saint Jean, la fête de la Saint Vincent, Via Crucis... Batailles de fleurs aussi à Grasse, en août, pour la fête du jasmin !

Cinq millions de touristes...

Fête à Menton et ses citrons, fêtes à Nice et sa promenade des Anglais, fête à Grasse et ses parfums... Le département des Alpes-Maritimes ne serait-il qu'une fête permanente ? Oui... mais non : la fête est l'aboutissement d'une longue préparation, d'un travail minutieux pour la confection des chars, pour l'organisation des journées, des nuitées. Tout cela pour accueillir et divertir les cinq millions de touristes qui, chaque année, séjournent dans le département – heureux flâneurs qui apprécient la conjugaison de la lumière et de toutes les couleurs de la bonne humeur. Pendant ce temps, beaucoup de Maralpins ou Azuréens vaquent à d'autres occupations...

La cité de la sagesse

Longeons la côte...Que de noms qui fleurent bon l'été parfumé aux crèmes protectrices, indice 12 ! Saint-Jean-Cap-Ferrat, Saint-Laurent-du-Var, Cagnes-sur-mer (et son hippodrome), Antibes – Juan les Pins et son jazz, Vallauris et sa poterie, Cannes et son festival, Mandelieu-la-Napoule et son mimosa... De Mandelieu, passant par Le Cannet, remontons vers Grasse. Elle est là : la cité de la sagesse, Sophia Antipolis ! Quel nom étonnant ! Il semble né de la spirale ascendante d'un enthousiasme prenant sa source dans l'antique pour mieux assurer le moderne. Sept syllabes, c'est plus qu'un titre, c'est presque un texte ! Alors, Sophia Antipolis, qu'est-ce ? Le début d'un poème ?

L'idée sur un plateau

Plus prosaïquement, Sophia Antipolis est une association fondée en 1969 par Pierre Laffitte, directeur de l'École des Mines de Paris. Son rêve est de créer dans les Alpes-Maritimes une cité internationale de la sagesse, des sciences et des techniques. Des élus, des responsables politiques, économiques, des industriels, des scientifiques se joignent à lui, et l'idée prend corps. Concrètement, il s'agit de réunir sur un vaste plateau, à proximité de Grasse, Nice, Cannes et Antibes, des entreprises nationales et internationales dans les secteurs de la santé, de l'informatique, des télécommunications, des matériaux, ainsi que des organismes de formation, de recherche… Oui, mais quel nom donner à ce pôle d'enthousiasme plein de promesses ? Voyons… la sagesse, en grec, n'est-ce pas *sophia* ?

Pari réussi !

Sophia, la sagesse ! Bonne idée – et puis, coïncidence heureuse, sophia, c'est aussi Sophie, prénom de l'épouse concepteur du projet Pierre Laffitte… ! Oui, mais sophia, c'est court, il faut ajouter encore un peu d'antique. Un peu d'Antibes antique alors : la ville s'appelait Antipolis, au temps des Grecs. C'est dit : la cité de la sagesse aura donc pour nom Sophia Antipolis ! Pari réussi : Sophia Antipolis est devenue un pôle technologique performant, où sont installées de grandes sociétés – Carrefour, Air France, Hewlett-Packard, Accenture – des laboratoires de recherche – CNRS (recherche scientifique), INRIA (recherche en informatique et en automatismes) – de grandes écoles d'ingénieurs – École de Mines de Paris, Polytech'Nice-Sophia… C'est aussi un lieu de vie, avec de nombreux restaurants, des établissements scolaires, des médecins, des commerces, des cinémas, des lieux d'exposition, des salles de concert… et un étonnant cadran solaire !

Dans les champs…

Fête et recherche de haut niveau pour l'Azuréen (ou Maralpin) des villes. Que fait, pendant ce temps, le Maralpin (ou Azuréen) des champs ? Il exploite des surfaces qui, près du littoral, n'excèdent pas un hectare, ou bien

---

Rodrigue, alias Gérard Philipe…

Sous moi donc, cette troupe s'avance / Et porte sur le front une mâle assurance / Nous partîmes cinq cents ; mais par un prompt renfort / Nous nous vîmes trois mille en arrivant au port. / Tant, à nous voir marcher avec un tel visage, / Les plus épouvantés reprenaient de courage ! […] / L'onde s'enfle dessous, et d'un commun effort / Les Mores et la mer montent jusques au port. / On les laisse passer ; tout leur paraît tranquille : / Point de soldats au port, point au mur de la ville.[…] / Nous nous levons alors, et tous en même temps / Poussons jusques au ciel mille cris éclatants. […] Nous les pressons sur l'eau, nous les pressons sur terre, / Et nous faisons courir des ruisseaux de leur sang, […] / Et le combat cessa faute de combattants.

Qui donc est ce chef de guerre qui conduit ses soldats à la victoire ? C'est Rodrigue, le personnage de la pièce de Corneille : Le Cid (Acte IV, scène 3). Et c'est Gérard Philipe, irremplaçable en ce rôle de jeune héros amoureux fou de celle dont il a tué le père en duel ! Gérard Philippe est né à Cannes, le 4 décembre 1922. Acteur de théâtre, entré au TNP de Jean Vilar en 1951, il bouleverse spectateurs et spectatrices… en donnant vie, visage et voix à Lorenzaccio (de Musset), à Rodrigue, au Prince de Hombourg (de Kleist), à Ruy Blas (de Victor Hugo). Acteur au cinéma, il joue dans *Le Diable au corps*, *La Chartreuse de Parme*, *Fanfan la Tulipe*, *Le Rouge et le Noir*, *Le Joueur*, *Les Liaisons dangereuses*… Il meurt d'un cancer du foie, en pleine gloire, le 22 novembre 1959, à 37 ans.

situées vers l'intérieur des terres, dépassent les 200 hectares. Sa production est végétale – oliviers, cultures florales et légumières, agrumes (on dit un agrume, qu'il ne faut pas confondre avec une grume, tronc d'arbre abattu, ébranché, ou bien grain de raisin en Bourgogne...), vignes, plantes à parfum, céréales – ; elle est aussi animale : 60 000 ovins, 6 000 caprins, 2 000 bovins, des volailles, des porcins, et des ruchers.

Les Alpes-Maritimes des records

✔ N° 1 pour la parfumerie – et n° 1 mondial : Grasse

✔ N° 2 des villes hôtelières : Nice

Corse

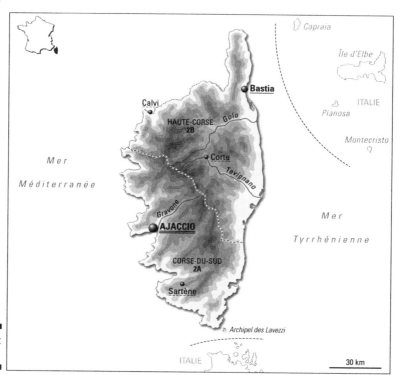

Figure 17-16 :
La Corse.

Le département de la Corse est né en 1790. Trois ans plus tard, l'île est divisée en deux, autour de ses deux fleuves principaux : le Golo, avec pour ville principale Bastia, et le Liamone avec Ajaccio. Février 1794 : les Anglais occupent la Corse ; le roi d'Angleterre, George III, est proclamé souverain du royaume anglo-corse. Cette occupation n'est pas du goût de Bonaparte qui chasse les Anglais de son île en octobre 1796. Celle-ci redevient alors département unique, jusqu'en 1975 où naissent la Haute-Corse et la Corse-du Sud, que voici… Aujourd'hui, la Corse, devenue région, s'est transformée, depuis la loi du 13 mai 1991, en Collectivité territoriale. Visite…

2 B – La Haute-Corse, criques, baies et monts

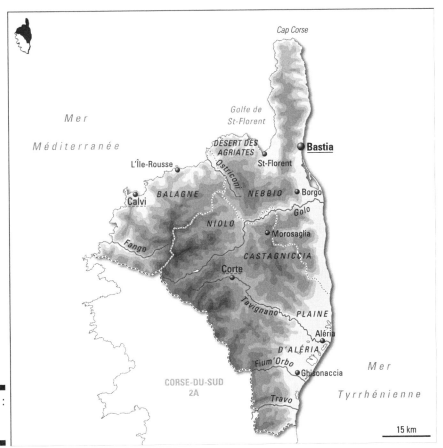

Figure 17-17 : La Haute-Corse.

- 4 666 km²
- 148 000 Corses du nord
- Préfecture : Bastia (40 000 Bastiais)
- Sous-préfectures : Calvi (5 500 Calvais) ; Corte (7 000 Cortenais)
- Nombre de cantons : 30
- Nombre de communes : 236

De Corte à Bastia, de Calvi à Aléria, des roches volcaniques et des granites de l'ouest aux roches volcaniques sous-marines et sédiments marins de l'est – de part et d'autre de la faille tectonique nord-sud –, de la Balagne à la Castagniccia en passant par le Niolo et le Nebbio, avant de poursuivre vers le Cap Corse… De long en large, la Haute-Corse…

La Balagne des gens heureux...

B comme beauté, puisque c'est ici, en Corse, qu'elle a trouvé son île. B comme Bastia, fondée au XIVe siècle, par les Génois. B comme bleu et blanc, les couleurs des joueurs du Sporting Club de Bastia, créé en 1905. B comme Balagne, la Balagne aux souples formes, aux douces collines, verte vallée ! La Balagne aux oliviers, aux figuiers, aux orangers, aux citronniers… La Balagne comme un jardin – L'Île-Rousse en sa lisière littorale, fondée par Pascal Paoli, en 1759, afin de créer un port qui ne fût pas Génois, qui fût Corse, mais la Corse devient française 9 ans plus tard, en 1768. Enfin, en Balagne aussi, voici Calvi, la citadelle génoise au riche passé, le port animé, les ruelles aventureuses, et, au-delà de la pinède, la plage… C'est la Balagne des gens heureux !

UNE GÉO-CURIOSITÉ

Le coca corse d'Angelo Mariani

Vous aimez le vin de bordeaux ? Que diriez-vous si on vous proposait d'y incorporer ce qu'on appelle une ligne de cocaïne – une dose de drogue sous forme de poudre blanche disposée en ligne afin d'être inhalée ?... C'est ce que réalise, en 1863, le chimiste et préparateur en pharmacie Angelo Mariani, né le 17 décembre 1838 à Peru-Casevetchie, en Corse – mort en 1914. Une petite différence, cependant: la cocaïne ne se présente pas à cette époque sous forme de poudre, mais de feuilles de coca, celles-là même que les Andins mâchent pour atteindre des sommets, dans leur Cordillère… Angelo Mariani commercialise son invention, présentée d'abord comme un… fortifiant ! Amateur d'autographes – et génie des affaires – il envoie des caisses de son vin à la cocaïne à de nombreuses personnalités en France et à l'étranger. Parmi elles, Jules Verne, Émile Zola, Édmond Rostand, Anatole France, la reine Victoria, ou… le pape Léon XIII ! Tous ces consommateurs envoient à Angelo Mariani des messages de satisfaction enthousiastes. Le succès de ce vin est tel que son inventeur s'implante dans les plus grandes villes du monde, notamment à New York où il reçoit la visite de John Smith Pemberton, un pharmacien d'Atlanta qui va s'inspirer du vin de Mariani pour fabriquer un breuvage qu'il baptise French wine coca. Plus tard, le comté d'Atlanta lui interdit l'utilisation du vin auquel il substitue alors du jus de citron et de l'eau gazeuse. Le Coca-cola vient de naître…

Le pouce du vainqueur ?

Voyez maintenant, au nord de l'île, cette avancée de terre, de Bastia au Cap Corse, est-ce le doigt de Dieu, le pouce du vainqueur ? De l'un, la presqu'île tiendrait ses paysages presque surnaturels, ajoutant aux petites criques qu'on dirait façonnées pour l'intime, des panoramas où terre et mer conserveraient une parenté avec le ciel ; de l'autre, elle s'affirme victorieuse sur le temps, affichant sur ses flancs des villages accrochés là depuis des siècles. Cette presqu'île, cependant, n'est pas figée dans les marges de son époque, elle vit avec son temps : son commerce et son industrie sont dynamiques, elle s'investit dans les technologies modernes de communication – de nombreuses microsociétés spécialisées dans ce secteur se sont installées à Bastia et dans sa région. La tradition n'est pas oubliée : sur les schistes et les calcaires de l'extrémité nord de l'île poussent des vignes qui donnent le délicieux muscat du cap corse ; sur les sols argilo-calcaires situés sur la côte ouest, au fond du golfe de Saint-Florent, les vignes produisent le réputé patrimonio qui se marie si bien avec les viandes rouges, les fromages locaux et… les châtaignes !

Corte, Aléria…

Quittons le golfe de Saint-Florent ; laissons, à l'ouest le rude désert des Agriates, le seul d'Europe, avec ses 16 000 hectares balayés par les vents ; partons vers le sud, après le Nebbio, pour atteindre Corte, par de petites vallées, les corridors de la beauté qui débouchent sur les scènes de plein air, spectacle inépuisable, sans cesse renouvelé. Et puis, au terme de tous les rebondissements de l'action et du relief, souffle coupé : la voici, la citadelle de Corte, comme une envolée de pierre, à la fois réussie et figée ! Cap vers la Castagniaccia, ses châtaigniers, ses arbres à pain… « Tant que nous aurons des châtaignes, nous aurons du pain », disait l'enfant du pays, Pascal Paoli, né à Morosaglia le 6 avril 1725 – général de la nation Corse en 1755.

Flaubert et la Corse

Tu m'as parlé de la Corse et surtout de la partie que je connais. J'ai revu dans ta lettre ces grandes bruyères de 12 pieds que j'ai traversées à cheval en allant de Piedicroce à Saint-Pancrace. As-tu parcouru toute la plaine d'Aléria ? As-tu vu le soleil quand il reluit dessus ? Je compte y retourner plus tard, pour ressentir encore une fois ce que j'ai senti déjà. C'est là un beau pays, grave et ardent, tout noir et tout rouge.

Ces lignes sont de Gustave Flaubert qui écrit à son ami Ernest Chevalier. Plus loin, Flaubert précise : Je désirerais m'occuper de l'histoire de Sampier Ornano qui vivait vers 1560-1570. Penses-tu que je puisse avoir en Corse quelque renseignement particulier sur cet homme et sur cette époque ? Je voudrais connaître l'état de la Corse de 1550 environ à 1650, la seconde moitié du XVIe siècle et la première du XVIIe environ. Cette lettre est datée du dimanche 15 juin 1845, à Croisset – près de Rouen. Les intentions de l'écrivain sont restées, hélas, lettre morte…

Citrons, clémentines, kiwis…

Descendons vers Aléria, capitale de la Corse antique, fondée au VIe siècle av. J.-C., et dont on peut admirer les vestiges mis au jour en 1950 ; voici maintenant, le long de la mer, la plaine orientale, avec ses citronniers, ses clémentiniers, ses kiwis, ses vignes, ses eucalyptus, ses étangs et ses lagunes ; voici la réserve naturelle de Biguglia, les étangs d'Urbino, de Diana où sont élevées huîtres et moules. Il est temps de repartir peut-être ? Alors, cap sur Bastia qui assure près de 60 % du trafic voyageurs…

La Corse des records

⌨ ✔ N° 1 pour la production d'amandes sèches

2 A – La Corse-du-Sud, comme son chapeau…

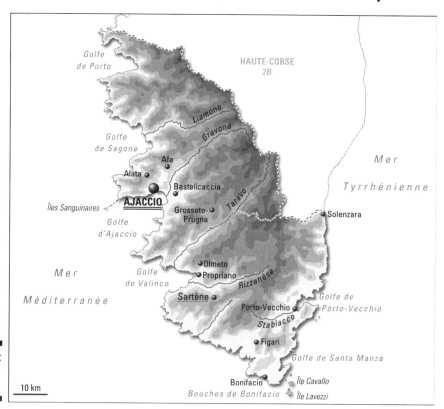

Figure 17-18 :
La Corse-du-
Sud.

✔ 4 014 km²

✔ 125 000 Corses du sud

✔ Préfecture : Ajaccio (55 000 Ajacciens)

✔ Sous-préfecture : Sartène (3 800 Sarténais)

✔ Nombre de cantons : 22

✔ Nombre de communes : 124

Même si certains prétendent qu'« il » serait né à Corte, même si d'autres assurent qu'il aurait vu le jour... en Bretagne, c'est bien à Ajaccio qu'il a poussé ses premiers cris. On dit aussi – et c'est exact – qu'avec les lettres de Révolution française, on écrit l'anagramme : *un Corse la finira* (avec les lettres restantes, on peut faire *vote*...). Ajaccio est la ville de l'Empereur – c'est aussi la ville de l'enchanteur : Tino Rossi ! Allons vers l'enchanteresse Corse du sud...

Un bicorne au bord de l'eau

Sous un certain angle, oui... : la Corse-du-Sud a la forme de son chapeau ! Un chapeau qui aurait fait Arcole et Rivoli, l'Egypte, de nouveau l'Italie. Un chapeau de premier Consul, puis de consul à vie. Un chapeau de lendemain de sacre. Un chapeau comme un point noir sous le soleil de Moravie ! Austerlitz ! Un chapeau de Waterloo... La Corse-du-Sud : un bicorne au bord de l'eau, comme un clin d'œil de son île, de son berceau : Ajaccio ! Sous la protection des Sanguinaires, près du plus beau golfe du monde, c'est là, chez lui ! Des églises, la cathédrale, la chapelle impériale, des musées (sa maison...). Et de petites rues, comme s'il y était... Sur le port, les pêcheurs vendent la bogue, le rouget, le denté, la rascasse...

Du vin, du miel...

On vient du monde entier visiter le lieu où Napoléon Bonaparte est né, a vécu ses premières années. On peut ainsi découvrir l'élevage des ovins, des caprins, des bovins. On peut se rendre compte de la présence des vignes et goûter puis emporter le Figari, le Villages de Sartène et le Porto-Vecchio. Sans oublier le délicieux miel AOC ! On peut aussi apprendre que l'industrie ajaccienne, c'est Corse-composite aéronautique, en plein essor, que près de 90 % des entreprises corses comptent moins de dix salariés, que leur survie nécessite la production de marchandises à haute valeur ajoutée et fort contenu technologique. Enfin, le tourisme, même s'il n'est pas extensible à l'infini, continue de dynamiser le secteur du BTP, et toutes sortes d'activités qui lui sont liées.

Conseil et Assemblée en Corse

À Ajaccio se tient le siège de l'Assemblée territoriale de Corse. Depuis le 13 mai 1991, la Corse est devenue la CTC : Collectivité Territoriale de Corse. La CTC comprend trois institutions : le Conseil économique, culturel et social de Corse, l'Assemblée de Corse, et le Conseil exécutif de Corse. Ce Conseil exécutif qui fait la particularité de la Corse comprend neuf membres élus par l'Assemblée de Corse, parmi ses membres, pour six années. Dans les régions françaises, le président du Conseil Régional exerce le pouvoir exécutif et la présidence de l'Assemblée. En Corse, ces deux fonctions sont séparées. Le Conseil exécutif peut cependant être mis en échec par l'Assemblée de Corse si elle vote contre lui une motion de censure de 26 voix – la majorité absolue.

Charles-André Pozzo di Borgo contre Napoléon

Étonnante destinée que celle de Charles-André Pozzo di Borgo, né à Alata, au nord d'Ajaccio, cousin au cinquième degré des frères et sœurs Bonaparte, ami d'enfance de Napoléon, et qui devient ensuite son adversaire le plus acharné ! La rupture des deux hommes date de 1792 – Napoléon a 22 ans, et Pozzo di Borgo, 27ans. Le premier s'attache aux idées révolutionnaires. Le second rentre en Corse, et les combat. Élu aux plus hautes fonctions administratives du département, il s'oppose à la constitution civile du clergé, ce qui provoque son arrestation par la Convention. Il s'exile en 1796 et se met au service du tsar Alexandre Ier en 1804. Il l'aide à mettre en place la coalition qui aboutit à la bataille d'Austerlitz ! Après la première abdication de Napoléon, il est nommé ambassadeur de Russie à Paris, poste qu'il occupe jusqu'en 1834, n'économisant pas ses conseils aux Bourbons auxquels il est très attaché. Ambassadeur à Londres de 1835 à 1839, il revient ensuite à Paris où il meurt en 1842.

Chapitre 18

Le Sud-Ouest

. . . .

Dans ce chapitre :

▶ Entrez dans l'Aquitaine des Landes et des châteaux, des fruits et des grottes

▶ Visitez le Midi-Pyrénées du viaduc et de l'avion géants, et des délices de tous les temps

▶ Découvrez le très varié Languedoc-Roussillon

. . . .

*L'*Aquitaine aux cinq départements ; le Midi-Pyrénées aux huit départements ; le Languedoc-Roussillon aux cinq départements ; le sud-ouest aux mille paysages, aux fleuves et rivières tout aussi fous que sages, à la généreuse gastronomie, aux mille bonheurs pour vivre mille vies…

L'Aquitaine

Cinq départements : La Dordogne ? Ses grottes et ses truffes, le Lot-et-Garonne et ses fruits, la capiteuse Gironde, les Landes aux mille et mille pins, et les Pyrénées-Atlantiques aux charmants soleils… Une belle façade atlantique pour cette 3e région française pour la superficie. Et, pour toute la région, 155 000 hectares de vigne – dont Bordeaux, le vignoble aux mille châteaux ! Bordeaux, la capitale de la région Aquitaine.

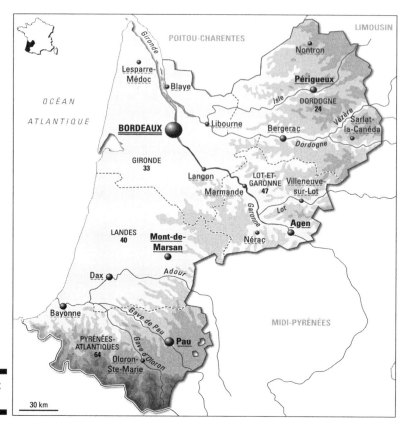

Figure 18-1 :
L'Aquitaine.

30 km

24 – La Dordogne, grottes et truffes

- 9 060 km²
- 399 000 Dordognais
- Préfecture : Périgueux (33 000 Pétrocoriens ou Périgourdins)
- Sous-préfectures : Bergerac (28 000 Bergeracois) ; Nontron (3 800 Nontronnais) ; Sarlat-la-Canéda (11 000 Sarladais)
- Nombre de cantons : 50
- Nombre de communes : 557

Voici le département des quatre Périgord, le pourpre et le noir, le vert et le blanc, que déjà vous traversâtes en parcourant le Bassin aquitain. À l'est se termine le Massif central ; vers l'ouest coulent la Dronne, l'Isle et la Dordogne. Un peu partout Cro-Magnon rôde…

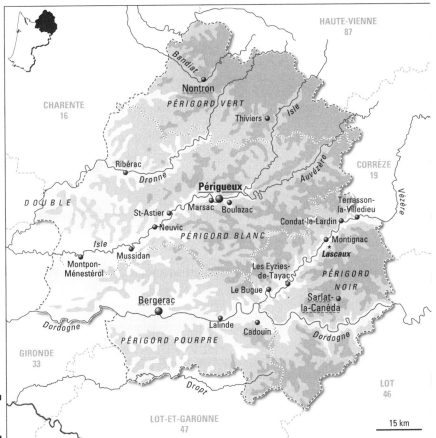

Figure 18-2 :
La Dordogne.

Bébé Cro-Magnonet...

Rappelez-vous : la Dore et la Dogne... Finalement, pour quelle explication avez-vous opté ? Conservez-vous les deux ? Cela n'empêche pas l'eau de la Dordogne de couler sous les ponts de Bergerac... Donc, penchons-nous sur ce département où nous avons peut-être tous un ancêtre, fort lointain certes, mais de qui nous possédons sans doute quelques gènes – par exemple celui qui daterait d'avant la maîtrise du feu, et qui nous fait saliver devant un steak tartare bien cru et bien rouge ! Car ils ont longtemps vécu ici, en Dordogne, les ancêtres de nos ancêtres Cro-Magnon, les Cro-Magnon eux-mêmes, puis leurs descendants... Dans la capitale mondiale de la préhistoire, Les Ezies-de-Tayac, on peut visiter leurs appartements vides depuis longtemps, grottes naturelles, falaises creusées. On y découvre parfois de petites cavités dans les parois, taillées, on l'imagine, par le chef de famille, pour ranger – qui sait – sur quelque étagère, un bibelot taillé dans un os de mammouth, ou les jouets de bébé Cro-Magnonet...

Fraises dordognaises

Depuis, l'eau a coulé, non seulement sur les gués, puis sous les ponts de la Dordogne, mais aussi de ceux de la Vézère, de l'Isle, de la Dronne, du Dropt, de la Lémance… autant de fleuves et rivières que vous rencontrâtes naguère dans ces pages. Les nomades en peaux de bêtes, échevelés, livides au milieu des tempêtes, ont laissé la place à des agriculteurs, des viticulteurs et des éleveurs compétents qui font de la terre de Dordogne – aux truffes savoureuses – la deuxième productrice de prunes, de noix. Deuxième place aussi pour le foie gras d'oie, pour les veaux de boucherie. Tiens… Un parfum de fraise flotte dans l'air, dans l'air de Vergt, au sud de Périgueux : 25 % des fraises françaises y sont produites ! Continuons de prendre l'air, dans les vallées de la Dordogne, de l'Isle et de la Vézère où poussent, sur 1 500 hectares, le tabac – le département en est le premier producteur.

Forêts, timbres et Tartare…

397 000 hectares de forêts en Dordogne, avec une dominante de chênes et de châtaigniers ! Le département se classe 4e pour les surfaces boisées, sur le plan national. 115 entreprises assurent l'exploitation et la transformation du bois, ce qui représente des milliers d'emplois, notamment dans la fabrication du papier, du carton, à Condat-le-Lardin. Qui dit papier dit lettre – de réclamation, de candidature, d'amour, de rupture… –, qui dit lettre, dit enveloppe, et joli timbre à humecter qui a sans doute été fabriqué à Boulazac, où, depuis 1970, s'effectue l'impression des timbres-poste. Un peu de fromage ? Ce sera du Tartare qui sort des fromageries de Marsac – un Tartare record fut réalisé en 1996, pour un festival de records en tout genre : ce Tartare pesait 154 kilogrammes, et se logeait dans une boîte de 30 centimètres de haut et de 70 centimètres de diamètre ! Outre l'agroalimentaire, l'industrie c'est aussi la chaussure, l'habillement, la poudrerie de Bergerac, la fabrication de tuiles, de briques, avec les calcaires et les argiles…

CÉLÉBRITÉ DU CRU

Prix Louis Delluc…

Le premier jeudi de décembre, chaque année, on peut entendre : le prix Louis Delluc a été attribué à… À ce moment, on entend le titre du film primé – en 2005 : *Les Amants réguliers*, de Philippe Garrel. *Rois et reines*, d'Arnaud Despleschin, en 2004. En 1991 : *Tous les matins du monde*, d'Alain Corneau ; en 1985, *L'Effrontée*, de Claude Miller ; en 1969, *Les Choses de la vie*, de Claude Sautet ; en 1954, *Les Diaboliques*, d'Henri-Georges Clouzot ; en 1939, *Quai des brumes*, de Marcel Carné… Mais, jamais, ou presque, on ne nous rappelle qui était Louis Delluc, né à Cadouin, en Dordogne, en 1890. Jamais on ne nous dit qu'il fut d'abord journaliste à Paris. Jamais on ne nous informe qu'il épousa la muse de Paul Claudel, Eve Francis, et que cette femme lui fit découvrir le cinéma américain. Jamais on ne nous apprend que, passionné par le 7e art, il en devint un pratiquant convaincu et qu'il inventa le mot « cinéaste » ! Jamais on ne nous raconte sa fin prématurée à 33 ans, en 1924, à la suite d'un tournage dans la vallée du Rhône – *L'Inondation*, son dernier film – dans des conditions climatiques si mauvaises qu'il contracta la pneumonie qui l'emporta. Jamais donc, on ne nous dit tout cela ! Voilà qui est fait…

La Dordogne des records

✔ N° 1 pour l'agritourisme

✔ N° 1 pour la production de tabac

✔ N° 2 pour la production de prunes

✔ N° 2 pour la production de noix

✔ N° 2 pour la production de foie gras d'oie

✔ N° 3 pour la production de veaux de boucherie

✔ N° 4 pour les surfaces boisées

✔ N° 4 pour la production de châtaignes

✔ N° 8 pour la production de foie gras de canard

47 – Le Lot-et-Garonne, « Voici des fruits... »

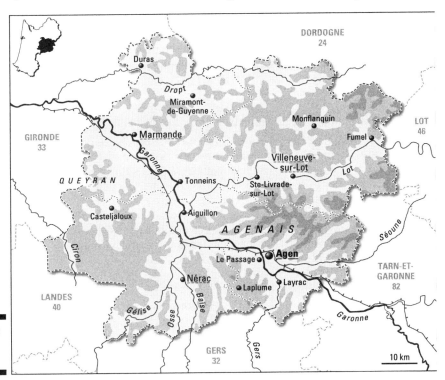

Figure 18-3 : Le Lot-et-Garonne.

✔ 5 361 km²

✔ 316 000 Lot-et-Garonnais

✔ Préfecture : Agen (33 000 Agenais)

> ✔ Sous-préfectures : Marmande (19 000 Marmandais) ;
> Nérac (8 000 Néracais) ; Villeneuve-sur-Lot (25 000 Villeneuvois)
>
> ✔ Nombre de cantons : 40
>
> ✔ Nombre de communes : 318

La riche vallée de la Garonne, l'Agenais, autour d'Agen, de ses pruneaux médecins… De Monflanquin à Nérac, de Duras à… Laplume, voilà le Lot-et-Garonne !

Pruneau cuit ? Pruneau cru ?

Pruneau cuit ? Pruneau cru ? Cette interrogation vous fut déjà posée lorsque vous traversâtes le paragraphe *Savoureuses rives*, dans le chapitre consacré au fleuve qui traverse le Lot-et-Garonne de part en part : la Garonne ! Sans doute répétâtes-vous ces questions à moult reprises, sans vraiment choisir d'option définitive, et sans prendre le temps de vous demander pourquoi ce petit fruit ridé produit, chaque fois que vous en mangez, de petits miracles ! Lesquels ? Le sorbitol qu'il contient – particularité rare – stimule votre vésicule biliaire, vos intestins. Son potassium, son faible taux de sodium, apportent un bénéfice immédiat à votre cœur, à vos vaisseaux. Mais, outre la certitude qu'il ne fait pas grossir, le miracle le plus important – lisez bien, mesdames qui redoutez des ans l'irréparable outrage… – le pruneau d'Agen est un puissant anti-oxydant, il se classe numéro un pour la capacité à absorber les radicaux libres, ces perfides transporteurs de rides, de ridules ravageant le visage, et labourant le cou !

Des concombres, des scaroles…

Promenons-nous en Lot-et-Garonne ! Faisons halte dans ses villes et villages où se tiennent des marchés qui vous donnent de l'appétit pour cent ans au moins ! Voyez tous ces fruits et ces légumes tout frais, cultivés dans les vergers – ces fraises, ces melons, ces tomates, ces concombres, ces scaroles, ces pommes de terre, ces prunes – le prunier est arrivé de Chine par la route de la soie, puis exploité par les Gaulois, avant sa greffe avec le prunier de Damas… Voici les belles couleurs des pommes désirables – ah ! comme on comprend Adam… – : les gala, les granny smith ! Voici des poires et du chasselas, et des conserves de haricots verts, de maïs doux…

Donnedieu Duras

Arrosons tout cela – avec modération, encore une fois – de côtes de buzet, de côtes de bruhlois au goût de terroir, de côtes du marmandais, et puis de côtes de Duras – Duras ? Mais c'est une femme écrivain – ou une écrivaine, selon vos options en matière de féminisation des noms… –, l'auteur de *Un Barrage contre le Pacifique*, de *Moderato cantabile*, de *L'Amant*, prix Goncourt 1984 ! En effet, Marguerite Donnedieu a pris, en 1943, le nom de la ville et du vin de Duras en hommage à la terre de son père, de ses grands-parents et arrière-grands-parents : le Lot-et-Garonne – plus particulièrement Villeneuve-sur-Lot, ville de leur naissance.

D'aussi bons légumes, c'est...

L'industrie, en Lot-et-Garonne, c'est surtout l'agroalimentaire, avec, encore et toujours, les pruneaux – séchage et conserveries ! De grands groupes sont implantés dans le département – Raynal-Roquelore, Le Magicien Vert, par exemple, pour les plats cuisinés. L'industrie, c'est aussi la transformation du bois dans 149 entreprises qui emploient plus de 3 000 salariés, c'est la métallurgie et les équipements mécaniques (aéronautique, équipements automobiles, industriels, machines agricoles) ; c'est la pharmacie (UPSA est le 2e laboratoire de France) ; enfin, le nombre d'artisans approche les 7 000 !

CÉLÉBRITÉ DU CRU

Le fauteuil 18

Il occupe le fauteuil n° 18 à l'Académie française – celui qui appartint, avant lui, à Edgar Faure le Bitterois (de Béziers, dans l'Hérault), l'homme politique et auteur de romans policiers qu'il signait Edgar Sandé (sans la lettre D...). Tout cela ne nous donne pas le nom de l'actuel occupant du fauteuil 18 sous l'auguste coupole du collège des Quatre-Nations, construit par Mazarin qui rêvait que son corps y reposât – ne vous y trompez pas : le monument de marbre qui le représente sous cette coupole est un cénotaphe, c'est-à-dire un tombeau vide ; seul son souvenir y gît ! Et si on revenait au sujet... Oui : dans le fauteuil n° 18 s'assied – ou s'assoit, les deux peuvent se dire, en revanche, pour le verbe messeoir qui ne se... Mais enfin ! Va-t-on le connaître bientôt, cet occupant du 18 ? Oui, le voici : il s'appelle Michel Serres, il est né à Agen le 1er septembre 1930, a fait Navale (l'École navale) et Normale Sup (l'École normale supérieure de la rue d'Ulm). En 1955, il réussit l'agrégation de philosophie. Il sert ensuite sur différents vaisseaux de la Marine nationale. Ensuite, il enseigne en France et aux États-Unis. Lisez-le, ou écoutez-le en conférence. C'est un philosophe lumineux et passionnant !

Le Lot-et-Garonne des records

- ✔ N° 1 pour la production de pruneaux : Agen
- ✔ N° 1 pour la production de fraises
- ✔ N° 2 pour production d'aubergines
- ✔ N° 2 des laboratoires pharmaceutiques – UPSA

33 – *La Gironde, capiteuse...*

GÉO-NOMBRES

- ✔ 10 000 km²
- ✔ 1 362 000 Girondins
- ✔ Préfecture : Bordeaux (228 000 Bordelais)
- ✔ Sous-préfectures : Blaye (5 000 Blayais) ; Langon (7 000 langonnais) ; Lesparre-Médoc (5 500 Lesparrins) ; Libourne (23 000 Libournais)

> ✔ Nombre de cantons : 63
>
> ✔ Nombre de communes : 542

L'estuaire de la Gironde, confluent de la Dordogne et de la Garonne a donné son nom au département dont le centre, Bordeaux, a prêté son image, par métonymie (raccourci de langage) au bordeaux, sans majuscule, comme tous les vins issus d'un nom de ville ou de région. On dit un grand bordeaux, comme on dirait une cathédrale... – avec modération, forcément ! Partons d'abord pour Libourne, vous y avez peut-être reçu du courrier...

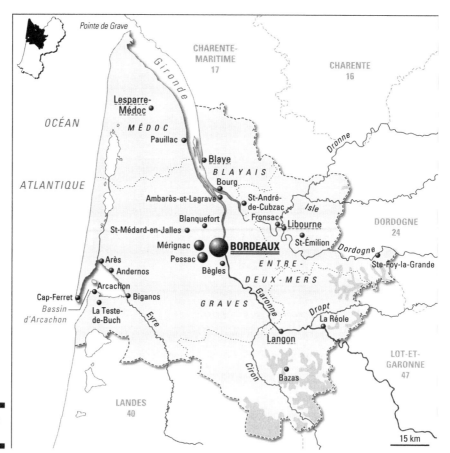

Figure 18-4 :
La Gironde.

Lettres en détresse

N'as-tu pas reçu la lettre où je t'informais que désormais, il était inutile que tu m'écrivisses, puisque de toute façon, je ne t'écrirai plus pour te demander de m'écrire, toi qui ne m'écrivais pas souvent, à vrai dire ? Non, je n'ai rien reçu ! Que faire ? Adressons-nous au centre de recherche du courrier à

Libourne, en Gironde ! C'est là que toutes les lettres en détresse, abandonnées par leurs maîtres et par les maîtresses échouent… C'est là aussi que le père Noël reçoit son courrier. On peut y admirer la tour du Grand Port, seul vestige des fortifications dont la ville – fondée en 1268 par le prince Edouard, fils du roi d'Angleterre – s'était entourée au Moyen Âge. On y découvre, quai Souchet, au confluent de l'Isle et de la Dordogne, les neuf arches du Grand Pont construit en 1824. On y fait connaissance avec les charmantes Libournaises, les sympathiques Libournais, dont certaines et certains travaillent au centre de recherche du courrier. Paragraphe bouclé !

La dune du Pilat

105 mètres de hauteur, 2,7 kilomètres de longueur, 500 mètres de large, 60 millions de m³ de sable ! La dune du Pilat que vous vous apprêtez à gravir, à l'entrée du bassin d'Arcachon, face à la pointe du cap Ferret, est la plus importante formation sableuse d'Europe. Attention : elle marche ! Ou plutôt, elle se déplace, tout doucement, mais sûrement : elle avance de 4 mètres par an vers la forêt qui la borde ! Voilà 150 ans, elle ne mesurait qu'un peu plus de 30 mètres. Où sera-t-elle dans un siècle ? Quelle sera sa hauteur ? Seul le vent qui la crée, la sculpte, peut répondre. En attendant, vous pouvez vous joindre au million de visiteurs qui la gravissent chaque année… et savent qu'il ne faut pas confondre son orthographe (Pilat) avec celle de la station balnéaire toute proche (le Pyla-sur-Mer).

Saint-Émilion, Pomerol, Fronsac

Voulez-vous que nous complétions ce qui fut écrit des vins du Bordelais dans le paragraphe « nectars », sous le titre « Guyenne », voici déjà quelques chapitres ?... Voici : avec ses 118 000 hectares – dont 116 000 sont consacrés à 57 appellations contrôlées – le vignoble bordelais est le plus grand du monde ; il produit les vins les plus renommés ! Demeurons dans le Libournais : c'est là que se trouvent les trois vignobles qui sont au Bordelais ce que les Trois Grâces sont à Rubens : Saint-Émilion, Pomerol et Fronsac ! Ce ne sont que des vins rouges dont la qualité ravit les amateurs de bordeaux, et dont la qualité est surveillée avec une rigueur toute particulière, d'année en année – à Saint-Émilion, les membres de la Jurade à toque rouge avec cape blanche et parements d'hermine, se réunissent mi-juin et mi-septembre pour leur chapitre solennel. Si le vin ne répond pas à leurs critères d'excellence, ils refusent de le classer – ce qui s'est produit deux fois, en 1963 et 1965 !

Du vin, du pin, des huîtres, de la mécanique

Pas un jour sans pins, en Gironde ! La sylviculture occupe près de 500 000 hectares – la culture des céréales, le maïs principalement, n'en couvre que 250 000 ! De la baie d'Arcachon, en toutes saisons, partent vers toute le France et dans le monde entier des huîtres délicieuses ! De l'ostréiculture à l'industrie, il n'y a pas forcément qu'un pas… Tant pis, marchons vers l'industrie avec le pôle aéronautique (Dassault), avec les technologies de pointe, avec l'électronique et la mécanique, la parachimie (Sanofi à Ambarès-la-Grave), ou bien encore la construction automobile avec Ford Aquitaine Industrie, à Blanquefort – production des boîtes de vitesse manuelles pour les modèles Fiesta, Ka et Focus, et de boîtes de vitesses automatiques pour les modèles du marché nord-américain.

Le passeport Saint-Émilion

Émilion ! Savez-vous que cet intendant du comte de Vannes, dans le Morbihan, fit halte à l'abbaye de Saujon, près de Saintes, alors qu'il était en route pour Compostelle ? Il n'en repartit pas, menant au milieu de ses frères abbés une existence tellement parfaite qu'il se mit à faire des miracles malgré lui ! L'abbaye s'étant transformée en salle des urgences, il dut fuir pour s'installer à Combes où il mourut en 767.

Un monastère y fut édifié après sa mort. On donna ensuite au nouveau village construit près de Combes le nom de celui qui, canonisé, était devenu saint Émilion. Ce nom constitue, dans le monde entier, une sorte de passeport oral qui tire vers le jovial tout échange avec un étranger, un passeport de paix, pour tous les palais !

La Gironde des records

✔ N° 1 des vignobles– et n° 1 mondial

✔ N° 1 pour la production de caviar

✔ N° 1 pour la production de naissain (bébés huîtres et moules)

Elisée Reclus - et ses frères...

Des frères Reclus – Jean-Jacques le chirurgien qui vulgarisa la cocaïne comme anesthésiant, et écrivit une bonne dizaine d'ouvrages sur son art ; Armand, le marin, auteur d'une douzaine de livres ; Onésime, le zouave d'Algérie, passionné de nature et qui a publié plus de quinze ouvrages ; Michel-Elie, nommé directeur de la Bibliothèque nationale pendant la Commune, et qui écrivit des livres d'ethnologie comparée en français, et des biographies... en russe – c'est Jacques-Elisée, le géographe qui est demeuré le plus célèbre. Et

presque oublié aujourd'hui ! Né dans un foyer protestant à Sainte-Foy-la-Grande, le 15 mars 1830, il y fait ses études puis devient un journaliste remarqué pour ses articles en archéologie et en géographie. Membre de la Garde nationale pendant la Commune, il est condamné au bannissement. Après un séjour en Italie puis en Suisse, il devient professeur de géographie comparée à Bruxelles. De 1875 à 1894, il écrit et publie en 19 volumes son œuvre monumentale: *La Nouvelle géographie universelle.*

40 – Les Landes, de sable et de pins

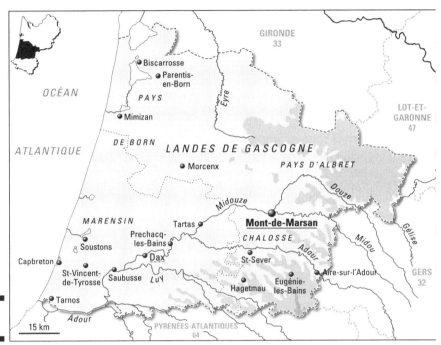

Figure 18-5 :
Les Landes.

➤ 9 243 km²

➤ 348 000 Landais

➤ Préfecture : Mont-de-Marsan (33 000 Montois)

➤ Sous-préfecture : Dax (21 000 Dacquois)

➤ Nombre de cantons : 30

➤ Nombre de communes : 331

À l'ouest, le rivage rectiligne du Golfe de Gascogne. À l'est, Mont-de-Marsan, à prononcer avec l'accent… Au nord, le parc naturel régional des Landes de Gascogne ; au sud, la Chalosse ; et des pins, des pins, que de pins utiles pour que les Landes demeurent…

J'ai la rate qui s'dilate

Depuis que je suis sur la terre / C'n'est pas rigolo. Entre nous, / Je suis d'une santé précaire, / Et je m'fais un mauvais sang fou, / J'ai beau vouloir me remonter / Je souffre de tous les côtés. / J'ai la rate / Qui s'dilate / J'ai le foie / Qu'est pas droit / J'ai le ventre / Qui se rentre / J'ai l'pylore / Qui s'colore / J'ai l'gésier / Anémié / L'estomac / Bien trop bas / Et les côtes / Bien trop

hautes / J'ai les hanches qui s'démanchent / L'abdomen / Qui s'démène / J'ai l'thorax / Qui s'désaxe / La poitrine / Qui s'débine / Les épaules Qui se frôlent / J'ai les reins / Bien trop fins / Les boyaux / Bien trop gros / J'ai l'nombril / Tout en vrille / Et l'coccyx / Qui s'dévisse / Ah ! bon Dieu ! qu'c'est embêtant / D'être toujours patraque, / Ah ! bon Dieu ! qu'c'est embêtant / Je n'suis pas bien portant…

Si vous vous reconnaissez dans cette chanson interprétée par Ouvrard en 1932, sur des paroles de Géo Koger et une musique de Vincent Scotto, une seule solution : partez pour une cure thermale dans les Landes !

Ouvrard toute l'année

Bien sûr, la charge est un peu forte, et vous ne souffrez sans doute pas autant que la chanson ci-dessus… Mais, si un jour prochain, ou bien aujourd'hui, vous souffrez de rhumatismes, de phlébite ou d'ennuis gynécologiques – mesdames –, précipitez-vous à Dax, la première station thermale de France, qui a accueilli 52 500 curistes en 2005, dans 16 établissements thermaux – dont un hôpital – ; tout près se trouve Saint-Paul-lès-Dax, 11 500 curistes en 2005. Contre les rhumatismes – aussi –, contre les maladies des articulations, contre les séquelles des traumatismes, ou contre les ennuis urologiques, l'obésité, cap sur Eugénie-les-Bains – plus de 7 000 curistes en 2005 ! Des rhumatismes autres qu'articulaires ? Des névralgies rhumatismales ? Une rééducation musculaire, des problèmes de voies respiratoires, d'oreilles ou de gorge ? Allez à Prechacq-les-Bains. Arthrose, goutte, arthrite, phlébites ? Prenez le bus pour Saubusse ! Et c'est ouvert – et Ouvrard – toute l'année…

Foie gras, maïs, kiwis

Le thermalisme, mais aussi des canards et des pins ! Voilà les trois piliers des Landes. L'élevage des canards – gavés au maïs produit sur place – assure au département la première place de producteur du foie gras provenant de ces palmipèdes – la troisième place pour le foie gras d'oie ; oie et canard sont aussi dégustés en rillettes, en aiguillettes, en magrets… Tout cela est préparé et conditionné par l'agroalimentaire qui assure aussi le traitement du maïs (Maïssadour en conserves, ou corn-flakes), des kiwis de l'Adour.

Moulures, lambris, turbines, palombes…

La forêt – privée à 90 %, 40 000 propriétaires – occupe plus des deux tiers du département (632 000 hectares sur 924 300). Le bois de pin est utilisé par l'industrie pour fabriquer du papier, des produits de sciage, de la moulure ou du lambris. L'industrie, ce sont aussi les constructions aéronautiques – Turboméca, turbines d'hélicoptères, près du pôle technologique de Tarnos ; Potez aéronautique… – l'électricité et l'électronique, la chimie et la parachimie, la transformation des matières plastiques. Enfin, quittant leurs canards ou leur industrie, 28 000 chasseurs landais occupent leurs loisirs en guettant, dès la période autorisée, les palombes qu'ils prennent au filet, les alouettes des champs ou les canards sauvages.

Castelhémis, 40 Landes…

Le vent de ma mémoire / Me rappelle quelques soirs / Que je suis pas d'ici / Et même si je suis de partout / De partout où je joue / Moi je n'suis pas d'ici / Oh! Mon pays provincial / Personne ne te parle / C'est pour cela que ce soir / Je te chante … 40 Landes…

Qui se souvient aujourd'hui de Castelhémis ? Qui se rappelle l'avoir vu surgir sur scène, la guitare douze cordes en bandoulière, cristalline, et cette voix qu'il posait sur l'irrésistible envol des accords, jusqu'au chœur de ses fans. Castelhémis, l'enchanteur, qui trouvait dans le lointain Moyen Âge et ses légendes, dans le naufrage de belles amours, dans la défaite des jours la source de ses ballades, la démesure de ses torrents. Philippe Laboudigue était son nom, son vrai nom. Né à Neuilly en 1948, il avait grandi dans les Landes, s'y était passionné pour le Moyen Âge. Troubadour, sous le nom de Castel, il forme sur scène, en 1969, un duo avec un autre chanteur : Vendôme. Puis il rencontre un nouveau partenaire : Arthémis. Avec lui, il forme le groupe Castelhémis qui sillonne la France dans les années 1970 et 1980. Du groupe, on ne voit et ne retient que celui dont la voix envoûte et emporte : Laboudigue ! Mais, comme on ne connaît pas son nom, on lui donne celui du groupe, de sorte qu'il devient pour ses thuriféraires, le seul, l'unique Castelhémis, Casté pour les intimes. En 1988, c'est la catastrophe : Casté fait un malaise cardiaque. Pendant des mois, on le croit mort. Puis, on apprend qu'il vivrait dans une île, aux Antilles… Aujourd'hui, il serait revenu en France.

Les Landes des records

- ✔ N° 1 des départements boisés
- ✔ N° 1 pour le thermalisme
- ✔ N° 1 pour la production de foie gras de canard
- ✔ N° 1 pour la production de maïs
- ✔ N° 1 pour la production de carottes
- ✔ N° 2 pour la production d'asperges
- ✔ N° 3 pour la production de foie gras d'oie

64 – Les Pyrénées-Atlantiques, « Paraissez, Navarrais… »

- ✔ 7 645 km²
- ✔ 627 000 Pyrénéens-Atlantiques
- ✔ Préfecture : Pau (81 500 Palois)

✔ Sous-préfectures : Bayonne (42 500 Bayonnais) ; Oloron-Sainte-Marie (12 000 Oloronais)

✔ Nombre de cantons : 52

✔ Nombre de communes : 547

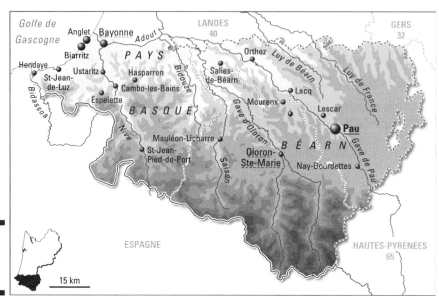

Figure 18-6 : Les Pyrénées-Atlantiques.

D'Atlantique, ces Pyrénées ne possèdent qu'une courte façade, mais le nom qu'elle porte en dit assez la richesse : la côte d'Argent ! Au sud du département, la chaîne de montagne est partagée avec l'Espagne. On y voit le Pic d'Anie, le Pic du Midi d'Ossau, le Pic du Ger, on y passe dans le tunnel du Somport. De ces sommets, dévalent les Luy, les Gave d'Oloron et de Pau, la Saison, la Bidouze, la Nive. Puis voici des villes aux mille senteurs et charmes : Bayonne, Orthez, Pau…

Du gaz, du pétrole…

Fin du crétacé – ah ! votre mémoire est en train de faire un effort… le crétacé, voyons… oui… entre 145 millions et 65 millions d'années avant nous… exact, et bravo ! À cette époque, rappelez-vous, vous vous êtes installé du côté de Biarritz, afin d'assister au surgissement – l'orogenèse, c'est plus savant… – des Pyrénées. Pendant ce temps, derrière vous, des sédiments se sont formés. Peu à peu, ils se sont minéralisés, devenant des pierres qui enferment de la matière organique – ce qui reste de toutes sortes de tissus vivants. Tout cela pris dans les mouvements de la croûte terrestre commence à descendre profondément dans les entrailles de la terre qui réchauffe le tout – cela dure des millions d'années. Du pétrole – de *petrus* : pierre ; et *oleum* : huile ; le pétrole est de l'huile de pierre, de minéraux – et du gaz s'en échappent, remontent vers la surface, souvent sans l'atteindre. Pétrole et gaz demeurent stockés dans des gisements qu'il suffit de découvrir – avez-vous pensé à sonder votre jardin ?... – puis d'exploiter.

Du soufre, du GPL...

C'est ce qui est arrivé à Lacq : en 1950, à la suite de forages, on découvre le plus important gisement de gaz naturel du monde ! Depuis, Total-Fina-Elf produit annuellement des millions barils équivalent pétrole – le baril équivalent pétrole est l'unité de mesure pour le gaz naturel – ainsi que du soufre, des carburants, du gaz de pétrole liquéfié (GPL) et des bases pétrochimiques pour la fabrication d'autres produits. La base logistique et scientifique d'Elf-Aquitaine, installée à Pau, a fait de cette ville la première ville française pour l'industrie pétrolière. Autour du gisement de Lacq, l'industrie chimique s'est implantée, produisant des matières plastiques, des engrais, des cosmétiques, des produits destinés à la pharmacie. Tout cela provenant donc de matières organiques, déchets végétaux, vieux de millions d'années, transformés en gaz de Lacq, ou gaz d'échappement finalement très... naturels !

Du surf !

Du pétrole, en France, du gaz, et des idées ! Des idées de loisirs qui peuvent avoir d'heureuses conséquences sur l'emploi : dans les années 1950, on commence à découvrir sur la côte Basque – Anglet, Biarritz, Saint-Jean-de-Luz, Hendaye – le bonheur musclé qui consiste à surfer sur les plus longues vagues d'Europe. Les trente kilomètres de côte concernés sont désormais connus dans le monde entier. Ils ont fait naître plusieurs industries : celle des vêtements de surf – *surfwear*, si vous préférez le franglais – ; celle des concepteurs et fabricants de planches à voile – les shapers. Ces produits destinés aux sportifs sont distribués par de grandes chaînes de magasins spécialisés : Go Sport, Décathlon...

Du jambon de Bayonne !

Sortons des flots, comme Vénus le fit, sans chercher forcément à la concurrencer... Un petite restauration des forces dépensées ne messiérait point à notre teint (du verbe messeoir qui signifie « ne pas convenir » : la négation qui l'entoure lui redonne un sens positif et signifie donc « conviendrait », cela dit en passant afin de vous procurer un mot rare, *messeoir*, cela peut toujours servir...) Donc, qu'est-ce qu'on mange ? Du jambon ! Du jambon de Bayonne ! Ah, quel délice, et quel savoir-faire ! Tous les jours, pendant trois semaines, les jambons frais sont frottés à la main avec du sel de Salies de Béarn, aromatisés avec du vinaigre, du poivre, de l'ail et du piment d'Espelette (une AOC qui s'étend sur dix communes du Pays Basque : Aïnhoa, Cambo-les-Bains, Espelette, Halsou, Itxassou, Jatxou, Larressore, Saint-Pée-sur-Nivelle, Souraïde et Ustaritz). Le jambon est ensuite livré au vent pendant dix mois, notamment au chaud foehn qui vient d'Espagne en automne et au début de l'hiver.

Du Jurançon, du Madiran...

Avec ce jambon, nous boirons – raisonnablement – du Madiran provenant des terrains argilo-calcaires du nord-est de Pau ; nous dégusterons du Jurançon – en 1553, Antoine de Bourbon en humecta les lèvres de son nouveau-né – d'abord frottées d'ail... –, au-dessus des fonts baptismaux ; l'enfant, dit-on, en fut charmé ; il grandit et devint roi sous le double nom d'Henri IV et de Vert Galant (très empressé auprès des dames...) – buvez du Jurançon, mangez de l'ail... ! Terminons par un fromage, un bon fromage des Pyrénées ; celui-ci par exemple, un brebis Pyrénées, à pâte légèrement pressée, non cuite, à saveur douce et fruitée ; ou bien celui-là, pâte jaune et croûte noire, la tome des Pyrénées, faite de lait de vache. En route, maintenant ! Aux pieds, des espadrilles de Mauléon ; et sur la tête, le fameux béret basque, nommé ainsi par Napoléon III qui ignorait que ce couvre-chef est d'origine béarnaise !

Didier Deschamps, capitaine gagnant !

Il fallait un grand capitaine pour donner à la France sa première coupe du monde de football, en 1998 ! Ce fut un Basque, né à Bayonne le 15 octobre 1968 : Didier Deschamps. Formé à Nantes, il dispute son premier match de D1 à 17 ans, au milieu des Canaris (la couleur de l'équipe nantaise est le jaune...). Il entre ensuite à l'Olympique de Marseille où il a pour coéquipiers Basile Boli, Chris Waddle, Jean-Pierre Papin. Trois titres de champion de France viennent s'inscrire au palmarès du club de Bernard Tapie, ainsi que la prestigieuse coupe d'Europe (en 1993). En 1995, il est recruté par la Juventus de Turin qui remporte de nombreuses coupes, dont celle des clubs champions. L'étroite collaboration avec l'entraîneur de l'équipe de France aboutit au triomphe de 1998, puis à la coupe d'Europe des Nations, en 2000. En 1999, il est à Chelsea, équipe avec laquelle il remporte la Football ligue Cup, la coupe anglaise qui donne l'accès à la coupe de l'UEFA. Il devient ensuite entraîneur de l'AS Monaco, jusqu'en septembre 2005. Depuis le 10 juillet 2006, il est le nouvel entraîneur de la Juventus de Turin.

Les Pyrénées-Atlantiques des records

✔ N° 1 des ports thoniers : Saint-Jean de Luz

✔ N° 1 pour la production de fromages fermiers

✔ N° 1 pour la production de fromage de brebis

✔ N° 1 pour la production de chevaux lourds

✔ N° 1 pour l'exportation de maïs – port de Bayonne

✔ N° 2 pour la production de maïs

✔ N° 2 pour l'agritourisme

✔ N° 3 pour la production de lait de brebis

Le Midi-Pyrénées

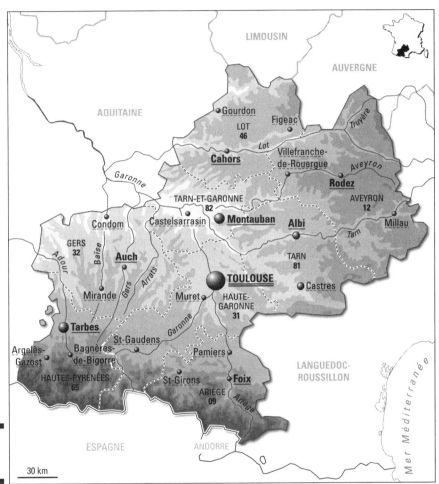

Figure 18-7 :
Le Midi-
Pyrénées.

Huit départements ! La région Midi-Pyrénées est la plus étendue des régions de France ! On y voit se succéder le Lot et ses grottes, l'Aveyron et son pont, le Tarn-et-Garonne et ses fruits, le Tarn et son gaillac, la Haute-Garonne de Nougaro, le Gers et son foie gras, les Hautes-Pyrénées du haricot et de la Dame, l'Ariège de Montségur…

46 – Le Lot ; dans les grottes de Rocamadour ?

- 5 217 km²
- 167 000 Lotois
- Préfecture : Cahors (22 000 Cadurciens)
- Sous-préfectures : Figeac (11 000 Figeacois) ; Gourdon (5 500 Gourdonnais)
- Nombre de cantons : 31
- Nombre de communes : 340

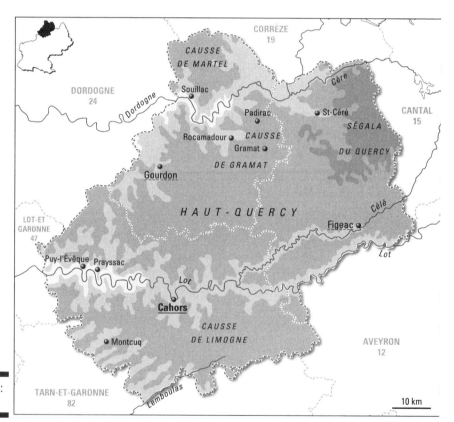

Figure 18-8 : Le Lot.

Dans Lot, il y a Cahors. Dans Lot, il y a Causses – Limogne, Gramat, Martel. Dans Lot, il y a le Lot qui passe à Capdenac, à Figeac, à Prayssac. Dans le Lot, il y a Salviac, Souillac, Padirac, Vayrac, Cajarc…

Fromage, melon, truffes...

Vous voici dans les Causses du Quercy que vous avez déjà parcourues, faisant halte à Rocamadour, à Padirac où vous êtes descendu au fond du gouffre, pour une promenade en barque sur la rivière souterraine. Après le vertige des hauteurs amadouriennes (de Rocamadour) et padiracoises, que diriez-vous d'une prospection approfondie concernant les produits du département ? Faisons nos emplettes, en commençant par le fromage rocamadour, une AOC, le vertige des saveurs, le paradis du goût – c'est peut-être un peu exagéré, mais il y a beaucoup de vrai, goûtez, vous saurez... – ; continuons par les délicieux melons du Quercy, à la chair délicate, orange et sucrée à point ! Tiens : des truffes – le département en est le 3e producteur, entre 5 et 10 tonnes par an.

Un cahors...

Des noix ! Des noix qui claquent entre elles, craquent entre les paumes, et qu'on croque avec une salade verte... Un peu plus loin, du foie gras ! Quel délice ! Et puis voici de l'agneau fermier du Quercy, label rouge... Oui, mais, n'existerait-il pas un vin dans cette région qui ressemble à l'une des antichambres du paradis – la plus proche... ? Evidemment oui... Et pourtant, après le phylloxera, les gelées de 1956 ont quasiment anéanti le vignoble du Quercy ! Mais les Lotois l'ont replanté, et le vin de Cahors, robuste et puissant dans sa robe intense, réjouit de nouveau les gosiers – modérés.

Chemin de traverses...

Vîntes-vous dans le Lot par le train ? Savez-vous que les rails sur lesquels vous roulâtes sont disposés sur des traverses de bois dont beaucoup proviennent du Lot ? Savez-vous que de ce bois on fait aussi des meubles pour les collectivités, solides, résistants comme des traverses de chemin de fer ? Savez-vous qu'avec la société Ratier-Figeac qui s'inscrit dans l'Arc industriel Figeac – Saint-Céré, le Lot est le premier fabricant d'hélices et de composants spéciaux pour l'aéronautique ? On y travaille aussi les métaux, on y pratique la chaudronnerie technique, la tréfilerie d'aciers spéciaux ; on

---

Jean-François Champollion, cv...

Jean-François Champollion, né le 23 décembre 1790, à Figeac. Études à Figeac, Grenoble, Paris. Langues – lu, parlé, écrit – : français, latin, hébreu, arabe, égyptien ancien, copte, éthiopien ! Centres d'intérêt : l'Egypte. Réalisations : l'égyptologie. Loisirs : l'égyptologie. Passion : l'Egypte. Carrière : conservateur chargé des collections égyptiennes au Louvre, titulaire de la chaire d'antiquités égyptiennes au Collège de France. Œuvre majeure : a réussi à décoder en 1822 le texte égyptien hiéroglyphique de la pierre de Rosette, découverte en 1799 par les troupes de Napoléon, près de la ville de Rosette en Basse-Égypte – cette pierre porte en deux langues et trois écritures (grec, démotique, c'est-à-dire égyptien ancien, et hiéroglyphes) un décret du pharaon Ptolémée V ; la pierre de Rosette a été emportée en Angleterre en 1801, elle est visible au British Museum. Voyages en Egypte : un seul, de 1828 à 1830. Mort le 4 mars 1832, à 41 ans. Inhumé au Père Lachaise.

y fabrique des coffrets en composites pour les branchements et les compteurs de gaz, d'électricité et d'eau, des générateurs d'eau chaude industrielle, des paraboles de télévision…

Le Lot des records

- ✔ N° 1 pour la fabrication d'hélices
- ✔ N° 1 pour la fabrication de générateurs d'eau chaude industrielle
- ✔ N° 3 pour la production de truffes
- ✔ N° 5 pour la production de noix
- ✔ N° 8 pour la production d'ovins

12 – L'Aveyron ; sur le pont de Millau…

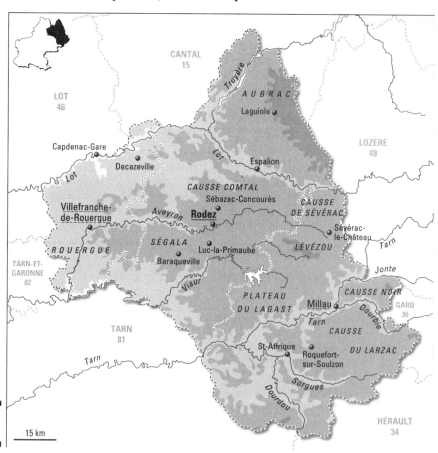

Figure 18-9 : L'Aveyron.

15 km

✔ 8 735 km²

✔ 271 000 Aveyronnais

✔ Préfecture : Rodez (27 000 Ruthénois)

✔ Sous-préfectures : Millau (23 000 Millavois) ; Villefranche-de-Rouergue (13 500 Villefranchois)

✔ Nombre de cantons : 46

✔ Nombre de communes : 304

Bienvenue dans le Rouergue et ses Rouergats ; bienvenue dans cette ancienne province qu'en occitan on nomme Rouergue ; bienvenue dans cette terre de moyenne montagne et de plateaux entaillés de vallées profondes ; bienvenue à Rodez, à Millau, à Najac, à Séverac-le-Château, à Laguiole et ses couteaux…

Sous le plateau de Combalou…

Chut ! Nous approchons… Ajoutez votre silence au silence de ce lieu unique au monde. Voilà des milliers d'années, il y eut là un grand bruit, un bruit à rendre sourd un éléphant ! Un bruit d'éboulis rocheux gigantesque, éboulis qu'on peut voir maintenant, regardez… Nous sommes en bordure des Grandes Causses. Pénétrons dans les caves que voici, sous le plateau du Combalou. Elles ont été spécialement aménagées pour ce que nous y allons trouver… Voyez ces longues failles qui laissent passer l'air humide qui vient du plus profond de la montagne : on les appelle des fleurines. Nous y sommes. Silence toujours ! C'est ici que se marient le mystère de la terre et l'amour de ses produits, c'est ici que lentement, s'élabore le roquefort !

Le roquefort de Charlemagne

Comment reconnaître un vrai roquefort ? D'abord, on le remarque à son emballage d'aluminium qui porte le terme Roquefort. Ce terme identifiant est accompagné du signe AOC – appellation d'origine contrôlée. De plus, vous devez voir la marque confédérale Brebis rouge – le roquefort est fabriqué exclusivement avec du lait de brebis ! Mais, c'est surtout la saveur du produit qui est inimitable, et qui vous fait reconnaître, les yeux fermés, s'il s'agit vraiment d'un roquefort. Tentez l'expérience, en mélangeant de petits morceaux de bleu d'Auvergne, de bleu de Bresse ou d'autres fromages à pâte persillée. Vous reconnaîtrez sans hésiter le vrai, le puissant, le succulent roquefort ce qui n'enlève rien à la succulence des autres échantillons ! Charlemagne ne s'y était pas trompé, qui en avait fait son fromage favori !

Retourné cinq fois par jour !

À la Révolution, le roquefort conserve les privilèges dont il bénéficiait depuis longtemps : il ne sera de roquefort que celui affiné à Roquefort ! De sorte que l'affinage ne s'effectue que dans les caves où vous imaginez vous trouver en ce moment, le lait de brebis provenant de l'Aveyron tout entier et des départements voisins. Sa fabrication demeure identique depuis des siècles : le lait devient caillé, il est placé dans des moules, ensemencé en penicillium. Ensuite, chaque jour, il est retourné cinq fois, salé au gros sel marin. Dans les caves de Roquefort, enfin, l'affinage dure au moins trois mois. Outre les brebis, le Ségala, les monts de l'Aubrac, les hauts plateaux de Sévézou et la vallée de l'Aveyron accueillent le cheptel aveyronnais qui produit veaux et broutards.

Il est beau, le viaduc de Millau !

Il est grand, il est beau, il est haut, le viaduc de Millau ! On dirait qu'un géant a planté là ses échasses, et s'est enfui. On dirait qu'il a posé aussi son bâton, très long, d'un bord à l'autre de la vallée. Alors, de microscopiques insectes d'acier ont trouvé bonne l'aubaine, et se sont avancés, comme des chenilles processionnaires, fort pressées, sur le bâton qui leur sert de route. Maintenant, il faudrait un Rabelais pour poursuivre la fable, pour expliquer la fuite de Gargantua – parce que le géant qui est parti, c'est lui ! Effrayé, Gargantua, par ce pont à haubans, le plus haut viaduc du monde qui traverse la vallée du Tarn à 270 mètres de hauteur, long de 2 460 mètres, au tablier de 32 mètres de large – 2 fois deux voies, et 2 voies de secours –, maintenu par 7 piles, chacune étant prolongée par un pylône de 87 mètres où s'accrochent 11 paires de haubans ? Battu, Gargantua, sur son propre terrain ? Notre monde géant le prendrait pour un nain ? Reviens, Gargantua, n'aie pas peur ! Ceux qui s'élèvent à ta hauteur, ce sont les passagers des insectes d'acier que tu vois, toutes ces petites coccinelles... Admirable, ne trouves-tu pas, ce dont ils sont capables ? Maintenant, fais-les rire, ils en ont grand besoin !...

Mécanique, bois et gants

Rodez, Decazeville, Villefranche-de-Rouergue, Capdenac, voici le prolongement aveyronnais de la Mécanic Vallée présentée en Corrèze. Ce système productif localisé fournit 14 000 emplois, dont 40 % en Aveyron, pour la construction d'équipements pour moteurs, de filtres à huile, de machines-outils d'usinage, la fonderie sous pression d'aluminium, de zinc, de magnésium, la mécanique de précision, et la coutellerie – les renommés Laguiole (qu'on prononce laillole...). L'industrie traditionnelle de l'ameublement et du bois en Aveyron emploie plusieurs milliers de salariés, notamment pour la fabrication de cuisines. Enfin, vous êtes-vous demandé ce qu'on fait de la peau des agneaux consommés ? Des gants ! Cet artisanat de haut niveau est pratiqué à Millau d'où partent pour le monde entier des centaines de milliers de paires de gants, fort appréciés également par les grandes maisons de couture parisiennes.

L'Aveyron des records

🖙 N° 1 des marchés d'élevage

🖙 N° 1 pour la production des ovins

82 – Le Tarn-et-Garonne, les raisins de Moissac

Figure 18-10 :
Le Tarn-et-
Garonne.

↙ 3 718 km²

↙ 219 000 Tarn-et-Garonnais

↙ Préfecture : Montauban (55 000 Montalbanais)

↙ Sous-préfecture : Castelsarrasin (13 000 Castelsarrasinois)

↙ Nombre de cantons : 30

↙ Nombre de communes : 195

La Lomagne et ses collines d'argile au sud-ouest, le Bas-Quercy, ses plateaux et ses collines au nord-ouest, le Rouergue aux portes de l'Aveyron, à l'est. Au centre, Montauban...

Vingt ans après...

Douceur sans nom des chansons d'amour ! Tendresse irrésistible de ces refrains qualifiés de guimauve par ceux qui veulent jouer les gros durs, mais qui fondent, comme tout le monde, dès que les approche un soleil blond. Un miracle s'opère alors : les mots ordinaires comme du pain sec se transforment en fruits, s'installent sur la treille d'une ritournelle, inaltérables.

On les retrouve quand on veut, plus de vingt ans après, par exemple. Intacts. Ainsi, *Les Raisins de Moissac* que chantait en 1980 Simon Gobès, sur des paroles de Pierre Grosz et une musique de Gyril Assous : *Apprends-moi toi / Toutes les choses qu'il y a chez toi / En vrac / Les pêches de Provence / Les raisins de Moissac / Apprends-moi, chez toi / On apprend vite quand on est deux / Pour conjuguer le verbe aimer.*

Melons, poires, prunes, cabécou...

Moissac et ses vergers ! Parfums mêlés de pommes, de melons, de poires, de prunes qui se répandent jusqu'aux marches de la Lomagne, au sud, jusqu'à celles du Bas-Quercy, au nord. Camaïeu de verts où sont suspendues les lourdes grappes de chasselas, ou celles qui, pressées, donneront les côtes du frontonnais, rouge bien charpenté. Jaune vif des colzas, jaune d'or des blés, damiers de céréales et d'oléagineux, voisins des champs d'oignons, d'artichauts, d'ail de Beaumont, de Lomagne (savez-vous que le terme *chandail*, désignant un tricot de laine, est né au XIXe siècle, il désignait le vêtement chaud que portaient, aux halles de Paris, les marchands d'ail...), des champs de melons. Le Tarn-et-Garonne, c'est aussi l'élevage – canards, poules, pintades, oies ; les bovins, blondes d'Aquitaine, se trouvent dans le nord du département, ainsi que les ovins. Les caprins fournissent le délicieux fromage appelé cabécou, partout présent en Rouergue, Quercy et Périgord.

Proche du géant...

La proximité du géant des airs, à Toulouse, a multiplié le nombre de sous-traitants pour l'aéronautique, en Tarn-et-Garonne – mécanique de précision, transformation des métaux, ingénierie, laser, électronique, études techniques... Au carrefour des autoroutes A62 et A20, le département occupe une position idéale pour les activités de distribution, de transport,

Pierre Perret, l'espiègle, Pierrot la tendresse...

Bien sûr, il y a le *Zizi* rabelaisien qui fait pincer du bec les pète-sec, le *Tord-Boyaux* et la *Cage aux oiseaux*, les *Jolies Colonies de vacances*, et le *Plombier, bié, bié, bié, bié*, qui est un beau métier... De l'audace, de la malice dans cent refrains qui ont fait et font toujours chanter la France. Et jamais d'impertinence. De la tendresse, le Perret qui bouleverse : Lily : *Elle arrivait des Somalies,Lily, dans un bateau plein d'émigrés, qui venaient tous de leur plein gré, vider les poubelles à Paris* (1977) ; Jeanine : *De l'établi où je turbine / J'aperçois la fille du patron / Qui traverse la cour de l'usine / Le ciel joue de l'accordéon / Et mon ami Juan le lunaire / Qu'on appelle Jeannot l'espingo / Me dit c'est une belle héritière / Tu devrais lui faire danser le tango / Tu vois Jeanine tout va bien / Je te réécrirai demain / Son bled à Juan c'est l'Argentine / Il trouve qu'il y pleut moins qu'ici / Il mange du piment des sardines / Et il préfère le pain rassis / Il prétend que le vent des îles / Mêlé aux parfums des marées / Donne un goût aux lèvres des filles / Qu'à nul autre on peut comparer. / De Santa Cruz à Maldonado / Y paraît que c'est beau à chialer / Et la vallée du Colorado / Est remplie de belles à marier / On dit que les femmes adultères / Sont celles qui font les plus beaux fils / Et chaque fois qu'un homme crache par terre / Qu'il y pousse un pied de maïs...* Pierre Perret est né le 9 juillet 1934, à Castelsarrasin, dans le Tarn-et-Garonne.

notamment au service de l'agroalimentaire, secteur dynamique et en constante expansion – pôle fruitier de Moissac. Enfin, l'artisanat constitue, avec près de 5 000 entreprises, un secteur qui fournit des milliers d'emplois.

Le Tarn-et-Garonne des records

- ✔ N° 1 pour la production de prunes de table (reine-claude)
- ✔ N° 1 pour la production de melons
- ✔ N° 1 pour la production de cerises
- ✔ N° 1 pour la production de raisins de table
- ✔ N° 1 pour la production de noisettes
- ✔ N° 1 pour la production de kiwis
- ✔ N° 1 pour la production de nectarines
- ✔ N° 1 pour la production de pommes de table
- ✔ N° 3 pour la production d'ail

81 – Le Tarn, Gaillac et son vin...

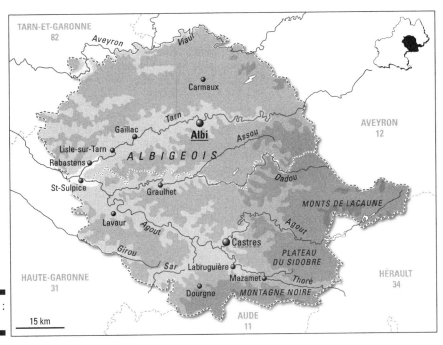

Figure 18-11 :
Le Tarn.

15 km

- 5 758 km²
- 357 000 Tarnais
- Préfecture : Albi (50 000 Albigeois)
- Sous-préfecture : Castres (46 000 Castrais)
- Nombre de cantons : 46
- Nombre de communes : 324

Albi, au centre de l'Albigeois, au centre du souvenir de cette croisade contre ceux qui croyaient en deux dieux, et qui en moururent, au début du XIIIe siècle ! Le Tarn, c'est aussi Gaillac qui va vous charmer, Mazamet qui va vous étonner...

Le doux

Le doux, le très doux, et le dur, le très dur. Voilà les extrêmes du Tarn. Le doux, c'est la laine, et Mazamet sa capitale. Depuis des siècles, s'est développé, le long des berges de l'Arnette qui traverse Mazamet, le travail de la laine, notamment le délainage – séparation de la laine du cuir. Au milieu du XIXe siècle, la matière première venant à manquer, les industriels mazamétains en importent d'Afrique du sud, d'Australie, de Nouvelle-Zélande, d'Argentine. Certains émigrent dans ces pays, puis en reviennent, fortune faite, et se font construire de belles maisons le long de rues aux noms évocateurs : Buenos-Aires, Sydney, Cap Town... La laine est alors exportée vers l'Italie, les cuirs vers l'Espagne, la Belgique, les États-Unis... Aujourd'hui, malgré la crise lainière, des mégisseries – transformation des peaux –, des filatures et des usines de tissage sont encore installées sur les bords de l'Arnette, et conservent à Mazamet son titre de capitale de la laine.

Le dur

Le très dur, c'est le Sidobre, le granit ! Le gisement du Sidobre, au nord de la Montagne Noire, sur un plateau de 100 km², est l'un des plus importants d'Europe. Empruntez, un jour où vous aurez soif de beauté, le Sentier des Merveilles : vous traverserez des forêts et des bois, vous longerez des torrents, vous découvrirez de vertes collines, mais surtout le granit vous surprendra par les formes qu'il a prises depuis les trois cents millions d'années qu'il stationne ici ! Vous serez, comme tout le monde, tenté de trouver à quoi ressemblent ces facéties de la pierre. Sans doute saurez-vous identifier *L'Éléphant, Le Fauteuil du diable, Les Trois Fromages, La Guenon*, et puis, peut-être, un profil que vous connaissez, au cœur de pierre... Vous vous étonnerez des *compayres* ou chaos de ces blocs qui ont roulé au fond des vallons. Ne repartez pas de ce site sans avoir vu le *Peyro Clabado* ! Qu'est-ce ? Allez-y, vous saurez... Et vous ne le regretterez pas !

Jaurès et Carmaux

Le doux, production de laine, le dur, la pierre de granit. L'industrie du Tarn, c'est aussi l'agroalimentaire, la transformation des métaux, la fabrication de machines, la chimie – Air Liquide, SEPIPROD –, la pharmacie – laboratoires Pierre Fabre –, le cuir, la métallurgie, le textile, le verre et les matériaux… Ce fut aussi Carmaux, un gisement de houille exploité depuis le XIIᵉ siècle. Vers 1750, l'extraction industrielle du charbon fournit du travail à des centaines d'ouvriers, jusqu'en 1892 où la crise économique dans ce secteur devient insupportable, au point que d'importantes grèves se déclenchent. Elles sont soutenues, dans le journal *La Dépêche de Toulouse*, par un certain Jean Jaurès – député du Tarn, né à Castres en 1859, et qui sera assassiné à Paris, le 31 juillet 1914 (si vous disposez de quelques minutes, écoutez la chanson de Jacques Brel : *Jaurès*). Aujourd'hui, elles ont cessé de produire.

Du gaillac !

L'agriculture ? Ce sont les veaux du Ségala – une spécialité : les veaux élevés sous la mère –, un important cheptel laitier dans les prairies de Labruguière, Dourgne et Albi ; ce sont aussi des brebis dont le lait est récolté pour fabriquer le roquefort, affiné dans des caves que vous connaissez… Ce sont aussi les volailles et les porcs du Ségala. Ce sont les céréales et les oléoprotéagineux dans l'Albigeois, le Lauraguais et le Castrais. C'est enfin la viticulture avec le gaillac ! Sur les graviers de la rive gauche du Tarn, le gaillac rouge l'emporte ; sur les granits et les calcaires de la rive droite, on récolte les gaillacs blancs. Gaillacs secs ou doux et onctueux, longs en bouche, gaillacs rouges équilibrés, tout gastronome trouve gaillac à son palais – avec mo-dé-ra-tion !

Le Tarn des records

▮ ✔ N° 1 des gisements de granit

CÉLÉBRITÉ DU CRU

Henri, comte de Toulouse-Lautrec

À la Bastille, on l'aime bien Nini Peau d'Chien… Entrons au *Mirliton*, le cabaret de Bruant que vous connaissez bien depuis quelques pages. Avez-vous remarqué, là, dans un coin, cet homme étrange, normalement constitué de la tête à la ceinture, mais debout sur des jambes minuscules ! Pourtant, il semble jovial, s'amuse d'un rien. C'est un peintre – et un comte, Henri de Toulouse-Lautrec – né le 26 novembre 1864 à Albi, d'Alphonse de Toulouse-Lautrec-Monfa, et de sa cousine Adélaïde Tapié de Celeyran. Adolescent, ses deux jambes aux os trop fra-giles ont été brisées, leur croissance s'est arrêtée. En 1882, il vient étudier le dessin et la peinture à Paris. Le monde de la nuit comble sa curiosité de la nature humaine, il en devient le peintre, séduit par les hauts lieux de toutes sortes de réjouissances, notamment le Moulin-Rouge. Grâce à lui, Valentin le désossé, La Goulue, Yvette Guilbert, les vedettes de l'époque, passent à la postérité. Mort en 1901, il nous a laissé en magnifique héritage des centaines de tableaux, lithographies, dessins, affiches…

31 – La Haute-Garonne, le pays du géant

✔ 6 309 km²

✔ 1 130 000 Haut-Garonnais

✔ Préfecture : Toulouse (400 000 Toulousains)

✔ Sous-préfectures : Muret (22 000 Murétains) ; Saint-Gaudens
   (12 000 Saint-Gaudinois)

✔ Nombre de cantons : 53

✔ Nombre de communes : 588

La Haute-Garonne, ce sont cent paysages différents : ceux de la haute montagne pyrénéenne, ceux des vallées de la Garonne, du Tarn, de l'Ariège, ce sont des collines, des plateaux, des villes, et des villages arrêtés en pleine ascension d'un coteau, comme des touristes ébahis ; et puis, c'est le Géant…

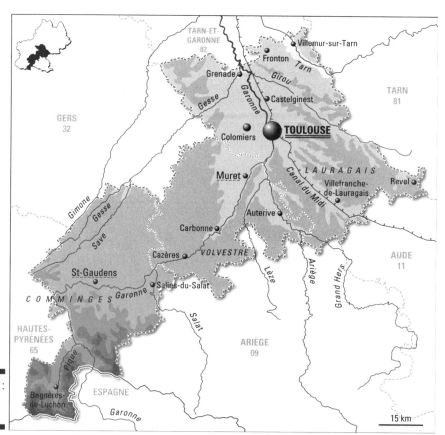

Figure 18-12 :
La Haute-
Garonne.

Tholus, arrière-petit-fils de... Noé !

Le déluge ! Vous n'étiez pas né, sans doute... Celui qui se l'est longtemps rappelé, c'est Noé ! Et pour cause : embarqué dans son arche où étaient entreposés des centaines de couples d'animaux destinés à perpétuer leur race, il a vogué pendant quarante jours et quarante nuits, dans des conditions météorologiques désastreuses qui ont tout fait périr sur terre ! Lorsque le beau temps est revenu, Noé a pu faire sortir ses animaux qui ont repeuplé la planète. Son fils Japhet s'employa lui aussi à la même tâche, eut donc un fils qui eut lui aussi un fils nommé Tholus... Tholus voyagea, découvrit de hautes montagnes au pied desquelles il décida de fonder une ville à laquelle il donna son nom : Tholus, devenu Toulouse ! C'est une première version de l'origine de la ville rose, à laquelle vous pouvez préférer celle-ci : Toulouse vient de *Tul*, signifiant « hauteur », la ville ayant pris le nom d'un oppidum (hauteur) occupé par les Volques – des Gaulois – vers le IIIᵉ siècle av. J.-C.

Pays de cocagne et d'Airbus

En réalité, on ne sait pas trop d'où vient le nom *Toulouse*, mais si la première interprétation est la bonne – pourquoi pas... – on ne s'étonne pas qu'ainsi enracinée dans une légende, elle en produise une autre : le géant des airs, l'Airbus A 380 ! Et tous ses petits frères : l'A 320, l'A 330, l'A 340..., ses cousins les ATR, bref, une famille à la renommée planétaire, et qui ne cesse de s'élever en performances de toutes sortes, en qualité, en prestige ! Entre Tholus et l'A 380, Toulouse a vécu, au XVᵉ siècle, un âge d'or – qui confine aussi à la légende – : on cultivait à l'époque le pastel, une plante à petites fleurs jaunes dont les feuilles broyées produisaient une teinture bleue,

L'amour est un bouquet de violettes... de Toulouse !

L'amour est un bouquet de violettes, / L'amour est plus doux que ces fleurettes. / Quand le bonheur en passant vous fait signe et s'arrête / Il faut lui prendre la main / Sans attendre à demain / L'amour est un bouquet de violettes, / Ce soir, cueillons ces fleurettes / Car au fond de mon âme / Il n'est qu'une femme / C'est toi qui seras toujours / Mon seul amour...

Sur des paroles de Mireille Brocey et une musique de Francis Lopez, le grand Luis Mariano interprète cette chanson en 1952. À cette époque, il existe encore plus de 600 producteurs de la petite fleur d'hiver à Toulouse et dans ses environs ! C'est beaucoup moins qu'au début du siècle (le XXᵉ) où partaient quotidiennement pour Paris 3 à 7 wagons chargés de violettes en bouquets dont beaucoup étaient destinés à l'étranger. Arrivant de Parme, la petite fleur aux 40 ou 50 pétales mauve pâle s'est installée à Paris en 1755, et à Toulouse un siècle plus tard. Aujourd'hui, la violette de Toulouse, qui était en voie de disparition, est plus fleurie que jamais dans l'imagination des restaurateurs, des pâtissiers – la violette cristallisée dans du sucre fait toujours recette... – et entre les mains d'une dizaine de producteurs qui lui donnent un nouvel essor !

célèbre dans toute l'Europe. La région de Toulouse devint alors un pays de cocagne – fort riche ; cocagne proviendrait de *quoquaigne*, mot désignant le pastel en pâte. De magnifiques hôtels particuliers témoignent encore de cette époque qui s'acheva lorsque l'indigo, importé d'Amérique, envahit l'Europe.

De l'aéropostale à Galiléo

Pourquoi tant d'avions à Toulouse ? C'est l'éloignement du front qui, en 1914, fit de ce site l'emplacement idéal pour construire des machines volantes hors de portée de toute attaque. À la fin de ce premier conflit mondial, l'aventure de l'Aéropostale va commencer avec Pierre Latécoère, et surtout Didier Daurat – l'inflexible Rivière des romans de Saint-Exupéry. Après avoir ouvert les lignes vers l'Afrique puis l'Amérique du sud, l'Aéropostale disparaît, remplacée par Air France. Aujourd'hui, la construction des Airbus et ATR, à Toulouse, rayonne sur tout le Midi-Pyrénéen, et même bien au-delà. Des industries de pointe se sont développées dans le département, en électricité et en électronique – Motorola, Siemens, Silogic. Le programme européen de navigation par satellite Galiléo, concurrent du système américain GPS, est réalisé à Toulouse !

De Fronton à Bagnères-de-Luchon

400 laboratoires de recherche, 4 000 chercheurs, 110 000 étudiants ! La ville rose est en permanente effervescence intellectuelle ! Ce qui ne l'empêche pas d'offrir à ses visiteurs la calme et douce atmosphère d'une ville du Midi, inondée de lumière et de bonne humeur. Ingrédients majeurs dans tout le département, de Fronton à Bagnères-de-Luchon – dont les eaux chaudes et sulfurées soignent à merveille les voies respiratoires –, en passant par Saint-Béat, patrie de Gallieni, l'un des vainqueurs de la bataille de la Marne ; en poursuivant par Saint-Gaudens et son marché aux veaux blancs du

Du cassoulet dans le cassolo...

À Castelnaudary, voilà bien longtemps, on se prit de passion pour l'élevage des oies et des canards. Passion utile et nourricière qui s'ajouta à celle de la culture du haricot blanc de type coco ou lingot. On fit mijoter ces passions à feu doux, en y ajoutant des carottes, des poireaux, de l'ail, de la couenne de lard, et on servit tout cela dans un plat creux en terre : le cassolo. Le cassoulet était né ! De siècle en siècle, il s'est enrichi, diversifié – on y ajoute selon les cas du jarret de porc, de l'épaule, de la saucisse, et même de la perdrix rouge, du mouton et du lard pour la version carcassonnaise.

Voulez-vous préparer vous-même un cassoulet ? Voici la liste des ingrédients pour 6 à 8 personnes : 60 grammes de graisse de canard ou d'oie, 1 couenne de lard, 4 saucisses de Toulouse, 6 morceaux de canard confit (ailes, poitrines, cuisses), 4 tranches de lard salé coupées en dés, 4 carottes, 1 kg de haricots blancs, 1 gros oignon émincé, 5 tasses de bouillon de canard ou de poulet, 4 gousses d'ail, 1 clou de girofle concassé, de l'Origan, du basilic, du thym, 3 cuillerées à soupe de concentré de tomate, sel, poivre... Pour la préparation, faites confiance à votre inspiration – et à un bon livre de cuisine. On se régale déjà en lisant tout cela... N'oubliez pas qu'un bon cahors ou un gaillac accompagneront délicieusement votre préparation – avec modération !

Comminges ; en faisant halte à Muret où naquit Clément Ader, l'inventeur du mot *avion*, et de l'engin ainsi nommé – sur son appareil volant nommé Éole, il décolla pour la première fois le 9 octobre 1890 !

La Haute-Garonne des records

✔ N° 1 pour la production d'avions civils

✔ N° 1 pour la production d'avions militaires

CÉLÉBRITÉ DU CRU

Nougaro, poète

C'était un plaisir d'entendre Nougaro chanter *Une petite fille, Cécile, Tu verras, Toulouse…* C'était un plaisir égal de le lire. Nougaro savait écrire, sa parole était riche, soutenue par des harmonies choisies, le souci que les mots ne souffrent jamais de l'imprécis ou de l'inélégance. Nougaro, c'était un prince du verbe, c'était un poète. Un poète né à Toulouse, sa ville rose, le 9 septembre 1929 – d'un père chanteur d'opéra et d'une mère italienne, professeur de piano. Après ses études à Toulouse, il émigre à Paris où il écrit des chansons, rencontre George Brassens qui devient son ami et conseiller, se marie. Puis vient le temps de la scène où ses mélodies et ses textes font merveille. En 1984, il est remercié par sa maison de disque, pour mévente ! Il part alors pour les États-Unis où, à ses frais, il enregistre un album de nouvelles chansons – *Nougayork* – qui remporte un succès phénoménal ! Il chante et enchante jusqu'à son dernier souffle, le 4 mars 2004, à Paris.

32 – Le Gers, foie gras et Madiran…

GÉO-NOMBRES

✔ 6 257 km²

✔ 178 000 Gersois

✔ Préfecture : Auch (24 000 Auscitains)

✔ Sous-préfectures : Condom (8 000 Condomois) ; Mirande (4 500 Mirandais)

✔ Nombre de cantons : 31

✔ Nombre de communes : 463

Au nord-est la Lomagne, au sud l'Astarac, au centre l'Armagnac, à l'ouest le val de Baïse et l'Adour… Le Gers, ou le Gersse ?…

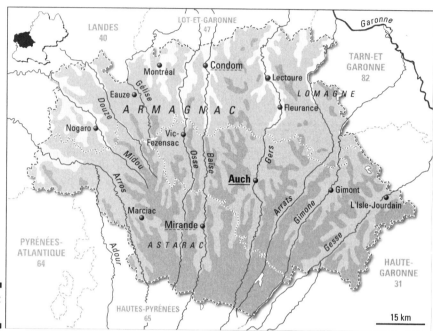

Figure 18-13 :
Le Gers.

Comment prononce-t-on Gers ?

Le Gers... prononce-t-on *gersse* ou *gerre* ?... Evidemment, un élève de CM2 vous répondra avec malice : On dit *gersse* avant midi, et on dit *gerre* (digère) après-midi ! C'est drôle... On n'est guère plus avancé ! Donc, soyons clairs : on dit *gerre* ! C'est même un petit moyen mnémotechnique (prononcez bien : mné, de mnémé, en grec : la mémoire ; m-né-mo-tech-nique) : clair et Gers vont ensemble, c'est une rime sonore parfaite. Partons maintenant pour Montréal. Montréal ? Mais, c'est au Québec... Que va-t-on faire au Québec ? Nous demeurons en France : Montréal, c'est aussi une petite ville du Gers. Elle fait partie d'un circuit qu'empruntent les pèlerins vers Compostelle – qui passe ausssi par Eauze, Nogaro... À propos de Compostelle, voyez la physionomie du Gers : ne dirait-on pas le dessin d'une coquille Saint-Jacques, avec ses sillons que sont les cours d'eau s'étalant en éventail du sud vers le nord ?

Le cœur de la Gascogne !

Le Gers – *gerre*, n'oubliez pas –, c'est le cœur de la Gascogne ! C'est le foie gras d'oie, de canard, dégusté avec du bon pain complet et un peu de Tursan, ou de Madiran, rouge corsé que vous avez déjà humé dans les Pyrénées-Atlantiques – obligatoirement vieilli d'un an avant sa commercialisation – avec modération ! Les Côtes de Saint-Mont arroseront heureusement le confit d'oie ou de canard, parties nobles des deux volailles passées au sel pendant plusieurs heures avant d'être cuites dans leur graisse. À moins que vous ne préfériez le magret qui désigne le filet des deux palmipèdes vedettes en Gers – le mot est gascon et fut mis à la mode dans les années 50.

Les prunes-dattes ?

Palais des palais, le Gers, essentiellement agricole, vous offre aussi son melon de Lectoure, son ail de Lomagne, sa poire d'Auch et sa prune d'ente – c'est-à-dire qui provient d'un prunier enté : greffé ; à moins que ce ne soit une déformation de *prune-datte*, le fruit ayant été rapporté de Syrie par les croisés, comme vous le savez. Sur les terres des trois quarts des 9 500 exploitations du département – 48 hectares de moyenne – on cultive du blé, du maïs, du tournesol, du soja, du colza. On y élève aussi des bovins et des porcins. Des haras – notamment celui du Houga – produisent des chevaux anglo-arabes que vous verrez peut-être à Paris, défilant sous le commandement d'un garde républicain !

GÉO-CHANSON

Jazz in Marciac

Lionel Hampton – Hamp et son vibraphone ! –, Stan Getz et son saxophone, Michel Petrucciani, trop tôt parti, l'épatant Keith Jarret, Dizzy Gillespie et sa trompette, Ray Charles, Diana Krall à la voix brûlante… Tous sont passés à Marciac, dans le Gers, au festival créé en 1978 : Jazz in Marciac, de réputation mondiale ! Quinze jours au mois d'août, des sessions d'automne et de printemps, la cité médiévale accueille les fans des Brown Sisters, d'Alvin Queen Quartet… dans ses tavernes joyeuses et chaleureuses. Jam est son âme…

Le Gers des records

- ✔ N° 1 pour la production d'ail
- ✔ N° 1 pour la production de chevaux anglo-arabes
- ✔ N° 2 pour la production de foie gras d'oie
- ✔ N° 4 pour la production d'oléagineux
- ✔ N° 2 pour la production de semences
- ✔ N° 7 pour la production de melons

65 – Les Hautes-Pyrénées, la grotte au bord du Gave

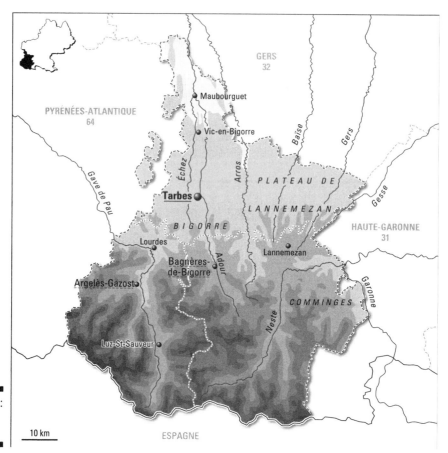

Figure 18-14 :
Les Hautes-
Pyrénées.

GÉO-NOMBRES

- ✔ 4 464 km²
- ✔ 228 000 Hauts-Pyrénéens
- ✔ Préfecture : Tarbes (50 000 Tarbais)
- ✔ Sous-préfectures : Argelès-Gazost (3 500 Argelésiens) ;
  Bagnères-de-Bigorre (9 000 Bagnérais)
- ✔ Nombre de cantons : 34
- ✔ Nombre de communes : 474

Bienvenue en Bigorre et son Pic du Midi ! Bienvenue dans le massif de Néouvielle ! Bienvenue dans les merveilles de la montagne : leur image s'imprime pour toujours dans les mémoires – qui a vu le Cirque de Gavarnie en parle toute sa vie...

Le haricot tarbais

Du maïs au nord, dans la vallée de l'Adour, l'élevage au sud et à l'est. Est-ce tout ce qu'on peut dire de l'agriculture des Hautes-Pyrénées ? Certes non – même si on vient de donner l'essentiel – : il ne faut pas oublier un Haut-Pyrénéen d'exception, décoré du Label Rouge, haute distinction qui ouvre les grandes portes de la gastronomie ! Et ce Haut-Pyrénéen, connu dans le monde entier, a pour nom : haricot tarbais. Son histoire commence en Amérique centrale et méridionale d'où il est rapporté par des Espagnols qui le débarquent en Italie. C'est là qu'on lui donne le nom de *fagivolo* – de *faseolus*, en latin, qui signifie « l'enveloppé », le haricot étant enveloppé d'une mince pellicule. Fagivolo a donné, en français, « flageolet ». En Amérique centrale, les Aztèques lui avaient donné pour nom *ayacotl*, devenu « haricot ».

Pour les cassoulets...

Au début du XVIIIᵉ siècle, l'évêque de Tarbes, Monseigneur de Poudenx, séjourne en Espagne. Il remarque que la culture du haricot donne une récolte abondante, capable de nourrir des villages entiers. Il en rapporte des graines qui sont semées dans la vallée de l'Adour en 1712. À l'époque, on sème en même temps un grain de haricot et un grain de maïs, le maïs servant de tuteur lors de la croissance du haricot. À la fin du XIXᵉ siècle, près de 20 000 hectares de haricots sont cultivés dans la plaine de Tarbes ! La bonne fortune de l'ayacotl se poursuit jusqu'en 1950 où la culture intensive du maïs laisse le haricot sans tuteur. Il se serait laissé périr de désespoir sans la passion des agriculteurs tarnais qui l'ont fait renaître dans les années 80. Depuis, il continue de triompher dans les délicieux cassoulets du Midi !

Les ailes de l'industrie

L'industrie, comme dans le département voisin de la Haute-Garonne – est-ce l'adjectif qui donne le goût de l'altitude ?... – se laisse pousser des ailes, avec la SOCATA (Société pour la Construction d'Avions de Tourisme et d'Affaires), créée en 1966. On y construit des Tobago et des Tampico – ils ont remplacé le très maniable Rallye, ailes basses et verrière idéale... La gamme Epsilon et Trinidad date des années 80. À Lannemezan, l'électrométallurgie est présente avec Péchiney. À Tarbes, Giat-industrie produit de l'armement, et Alstom des machines électriques. L'industrie agroalimentaire fournit au marché national la charcuterie et le foie gras régionaux. Les activités textiles – filature, tissage –, fournissent encore plus de 2 000 emplois dans le département.

Bernadette Soubirous et la Dame

Le 11 février 1858, Marie-Bernarde Soubiroux – Bernadette Soubirous – ramasse du bois avec sa sœur Marie et une amie, Jeanne Abadie, le long du Gave, à Lourdes. À quatorze ans, Marie-Bernarde est l'aînée de neuf enfants ; cinq sont morts en bas âge. C'est la misère noire chez les Soubiroux, en ce mois de février 1858 : le père, meunier ruiné a été contraint de loger sa famille de six personnes dans une ancienne cellule de prison dont la surface n'atteint pas les 17 m². De plus, accusé d'un vol, il a été… emprisonné ! Ce jeudi 11 février 1858, Marie-Bernarde entend un bruit sourd qui provient de la grotte de Massabielle. Elle lève les yeux et voit une dame vêtue d'une robe blanche, d'un voile blanc également. Elle porte une ceinture bleue et une rose jaune sur chaque pied. Entre le 11 février et le 16 juillet, la dame apparaît dix-huit fois à Marie-Bernarde qui rapporte fidèlement ses paroles – *Que soy era immaculada councepciou* : « Je suis l'Immaculée Conception » – et découvre une source dite, depuis, miraculeuse. Tous ces événements déclenchent des manifestations de ferveur populaire sans précédent. Lourdes devient un lieu de pèlerinage mondial, et continue de l'être aujourd'hui. Bernadette Soubirous, morte à Nevers le 16 février 1879, à l'âge de 35 ans, fut canonisée le 8 décembre 1933.

09 – L'Ariège, le souvenir cathare

- 4 890 km²
- 142 000 Ariégeois
- Préfecture : Foix (10 000 Fuxéens)
- Sous-préfectures : Pamiers (15 500 Appaméens) ; Saint-Girons (6 800 Saint-Gironnais)
- Nombre de cantons : 22
- Nombre de communes : 332

Il était une fois, des hommes de foi (cathare) qui se dirent (au XIIe siècle) : ma foi, si nous construisions un château à Foix. Ce château est toujours là, et il vous surprendra le jour où, tout à votre joie, vous aurez fait le choix de le voir pour la première fois… Mais d'abord, partons pour Montségur !

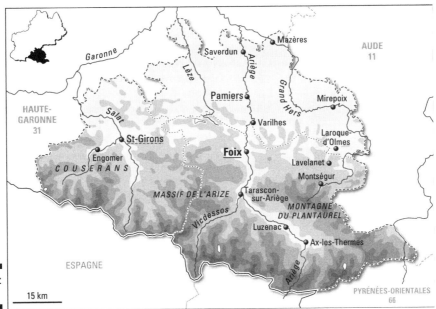

Figure 18-15 :
L'Ariège.

15 km

Le champ des cramats

Montségur ! Lorsque vous serez au pied du mont qui porte le château, vous aurez l'indéfinissable impression qu'ils sont encore là ! Les cathares ! Les purs ! Les dissidents de la chrétienté du XIIIe siècle qui veulent vivre selon leurs convictions, sans Rome. Rome ordonne qu'ils soient anéantis, que leurs biens soient confisqués. L'appel est entendu, et bientôt, le catharisme a disparu. Ou presque : en 1244, dans la forteresse de Montségur, quelques centaines d'irréductibles croient encore pouvoir échapper à la normalisation des esprits. Peine perdue : on vient les déloger. Ils ont le choix : ou bien ils renient leur religion, ou bien ils sont brûlés… Ils se jettent eux-mêmes dans les flammes du bûcher ! Au pied du rocher de Montségur, dans un splendide décor, vous longerez le champ des Cramats, c'est là qu'ils périrent !

Céréales et forêts

Sur les 489 000 hectares du département, près de 10 000 personnes vivent sur 3 000 exploitations agricoles d'une moyenne de 44 hectares – la surface agricole utilisée est de 132 000 hectares. On y cultive du maïs fourrage, du blé, de l'orge, du maïs, du sorgho, du colza, du tournesol, du soja, des féveroles, des pois protéagineux, et du lupin doux. On y élève 8 000 vaches laitières, 38 000 vaches nourrices, 22 000 veaux (par an) ; on y fait paître 73 000 brebis et 5 000 chèvres. 200 000 hectares de l'Ariège sont couverts de forêts qui alimentent 47 entreprises de première transformation, 88 entreprises de transformation, en menuiserie, ébénisterie, pupitres et instruments de musique.

Le talc de Luzenac

Vous est-il arrivé d'utiliser du talc ? Votre curiosité naturellement aiguisée vous a-t-elle posé cette question enfantine : d'où vient le talc ? Vous êtes-vous alors penché sur la question, ou l'avez-vous renvoyée d'où elle venait, l'informant que le temps d'attente pour la réponse était indéterminé ? Eh bien, allez vite rechercher votre question, voici la réponse : il y a fort longtemps, c'est-à-dire 300 millions d'années (incroyable, tout ce qui s'est formé il y a 300 millions d'années !) à Trimons, près du village de Luzenac, dans l'Ariège, un gisement de roche très tendre a été broyé entre deux immenses masses rocheuses. Cette roche très tendre est aujourd'hui extraite d'une immense carrière à ciel ouvert. Exploitée depuis le XIXe siècle – les mulets descendent alors la roche sur 1 000 mètres de dénivelés en 15 kilomètres de sentier –, elle emploie aujourd'hui près de 400 personnes. Luzenac est le premier producteur de talc au monde.

Le papier des boîtes à chaussures

L'industrie en Ariège, c'est l'électrométallurgie. C'est aussi la fabrication du papier, avec Saint-Girons industrie – et sur le Lez, à Engomer, l'usine Martin occupe le site d'une ancienne forge du XIXe siècle – peut-être avez-vous tenu en main ces minces feuilles qu'on trouve dans les boîtes de chaussures, ou dans l'emballage de la vaisselle, des produits de luxe, des cosmétiques…

L'Ariège des records

✔ N° 1 pour la production de talc – et n° 1 mondial

CÉLÉBRITÉ DU CRU

Gabriel Fauré, de Pamiers

Pamiers, mairie, 1843. Toussaint-Honoré Fauré, instituteur, fils de Honoré Fauré, boucher, et de son épouse, acceptez-vous de prendre pour épouse Marie-Antoinette-Hélène Lalène-Laprade ici présente, fille du colonel Lalène-Laprade, et de Madame ? Oui ! Et vous, Marie-Antoinette… On connaît la suite ! Et la suite de la suite : la naissance d'un enfant – le 12 mai 1845, à Pamiers – que les Fauré prénomment Gabriel, et qu'ils envoient à Paris à l'âge de 9 ans, tant ses dons pour la musique sont extraordinaires. Fauré y prend des cours pendant dix ans, puis, à son tour, donne des cours de musique et devient organiste titulaire de Saint-Sulpice. Déçu par un premier projet de mariage – la fiancée rompt subitement –, il épouse en 1883 Marie Frémiet, dont il aura deux fils. Il compose beaucoup, mais est fort peu rémunéré. Sa situation s'améliore lorsqu'il est nommé organiste en chef à La Madeleine, et professeur de composition au conservatoire de Paris – il a comme élève Maurice Ravel… Peut-être connaissez-vous ou jouez-vous ses valses, ses impromptus, ses barcarolles ou ses préludes au piano ; peut-être préférez-vous écouter son magnifique *Requiem*… Fauré est mort le 4 novembre 1924 à Paris.

Le Languedoc-Roussillon

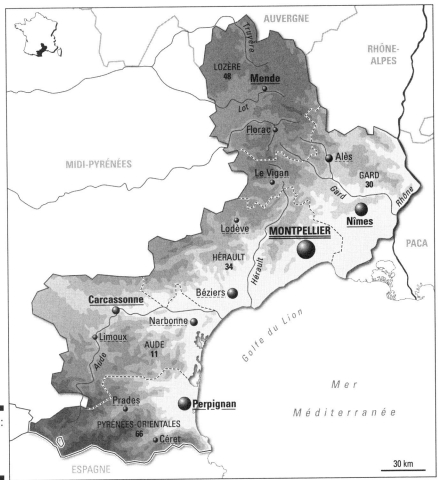

Cinq départements : la Lozère et son Gévaudan, le Gard et son pont de titans, l'Hérault et son Saint-Chinian, l'Aude et Gruissan, les Pyrénées-Orientales et Perpignan. En route, maintenant… Montpellier est la capitale de la région Languedoc-Roussillon.

48 – La Lozère

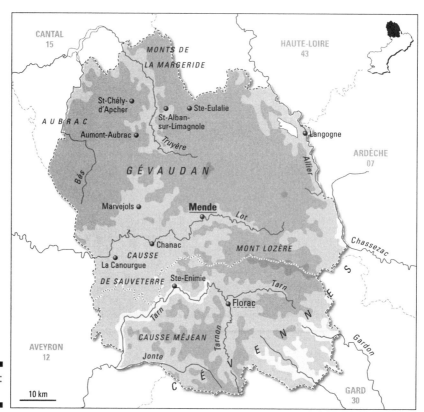

Figure 18-17 :
La Lozère.

10 km

GÉO-NOMBRES

✔ 5 167 km²

✔ 78 500 Lozériens

✔ Préfecture : Mende (13 500 Mendois)

✔ Sous-préfecture : Florac (2 200 Floracois)

✔ Nombre de cantons : 25

✔ Nombre de communes : 185

De l'air ! De l'air pur, de l'altitude et des sentiers ! Des échappées vers la beauté, celle des ciels de montagne qui donnent aux cours d'eau tout leur cristal, leur pureté. Tout cela, c'est en Lozère ! Si vous avez le tempérament solitaire, si vous voulez vous reposer un peu du tourbillon des jours où s'inscrivent mille et mille présences humaines, toutes sortes de gens, parfois lassants, promenez-vous sur les sentiers de GR de Lozère, vous n'y rencontrerez guère de passants ! Le nombre d'habitants au km² est le plus faible de tous les départements français : 14 habitants pour un million de m² (à Paris, sur la même surface, vous en trouvez 20 330) !

En Lozère, vous traverserez...

- L'Aubrac, à l'ouest, un vaste plateau d'altitude tourmenté au début du cénozoïque (l'ère tertiaire, voilà presque 40 millions d'années, mais il est inutile de vous le rappeler...) par le volcanisme ! Aujourd'hui, le paysage apaisé ondule dans le vert, le gris des terres d'où émergent d'énormes blocs de pierre érodés – tel le Roc de Marchastel. Des dizaines de rivières et de lacs scintillent sur ce plateau basaltique (le basalte est la roche volcanique).

- La Margeride au nord : du granit un peu partout, sculpté de mille façons par la grande patience des millénaires, depuis l'ère primaire – ainsi le roc de Peyre ! Des forêts, des hauts plateaux où combattirent les résistants, en 1944 – au Mont Mouchet –, des landes, des bois, des ruisseaux, des prairies, des pâturages entre 1 000 et 1 500 mètres d'altitude...

- Les Causses, au sud-ouest : la couverture calcaire de l'ère secondaire a été entaillée profondément par le Tarn qui prend sa source à 1 600 mètres d'altitude, au Mont Lozère. Deux plateaux sont nés de cette séparation : le Causse de Sauveterre au nord, le Causse Méjean (steppe d'herbe jaune) au sud – et entre ces deux causses, les Gorges du Tarn. Le causse de Sauveterre est longé, dans sa partie nord, par la vallée du Lot – rivière qui prend sa source au Mont Lozère.

UNE GÉO-ANECDOTE

Qui étaient... la bête du Gévaudan ?

Entre l'Aubrac et la Margeride : le Gévaudan ! Le 30 juin 1764, la petite Jeanne Boulet, 14 ans, se trouve sur le chemin de la bête féroce et monstrueuse qui va marquer l'histoire de la région ! Jeanne meurt entre les crocs, et sous les coups de griffe de ce qui pourrait être un loup, une hyène, un lynx... ou un homme ! Ou plutôt l'étroite collaboration entre une bête issue du croisement d'un loup et d'un gros chien, et de celui qui l'aurait dressée pour tuer : un garde forestier au service d'un châtelain ? Peut-être... À moins que... On peut tout imaginer : une bande de sadiques organisés se déguisent eux-mêmes en bête – beaucoup de victimes sont déshabillées, découpées au moyen d'instruments tranchants – ; cette bande peut avoir dressé des loups ou de gros chiens tueurs d'humains pour multiplier les pistes. De nombreux témoignages de victimes survivantes confirment cette hypothèse. Les attaques de la bête se terminent le 19 juin 1767, le jour où Jean Chastel, garde forestier, abat un énorme animal qui ressemble à la fois au chien et au loup ! Jean Chastel, longtemps suspect, dans cette affaire... La famille Chastel, au service d'aristocrates locaux... Maintenant, prenez le relais. Vous voici juge. Prudence...

✔ Les Cévennes au sud-est : des reliefs hardis, des pentes raides, des rochers escarpés, des châtaigniers, des cultures en terrasses du mûrier (restes du temps du ver à soie…), des ruisseaux… Voilà le pays que parcoururent les Camisards au XVIIIᵉ siècle, protestants révoltés, violemment combattus entre 1702 et 1704.

✔ 437 cours d'eau alimentent trois bassins différents : celui de la Garonne par le Lot et le Tarn, celui de la Loire par l'Allier, et celui du Rhône par le Gardon.

Déjeunons !

Au fil de votre randonnée sur les sentiers du département, goûtez la tomme de Lozère, un fromage fabriqué avec du lait de vache, de la présure et du sel, affiné 4 à 6 mois, naturellement persillé. Goûtez aussi le bleu des Causses, au lait de vache cru ; le pélardon, au lait de chèvre, le roquefort, au lait de brebis… Avant ces fromages, vous aurez dégusté quelque grillade Fleur d'Aubrac – viande issue du croisement de la race aubrac et charolaise, elle bénéficie d'un certificat de conformité et d'une IGP (identification géographique protégée) – ou bien bœuf de Pâques, veau d'Aubrac, ou bœuf label rouge ; ou bien encore agneau de Lozère, agneau du Gévaudan… Et cent autres produits que vous pourrez acquérir à la ferme – charcuteries, miel, champignons… – où se conservent les recettes traditionnelles, les goûts simples et vrais. La Lozère, c'est aussi l'exploitation de la forêt qui couvre 45 % de la surface du département (70 % de conifères dont 42 % de pins sylvestres) ; cette filière emploie 2 000 personnes et compte 250 entreprises.

UNE GÉO-CURIOSITÉ

Des gros bisons, et des gros loups, pour les p'tits loups…

Il était présent dans nos forêts jusqu'au Moyen Âge, mais il en a disparu : le bison ! Sauf en Lozère, à Sainte-Eulalie ! Vous y découvrirez un troupeau de ces animaux venus en droite ligne des temps préhistoriques. La visite s'effectue soit à pied – un circuit d'un kilomètre est prévu –, soir en calèche, l'été, ou en traîneau, l'hiver. Pour vous y rendre, suivez les conseils de Bison futé… et empruntez l'A 75, prenez la sortie 34. Ensuite, l'itinéraire est fléché. Faites halte plus tard, à Sainte-Lucie (A 75, sortie 37), dans le parc à loups, créé en 1962, et riche aujourd'hui de près de 150 bêtes originaires de Pologne, du Canada, de Mongolie, qui voient défiler plus de 120 000 visiteurs par an, dont, peut-être, vos p'tits loups…

30 – Le Gard, un travail de Romain

- 5 853 km²
- 664 000 Gardois
- Préfecture : Nîmes (139 000 Nîmois)
- Sous-préfectures : Alès (42 000 Alésiens) ; Le Vigan (4 800 Viganais)
- Nombre de cantons : 46
- Nombre de communes : 353

À l'ouest les massifs schisteux et cristallins des Cévennes ; à l'est Villeneuve-lès-Avignon ; au sud, Aigues-Mortes et la Petite Camargue ; plus haut, Nîmes et le Mazet nîmois des cultures en terrasses ; plus haut encore, la garrigue ; et puis le Gard qui donne son nom au département avant de se jeter dans le Rhône…

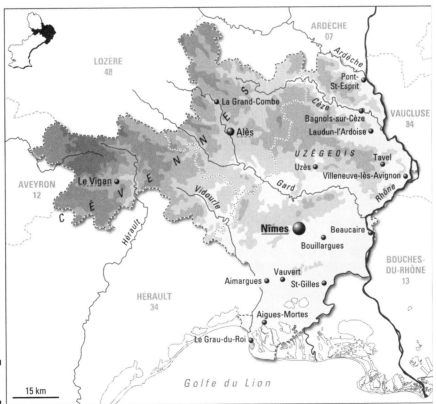

Figure 18-18 :
Le Gard.

15 km

La déesse et le cardinal

Éminence, Athéna ! Drôle de rencontre ! Que font ensemble un cardinal et la déesse grecque de la sagesse, de l'intelligence, et de la guerre ? À vrai dire, il n'y a point là sagesse, intelligence ou belligérance… Si vous vous promenez près de Sauves et Aimargues, dans le Gard, vous verrez le nom du cardinal et de la déesse affichés en grand, dans la zone industrielle qui n'héberge ni une cathédrale ni un temple grec, mais des usines de fabrication de sous-vêtements ! Ajoutez à Eminence et Athéna la marque Privacy, additionnez le nombre de tee-shirts, de slips et de caleçons fabriqués et vous obtenez un total de 17 millions de pièces par an – dont vous enfilâtes peut-être un ou deux exemplaires ce matin ! L'industrie, dans le Gard, ce sont 32 000 emplois pour 15,3 % des actifs dans le textile, l'agroalimentaire – Perrier à Vergèze –, la métallurgie, la chimie, les matériaux de construction.

Un peu de brandade de morue ?

Faites l'emplette de 500 grammes de morue, d'ail, de citron, de poivre, de muscade et d'huile d'olive. Tout cela met déjà en appétit… Plongez les 500 grammes de morue dans l'eau pendant 24 heures afin qu'elle perde son sel – il vous faut plusieurs fois renouveler l'eau. Le lendemain, déposez votre morue dans une casserole, remplissez-la d'eau froide, et portez le tout à ébullition. Retirez ensuite la morue, égouttez-la. Enlevez soigneusement la peau, les arêtes, puis émiettez la chair que vous mettez dans une casserole, sur feu très doux. Ajoutez-y de l'huile d'olive en remuant lentement. Vous obtenez une pâte à laquelle vous ajoutez l'ail – pilé –, le jus du citron, du poivre et de la muscade. Servez votre brandade – du provençal brandar « remuer » – à vos convives – sans vous oublier…

Une délicieuse tapenade

Délicieuse, la brandade ! Voulez-vous maintenant réaliser en fort peu de temps une tapenade ? Il vous faut 100 grammes de filets d'anchois, 100 grammes d'olives noires dénoyautées, 100 grammes de câpres, une gousse d'ail hachée, une demi-cuillerée à café de moutarde et 10 cl d'huile d'olive. Dans un mortier – un bol –, déposez les olives noires, les filets d'anchois, la moutarde, l'ail et les câpres que vous travaillerez avec un pilon, afin d'obtenir une pâte homogène à laquelle vous ajoutez l'huile d'olive, peu à peu, en procédant comme on le fait pour monter une mayonnaise. À déguster avec ce que vous voulez !

Et maintenant, une fougasse ?

On pourrait aussi préparer une fougasse – galette de froment –, des pâtissons de Beaucaire – des courges –, des croquignoles d'Uzès, que Rabelais cite, en 1532, dans *Pantagruel* – et dont voici la recette : 30 grammes de farine, 30 grammes de sucre en poudre, 1 blanc d'œuf, un zeste de citron. Battez le blanc en neige. Ajoutez le sucre et la farine. Déposez la pâte en petites boules sur une plaque beurrée. 5 à 10 minutes à four doux, et c'est prêt ! Terminons par un pélardon, délicieux petit fromage au lait de chèvre cru et entier, à pâte molle. Tout cela accompagné, avec modération, d'un vin rosé unique au monde par son bouquet qui confine à la perfection, rond en bouche, aromatique et puissant, épicé : le Tavel, qui provient de la commune de... Tavel.

Promenade postprandiale...

Vous êtes-vous bien sustenté ? Eussiez-vous préféré un peu de viande de taureau de Camargue – une AOC – en gardianne (cuite après macération dans du vin rouge) ? Avec un Côtes du Rhône Villages ! N'oublions pas les fruits : les reinettes du Vignan, rôties à la cannelle –, des mûres sauvages, des figues, des pêches, des abricots. Une urgence, maintenant : la promenade postprandiale (tiens... un nouveau mot ; il désigne ce qui concerne la suite d'un repas ; le contraire – avant le repas – est désigné par : antéprandial). Donc, notre promenade postprandiale nous emmène au Grau-du-Roi-Port-Camargue, pour une cure de soleil, puis à Nîmes et ses arènes romaines, sa Maison carrée, sa Porte d'Auguste, pour une cure d'antiquité. Enfin, pour la beauté grandiose, partons pour le cirque de Navacelles, dans les Grandes Causses, où, dans un canyon de 300 mètres, tombe la Vis, en cascade...

UNE GÉO-CURIOSITÉ

Le Pont du Gard, comme en 40...

6 arches à l'étage inférieur, sur 142 mètres de longueur et 6 mètres de largeur ; 11 arches à l'étage moyen pour 242 mètres de longueur et 4,5 mètres de largeur ; 35 arches à l'étage supérieur, pour 275 mètres de longueur et 3 mètres de largeur. Le tout s'élève à 49 mètres au-dessus des eaux du Gardon. Telle se présente la partie la plus spectaculaire de l'aqueduc de Nîmes : le Pont du Gard ! Construit en cinq ans, au Iᵉʳ siècle de notre ère, vers 40, cet aqueduc captait les eaux de la fontaine d'Eure, près d'Uzès. Les blocs composant le pont ne furent pas reliés entre eux par du mortier, mais par des pieux de fer. Ayant cessé d'approvisionner la ville en eaux dès le Vᵉ siècle, il fut amputé d'une partie de ses pierres, et peut-être aurait disparu sans l'action de Prosper Mérimée, inspecteur général des Monuments historiques sous le Second Empire, au XIXᵉ siècle. Aujourd'hui, il est reparti pour une nouvelle jeunesse. Comme en 40...

Le Gard des records

➤ N° 1 pour la production d'asperges

➤ N° 1 pour la production de sous-vêtements

Maurice André à la trompette

À 14 ans au fond de la mine. À 18 ans au conservatoire de Paris. Bientôt premier prix de trompette. Soliste aux concerts de l'orchestre Lamoureux, de l'orchestre philharmonique de l'ORTF. Une carrière internationale avec des prix remportés aux concours de Genève en 1955, de Munich en 1963. Professeur au conservatoire de Paris de 1967 à 1978 où il utilise la petite trompette afin d'interpréter le répertoire baroque. Bref, Maurice André a fait de la trompette un instrument à la fois virtuose et populaire, à son image. Il est né à Alès, le 21 mai 1933. Et il continue de nous enchanter...

34 – L'Hérault, la voilà la jolie vigne...

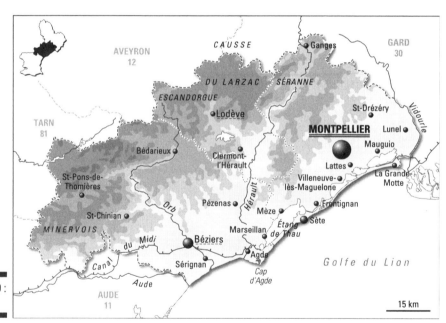

Figure 18-19 : L'Hérault.

- ✔ 6 101 km²
- ✔ 970 000 Héraultais
- ✔ Préfecture : Montpellier (232 000 Montpelliérains)
- ✔ Sous-préfectures : Béziers (72 500 Biterrois) ; Lodève (7 500 Lodévois)
- ✔ Nombre de cantons : 49
- ✔ Nombre de communes : 343

De cep en terre / La voilà, la jolie terre / Terri, terrons, terrons le vin, / La voilà, la jolie terre au vin / La voilà la jolie terre ! / De terre en vigne / La voilà, la jolie vigne / Vigni, vignons, vignons le vin / La voilà, la jolie vigne au vin, / La voilà la jolie vigne…

Gaieté folâtre à travers les sarments d'amour, voici l'Hérault et ses vignes, gorgées de soleil !

La spirale de l'excellence

Connaissez-vous Robert Parker ? C'est un avocat, fils de paysan américain, amoureux du vin, et qui publie régulièrement un guide où il commente à sa façon ses dégustations. Une mention dans le Guide Parker, et le marché mondial peut s'ouvrir pour des vins jusqu'alors méconnus ou méprisés. L'exceptionnelle évolution des vins du Languedoc et du Roussillon, au cours des dernières décennies, ne lui a pas échappé : il souligne, dans son guide, leur fort potentiel de développement. Les vins de l'Hérault sont emportés dans cette spirale ascendante vers l'excellence, dont ils atteignent les dernières boucles…

Cabrières, Faugères, Muscat…

…Ainsi, le Cabrières, issu des vignes qui poussent sur des schistes, au nord de Béziers – Louis XIV en raffolait ! Ainsi le Vérargues, produit sur des terrains argilo-calcaires, près de Montpellier. Ainsi, près de la même ville, le Saint-Drézéry – le vin de prédilection de Cambacérès, l'un des principaux rédacteurs du code civil en 1804 –, le Saint-Georges d'Orques, la Méjanelle, le Saint-Christol – vin qui a suivi partout où ils allèrent, les chevaliers de l'ordre souverain des militaires hospitaliers de Saint-Jean de Jérusalem ! Ainsi le Saint-Chinian, créé par des bénédictins au XVIIIᵉ siècle. Ainsi le Faugères et la Clairette du Languedoc, le Minervois-la-Livinière, le muscat de Frontignan, de Mireval, de Lunel… Tous ces vins portent l'Hérault, dont la vigne occupe 83 % des productions végétales, vers les horizons les plus lointains.

Kiwis, pélardon…

Des pommes, des pêches, des kiwis, du raisin de table… L'arboriculture fruitière représente 14 % des productions végétales. Déjà, vous avez terminé votre addition : 83 % pour la vigne, 14 % pour les fruits ; il reste 3 % ! Qu'en fait-on ? Occupons-les par des cultures maraîchères, notamment celle des asperges. Cultivons aussi des céréales et des fourrages que nous associerons à l'élevage de bovins, d'ovins, mais aussi de caprins pour la production du délicieux pélardon – que vous avez déjà goûté…

Médecine et agronomie

Moine cordelier et bénédictin, père de deux enfants, François Rabelais – invité permanent dans cette géographie humaniste – effectue ses études de médecine à Montpellier en 1530. Au bout de quelques mois, il obtient son diplôme de médecin – à l'époque, il suffisait de connaître le grec et le latin pour exercer la médecine, et Rabelais, là-dessus, en connaissait plus que ses maîtres ! Aujourd'hui, même si le latin et le grec n'en sont plus les fondements, la médecine continue d'être enseignée à Montpellier et de bénéficier d'une réputation de qualité, de même que les enseignements dispensés en agronomie.

CÉLÉBRITÉ DU CRU

Boby Lapointe, La maman des poissons…

Si l'on ne voit pas pleurer les poissons / Qui sont dans l'eau profonde / C'est que jamais quand ils sont polissons / Leur maman ne les gronde / La maman des poissons elle a l'œil tout rond / On ne la voit jamais froncer les sourcils / Ses petits l'aiment bien, elle est bien gentille / Et moi je l'aime bien avec du citron…

C'est un plaisir intellectuel d'écouter les délires de Boby Lapointe, d'enchaîner rires et sourires à la cascade de ses trouvailles, à ses pittoresques croisements de mots qui se dédoublent et font douter du sens, délicieusement. Robert Lapointe, dit Boby, est né le 16 avril 1922 à Pézenas, dans l'Hérault. Très doué en mathématiques, il veut devenir pilote d'essai et en prend les moyens. Mais la guerre l'empêche de poursuivre ses études. Mobilisé pour le STO, il s'évade et devient scaphandrier dans le Midi, afin d'échapper aux Allemands… Sa carrière musicale commence grâce à Bourvil en 1956. Au cabaret parisien du Cheval d'Or, il devient l'ami de Georges Brassens, Raymond Devos, Anne Sylvestre, Ricet Barrier. François Truffaut, Claude Sautet, Marcel Carné lui ouvrent les portes du 7e art où il excelle. Malheureusement, atteint d'un cancer, il meurt à 50 ans, à Pézenas, entouré de sa famille.

Dell à Montpellier

À partir des petits ports, la pêche côtière est pratiquée. Le port de Sète, baigné par la Méditerranée et l'étang de Thau – le deuxième de France – reçoit les importations de pétrole et traite les phosphates. De nombreuses activités se développent dans le pôle industriel de Béziers, et dans celui de Montpellier où s'est implanté le fabricant d'ordinateurs Dell – le site de Montpellier accueille des équipes commerciales, techniques, marketing et administratives pour les clients français, espagnols et italiens.

L'Hérault des records

↙ N° 1 pour la production de muscat

↙ N° 3 pour la production de melons

11 – L'Aude, les Corbières et La Mer...

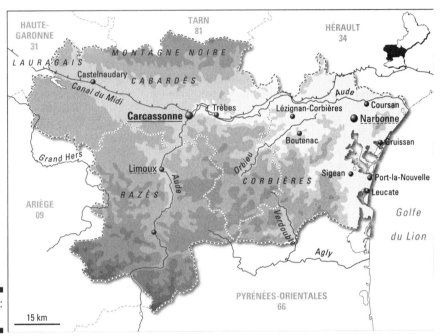

Figure 18-20 : L'Aude.

15 km

↙ 6 139 km²

↙ 329 000 Audois

↙ Préfecture : Carcassonne (47 000 Carcassonnais)

↙ Sous-préfectures : Limoux (11 000 Limouxins) ; Narbonne (49 000 Narbonnais)

↙ Nombre de cantons : 35

↙ Nombre de communes : 438

Le Parc naturel régional de la Narbonnaise en méditerranée, ses lagunes et ses 27 communes, la blanquette de Limoux, les onze terroirs de corbières... Tout pour le plaisir des yeux et du palais... Bienvenue dans le département de l'Aude !

Le Parc naturel régional de la Narbonnaise en méditerranée

Narbonne-Plage, Gruissan, Port-la-Nouvelle, Leucate… Voilà les villes littorales du Parc naturel régional de la Narbonnaise en méditerranée. Dénomination un peu longue qu'on peut essayer d'abréger au moyen d'un sigle : PNRNM, ce qui n'est guère mieux… Mais qu'importe la longueur du nom, ce qui compte c'est le contenu du projet. Et ce projet est un tel acte de respect pour la nature qu'on souhaiterait qu'il gagne la France entière… En effet, les responsables du PNRNM ont inscrit dans leur plan d'action la protection de cette zone fragile du littoral méditerranéen, afin que les oiseaux migrateurs, dont c'est une aire de repos, puissent continuer leur voyage aller ou retour.

27 communes autour des lagunes

Le PNRNM s'étend sur 80 000 hectares : 8 000 hectares de zones humides, 300 hectares de plages et de dunes, 20 000 hectares de mer Méditerranée, 740 hectares de salins, 6 500 hectares de forêts, 24 000 hectares de garrigues, et 15 000 hectares de vignes – si vous prenez votre calculette pour vérifier, vous allez trouver 74 540 hectares… ; où sont passés les 5 460 restants ? En cultures diverses. 2 000 espèces de végétaux supérieurs y sont présentes. 20 communes ont uni leurs efforts et leurs moyens pour créer cet espace, 7 autres communes se sont associées au projet. Elles sont situées pour la plupart sur le bassin versant de l'ensemble des lagunes situées au cœur du Parc – étangs de Pissevaches, de Bages-Sigean, et de La Palme. Le PNRNM est né le 18 décembre 2003.

Une blanquette de Limoux ?

Si vous commandez une blanquette de Limoux, qu'êtes-vous en droit de voir arriver ? Première proposition : une préparation à base de viande de veau, de champignons de Paris, de légumes, le tout dans une sauce préparée avec des ingrédients régionaux ? Un vin qui pétille comme le champagne ? Ou bien une couverture traduite de l'anglais ? Si vous avez choisi la première solution, c'est que vous étiez si dissipé, si peu attentif à la lecture du paragraphe concernant le fleuve Aude dans les pages précédentes, que l'explication concernant la blanquette vous a échappé ! Puisque c'est ainsi, vous mangerez votre poisson sans ce délicieux vin à bulles qui l'eût si bien accompagné – et qui doit titrer moins de 7° d'alcool, mais qu'il faut cependant boire avec modération.

Onze terroirs de corbières

Avec modération aussi, le corbières rouge ou blanc, et ses 11 terroirs (Boutenac, Durban, Fontfroide, Lagrasse, Lézignan, Montagne d'Alaric, Quéribus, Saint-Victor, Serviès, Sigean, Termenès) ; le minervois, issu de vignes ayant poussé sur des terrasses de galets, de schistes, de calcaire ou de grès ; le Fitou ; le Cabardès ; les Côtes de Malepère… Changement de cultures au nord-ouest, dans le Lauragais où poussent des céréales et des oléagineux, en même temps qu'on élève des ovins.

L'Aude des records

▬ ✔ N° 1 pour l'implantation d'éoliennes

La mer

Gare de Narbonne, 1943. Les passagers pour Carcassonne sont invités à prendre place dans le train. Fermez les portières (ici, vous actionnez un petit sifflet de chef de gare qui doit traîner quelque part dans votre mémoire…). Voilà. Le train Narbonne-Carcassonne disparaît au bout du quai – comme dans ces albums de Tintin ou on n'aperçoit plus que deux énormes cata-dioptres rouges dans le lointain. Dans ce train, un événement rare va alors se produire. Venez, nous allons en être témoins… Approchons de ce compartiment où viennent de s'asseoir deux hommes. L'un et l'autre chantonnent et semblent prendre des notes, et des notes… Écoutez :

La mer / Qu'on voit danser le long des golfes clairs / A des reflets d'argent / La mer / Des reflets changeants / Sous la pluie / La mer / Au ciel d'été confond / Ses blancs moutons / Avec les anges si purs / La mer bergère d'azur / Infinie…

Chut… vos l'avez compris, ces deux hommes, ce sont Charles Trenet, né le 18 mai 1913 à Narbonne, et Pierre Chauliac. À Carcassonne, la chanson est terminée. Elle ne va être enre-gistrée qu'en 1946. Des centaines d'interprètes anglo-saxons vont la reprendre à travers le monde, en 4 000 versions ! Trenet ! Le fou chan-tant ! *Y'a d'la joie ; Je chante ; Nationale 7…* Deux mille chansons écrites, des milliers de concerts, l'incarnation de la bonne humeur, du bonheur d'être. Et, le 19 février 2001… il a continué de chanter, ne s'arrêtera jamais : *Voyez / Près des étangs / Ces grands roseaux mouillés / Voyez / Ces oiseaux blancs / Et ces maisons rouillées / La mer / Les a bercés / Le long des golfes clairs / Et d'une chanson d'amour / La mer / A bercé mon cœur pour la vie.*

66 – Les Pyrénées-Orientales, Perpignan, sa gare...

✔ 4 116 km²

✔ 421 000 Pyrénaliens

✔ Préfecture : Perpignan (108 500 Perpignanais)

✔ Sous-préfectures : Céret (8 000 Céretans) ; Prades (7 000 Pradois)

✔ Nombre de cantons : 31

✔ Nombre de communes : 226

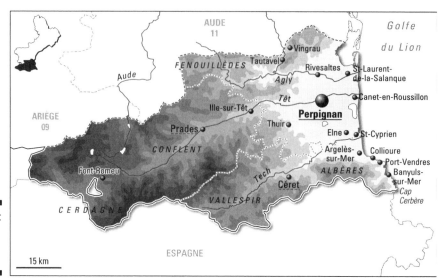

Figure 18-21 :
Les
Pyrénées-
Orientales.

15 km

Depuis fort longtemps, dans les Pyrénées-Orientales, bien avant qu'elles portassent ce nom composé, on appréciait la douceur et les havres de paix qu'offrent les paysages naturels. Au bord de l'eau, par exemple, vivait un de nos grands ancêtres – qui vous attend dans les lignes qui suivent…

La Gare de Perpignan à Cologne…

La gare de Perpignan – préfecture des Pyrénées-Orientales – se trouve à… Cologne, en Allemagne, au Ludwig Museum ! Non pas celle que les trains traversent qui, elle, se trouve bien à Perpignan, mais celle de Salvador Dali, un immense tableau de 4,06 mètres sur 2,96 mètres ! Le peintre surréaliste catalan, né à Figueres, le 11 mai 1904, et mort dans sa ville natale le 23 janvier 1989, affirmait que, s'approchant de Perpignan, dès Le Boulou, en train, il ressentait une tension extraordinaire qui atteignait son apogée quand il entrait en gare. Il était alors saisi d'une sorte d'extase cosmogonique, selon ses dires facétieux et souvent irrésistibles de drôlerie. Il affirmait : « C'est toujours à la gare de Perpignan, au moment où Gala fait enregistrer les tableaux qui nous suivent en train, que me viennent les idées les plus géniales de ma vie ! » Gala, la femme de Dali, était l'ancienne compagne du poète Paul Eluard qui ne se remit jamais de cette séparation…

Banyuls, rivesaltes, pêches, abricots…

Le Roussillon, dont le nom est issu de l'ancienne capitale romaine Ruscino, est un ancien golfe que la mer a peu à peu quitté. Sur les schistes qu'elle a laissés, la vigne produit, dans les communes de Banyuls, Port-Vendres, Collioure et Cerbères, des vins doux naturels qui ont pour nom… banyuls et banyuls grand cru. Dans la vallée de l'Agly, est produit le maury, et sur 86 communes du département, le rivesaltes rouge et blanc, ainsi que le muscat de Rivesaltes, blanc seulement. Les alluvions déposées par les fleuves permettent la culture des fruits : pêches, abricots, cerises de Céret, et celle des légumes.

Les Pyrénées-Orientales des records

- ✔ N° 1 pour la fabrication de bouchons de liège
- ✔ N° 2 pour la production d'amandes sèches

CÉLÉBRITÉ DU CRU

L'homme de Tautavel et les plaisirs de la chair

Il avait vingt ans. Il était robuste. Sa taille ? 1,65 mètres. Son poids ? 65 kg. C'était un grand chasseur. Avec sa famille, son père, sa mère, ses frères et ses sœurs, ses cousins plus ou moins éloignés, ce devait être le bonheur, dans la grotte qu'il avait aménagée. Elle surplombait et surplombe encore un cours d'eau qu'aujourd'hui on appelle le Verdouble, et que lui nommait… on ne sait pas ! Chaque jour, muni de ses armes, il partait chasser dans un rayon de trente kilomètres autour de son repaire. Sans doute s'est-il fait aider par ses compagnons de grotte pour tuer un rhinocéros – nombreux dans la région – qui fut mangé après avoir longtemps faisandé, car il lui était alors difficile – voire impossible – d'allumer un feu. Peut-être n'a-t-il eu besoin de personne pour rapporter au milieu des siens une prise d'un gabarit moins important qui fut découpée au silex : un hominidé, un être semblable à lui, altéré et tenté par les eaux du Verdouble… Les restes de dizaines de ces assoiffés ont été découverts dans la grotte du chasseur de vingt ans tout entier livré aux plaisirs de la chair ! Voulez-vous visiter son appartement, beaucoup plus vaste que ceux de notre époque, et en décors entièrement naturels, du sol au plafond ? Rendez-vous entre Tautavel et Vingrau, par la D 59. L'homme de Tautavel vous y attend. Depuis 500 000 ans…

Chapitre 19

Les DOM-TOM

- -

Dans ce chapitre :

▶ Faites escale dans les îles françaises, du nord au sud de l'Atlantique

▶ Visitez Mayotte et La Réunion dans l'océan Indien

▶ Accordez-vous une cure de solitude dans les Terres australes et antarctiques françaises

▶ Laissez-vous fasciner par la France du Pacifique

- -

Derniers épisodes des temps d'exploration du globe par les voies maritimes, ultimes pages d'une Histoire qui continue de s'écrire, les départements d'outre-mer, les territoires d'outre-mer ou bien ceux qui bénéficient d'un statut particulier offrent à la France des horizons planétaires. En Atlantique d'abord : Saint-Pierre-et-Miquelon, au large du Québec des neiges en Canada, les Antilles françaises sous le chaud Tropique du Cancer, et la Guyane au climat équatorial. Dans l'Océan Indien : Mayotte et la Réunion. Descendons vers le pôle Sud, vers l'Antarctique : voici Saint-Paul et la Nouvelle-Amsterdam, les îles Crozet, les Kerguelen, et sur le continent antarctique, la Terre Adélie. Enfin, dans l'immense Pacifique de l'hémisphère sud, la France est présente en Nouvelle-Calédonie, à Wallis et Futuna, en Polynésie… Bon tour du monde…

Bordés par l'Atlantique

975 – Saint-Pierre-et-Miquelon, un archipel

↙ 242 km^2

↙ 8 îles et îlots

↙ 7 000 Saint-Pierrais et Miquelonnais

↙ Préfecture : Saint-Pierre (6 400 Saint-Pierrais)

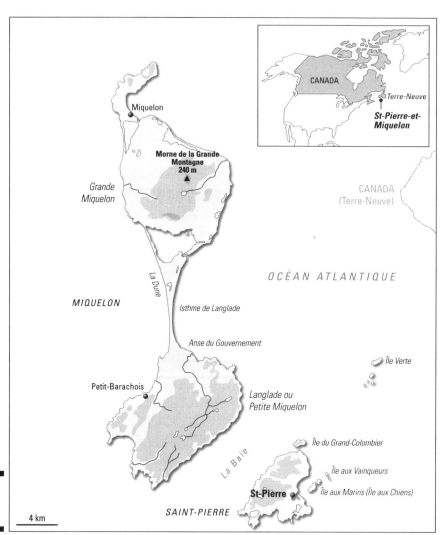

Figure 19-1 :
Saint-Pierre
et Miquelon.

4 km

Françaises en 1497, puis portugaises en 1520, françaises de nouveau en 1600, anglaises en 1713, françaises encore en 1763, anglaises en 1778, et enfin françaises en 1816, les huit îles de l'archipel de Saint-Pierre-et-Miquelon, au large de Terre-Neuve, à l'est du Canada, sont devenues une collectivité territoriale à statut particulier dans la République française, après avoir été territoire d'outre-mer en 1946, puis département d'outre-mer en 1976.

Le Barachois

Lundi 23 mai 1791. Hier encore, nous étions en mer – mais si, mais si… faisons comme si – ; nous avons ce matin mouillé devant la capitale des îles où nous faisons halte. Entrons dans la maison du gouverneur. Elle fait face à l'embarcadère. Un jeune homme d'une vingtaine d'années est assis à une table, près d'une fenêtre. Il écrit... Approchons-nous, et lisons les mots qu'il vient de tracer : *Le port et la rade de Saint-Pierre sont placés entre la côte orientale de l'île et un îlot allongé, l'Île aux Chiens. Le port, surnommé le Barachois, creuse les terres et aboutit à une flaque saumâtre. [...] La maison du gouverneur fait face à l'embarcadère. L'église, la cure, le magasin aux vivres sont placés au même lieu. Puis viennent la demeure du commissaire de la marine, et celle du capitaine du port. Ensuite, commence, le long du rivage, sur les galets, la seule rue du bourg.[...]*

Les mémoires d'outre-tombe

Le jeune homme qui s'appelle François-René de Chateaubriand (vous avez fait connaissance avec lui dans un des chapitres précédents) narre ensuite sa rencontre avec une jeune fille brune. Elle cueille du thé, et refuse certaines propositions qui eussent pu la conduire à tromper son galant Guillaumy, parti pour Gênes. François-René poursuit alors sa description des lieux :

Les mornes (collines) à l'intérieur étendent des chaînes divergentes dont la plus élevée se prolonge vers l'anse Rodrigue. Dans les vallons, la roche granitique, mêlée d'un mica rouge et verdâtre, se rembourre d'un matelas de sphaignes, de lichen et de dicranum (François-René possède un vocabulaire rare et riche, et il le montre). De petits lacs s'alimentent du tribut des ruisseaux. [...] La flore de Saint-Pierre est celle de la Laponie et du détroit de Magellan...

Maintenant, si vous désirez poursuivre la lecture de Saint-Pierre vue par Chateaubriand, rendez-vous dans le chapitre 5 du livre VI des *Mémoires d'outre-tombe*...

Une île déserte

Quel livre emporteriez-vous sur une île déserte ? Facile de répondre pour ce qui concerne le livre. Moins facile d'identifier des îles toujours inhabitées... Pourtant, il en est encore qui attendent le Robinson que vous sentez peut-être s'impatienter en vous lorsque les jours en ville sont un peu mornes, un peu gris... Au large de Saint-Pierre, par exemple, plusieurs îlots d'accès difficile pourraient vous héberger ! Le Grand Colombier, l'Île aux Pigeons, l'Île aux Vainqueurs, l'Île Verte, entre autres, n'ont pas encore subi la présence de l'homme. Partez sans crainte. Séjournez-y aussi longtemps que vous le désirez. Partez maintenant, dans cet instant. Car le séjour autorisé l'est seulement pour la pensée...

Basques et Bretons

Aujourd'hui, Saint-Pierre-et-Miquelon – au sud de Terre-Neuve, à près de 2 000 kilomètres à l'est de Montréal, à 4 700 kilomètres de Paris – c'est d'abord l'île de Saint-Pierre, ses 26 km², et ses 6 500 habitants, descendants des Basques – redoutables chasseurs de baleines – et des Bretons qui y faisaient halte pendant leurs campagnes de pêche à la morue. C'est aussi, face au port de Saint-Pierre, l'Île aux marins ou l'Île aux Chiens, qui compta jusqu'à 600 habitants ; elle est aujourd'hui devenue une île-musée. C'est ensuite, au nord-ouest de Saint-Pierre, deux îles plus vastes reliées par un isthme de sable (La Dune).

La coquille Royale de Miquelon

L'île sud porte le nom de Langlade (91 km^2) ; un hameau, l'Anse du Gouvernement, regroupe des demeures proches d'une superbe plage de sable fin. L'île nord, Miquelon (110 km^2), est habitée par six cents descendants de Basques et Acadiens qui vivent de l'agriculture et de la pêche ; celle-ci est effectuée au moyen de chalutiers modernes qui approvisionnent l'usine de transformation de Saint-Pierre. Par ailleurs, des coquilles saint-jacques importées des Îles de la Madeleine toutes proches – canadiennes – sont élevées à Saint-Pierre et commercialisées sous le nom de *Le Royale de Miquelon*.

Saint-Martin, Saint-Barthélemy, collectivité partagée

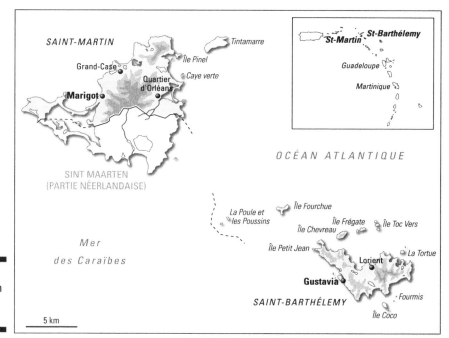

Figure 19-2 : Saint-Martin et Saint-Barthélémy.

Embarquement immédiat pour deux îles situées au nord de la Guadeloupe, dans la mer des Caraïbes…

En attendant la loi…

Espagnole en 1493 – Christophe Colomb la découvre le jour de la saint Martin – l'île de Saint-Martin accueille pendant un siècle et demi des Espagnols, bien sûr, mais aussi des Néerlandais et des Français. Vers 1650, les Espagnols décident de quitter l'île. Les Néerlandais et les Français commencent alors à s'affronter, puis s'aperçoivent que, si le combat continue, ils s'entretueront tous sans que le vainqueur puisse profiter de sa conquête… En 1648, ils décident alors de faire la paix. La partie nord revient aux Français, la partie sud aux Néerlandais (Sint- Maarten). La convention qu'ils rédigent est toujours en vigueur. Saint-Martin, sous-préfecture depuis 1963, peuplée de 32 000 Saint-Martinois (qui parlent tous l'anglais – la langue officielle, apprise à l'école demeurant cependant le français…), fait partie du département d'outre-mer de la Guadeloupe (situé à 200 kilomètres au sud) – Marigot est sa principale agglomération. Cependant, les Saint-Martinois ont massivement approuvé le nouveau statut de collectivité territoriale d'outre-mer proposé par la France en décembre 2003 – ce statut ne sera effectif qu'après le vote d'une loi organique par le Parlement.

Les Saint-Barths

À 35 kilomètres au sud de Saint-Martin se trouve l'île de Saint-Barthélemy (de Bartholomé, prénom du frère de Christophe Colomb). Une ville principale, Gustavia, Saint-Barthélemy qui couvre 25 km², est peuplée de 7 000 Saint-Barths parmi lesquels moult célébrités. Tous apprécient les moult avantages qu'offre ce petit paradis devenu en décembre 2003, comme Saint-Martin, une collectivité territoriale détachée de la Guadeloupe – mais, comme Saint-Martin, il faut aussi attendre la loi organique que devrait voter le Parlement. Les deux îles bénéficieraient notamment de nombreuses exonérations fiscales supplémentaires.

971 – La Guadeloupe, banane et canne à sucre

La Guadeloupe en chiffres

- 1 780 km²
- 435 000 Guadeloupéens
- Préfecture : Basse-Terre (13 000 Basse-Terriens)
- Sous-préfectures : Pointe-à-Pitre (21 500 Pointois) ; Saint-Martin Saint-Barthélemy (39 000 Saint-Martinois et Saint-Barths en attente de leur nouveau statut – voir plus haut)
- Nombre de cantons : 43
- Nombre de communes : 34

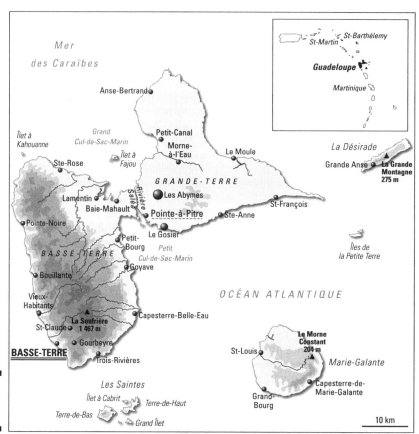

Figure 19-3 :
La
Guadeloupe.

Département français depuis 1946, région à part entière depuis 1983, la Guadeloupe ressemble à un papillon qui se serait posé dans le chapelet des îles des petites Antilles – à l'est de la mer du même nom, appelée aussi mer des Caraïbes. Envolons-nous vers lui…

La Virgen de Guadalupe

Novembre 1493. Après avoir craint le chômage technique en 1492, la vigie du bateau de Christophe Colomb n'en peut plus ! C'est tous les jours qu'il doit crier Terre, terre, terre… Des îles, il y en a partout, dans cette mer des Caraïbes ! Et il faut leur trouver à chacune un nom ! Le 11, Saint-Martin, le 12, Saint-Barthélemy, puis d'autres îles, plusieurs par jour, jusqu'à celle où nous arrivons, nous aussi : la Guadeloupe. Pourquoi ce nom ? On dispose de plusieurs explications : en Estrémadure, province de l'Espagne, voilà fort longtemps, les loups avaient pris l'habitude de se rassembler près d'une rivière qui prit alors le nom de *Guadal* (rivière) *lupe* (des loups). Afin de se protéger de la horde, les villageois se placèrent sous la protection de la

Virgen (la Vierge) de Guadal-lupe (Guadalupe). Le nom *Guadalupe* – Guadeloupe – fut peut-être choisi par un marin de Colomb, en proie au mal du pays…

La Rivière de l'amour

On pense aussi que *Guadeloupe* viendrait de *Oued* el *houb*, qui signifiait, dans l'espagnol méridional de l'époque, « la Rivière de l'amour ». À moins que Guadeloupe ne soit l'évolution phonétique de l'ancien nom de l'île : *Calaou Caera*, « l'île aux belles eaux ». Une constante dans ces trois interprétations : l'eau – ce qui n'a rien de surprenant… Peuplée par les Arawaks au IVe siècle av. J.-C., l'île est envahie au VIIIe siècle par les indiens Caraïbes venus du Venezuela. Ils massacrent les Arawaks, mais sont massacrés à leur tour, à partir de 1635, par les Français. Le trafic d'esclaves en provenance d'Afrique commence alors, afin d'exploiter la principale ressource de l'île : la canne à sucre.

Les deux saisons

Les Quatre saisons, du compositeur italien Antonio Vivaldi, vous connaissez ? Eh bien, si Vivaldi avait été Guadeloupéen, son œuvre eût porté ce titre : les Deux saisons… En effet, dans l'île se succèdent la saison sèche, appelée carême, et l'hivernage. Le carême s'étend de la fin de février au début de juin : air sec, précipitations faibles, températures élevées (33 °C, 34 °C). Cette saison sèche peut se prolonger jusqu'en août. L'hivernage commence avec la période des cyclones (de juin à octobre) et dure jusqu'en février : les vents alizés reviennent, apportent l'humidité, parfois sous forme d'orages. Le soleil se lève, selon la saison, entre 5 et 6 heures du matin, et se couche entre 18 h et 19 h.

Créoles

Aboli par le décret de la Convention, en date du 16 pluviôse de l'An II (4 février 1794), l'esclavage est rétabli par Bonaparte en 1802 – à Saint-Domingue, les esclaves s'étaient révoltés en 1791, Toussaint Louverture à leur tête ; le général Leclerc, envoyé par Bonaparte, écrase la rébellion, déporte Louverture en France où il meurt de chagrin et d'humiliations au Fort de Joux, en avril 1803. À l'initiative de Victor Schoelcher, l'esclavage est définitivement aboli par le décret du 27 avril 1848. Pendant la deuxième moitié du XIXe siècle, de nombreux émigrants venus de l'Inde – du Tamil-Nadu, du Gujarat – sont utilisés par les grands propriétaires pour remplacer la main d'œuvre libérée de l'esclavage. Ainsi est née, de la rencontre forcée et douloureuse de peuples d'origines différentes, la riche culture créole – et antillaise –, avec sa langue, ses coutumes, sa littérature, sa cuisine…

Le papillon de la Guadeloupe

✔ Basse-Terre : cette île montagneuse dont le point culminant est le volcan de La Soufrière – 1 467 mètres, le plus haut sommet de l'Arc antillais – s'étend sur 848 km². Bananeraies, champs de canne à sucre, forêt tropicale, fraîches rivières, plages de sable noir et de sable roux sont au programme…

✔ Grande-Terre : plages de sable blanc, cocotiers, collines (mornes) verdoyantes, lagons aux eaux transparentes et calmes… voilà Grande-Terre, avec sa ville phare, Pointe-à-Pitre, et sa zone industrielle de Jarry sur la commune de Baie Mahault où se concentre l'activité économique et industrielle. Les villes de Saint-François, Sainte-Anne et Le Gosier accueillent chaque année des dizaines de milliers de touristes. Basse-Terre et Grande-Terre sont séparées par un bras de mer appelé Rivière Salée. Deux ponts enjambent la Rivière Salée : le pont de la Gabarre et le pont de l'Alliance.

✔ Entre les deux ailes du papillon – Grande-Terre et Basse-Terre –, au nord, se trouve un immense lagon, le Grand Cul de sac Marin avec ses nombreux ilets : îlet à Caret, îlet à Fajou, îlet Blanc, îlet à Christophe, îlet Macou; au sud le Petit Cul de Sac Marin lui aussi parsemé d'îlets : îlet du Gosier, îlet à Cochons, îlet Boissard, îlet à Cabrit, îlet à Nègre, îlet Frégate de Haut, Grand îlet, îlet Fortune. Les deux Cul de Sac comportent de nombreux pièges pour la navigation, des hauts fonds, notamment à la sortie de la passe de Pointe-à-Pitre : le Banc des Couillons.

Les îles proches

✔ Marie-Galante – et non Marie-Galette comme certains la surnomment à cause de sa forme circulaire de 15 kilomètres de diamètre… – ; l'île aux cent moulins (à broyer la canne, au XIXᵉ siècle), avec ses immenses champs de canne à sucre est peuplée de 13 500 habitants. Le Morne Constant est son point culminant (204 mètres). On y produit du rhum blanc, réputé pour être le meilleur des Antilles. Il bénéficie d'une AOC.

✔ La Désirade, 22 km². La Grande Montagne (275 mètres) est le point culminant de cette île tout en longueur, habitée par 1 700 Désiradiens – et de nombreux iguanes, pélicans et agoutis… On y vit de la pêche, de l'élevage des chèvres.

✔ Les Saintes : ce sont 9 petites îles situées à 10 kilomètres au sud de la Guadeloupe ; deux sont habitées – 3 000 habitants sur 15 km² – : Terre-de-Haut, Terre-de-Bas. L'îlet de Cabrit, le Grand-îlet, l'îlet de la Coche, l'îlet des Augustins, l'îlet de la Redonde et le Rocher-du-Pâté sont inhabités.

✔ Petite-Terre. Paradis des plongeurs, Petite-Terre peuplée d'iguanes est composée de deux îlots rattachés à La Désirade.

Bananes, sucre, rhum

En évidence dans tous les supermarchés, les bananes que vous achetez proviennent pour la plupart de la Guadeloupe qui en produit près de 100 000 tonnes par an, y consacrant 4 100 hectares, principalement sur l'île de Basse-Terre. On cultive aussi la canne à sucre – 65 000 tonnes de sucre sont produites annuellement. La distillation du jus de canne fermenté fournit des milliers d'hectolitres de rhum agricole, celle de la mélasse produit le rhum industriel. 3 500 des 5 000 tonnes de melons issus d'une vingtaine de plantations sont exportés vers la France. Enfin, on peut aussi s'approvisionner en ignames, mangues, citrons verts, oranges, christophines chayottes ou chouchous !

La Guadeloupe des records

▪ ✔ N° 1 pour le nombre de médaillés olympiques.

972 – La Martinique, canne à sucre et banane

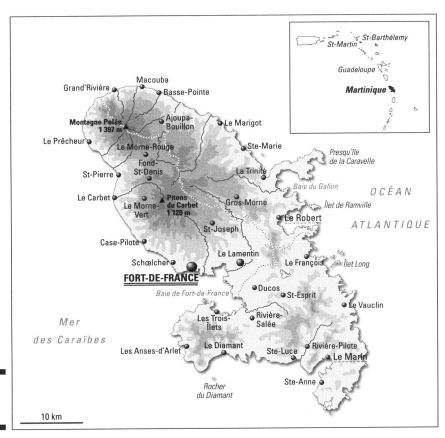

Figure 19-4 :
La
Martinique.

✔ 1 100 km²

✔ 388 000 Martiniquais

✔ Préfecture : Fort-de-France (98 000 Foyalais)

✔ Sous-préfectures : Le Marin (8 000 Marinois) ; La Trinité
(13 500 Trinitéens) ; Saint-Pierre (5 000 Pierrotains)

✔ Nombre de cantons : 45

✔ Nombre de communes : 34

Dans la partie nord de l'île, deux volcans : la Montagne Pelée (1 397 mètres), toujours active, et les pitons du Carbet (1 120 mètres). Les pluies fréquentes entretiennent une abondante végétation. Le climat est plus sec dans la partie sud aux splendides plages, les reliefs ont été érodés pour former des mornes (collines), la végétation est peu développée. Toute l'année, la température dans l'île oscille entre 20 °C et 30 °C. Depuis la tragédie de Saint-Pierre en 1902 (qui vous est contée plus loin), la ville principale de la Martinique est Fort-de-France, située sur la côte-est.

Pour la centième fois...

Terre ! Pour la centième fois peut-être, la vigie du bateau de Christophe Colomb prononce ce mot qui précède un débarquement sur ladite terre devenant dès le premier pas colombien, possession espagnole, sans autre forme de procès ! Ainsi, la Martinique passe-t-elle dans le giron ibère en 1502. Devenue française en 1635, son histoire est liée à la culture de la canne à sucre pour laquelle le commerce triangulaire, de triste mémoire, est hélas mis en place. La prospérité de l'île excite les convoitises des pays étrangers, notamment l'Angleterre qui prendra par deux fois possession de la Martinique avant sa restitution à la France par le traité d'Amiens en 1802. L'esclavage y est aboli en 1848, grâce à l'action de Victor Schoelcher. Dans la seconde partie du XIXᵉ siècle, de nombreux émigrants venus de l'Inde servent alors de main-d'œuvre dans les plantations. En 1946, la Martinique est devenue un département d'outre-mer, et en 1983, une région à part entière, avec la création d'un conseil régional.

Colombo de porc, accras...

L'île aux fleurs, aux 180 couleurs de sable – l'île aux femmes selon les Amérindiens précolombiens qui la nommaient *Madinito* – la Martinique, où le fumet du colombo de porc ou de poulet le dispute aux accras (beignets) de morue, où l'on se passionne pour les concours de biguine ou les combats de coqs – dans les pitt, lieux où ils se volent dans les plumes... – exporte des bananes, du rhum, des ananas, mais surtout aujourd'hui, du rêve. Car c'est leurs rêves que viennent réaliser les centaines de milliers de touristes qui atterrissent chaque année à Fort-de-France ! Rêves de plages au sable fin, de plongée sous-marine, de surf, de voile, de pêche au gros ; rêves de promenades sur les nombreux sentiers pédestres qui sillonnent l'île – une île qui s'est considérablement développée ces dernières années au point que cette petite France – ainsi l'appellent les Américains – mériterait presque le nom de petite Suisse… Voulez-vous lire les écrivains du cru ? Ils s'appellent Raphaël Confiant, Patrick Chamoiseau, Edouard Glissant, Frantz Fanon…, et vous emmènent pour de fantastiques voyages dans leur imaginaire.

La ville de Saint-Pierre disparaît

8 mai 1902, 8 heures 02 du matin. La ville de Saint-Pierre et ses 28 000 habitants disparaissent ! La montagne Pelée, l'un des 9 volcans actifs de l'arc des Petites Antilles (bordure est de la mer des Antilles) est entré en éruption après avoir annoncé par mille signes sa colère imminente depuis janvier. On ne comptera que deux survivants : un prisonnier, Louis Cyparis, protégé par le mur de sa cellule, et un cordonnier, Léon Compère. Quarante bateaux sont pulvérisés. L'éruption ne cessera vraiment qu'en 1905. Longtemps demeurée sous ses cendres, la ville est aujourd'hui reconstruite et compte plus de 5 000 habitants

La Martinique des records

> ✔ N° 1 pour la production de rhum (le rhum Clément, le rhum Depaz, ou bien encore le Crassous de Medeuil…).

973 – La Guyane, Ariane – rime parfaite

La Guyane en chiffres

> ✔ 91 000 km^2
>
> ✔ 200 000 Guyanais
>
> ✔ Préfecture : Cayenne (52 000 Cayennais)
>
> ✔ Sous-préfecture : Saint-Laurent-du-Maroni (21 000 Saint-Laurentins)
>
> ✔ Nombre de cantons : 19
>
> ✔ Nombre de communes : 22

La guillotine sèche ! Tel est le curieux nom qu'acquit, pendant la Révolution de 1789, la Guyane où étaient envoyés les royalistes, prêtres réfractaires, conventionnels opposants… On pensait qu'il leur serait difficile de revenir vivants d'une région si lointaine, si chaude, si humide et réputée pour accabler les délicats Français de fièvres fatales ! La réalité est heureusement moins radicale… On accomplit même des exploits en Guyane puisqu'on y a trouvé une rime parfaite : Ariane…

Figure 19-5 :
La Guyane.

Compte à rebours...

10, 9... Dans deux secondes, la mise à feu du moteur de la fusée Ariane V, Vulcain, va avoir lieu ! Vulcain le bien nommé, Vulcain le dieu du feu et du fer ! Terrible ? Point du tout : il était amoureux de la paix, populaire dans les cieux et sur la terre ! Le Vulcain d'Ariane V qui s'envole de la base de Kourou, en Guyane, c'est tout cela : le feu et le fer qui produiront, lorsqu'il sera en l'air, une poussée de 116 tonnes ; c'est aussi la popularité dans le monde entier : qui ne connaît aujourd'hui Ariane V la pacifique ? 8, 7... Voilà, le moteur est en marche. Maintenant, les deux étages accélérateurs à poudre vont devoir arracher de terre les 725 tonnes du lanceur ; chacun d'eux, chargé de 237 tonnes d'un puissant carburant, le propergol, mesure 30 mètres de hauteur. Leur poussée combinée atteint presque 1 400 tonnes au décollage... Attention... On dirait qu'un dragon s'est caché sous la fusée et que ses naseaux fument... 6, 5, 4, 3, 2, 1... Feu !

L'innommable

Lancement réussi ! Le satellite qu'Ariane transporte vers son orbite va bientôt entrer en action ! Les ingénieurs de la société Arianespace, créée en 1980, ceux de l'Agence spatiale européenne (ESA) peuvent se frotter les mains, se rejeter en arrière dans leur grand fauteuil, se passer les doigts dans les cheveux (très télévisuel, tout cela…), la qualité de leur travail ne cesse de prendre de l'altitude et de tirer vers le haut les courbes de croissance ! Revenons sur terre, dans ce département de Guyane, le plus grand des départements français, avec ses 91 000 km^2 ! *Guyane*, en langage indigène, signifierait « sans nom ». La Guyane serait l'innommable. Pourquoi ? Est-ce à cause de ses 80 % d'humidité quasi permanente par 20 °C à 40 °C ou davantage, de ses 3 000 à 4 000 millimètres de pluie annuels, de sa chaleur équatoriale, le tout produisant une végétation si luxuriante qu'elle symboliserait le mystère sans nom ? Mystère…

LE SAVIEZ-VOUS ?

Les Français ont mis l'enfer au paradis

Il faut dire que nous nous trompons en France. Quand quelqu'un – de notre connaissance parfois – est envoyé aux travaux forcés, on dit : il va à Cayenne. Le bagne n'est plus à Cayenne, mais à Saint-Laurent-du-Maroni d'abord et aux îles du Salut ensuite. Je demande, en passant, que l'on débaptise ces îles. Ce n'est pas le salut, là-bas, mais le châtiment. La loi nous permet de couper la tête des assassins, non de nous la payer. Cayenne est bien cependant la capitale du bagne. (…) Enfin, me voici au camp ; là, c'est le bagne. Le bagne n'est pas une machine à châtiment bien définie, réglée, invariable. C'est une usine à malheur qui travaille sans plan ni matrice. On y chercherait vainement le gabarit qui sert à façonner le forçat. Elle les broie, c'est tout, et les morceaux vont où ils peuvent…

Vous rappelez-vous, croisé dans les pages précédentes, Albert Londres (1884-1932), journaliste qui toute sa vie dénonça les excès de toutes sortes, dans tous les pays, et qui en mourut peut-être… C'est lui qui vient de vous présenter le bagne où séjournèrent tant de condamnés de toute sorte, des assassins, des voleurs, mais aussi des innocents, tel Alfred Dreyfus, injustement accusé d'avoir transmis des documents confidentiels aux Allemands en 1894. Albert Londres écrivait alors : *Les Français ont mis l'enfer au paradis* ! Jusqu'à la fin de sa vie, le journaliste œuvra pour que ferme cet enfer, ce qui fut fait en 1938, sept années après sa mort.

Quatre saisons

Quatre saisons se succèdent en Guyane : la petite saison des pluies qui va de décembre à février ; le petit été de mars ; la grande saison des pluies qui dure d'avril à juillet ; enfin, la grande saison sèche d'août à décembre. La population est composée d'Européens (10 %) de descendants d'Européens et d'Africains – les créoles, 60 % –, d'Amérindiens – Arawak, Guarani, Caraïbes –, de réfugiés laotiens, d'immigrants clandestins haïtiens, brésiliens… Au total, plus de 200 000 habitants dont une grande partie se concentre dans la capitale,

Cayenne. Seuls 5 % du territoire sont habités ! Et seulement 25 000 hectares de terres sont exploités, ce qui représente à peine 0,3 % de la surface totale ! On y cultive de la canne à sucre, du riz, des bananes. En forêt, on exploite le bois, mais aussi des gisements d'or, plus ou moins autorisés…

Dans l'océan Indien

976 – Mayotte, vanille et cannelle

Figure 19-6 :
Mayotte.

✔ 374 km²

✔ 133 000 Mahorais

✔ Préfecture : Dzaoudzi (9 000 habitants)

Dimanche 8 février 1976. Résultats du référendum organisé dans l'île de Mayotte – ou plutôt dans les deux îles Grande-Terre et Petite-Terre qui composent Mayotte, située dans l'océan indien, au sud-est de l'archipel des Comores, lui-même situé au nord-ouest de Madagascar. Mayotte, outre ses deux îles, est entourée de 18 îlots. Donc, ce référendum… En voici les résultats : le *oui* l'emporte par… 99,4 % ! Ce n'est plus un référendum, c'est un plébiscite !

Mais, au fait, quelle était donc la question qui a suscité tant d'enthousiasme ? Eh bien il s'agissait pour les habitants de décider si leur île allait se séparer de la France qui, en 1841, avait décidé de l'occuper, en 1843 de la transformer en protectorat, y ajoutant, en 1904, toutes les îles de l'archipel des Comores. Lesquelles Comores – contrairement à Mayotte – votèrent leur séparation de la République française en 1974. Depuis 2001, Mayotte est une collectivité territoriale d'outre-mer. Le tourisme est la principale ressource de ces îles – musulmanes à 90 % – ; s'y ajoutent la production de vanille, de cannelle, de café, et d'ylang-ylang (ou *ilang-ilang*), l'arbre à parfum qui fait de Mayotte l'île aux parfums !

974 – La Réunion, canne à sucre et pitons

✔ 2 511 km²

✔ 750 000 Réunionnais

✔ Préfecture : Saint-Denis (135 000 Dionysiens)

✔ Sous-préfectures : Saint-Pierre (71 000 Saint-Pierrois) ; Saint-Benoit (33 000 Bénédictins) ; Saint-Paul (90 000 Saint-Paulois)

✔ Nombre de cantons : 49

✔ Nombre de communes : 24

35 habitants en 1665 !

En 1638, les Français prennent possession des îles Mascareignes – Maurice, La Réunion… –, îles alors inhabitées. En 1649, Etienne de Flacourt, un naturaliste français, débarque à son tour à la Réunion qu'il nomme île Bourbon. Les premiers Français ne s'installent dans l'île qu'en 1663. Deux ans plus tard, ils ne sont encore que… 35 ! Saint-Denis est fondée en 1667. La population totale, en 1671, s'élève à 71 personnes ; en 1686, à 216 ; en 1704, à 734. En 1788, après le développement de la culture du café et des épices, après la venue d'une abondante main d'œuvre en provenance d'Afrique, de

Madagascar et d'Inde, la population s'élève à... 48 000, dont la moitié sont des esclaves. C'est en 1793, en pleine Révolution française, que l'île Bourbon abandonne son nom royaliste pour son nom actuel : la Réunion. En 1806, elle devient l'île... Bonaparte. Les Anglais s'en emparent en 1810, la rebaptisent île Bourbon, jusqu'en 1815 où elle est rendue à la France.

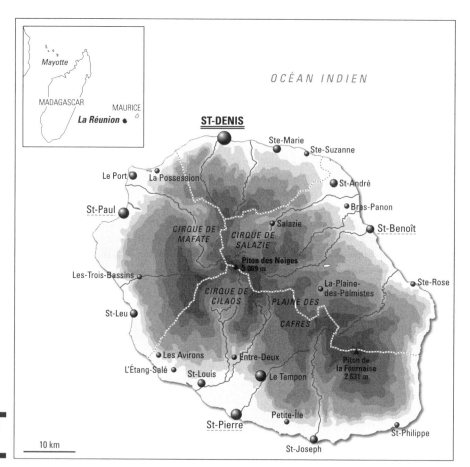

Figure 19-7 :
La Réunion.

750 000 Réunionnais en 2005

Pendant toute la première moitié du XIXe siècle, l'esclavage bat son plein dans l'île Bourbon. En 1848, il est aboli ; l'île, qui compte près de 110 000 habitants, reprend son nom de 1793 : La Réunion. Aujourd'hui, 750 000 Réunionnais y vivent de la filière sucrière – sucre et rhum-, de la culture de la vanille, des plantes à parfum – vétiver, géranium –, de fruits tropicaux. L'agroalimentaire et le secteur du bâtiment et des travaux publics fournissent aussi de nombreux emplois. L'activité dominante demeure cependant le tourisme – plus de 500 000 touristes profitent chaque année des paysages extraordinaires qu'offre cette île volcanique, avec son relief élevé, creusé de cirques profonds : Mafate, Salazie, Cilaos. Le Piton des Neiges, point culminant de l'île avec ses 3 069 mètres, n'est plus en activité depuis environ 15 000 ans. En revanche, le Piton de la Fournaise, situé au sud-est, crache toujours, deux ou trois fois par an, ses laves fluides…

Les aventures de Pedro de Mascarenhas

Il était une fois un garçonnet de huit ans, aimé de ses fort riches parents, dans le Portugal des années 1490. On apprit, en 1492, qu'un certain Christophe Colomb venait de découvrir on ne savait trop quelles terres, en navigant vers l'ouest. Colomb soutenait qu'il s'agissait des Indes, peuplées d'Indiens… Ses Indes, c'était l'Amérique ! Le garçonnet, fasciné par les exploits de Colomb, grandit, devint un jeune homme qui investit la fortune de ses bons parents dans une flotte d'une vingtaine de vaisseaux dont il se servit pour pratiquer le commerce des épices sur les côtes du Mozambique. Le royaume de Goa, dans les Indes (les vraies…) s'étant révolté contre les Portugais, le jeune homme qui se trouvait alors au sud de l'Afrique avec ses bateaux, décida de s'y rendre par la voie maritime la plus directe : la ligne droite. C'est alors qu'il découvrit, à l'est de Madagascar, les îles qui s'appellent aujourd'hui Maurice, Agalega, La Réunion et Rodriguès. Cela se passait en 1513. Le jeune homme s'appelait Pedro de Mascarenhas. À l'archipel qu'il venait de découvrir, il donna son nom : Mascarenhas, devenu Les Mascareignes.

Terres australes et antarctiques françaises - 984

Situées à l'extrême sud de l'océan indien, les Terres australes et antarctiques françaises se résument en un sigle qui frôle la populaire bouffée de cigarette : TAAF… Il faut dire que, si la taffe – bouffée de cigarette… – peut emporter dans une rêverie à volutes, les TAAF conduisent à coup sûr tous les rêves de dépaysement à leur terme. Mais ce genre de rêve gagne-t-il toujours à être réalisé ? Saint-Paul et Nouvelle-Amsterdam, les îles Crozet, et les Kerguelen offrent le dépaysement, certes ! Et le rêve ? C'est selon…

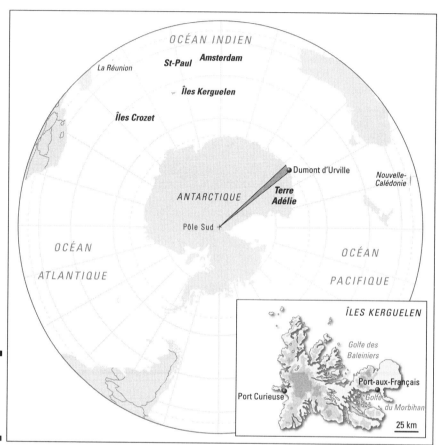

Figure 19-8 :
Terres
Australes et
antarctiques
françaises.

Saint-Paul et Nouvelle-Amsterdam, deux volcans inactifs

Le comité d'accueil de Saint-Paul et de la Nouvelle-Amsterdam, dans les Terres australes françaises, risque de vous surprendre...

Des rats

Toute petite, minuscule, l'île Saint-Paul : 8 km² seulement ! Mais quelle population : 100 000... rats ! Si vous êtes musophobe – vous éprouvez une peur panique à la seule vision d'une souris ou d'un rat –, et que vous avez prévu un voyage à Saint-Paul, soyez sans crainte : une dératisation efficace a été effectuée en 1999, il n'en reste pas un seul ! Vous pouvez donc vous y installer. Mais soyez prévenu : depuis sa découverte en 1559 par un navigateur portugais, personne n'a pu s'y acclimater au point de donner à d'autres émigrants l'envie d'y vivre. Seuls quelques touristes ou quelques scientifiques y passent un jour ou deux.

Des vaches

Sept fois plus grande que Saint-Paul, la Nouvelle-Amsterdam, volcan éteint (comme sa voisine Saint-Paul distante de 90 kilomètres), s'étend sur 56 km². Elle demeure cependant une petite île, elle aussi, fort peuplée : près de mille vaches – des vraies, pas des métaphores – s'y promènent en liberté ! Elles proviennent d'un troupeau de cinq têtes – quatre femelles et un mâle – installé dans l'île en 1871, par un Réunionnais, Jean Heurtin, qui dut s'en aller au bout de huit mois, atteint du mal du pays. Sans les vaches... Aujourd'hui, des groupes de vingt ou trente scientifiques en mission dans les Terres australes y font halte. Les vaches voient aussi passer, parfois, des touristes, et réciproquement.

Les Îles Crozet : Cochons, Pingouins, Apôtres

Les îles Crozet – du nom de Julien Crozet, capitaine français, ami de l'Anglais James Cook (1728-1779), second de l'explorateur français Marion-Dufresne (1724-1772) découvreur desdites îles – comprennent deux archipels distants de 100 kilomètres, situés à l'extrême sud de l'Océan indien.

- ✔ L'archipel situé à l'est comprend l'île de la Possession, la plus grande (150 km²) –, et l'île de l'Est –130 km².

- ✔ L'archipel situé à l'ouest est composé de l'île des Pingouins, l'île des Apôtres, et l'île aux Cochons où vécurent effectivement des cochons comme en un garde-manger, complètement vide aujourd'hui.

Vides de cochons, les îles Crozet, mais peuplées de manchots gorfous dorés, de manchots royaux, de grands oiseaux marins – les pétrels, les albatros –, d'éléphants de mer, d'orques, d'otaries, mais aussi de souris, de rats et de chats... 3 000 millimètres de pluie par an, 300 jours de vent à plus de 100 km/h, des températures entre 5 °C et 18 °C. Romantisme humide, frisquet et venteux – rafales dans les cheveux – garanti. Bon séjour !

Les Kerguelen, trois cents îles

Étonnant personnage qu'Yves-Joseph de Kerguelen de Trémarec, au XVIIIe siècle ! Une vie d'aventure et de passion, un tempérament d'explorateur et une imagination sans bornes pour forcer le destin...

De l'or ?

Yves-Joseph de Kerguelen de Trémarec ! Décrivez-nous les îles que vous avez découvertes en partant de l'Île de France (appelée depuis : île Maurice), après avoir fait approuver votre expédition par le roi Louis XV. Les îles que j'ai découvertes dans l'extrême sud de l'océan indien sont un paradis ! On y trouve mille animaux de toutes sortes, mille espèces végétales. Et certains indices me font penser qu'il ne serait pas impossible qu'on y découvre un jour, de l'or ! De l'or, vous êtes sûr ? Presque...

La désolation

Fin du reportage en direct de Versailles où Yves-Joseph de Kerguelen de Trémarec, né à Landudal, dans le Finistère, en 1734, vient de rendre compte de sa première mission dans les mers du sud. Evidemment, ce qu'il a dit est faux ! Les îles dont il parle – un archipel de trois cents îlots volcaniques – sont inhospitalières, totalement arides, et vierges de quelque filon que ce soit ! Mais Kerguelen a envie d'y retourner, voilà pourquoi il fait ce mensonge qui lui coûtera l'emprisonnement au retour de sa seconde expédition où la vérité éclate ! Libéré, il vivra encore de multiples aventures sur les mers avant de mourir le 3 mars 1797, à Paris. James Cook, en 1776, appela l'archipel Îles de la Désolation, puis Îles Kerguelen... Aujourd'hui, sur l'île de Grande-Terre, au sud de la presqu'île Courbet, au bord du golfe du Morbihan (nom donné par quelque Breton nostalgique à cette anse des Kerguelen), un port – Port-aux-Français – accueille une centaine de scientifiques pour des missions ponctuelles.

La Terre Adélie, la marche de l'empereur

Une fois n'est pas coutume : commençons par regarder ensemble une publicité télévisée, programmée aussi dans les salles de cinéma, et qui promouvait un fournisseur d'accès aux chaînes de télévision, supposées garantir contre l'ignorance cinématographique...

Publicité

Alors, j'ai vu un film... ça se passe au pôle Sud. On voit un empereur qui marche dans la neige. Puis des milliers d'empereurs qui s'avancent en longue colonne dans la tempête de neige. C'est très difficile pour eux d'avancer. Alors parfois, ils se laissent glisser sur le ventre... Mais le plus étonnant, c'est quand ils vont s'accoupler...

Des vents de 300 km/h

Le spot publicitaire s'achève. Plan resserré sur le visage ahuri et incrédule de la jeune fille qui écoutait son interlocuteur lui raconter un film qu'il venait de voir, sans préciser que les empereurs dont il parlait étaient des manchots empereurs, de sorte que, dans l'imagination de la jeune fille, c'était des milliers de Napoléon Ier qui marchaient dans la neige ! Sans doute avez-vous ri à en perdre le souffle en regardant cette publicité diffusée sur le petit et le grand écran. Sans doute avez-vous vu, vous aussi, *La Marche de l'Empereur*, de Luc Jacquet, film tourné en Terre-Adélie, sur le continent antarctique, couvert de glace et de neige, où soufflent des vents qui peuvent atteindre 300 km/h, par les températures les plus froides du globe, parfois –100 °C !

Terre pacifique

La Terre Adélie – Dumont d'Urville qui découvrit le continent austral le 20 janvier 1840, donna à cette nouvelle terre le nom de son épouse : Adèle – représente une étroite portion du continent austral. La souveraineté française s'y exerce dans le cadre du traité sur l'Antarctique signé à Washington en 1959 – il y est précisé que seules les activités pacifiques y sont autorisées. Deux stations scientifiques – Dumont d'Urville et Commandant Charcot – sont aménagées pour accueillir des scientifiques, des chercheurs, ou des cinéastes capables de bouleverser le monde en racontant à leur façon l'étonnante histoire des manchots empereurs...

Dans le pacifique

Prêt pour le voyage vers la Nouvelle-Calédonie, Wallis et Futuna, et la Polynésie française. Faisons d'abord le point sur l'Océanie...

L'Océanie

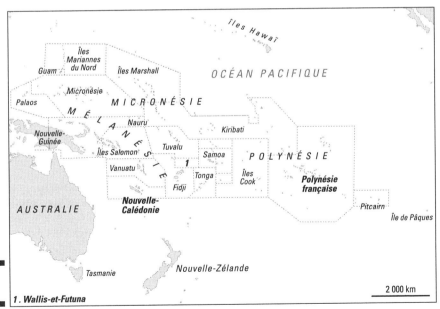

Figure 19-9 :
L'Océanie.

Avant de nous embarquer pour un voyage de rêve en Océanie, dans le Pacifique, observons les lieux qui nous attendent. L'Océanie ? Quelles en sont les limites ? De quelle façon classe-t-on les milliers d'îles qui la composent ? Si l'on en croit Jules Dumont d'Urville, né, comme vous le savez, dans le Calvados, l'Océanie comprend :

✔ L'Australie : 21 millions d'Australiens ; capitale Camberra ; 7 686 850 km², près de 14 fois la France !

✔ La Mélanésie (les îles noires) : les îles Fidji (322 îles dont le tiers sont habitées par 850 000 Fidjiens) ; la Nouvelle-Calédonie ; la Nouvelle-Guinée, 3ᵉ plus grande île du monde, la première étant l'Australie, la deuxième le Groenland, la Nouvelle-Guinée est habitée par 5 500 000 habitants ; les Îles Salomon, un archipel de près de mille îles, peuplées de 500 000 Salomoniens ou Salomonais ; Vanuatu, 83 îles qu'habitent 200 000 Vanuatais.

✔ La Micronésie (les petites îles) : les îles Marshall, 1 100 îles et 30 atolls (îles coralliennes renfermant un lagon) où vivent 72 000 Marshallais ; les Kiribati, trois archipels de 32 atolls et d'une île répartis sur… 3 550 000 km² d'océan, habités par 105 000 Kiribatiens ; les Mariannes du Nord, 14 îles et leurs

✔ 81 000 Mariannais ; Nauru et ses 13 000 Nauruans ; les Palaos, au nord de la Papouasie, composées d'une centaine d'îles où vivent 21 000 habitants ; Guam, enfin, ses 541 km², ses 165 000 habitants, rattachée aux Etats-Unis,

✔ La Nouvelle-Zélande : deux îles principales – l'île du sud, l'île du nord – des nombreuses petites îles, et 4 150 000 Néo-Zélandais.

✔ La Polynésie (les îles nombreuses) : d'innombrables îles comprises dans le triangle Hawaï, Nouvelle-Zélande, Île de Pâques. Elles sont réparties en trois principaux groupes : les Samoa (9 îles dont 4 sont peuplées de 180 000 Samoans), les Tonga (160 îles, trois archipels, peuplés de 160 000 Tongiens) et la Polynésie française.

✔ La Tasmanie : l'île, située à 240 kilomètres au sud de l'Australie, et peuplée de 485 000 Tasmaniens, a pour capitale Hobart.

Cette vision et division de l'Océanie n'a plus cours ou presque : les géographes modernes lui ont substitué deux catégories seulement :

✔ L'Océanie proche : Australie, Nouvelle-Guinée, Îles de l'Amirauté, Îles Salomon.

✔ L'Océanie éloignée : Mélanésie, Micronésie, Polynésie.

988 – La Nouvelle-Calédonie, le caillou

- 18 575 km²
- 240 000 Néo-Calédoniens
- Chef-lieu : Nouméa (92 000 Nouméens)
- Nombre de provinces : 3 (province sud, siège : Nouméa ; province nord, siège Koné ; province des îles Loyauté)
- Nombre de communes : 33

Figure 19-10 : La Nouvelle-Calédonie.

L'Océanie éloignée

En 1875, sur la côte est de l'Australie, nous avons laissé, rappelez-vous, le marin vendéen, Narcisse Pelletier, ou du moins son souvenir, parmi les cannibales ! Quittons cette côte, dérivons vers l'est, avec suffisamment de vivres pour tenir pendant 1 500 kilomètres – une fois et demie la largeur de la France… Terre ! Nous voici arrivés. Où ? En Nouvelle-Calédonie. Selon les uns, en Mélanésie ; selon les autres, en Océanie éloignée. Enfin, une troisième catégorie vous soutiendra qu'on est ici au paradis – bleu dense de la mer, du ciel, plages blanches et verdure intense, soleil… ! C'est l'explorateur anglais James Cook qui l'a baptisée ainsi en 1774, lui donnant le nom du massif de Calédonie, situé en Ecosse, terre natale de son père.

La découverte de Jules Garnier

L'archipel de Nouvelle-Calédonie couvre une superficie de 18 575 km². Il est constitué de la Grande-Terre qui se présente sous la forme d'une longue bande de 400 kilomètres de long, orientée nord-ouest sud-est, et de 40 à 70 kilomètres de large, hérissée d'une chaîne de montagnes qui culmine au Mont Panié (1 628 mètres). Cette chaîne coupe l'île en deux : l'est humide, exposé aux alizés est couvert d'une végétation dense sur ses pentes abruptes ; le climat de l'ouest, plus sec, permet la culture et l'élevage – 125 000 bovins, 2 000 caprins, 1 000 ovins – dans des plaines surplombées de massifs riches en nickel. On y trouve également du cuivre, du chrome, du cobalt, du fer, et en cherchant bien,… de l'or ! C'est Jules Garnier, né le 25 novembre 1839 à Saint-Étienne, qui découvre et exploite le premier le nickel en Nouvelle-Calédonie – où se trouvent 30 % des réserves mondiales de ce métal qui représente aujourd'hui 90 % des exportations de l'île.

Canaques et Caldoches

La population totale de la Nouvelle-Calédonie s'élève à 240 000 habitants répartis sur ses îles : Grande Terre, les îles Loyauté (Lifou – où naquit le footballeur Christian Karembeu, le 3 décembre 1970 –, Ouvéa, Maré et Tiga). Elle est composée de Canaques, de Caldoches – Européens métissés –, de Wallisiens, de Futuniens, d'Européens qu'on appelle les Métros – diminutif de métropolitains –, d'Indonésiens, de Vietnamiens, de Chinois… Depuis la signature des accords de Nouméa, le 5 mai 1998, la Nouvelle-Calédonie est devenue une collectivité spécifique ; ce statut prévoit le transfert de certaines compétences entre l'Etat français et la Nouvelle-Calédonie, exception faite de ce qui concerne la monnaie, la défense, la sécurité et la justice. En 2018, au plus tard, la population sera appelée à faire le choix suivant : l'indépendance totale ou le maintien au sein de la République française.

986 – Wallis et Futuna, plus Alofi, l'inhabitée

Quittons la Nouvelle-Calédonie pour un autre paradis situé vers le nord-est. Traversons Vanuatu, les Fidji… Le voici : Wallis, Futuna et Alofi.

✔ Wallis : sur l'île principale – découverte par le navigateur Samuel Wallis en 1767, se trouve Mata-Utu, la préfecture où siège le tribunal de première instance qui détient le pouvoir judiciaire en matière pénale. Le gouvernement de l'île est partagé entre le roi de l'île – souverain de son royaume d'Uvéa – et le représentant de l'Etat français. Vingt îles et de nombreux îlots entourent Wallis.

✔ Futuna – nom donné par Bougainville qui découvre l'île en 1768, et qui signifie : « l'enfant perdu du Pacifique » – à 200 kilomètres au sud-ouest de Wallis, voici Alo et Sigave, les deux royaumes qui composent Futuna ; le premier gouverné par le tuigefo, le second par le keletaona, toujours en accord avec l'Etat français.

✔ Alofi : au sud-est de Futuna se trouve Alofi, l'inhabitée ou presque. Paradisiaque pourtant… Mais sans eau douce, le paradis peut devenir l'enfer !

Des bananiers, des cocotiers, des arbres à pain fournissent leurs fruits à la population qui cultive l'igname, le taro, le manioc, et pratique la pêche – barracudas, thons, langoustes, coquillages…

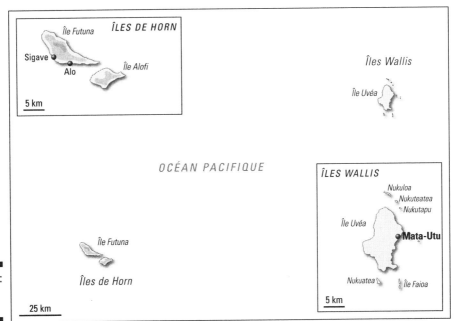

Figure 19-11 : Wallis et Futuna.

987 – La Polynésie française, cinq archipels

De Wallis et Futuna, cap sur la Polynésie française. Si vous voulez la visiter tout entière, vous aborderez dans 118 îles – 83 atolls et 35 îles hautes. Vous évoluerez sur une surface totale de 5 000 000 de km², ce qui représente une aire supérieure à celle de l'Union européenne ! Vous pourrez fouler 3 500 km² de terres émergées, et rencontrer 252 900 habitants dont 83 % de maoris, 12 % d'Européens et 5 % de Chinois. Le tourisme est le moteur principal de l'économie polynésienne – 212 000 visiteurs – ; autre moteur : la perliculture qui représente 25 % de la production mondiale.

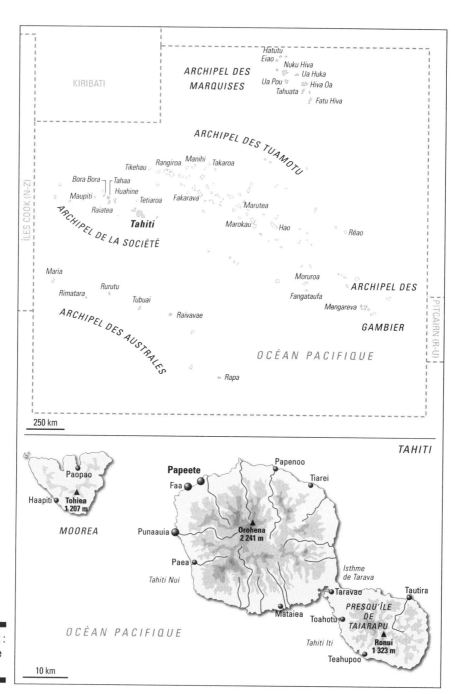

Figure 19-12 :
La Polynésie
française.

Bienvenue à Papeete

Après vingt-deux heures d'un vol Paris-Tahiti qui comporte une escale à Los Angeles, vous atterrissez à Papeete, ville située à 15 700 kilomètres de Paris, 6 200 kilomètres de Californie, 8 800 kilomètres de Tokyo....
Bienvenue à Tahiti, dans la baie de Papeete, prolongée d'une plaine fertile et humide, dominée par d'impressionnants massifs volcaniques. Papeete, 125 000 habitants, – prononcez *papééété*, et non *papète*... – est la ville principale de l'île de Tahiti ; c'est aussi le chef-lieu de la Polynésie française qui est une collectivité d'outre-mer. Tahiti est composée de deux îles : la Grande Tahiti – Tahiti Nui –, et la Petite Tahiti – Tahiti Iti. Ces deux îles volcaniques, où vivent 170 000 Tahitiens – en majorité dans la plaine littorale – sont reliées par l'isthme de Taravao. À 17 kilomètres à l'ouest de Tahiti, se trouve Moorea, 3e île la plus visitée de la Polynésie française.

Les mutins de la Bounty

Fin 1787, le capitaine William Bligh quitte l'Angleterre à bord du Bounty. Avec son équipage, il doit gagner l'île de Tahiti afin d'en rapporter des arbres à pain qui serviront à nourrir les esclaves de Jamaïque. Le voyage est aussi rude que la discipline à bord. Arrivés à Tahiti, les marins goûtent à la douceur de vivre, à celle des Tahitiennes, mais doivent repartir avec leur précieuse cargaison, après six mois de séjour. C'est alors que le second du bateau, Fletcher Christian, qui ne supporte plus la discipline de fer qu'impose le capitaine Bligh, pousse les marins à la mutinerie. Bligh est déposé dans une chaloupe de 7 mètres avec 18 matelots qui lui sont restés fidèles. Il accomplit l'incroyable exploit de rallier l'île de Timor située à 5 000 kilomètres, en 41 jours !

Les mutins retournent à Tahiti, mais plusieurs d'entre eux décident d'aller vivre sur l'île de Pitcaim, mal située sur les cartes. Ils y emmènent de jolies Tahitiennes, mais, peu de temps après, commencent à s'entretuer. Il n'en restera qu'un, retrouvé en 1808 : John Adams, vivant alors avec une vingtaine de femmes et de nombreux enfants... Bligh, rentré en Angleterre, obtiendra la condamnation des mutins repris à Tahiti. Trois d'entre eux furent pendus, les autres graciés par le roi. Bligh fut par la suite emprisonné pour avoir de nouveau infligé de mauvais traitements à ses marins ! Des milliers d'habitants de Pitcaim sont aujourd'hui les descendants des mutins et de leurs Tahitiennes amoureuses...

L'archipel de la Société : Bora-Bora, Tahiti...

- 1 593 km²
- 214 500 habitants
- 14 îles

Les 14 îles de la Société sont réparties en deux groupes :

✔ Les Îles Sous-le-Vent, à 200 kilomètres au nord-ouest de Papeete. On y trouve Bora-Bora, la 2e île la plus visitée après Tahiti. On y trouve aussi Raiatea, Tahaa, Huahine, Maupiti, Tupai…

✔ Les îles du Vent comprennent Tahiti, Moorea – l'île sœur –, Tetiaroa qui fut acquise en 1965, et pour 99 ans, par Marlon Brando qui avait épousé la jolie Tahitienne jouant à ses côtés dans le film *Les Révoltés de la Bounty*. Plus des trois quarts des habitants de la Polynésie française vivent dans les Îles du Vent et les Îles Sous-le-Vent.

L'archipel des Marquises : Gauguin, Brel…

✔ 997 km^2

✔ 8 700 habitants

✔ 12 îles

Les îles Marquises – à 1 600 kilomètres de Tahiti, forment deux groupes. Le groupe situé au nord a pour île principale Nuku Hiva, non loin d'Ua Pou et d'Ua Huka auxquelles s'ajoutent des îles moins étendues : Eiao, Motu One et Hututaa. Le groupe situé au sud est composé des petites îles Tahuata, Moho Tani, et Fatu Hiva. Enfin, voici celle que vous attendez : Hiva Oa.

✔ Parce que vous vous plaisez à imaginer la vie qu'y mena le peintre Paul Gauguin, entre 1901 et 1903 – année de sa mort, le 8 mai –, dans la maison du jouir qu'il fit construire…

✔ Parce que vous vous rappelez cette chanson écrite et interprétée par Jacques Brel qui s'établit dans l'île en 1975. Son titre ? *Les Marquises…* Ce fut son chant d'adieu en 1977 : *Du soir montent des feux / Et des pointes de silence / Qui vont s'élargissant / Et la lune s'avance / Et la mer se déchire / Infiniment brisée / Par des rochers qui prirent / Des prénoms affolés / Et puis plus loin des chiens / Des chants de repentance / Des quelques pas de deux / Et quelques pas de danse / Et la nuit est soumise / Et l'alizé se brise / Aux Marquises…*

✔ Parce qu'il vous vient peut-être l'envie d'inscrire dans votre épiderme, à la façon des Marquisiens, d'artistiques tatouages aux exotiques couleurs…

L'archipel des Tuamotu

✔ 880 km^2

✔ 15 000 habitants

✔ 76 îles (atolls)

L'archipel des Tuamotu – Tuamotu signifie : nombreuses îles – se situe à mi-chemin des Marquises et de Tahiti. Sur 1 600 kilomètres, du sud-est au nord-ouest, 76 atolls composent cet archipel, dont l'atoll de Moruroa – et non Mururoa ainsi que se le répètent à l'envi (et non à l'envie…) ceux qui en parlent –, l'atoll de Rangiroa, Hao et Manihi. On y cultive le coprah dans un cadre splendide – mais presque dépourvu d'eau douce !

L'archipel des Gambier

- 35 km²
- 1 100 habitants
- 14 îles

James Wilson, le 24 mai 1797, met le pied sur l'île de l'archipel qui a conservé aujourd'hui le nom qu'il lui a donné et qui est celui de l'amiral anglais soutenant son projet : Gambier ! L'archipel des Gambier est annexé à la France en 1881. Il est composé de 14 îles et d'îlots coralliens. Mangareva est l'île la plus connue. C'est dans l'archipel des Gambier qu'on récolte les plus belles perles noires !

Trois autres grandes îles sont connues des touristes : Aukena, Akamaru et Taravai – Pitcaim, et ses descendants des mutins de la Bounty, se trouve à 500 kilomètres à l'est des îles Gambier.

L'archipel des Australes

- 164 km²
- 6 400 habitants
- 7 îles

On appelle parfois l'archipel des Australes, les Tubuai, du nom de l'île qui en occupe le centre. Cette île sur laquelle vivent 2 200 habitants est un ancien volcan qui couvre 45 km² et culmine à 422 mètres. Les autres îles sont, à l'ouest de Tubuai : Maria, Rimatara et Rurutu ; à l'est : Raivavae, Rapa, et les îlots de Marotiri. L'ensemble s'étend sur 1 200 kilomètres, nord-ouest, sud-est.

Clipperton

À 1 280 km d'Acapulco au Mexique, à 2 400 km des îles Galapagos, à 5 000 km d'Hawaï, voici, en plein Pacifique un tout petit morceau de France : l'île Clipperton, ou île de la Passion, decouvert en 1711. De janvier à avril 2005, Jean-Louis Étienne y effectue un séjour scientique.

Sixième partie
Soixante-trois millions de consommateurs

Dans cette partie...

62,9 millions de Français, DOM-TOM compris ! Presque 63 millions... La natalité a retrouvé un niveau record : 807 400 bébés sont nés en 2005 ! Avec 1,94 enfant par femme, les Françaises occupent la deuxième place en Europe pour le taux de fécondité – derrière l'Irlande. Pourtant, depuis le XIXe siècle, la démographie française a commencé à ralentir sa progression, contrairement à celle des pays voisins. Les séismes et les changements de toute sorte intervenus au XXe siècle l'ont bousculée, transformant en dents de scie sa progression. Entrez maintenant dans le détail de l'aventure du peuplement de la France, une aventure qui est la vôtre.

Chapitre 20

Histoire d'une lente croissance

Dans ce chapitre :

▶ Explorez le peuplement des temps anciens

▶ Comprenez la baisse démographique du XIXᵉ siècle

▶ Analysez l'évolution de la population au XXᵉ siècle

*L*ente, la croissance de la population sur le territoire français ! Lente et contrariée par les épidémies, brisée par les guerres, mais constamment renaissante, voire triomphante dans les lendemains de tragédies – ainsi le baby-boom après la dernière guerre mondiale. Entrons dans la grande histoire de la population...

Des chiffres et de l'être

Des chiffres qui s'alignent ne signifient rien si l'individu, l'être, dans ses souffrances, ses défaites, ses espoirs ou ses excès, ne se trouve lui aussi mis en scène dans la progression démographique. Que survienne une épidémie, le quart de la population peut disparaître – c'est le cas lors de la grande peste de 1348. Qu'éclate une guerre, des millions de vies sont sacrifiées. Que la médecine progresse soudain à pas de géants – c'est le cas au XXᵉ siècle – l'espérance de vie atteint 80 ans ! Derrière les chiffres, drames et victoires...

De Cro-Magnon à la Révolution

Nous étions 50 000 environ, voilà 15 000 ans, sur le territoire qui s'appelle aujourd'hui la France. 10 000 ans plus tard, en – 5000, nous nous sommes multipliés par dix : 500 000 habitants commencent alors à cultiver les terres autour de villages entourés de palissades. En – 2500, nous sommes 5 millions. En 400 après J.-C., 12 millions. Mais en 850, le nombre d'habitants est tombé à 6 millions ! Il faut dire que les invasions barbares conjuguées aux maladies n'ont guère favorisé la croissance démographique ! En 1345, nous sommes 20 millions. Cinq ans plus tard, en 1350, ce nombre n'est plus que de 15 millions : la peste noire est passée par là ! En 1680, à l'apogée du règne du Roi Soleil, la France compte 21 millions d'habitants. C'est le pays le plus peuplé d'Europe. Et cela dure jusqu'à la Révolution de 1789 : la France qui atteint 28 millions d'habitants est la 3e puissance mondiale, derrière la Chine et l'Inde.

Vivre et mourir au fil des siècles

En 1740, le taux de mortalité qui est le rapport entre le nombre de décès annuels et la population totale s'élève à 4 % ? Comparativement, il est beaucoup plus élevé que celui des pays les moins développés de notre époque. En 1800, il est de 3 %. Cinquante ans plus tard, il a encore baissé, et s'établit à 2,5 %. En 1939, il est de 1,5 %. Aujourd'hui, il s'est stabilisé à 0,9 %.

La mortalité infantile est très élevée jusqu'au XVIIIe siècle. En 1740, elle est de 28 %, après avoir parfois frôlé les 50 % au XVIIe siècle – ce qui signifie qu'un enfant sur deux n'atteignait pas l'âge d'un an. Après avoir chuté tout au long des XIXe et XXe siècles, elle se situe aujourd'hui au-dessous de 0,4 %.

Le nombre moyen d'enfants par femme s'élève à 6 en 1740. Cent ans plus tard, la moyenne baisse à 4 enfants. En 1900, elle n'est plus que de 3 ; et de 2 en 1935. En 1970, ce nombre moyen est de 2,5 (1,95 en 1980, 1,78 en 1990), après avoir frôlé 3 en 1950. Aujourd'hui, le nombre moyen d'enfant par femme est tombé à 1,88 pour remonter en 2005 à 1,94 – 1,31 en Allemagne, 2 aux Etats-Unis.

Abstraction faite des périodes de guerre, l'espérance de vie à la naissance est de… 25 ans en 1740 ! En 1850, elle n'est encore que de 38 ans. Aujourd'hui, elle dépasse 80 ans !

La faute à Napoléon ?

Facile de mettre sur le dos du Petit Caporal – l'empereur Napoléon Ier – la baisse de la démographie au XIXe siècle ! Certes, ses campagnes ont été meurtrières, mais ont-elles vraiment dépeuplé la France ? N'y a-t-il pas d'autres raisons à la lenteur démographique du XIXe siècle ?

Exécutions, batailles, massacres

Aujourd'hui, pour la population, la France est classée au 21e rang mondial, au 4e rang européen ! Que s'est-il passé ? On peut imaginer que la période révolutionnaire qui a engendré instabilité et désordres, en même temps que de nombreuses exécutions, a pu faire baisser considérablement la démographie ; on peut aussi penser que le Petit Caporal entraînant à sa suite 500 000 jeunes gens sacrifiés sur les champs de bataille entre 1796 et 1815, a fait plonger la courbe des naissances ; on peut enfin se dire que la guerre

meurtrière de 1870 et les massacres de la Commune – plus de 300 000 morts
au total – ont pu faire baisser dangereusement la démographie.

Un vieillissement prématuré

Sans nier l'influence de ces turbulences guerrières où les batailles coûtaient
de plus en plus cher en vies humaines, on constate que la courbe de
progression de la population poursuit son ascendance entre 1800 et 1914
sans être marquée de ces terribles échancrures qui caractérisent celle du
XXe siècle Cependant, la progression en nombre d'habitants est lente par
rapport à celle des pays voisins. La France commence à vieillir au
XIXe siècle : en 1870, les plus de 60 ans représentent 12 % de la population,
pourcentage qui ne sera atteint en Angleterre qu'en 1931 ! Le taux
d'accroissement de la population en Europe, de 1800 à 1910 est de 0,8 % : 2 %
en Grande-Bretagne, 1 % en Allemagne et… 0,3 % en France !

Les raisons de la faiblesse

La faiblesse de la courbe démographique au XIXe siècle pose quelques
problèmes aux spécialistes en démographie ; ils avancent cependant les
raisons suivantes.

- La population commence son exode vers les villes, et, avec cet exode,
  l'individualisme s'installe.

- Les conditions de travail, au début de l'ère industrielle, pendant la
  première moitié du XIXe siècle, atteignent le moral et la santé de toutes
  les générations.

- Les petits propriétaires de terres et de biens divers, ou les détenteurs de
  grosses fortunes ne veulent pas multiplier des naissances qui
  émietteront le patrimoine familial, par l'effet du partage imposé dans le
  code napoléonien.

- Le souci de l'épargne s'installe dans les ménages ; les naissances,
  sources de dépenses, y deviennent espacées.

- Les pratiques contraceptives sont de plus en plus pratiquées.

- L'esprit malthusien se répand, surtout à la fin du XIXe siècle – Thomas-
  Robert Malthus (1766-1834), est un économiste britannique qui
  recommandait la limitation des naissances afin de limiter la pauvreté.

Les tragédies du XXe siècle

La baisse de la natalité va s'accentuer de façon considérable lors des deux
guerres mondiales. Elle s'ajoute au ralentissement démographique amorcé au
XIXe siècle.

La saignée de 1914-1918

Ce qui se passe en Europe entre 1914 et 1918 va mettre à genoux l'économie et la démographie de plusieurs pays, dont la France qui sert de champ de bataille ! Chaque jour, pendant quatre ans, près de 1 000 jeunes Français en moyenne, vont mourir sous les balles, les obus, dans les tranchées, souvent au corps à corps, à la baïonnette ! 1 000 jeunes gens de 20 ans qu'on a appelés « les poilus » – était-il nécessaire de pérenniser un tel qualificatif qui conjura sans doute, en son temps, la tragédie, mais qui, à distance, conserve une force comique difficile à concilier avec l'hommage dû à ces combattants dont la plupart quittaient tout juste l'adolescence. 1 000 jeunes gens par jour, tués, de 1914 à 1918. L'équivalent de trois avions de ligne, quotidiennement, remplis des forces vives du pays ! Ces pères de famille potentiels, ces 1 350 000 morts, vont cruellement manquer à la France du XXe siècle.

L'épuisement de 1939-1945

Parce que la folie des hommes ne connaît pas de limites, le conflit européen reprend en 1939 ! Le nazisme qui s'est installé en Allemagne va conduire à la mise en œuvre d'un inimaginable programme : l'extermination des Juifs en Europe ! Six millions d'entre eux vont disparaître dans des conditions atroces pendant le conflit qui dure jusqu'en mai 1945, presque un an après le débarquement allié sur les côtes normandes, le 6 juin 1944. Le bilan pour la France s'élève à 600 000 morts qui s'ajoutent aux déficits consécutifs au premier conflit mondial ! Cette nouvelle saignée s'ajoute à la crise démographique qui a marqué les années trente : entre 1936 et 1939, le taux de mortalité dépasse le taux de natalité de presque 1 % !

La France terre d'accueil

Dans les années 1920, la France est la deuxième terre d'accueil pour les étrangers, derrière les Etats-Unis. En 1974, elle suspend officiellement l'entrée de ceux-ci sur son territoire – mais de nombreux réfugiés politiques, demandeurs d'asile, travailleurs clandestins, continuent d'arriver en France et s'ajoutent aux entrées consécutives au regroupement familial. Cependant, depuis une quinzaine d'années, le solde migratoire – différence entre l'émigration (ceux qui quittent le pays) et l'immigration (ceux qui entrent dans le pays) – est quasiment nul, alors que, jusqu'en 1975, il était largement positif.

L'immigration en deux époques

Deux époques se succèdent à partir du début du XXᵉ siècle dans l'histoire de l'immigration récente.

Polonais, Italiens, Espagnols

Au début du XXᵉ siècle, la France accueille de nombreux étrangers qui vont représenter plus de 6 % de la population à la fin des années trente. Ce sont des Polonais qui viennent travailler dans le Nord, des Italiens qui apportent avec eux leur-savoir faire en maçonnerie, des Espagnols fuyant la guerre en leur pays. Après la Seconde Guerre mondiale, l'immigration reste stable. Elle s'accélère à partir de 1954, la France ayant besoin de main d'œuvre. L'Office national de l'immigration est créé, qui organise la venue des immigrants.

Maghrébins, Portugais

À la fin des années soixante, le nombre d'Italiens, Polonais et Espagnols est dépassé par celui des ressortissants du Maghreb et des Portugais auxquels s'ajoute la population venue d'Afrique noire, de Turquie et d'Asie. À cette immigration officielle s'ajoute l'immigration clandestine qui représente plus de 30 % des entrées d'étrangers en France. Enfin, plus d'un million de rapatriés d'Algérie arrivent en France en 1962. En 1974, le gouvernement décide la suspension de l'immigration, et accorde une prime pour le retour au pays. Les regroupements familiaux sont cependant favorisés.

GÉO-MOTS

Étrangers et immigrés

Aujourd'hui, la population active compte 1,7 million d'étrangers – sur les 3,5 millions présents en France. Attention : *étranger* et *immigré* ne sont pas forcément synonymes. Un immigré est une personne née étrangère à l'étranger, et qui réside en France. Ceux qui sont nés Français à l'étranger et qui vivent en France ne font pas partie de la population immigrée. Certains immigrés ont pu acquérir la nationalité française ; ceux qui ne l'ont pas acquise demeurent étrangers. Les populations étrangère et immigrée ne se confondent donc pas totalement – un immigré n'est pas forcément étranger, et un étranger n'est pas forcément immigré – certains étrangers sont nés en France. La qualité d'immigré étant permanente, un individu continue à appartenir à la population immigrée, même s'il devient Français par acquisition. En 1999, la France comptait 4,3 millions d'immigrés, soit 7,4 % de la population française.

Les étrangers au travail

La population étrangère se concentre principalement dans trois régions : l'Ile-de-France, Rhône-Alpes, et Provence-Côte-d'Azur. Elle occupe surtout des postes d'ouvriers – 48 % – et d'employés – environ 30 %. Le bâtiment et l'industrie constituent les secteurs où les emplois qui leur sont proposés sont les plus nombreux. Le domaine des transports – taxis, bus – et le commerce de proximité offrent également des possibilités de travail en accroissement constant. La France rurale, n'offrant guère de possibilités d'emploi, accueille encore peu d'étrangers ; ils se concentrent dans la banlieue des grandes villes – près de Paris par exemple, Saint-Denis et Gennevilliers comptent plus de 25 % d'étrangers, Bobigny 24 %, Aulnay-sous-Bois et Montfermeil, 22 %. L'intégration de la population étrangère est lente et marquée de poussée de fièvre, telle celle de la fin de 2005.

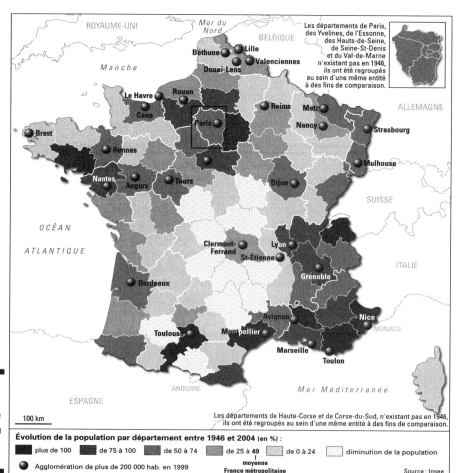

Figure 20-1 : Évolution de la densité de la population de 1946 à 2004.

Chapitre 21

Photo de famille

● ●

Dans ce chapitre :

▶ Observez l'évolution de la population dans le demi-siècle passé

▶ Suivez l'évolution vers la précarité

▶ Sachez faire la différence entre le baby-boom et le baby-flap

▶ Comprenez la répartition actuelle de la population

● ●

L e demi-siècle qui vient de passer est riche en événements marquants pour la démographie française. Le secteur primaire géographiquement fort étendu – l'agriculture – a fondu au profit du secteur tertiaire, urbain et concentré. Les migrations vers la ville se sont accrues jusqu'à la saturation au point que les campagnes proches de grandes cités se « rurbanisent ». En même temps, la précarité s'accroît, la population vieillit. Entrez en analyse…

Les cinquante dernières années

C'est une révolution tout en douceur qui s'est opérée en France, entre 1946 et 2000 : le secteur primaire – essentiellement l'agriculture – est passé de 36,4 % de la population à… moins de 5 % ! Dans le même temps, la France tertiaire – tous les secteurs qui ne produisent pas directement de biens de consommation, de biens d'équipements ou de biens intermédiaires – a presque doublé, passant de 34 % à 67 %. Le secteur secondaire – les industries de transformation : l'agroalimentaire, les constructions mécaniques, navales, aéronautiques, le BTP, l'électroménager, le textile, l'automobile… – occupe 29,3 % de la population en 1946, 39 % en 1968, et retombe à 29,5 % en 2000. Entrons dans l'histoire de cette révolution douce…

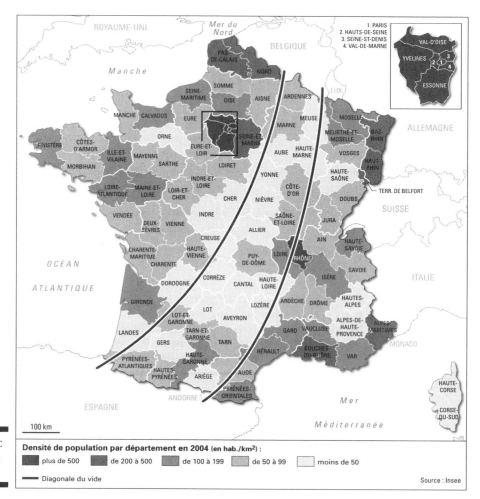

Figure 21-1 : Densités de population.

Dans l'image : Densité de population par département en 2004 (en hab./km²) : plus de 500 ; de 200 à 500 ; de 100 à 199 ; de 50 à 99 ; moins de 50. Diagonale du vide. Source : Insee.

Ils quittent un à un le pays...

Dans une grande partie de la France rurale des années 1950 – 47 % de ruraux –, ce sont encore les chevaux qui tirent les charrues et les charrettes, parfois les bœufs tout droit sortis de quelque roman de George Sand. La traction animale, sa lenteur et sa puissance essoufflée, qui conduit le destin des campagnes depuis des siècles, va être doublée en quelques années par les chevaux-vapeur : le vrombissement remplace le hennissement. Le cultivateur se sépare de son attelage hippomobile qu'il envoie la plupart du temps à l'abattoir, afin de s'acheter le tracteur Pony rutilant, à essence, 18 CV, ou bien le Massey-Ferguson gris souris, aux périlleuses embardées. Cette multiplication des machines provoque le départ des jeunes qui vont s'installer en ville – souvent à Paris ou dans sa région –, travailler en usine.

La population ouvrière

Les années 50 et 60 sont marquées par le développement du travail à la chaîne, effectué par des manœuvres ou des ouvriers spécialisés (O.S.), sans véritable qualification. Leur nombre atteint 7 millions en 1955, et dépasse alors celui des agriculteurs qui sont encore 5 millions. L'ouvrier, grâce à son salaire fixe, peut prévoir l'achat de biens de consommation, notamment de la trinité du confort moderne : la télévision – sa première chaîne en noir et blanc, et interludes… –, le réfrigérateur et la machine à laver ! À cela s'ajoute l'automobile – la 2 CV Citroën, la 4 CV ou la Dauphine Renault, modèles économiques et peu chers, vendus à des centaines de milliers d'exemplaires.

L'appel de l'Abbé Pierre en 1954

L'afflux de population dans les villes provoque une crise du logement telle qu'au cœur du terrible hiver de 1954, le 1er février, l'Abbé Pierre – Henri Grouès, issu d'une famille aisée de soyeux lyonnais – doit lancer un appel pathétique sur *Radio-Luxembourg* (RTL aujourd'hui) :

Mes amis, au secours… Une femme vient de mourir gelée cette nuit à 3 heures, sur le trottoir du boulevard Sébastopol, serrant sur elle le papier par lequel, avant-hier, on l'avait expulsée. Devant leurs frères mourant de misère, une seule opinion doit exister entre les hommes : la volonté de rendre impossible que cela dure. Je vous en prie, aimons-nous assez tout de suite pour faire cela. Que tant de douleur nous ait rendu cette chose merveilleuse : l'âme commune de la France, merci ! Chacun de nous peut venir en aide aux sans-abri. Il nous faut pour ce soir, et au plus tard pour demain : 500 000 couvertures, 300 grandes tentes américaines, 200 poêles catalytiques. Grâce à vous, aucun homme, aucun gosse, ne couchera ce soir sur l'asphalte ou les quais de Paris. Merci .

Dès le lendemain, après cet appel que les journaux nomment « l'Insurrection de la bonté », les dons affluent et permettent de lutter contre le drame des sans-abri.

La croissance accélérée

Les campagnes désertées, mais rationnellement mises en valeur par un petit nombre d'agriculteurs, les villes et leur périphérie deviennent pour la plupart des Français le nouveau paysage où l'emportent le béton et l'asphalte. La prospérité générale des années 70 provoque d'heureuses retombées sur les particuliers dont le revenu augmente de 80 % – entre 1960 et 1973. La courte effervescence de mai 1968 ne ralentit pas la consommation de biens de toutes sortes – on s'équipe de plus en plus en télévisions (la 2e chaîne apparaît en 1966), en chaînes stéréo, en voitures (la 4 CV a été remplacée par la Renault 4, la 4 L, en 1961, année de l'apparition d'une nouvelle Citroën à la forme curieuse : l'Ami 6)… On construit sa maison, on achète son appartement…Tous ces biens sont la plupart du temps acquis à crédit, procédé de paiement qui ne culpabilise plus personne – le recours au crédit n'était pas avouable pour les anciennes générations –, et permet de profiter du bien avant d'en être propriétaire.

Chômeurs et précaires

Le temps est loin, désormais, où la France ne comptait pas cent mille sans-emploi, où l'on manquait de bras pour le travail.

Le plein emploi en 1960 !

1960 : le plein emploi, ou presque ! Hélas, ces temps de quasi-plein emploi des années 60, de progression des salaires, ont rencontré le mur sans cesse plus élevé du chômage. La France devenue salariée à 90 % subit de plein fouet toutes les restructurations de l'industrie, le déclin de ses activités traditionnelles, la recherche incessante des gains de productivité. De 100 000 sans-emploi en 1973, la France passe à 130 000 en 1973. Deux ans plus tard, en 1975, on dénombre 750 000 chômeurs complets auxquels s'ajoutent 250 000 chômeurs partiels. La crise ne cesse de s'accroître puisqu'en 1987, le nombre total des sans-emploi s'élève à… 2 661 000 !

Beaucoup de CDD

Mais la France n'en a pas encore terminé avec ce genre de triste record, atteint en 1994, avec 3 325 800 sans-emploi ! Des dispositifs sont pris pour tenter d'enrayer le mal – contrats de qualification, d'orientation, d'adaptation, stages, conventions de reconversion –, sans grand succès. Les formules de travail en temps limité – contrats à durée déterminée : CDD – se sont multipliées, et ne se transforment pas forcément en CDI – contrats à durée indéterminée. Tout cela ne cesse de faire progresser la précarité. De 1997 à 2000, le chômage recule, mais repart à la hausse en 2001, sans annuler cependant les effets de 1997. Les nouveaux emplois sont surtout fournis par le secteur tertiaire – nouvelles technologies, tourisme, service aux entreprises –, l'industrie continuant de perdre des emplois. Le chômage des jeunes demeure un problème préoccupant – la France est le pays d'Europe où il est le plus important.

La France n'est plus jeune...

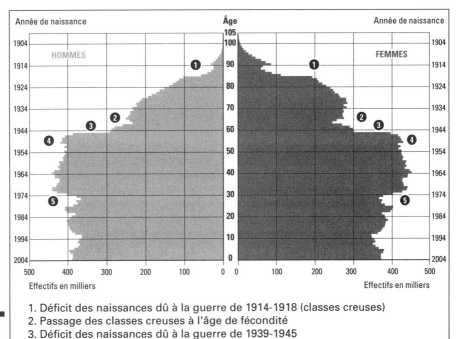

Figure 21-2 :
Pyramide
des âges.

1. Déficit des naissances dû à la guerre de 1914-1918 (classes creuses)
2. Passage des classes creuses à l'âge de fécondité
3. Déficit des naissances dû à la guerre de 1939-1945
4. Baby-boom
5. Fin du baby-boom

Source : Insee

Jamais, en France, l'espérance de vie n'a été aussi élevée qu'aujourd'hui. Elle est passée de 59 ans pour les hommes et 65 ans pour les femmes en 1946, à 76,7 ans pour les hommes et 83,8 ans pour les femmes, ce qui fait une moyenne de 80,2 ans ! Voyons d'abord ce qui s'est passé au cours des 50 dernières années...

Baby-boom et baby-flap...

Entre 1946 et 1990, la population française augmente autant qu'entre 1760 et... 1940 ! En 44 ans, elle passe de 40,4 millions à 56,6 millions d'habitants – soit une augmentation de 16,2 millions. Trois étapes marquent ces 44 années :

✔ Le baby-boom : ces deux termes anglais désignent la période comprise entre 1946 et 1973, pendant laquelle le nombre des naissances atteint des niveaux élevés destinés à compenser la baisse démographique due au conflit mondial. Le taux de natalité – nombre de naissances au cours d'une année, rapporté à la population totale – est de 21,4 pour mille habitants en 1946, de 18,2 en 1961, de 17,2 en 1971. Entre 1946 et 1973, l'excédent naturel – différence entre le nombre des naissances et celui des décès – dépasse à treize reprises 300 000 personnes, avec un record en 1948 : 357 700 !

✔ Le baby-flap – la diminution soudaine des naissances – couvre la période 1975-1978 : le taux de natalité passe de 14,1 à 13,8 pour mille habitants.

✔ Malgré une remontée des naissances dans les années 80, le seuil de remplacement des générations n'est pas atteint – on compte moins de 800 000 naissances annuelles en France. Le taux de natalité est de 13,3 en 1991, de 12,5 en 2002.

Les ogres modernes

Il y a des moments où l'absence d'ogres se fait cruellement sentir... Cette boutade de l'humoriste Alphonse Allais, qui n'appréciait sans doute guère la compagnie des enfants, ne fait sourire qu'à demi les démographes d'aujourd'hui ! En effet, le nombre de naissances ne cessant de diminuer malgré une politique familiale favorable à la natalité, ils cherchent quel visage métaphorique peuvent avoir les ogres modernes qui grignotent la courbe des naissances.

Pourquoi les naissances baissent

✔ La difficulté que peuvent rencontrer les femmes pour concilier emploi et vie de famille est un facteur d'hésitation.

✔ Les couples se pérennisent plus tardivement – on se marie en moyenne à 30,2 ans pour les hommes et à 28,1 ans pour les femmes, six ans plus tard qu'il y a 25 ans !

✔ Les nouveaux modes de vie – la mobilité des couples, leur éloignement, les études tardives, la précarité – font souvent différer la naissance d'un enfant.

La pyramide des âges

À gauche, les hommes ; à droite, les femmes ; de chaque côté, l'année de leur naissance. Ce qui frappe d'abord, c'est la première échancrure de 1914-1918, qui témoigne de la diminution considérable du nombre des naissances. Cette échancrure se retrouve plus bas, lorsque ces générations déficitaires arrivent à l'âge de la procréation, qui coïncide avec le second conflit mondial. Le baby-boom survient ensuite, suivi du baby-flap – vous vous êtes familiarisé avec ces anglicismes ci-dessus... – ; puis, à partir de 1974, la pyramide n'étend plus sa base. En revanche, son sommet ne cesse de se gonfler des générations vieillissantes, ce qui pose le problème du paiement des retraites par les actifs dont le nombre baisse…

Où sont les Français ?

D'agricole, la France est devenue citadine. En effet, les trois quarts des habitants du pays, soit 45 millions d'habitants, vivent en ville, dans les 361 aires urbaines répertoriées. L'accroissement de la population, dans les dix années de la fin du XXe siècle, provient, en majorité, de ces aires urbaines qui ont fourni 1,5 million d'habitants sur les 1,9 million supplémentaires. Huit d'entre elles cumulent même 50 % de la croissance démographique : Paris, Lyon, Toulouse, Rennes, Nantes, Bordeaux, Montpellier et Marseille-Aix-en-Provence. Les aires urbaines qui regroupent aujourd'hui 75 % des Français – contre 7 % en 1946… – ont cessé d'accroître leur population entre 1975 et 1982, au profit des espaces ruraux proches. Ce phénomène a été appelé – en hâte, sans doute, car on ne s'est guère préoccupé de l'élégance du mot… – la rurbanisation !

La diagonale du vide

La densité de la population au km^2 est très inégale sur l'ensemble du territoire : on compte 23 habitants au km^2 dans la Creuse, 30 en Corse du Sud, 36 dans les Landes, 51 en Haute-Loire, 44 dans le Cher. Et Paris ? La capitale française compte presque… 21 000 habitants au km^2 ! Les départements qui l'entourent comportent aussi de fortes densités : presque 8 000 habitants au km^2 pour les Hauts-de-Seine, presque 6 000 pour la Seine-Saint-Denis, 5 000 pour le Val-de-Marne. Aucun département de la province n'atteint les densités de Paris ou de la première couronne parisienne ; le Rhône vient après Paris et sa banlieue, avec 500 habitants au km^2, suivi du Nord qui en compte 460. L'observation d'une carte où figurent les densités de population laisse apparaître une partie qui va des Ardennes aux Pyrénées, moins peuplée, et nommée abruptement : *la diagonale du vide* – ce qui n'est guère flatteur pour ceux qui y vivent… ; *Les terres de la tranquillité* eussent tout aussi bien convenu !

Le croissant fertile et la France ridée

La densité par département ne rend pas compte des âges majoritaires. L'observation des tranches d'âges permet de constater qu'il existe trois France ! La France jeune : la moyenne des moins de 20 ans étant de 28,7 %, certains départements se situent au-dessus de ce nombre. Ils vont de la Vendée au Doubs en passant par le Pays de la Loire, la Bretagne de l'est, la Normandie, la Picardie, le Nord-Pas-de-Calais, la Champagne-Ardenne – l'Aube exceptée – la Lorraine, une partie de la Franche-Comté et du couloir rhodanien. Cet ensemble est appelé le croissant fertile. Les plus de 65 ans – moyenne nationale de 13,5 % – sont plus nombreux dans un triangle qui part de l'Yonne et s'étend jusqu'aux Pyrénées-Atlantiques au sud-ouest, et aux Alpes-Maritimes au sud-est. Voilà ce qu'on appelle la France ridée. En région parisienne, la couronne est jeune, Paris l'est beaucoup moins...

Les vingt premières communes françaises

Les vingt communes suivantes sont classées en fonction de leur nombre d'habitants (chiffres du recensement de 1999, source INSEE – ces chiffres diffèrent de ceux qui sont donnés pour les mêmes villes au fil des pages et qui représentent des estimations pour 2006)

- 1 – Paris : 2 147 857
- 2 – Marseille : 807 071
- 3 – Lyon : 453 187
- 4 – Toulouse : 398 423
- 5 – Nice : 345 892
- 6 – Nantes : 277 728
- 7 – Strasbourg : 267 051
- 8 – Montpellier : 229 055
- 9 – Bordeaux : 218 948
- 10 – Rennes : 212 494
- 11 – Le Havre : 193 259
- 12 – Reims : 191 325
- 13 – Lille : 191 164
- 14 – Saint-Étienne : 183 522
- 15 – Toulon : 166 442
- 16 – Angers : 156 327
- 17 – Brest : 156 217
- 18 – Grenoble : 156 203
- 19 – Dijon : 153 813
- 20 – Le Mans : 150 605

Septième partie

Ressources de la maison France

Dans cette partie...

Déclaration de ressources de la maison France : nous possédons des terres à blé, des terres à betteraves, des terres à prairies, des élevages de bovins, d'ovins... Bref, notre agriculture qui a su se moderniser est fort performante – de même que notre pêche ! Notre industrie mute, lutte et gagne, malgré les rudes coups qu'elle reçoit. Les services occupent 71% de la population active, fournissent près des trois quarts du PIB, assurent plus de 40 % des exportations. Notre tourisme est le premier du monde ! Sont-ce là tous vos biens, maison France ? Peut-on en connaître le détail ? Certes oui, dans la partie qui suit...

Chapitre 22

Terre et mer

• •

Dans ce chapitre :

▶ Assistez à la métamorphose des campagnes

▶ Inventoriez les richesses de la terre

▶ Comparez la pêche d'hier et celle d'aujourd'hui

• •

*R*ien, ou presque, des représentations des travaux agricoles au fil des siècles, au fil des tableaux accrochés dans les musées, ne subsiste aujourd'hui dans les campagnes. Tout est si nouveau, si récent, que les œuvres d'art actuelles n'hébergent que fort peu de moissonneuses-batteuses ou de tracteurs… Le visage de la ruralité s'est actualisé, industrialisé. La politique agricole commune a permis d'harmoniser les productions, souvent en procédant à la douloureuse révision de certaines habitudes ancestrales. L'agriculture, la viticulture, la sylviculture et la pêche se sont mises à l'heure de la modernité.

L'ancien paysan, le nouvel agriculteur

Planté bien droit dans le silence de ses terres, guettant les signes du ciel pour commencer les moissons, le paysan d'hier a fait place au scientifique des labours, au spécialiste des rendements qui consulte les données météo via le satellite. Sous les nuages, inchangés…

J'ai deux grands bœufs…

La vie d'avant… On la trouve dans les romans de George Sand, dans ceux d'Ernest Pérochon, dans ceux de l'École de Brive (présentée en Corrèze). Ou bien dans la mémoire de ceux qui vécurent ces temps proches encore…

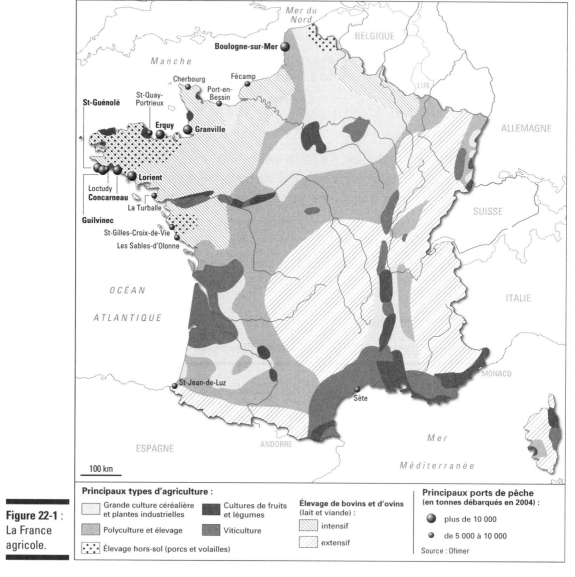

Figure 22-1 :
La France
agricole.

Principaux types d'agriculture :

Grande culture céréalière
et plantes industrielles

Cultures de fruits
et légumes

Polyculture et élevage

Viticulture

Élevage hors-sol (porcs et volailles)

Élevage de bovins et d'ovins
(lait et viande) :

intensif

extensif

Principaux ports de pêche
(en tonnes débarqués en 2004) :

plus de 10 000

de 5 000 à 10 000

Source : Ofimer

J'aimerais mieux la voir mourir...

*J'ai deux grands bœufs dans mon étable, / Deux grands bœufs blancs marqués
de roux ; / La charrue est en bois d'érable, / L'aiguillon en branche de houx. /
C'est par leur soin qu'on voit la plaine / Verte l'hiver, jaune l'été ; / Ils gagnent
dans une semaine / Plus d'argent qu'ils n'en ont coûté. / Les voyez-vous, les
belles bêtes, / Creuser profond et tracer droit, / Bravant la pluie et les tempêtes
/ Qu'il fasse chaud, qu'il fasse froid. / Lorsque je fais halte pour boire, / Un*

La Guadeloupe, l'île aux belles eaux

Les Calanques de Marseille-Cassis

La Vanoise

Le cirque de Gavarnie dans les Pyrénées

Port-Cros : de
Porquerolles
au cap Lardier

Les parcs régionaux

La dune du Pilat, dans le bassin d'Arcachon

La réserve naturelle de Scandalo
dans le parc régional de Corse

Une barque sur les eaux calmes d'un lac de la forêt d'Orient

Le Grand Veymont, dans le parc du Vercors

Château d'Yquem

Château Latour, dans le Bordelais

L'Hermitage : les vignes et Tain-L'Hermitage

La Romanée Conti

Sarlat-la-Canéda en Dordogne

Clisson, la ville la plus italienne de France

Gerberoy, la cité des roses

Riquewihr en Alsace

Les Baux-de-Provence, dans les Bouches-du-Rhône

brouillard sort de leurs naseaux, / Et je vois sur leur corne noire / Se poser les petits oiseaux. / S'il me fallait les vendre, / J'aimerais mieux me pendre ; / J'aime Jeanne ma femme, eh bien ! j'aimerais mieux / La voir mourir, que voir mourir mes bœufs...

Refrain repris sans rire – ou presque... !

Oui, oui... Vous avez bien lu : *J'aime Jeanne ma femme, eh bien ! j'aimerais mieux / La voir mourir, que voir mourir mes bœufs...* Cette chanson du poète et chansonnier lyonnais Pierre Dupont (1821-1870), fils d'artisans pauvres, fut interprétée aux noces et banquets de villages, pendant plus d'un siècle. Et son refrain repris sans rire – ou presque...-, par des générations de laboureurs, par leurs enfants et même par leurs femmes, qui voyaient là un juste hommage à l'attelage tirant leurs jours hors de la misère !

Ainsi filait la vie, au ralenti...

Les bœufs, la charrue, l'aiguillon... Pendant des siècles, il n'en fallait pas davantage pour nourrir sa famille sur vingt ou trente journaux de terre louée – un *journal* étant la surface que pouvait labourer un homme avec cheval et charrue, en une journée ; cette mesure équivalait, selon les régions, à la moitié ou au tiers d'un hectare. Quinze hectares, donc, quelques poules, des canards pour la mare, un cochon pour le saloir, une ou deux vaches à lait... Ainsi passaient les jours au temps des deux grands bœufs, ainsi filait la vie, au ralenti.

Quinze heures par jour

La petite ferme de 15 hectares de moyenne en location ou en propriété, domine l'essentiel du paysage agricole jusque dans les années 1950 – mis à part les grandes plaines céréalières. On y pratique une polyculture qui nourrit tout juste toute la famille, avec des rendements de blé de 10 quintaux à l'hectare, des journées de 15 heures, le corps malmené par l'effort incessant, la sueur de l'été, et l'hiver, l'onglée... Et le retour chaque soir dans la chaumière au sol de terre battue, après s'être assuré du confort des bœufs... Autour du clocher, on bouge peu, on se marie souvent entre cousins, pour réunir des biens ! Cette France rurale aussi soucieuse du lendemain que du regard du voisin, va éclater dans les années 1950.

J'ai un gros tracteur...

Les premiers tracteurs agricoles sont d'abord des objets de curiosité, dans les campagnes d'avant la dernière guerre. Leurs roues de fer, leur bruit, les caprices de leur démarrage, attirent le regard goguenard des paysans, surtout lorsqu'il faut atteler à la bête de fer enlisée, quatre chevaux de chair afin de la sortir de la boue. Mais, peu à peu, on se dit qu'assis sur un siège, le travail de la terre devient un spectacle ; on imagine avec raison tous les efforts que va épargner au corps cet engin qui martèle les *pouf pouf pouf* de son monocylindre dans le silence végétal ! Et, après guerre, en 1950, commencent les achats de Pony Massey-Harris, de Ferguson, de Ford, de Renault, qui vont ajouter leur touche rouge, grise, bleue ou jaune, à la verdure bientôt mise au garde-à-vous par les nouveaux paysans !

Les terres désertées

Libération des muscles ? Voire… Les jeunes sont partis sans regrets vers le Formica et le ciné des villes industrielles, avec salaire mensuel. Ou bien ils ont investi les lycées après avoir réussi leur BEPC. Il ne reste sur les terres qu'on commence à regrouper, que les inconditionnels de la liberté rurale, au vrai si contraignante, mais inscrite en leurre comme une excuse pathétique, dans la volonté des ultimes serviteurs de la terre auxquels le monde moderne fait peur. Ces résistants de la première heure vont connaître la solitude des terres désertées. Ils vont devoir soulever seuls pour les entretenir ou les réparer, de gros et lourds outils d'acier adaptés à leur tracteur, les dangereux rotavator, cultipacker, les bisocs ou trisocs Huard, fabriqués à Châteaubriant… La machine facile n'est pas encore née.

Le dinosaure de métal

De 15 ou 20 quintaux à l'hectare en 1950, les rendements vont s'élever à 30 quintaux, presque 40, avec l'emploi des engrais chimiques, dans les années 60 (aujourd'hui, le rendement moyen d'un hectare de blé s'élève à… 84 quintaux !). Dans les champs de juillet se côtoient alors, au temps de Poulidor, pour les moissons, deux mondes qui s'observent :

- ✔ L'ancien, avec ses moissonneuses-lieuses : tirées par deux grands bœufs, deux grands chevaux ou un petit tracteur, elles jettent au sol les gerbes qui, mises en tas, puis convoyées à la ferme, seront battues par la vanneuse quinze jours plus tard.

- ✔ Le nouveau : la machine magique ! Celle qui accomplit en une heure le labeur de vingt hommes en un jour : la moissonneuse-batteuse, dinosaure de métal à gueule énorme, aux dents de fer, crachant la poussière et la paille, devant le paysan, les bras ballants !

Le généreux crédit

On remembre les terres, dans les années 60. On mécanise de plus en plus. Souvent, on se suréquipe – car on sait l'œil du voisin toujours observateur… – ; on commence à apprendre la gestion, souvent trop tard – plusieurs hectares, parfois la ferme entière doivent être vendus pour payer les engrais ! On se préoccupe d'agronomie, on achète des semences sélectionnées, prometteuses d'un fort rendement. On prend l'avion pour aller acheter, à l'aide du Crédit Agricole – de plus en plus généreux – des laitières en Hollande ! On se spécialise, on s'endette jusqu'au cou. Les presque anciens laissent leur place aux jeunes pour une presque retraite : l'indemnité viagère de départ, instituée en 1963 ; on laisse aux SAFER (Sociétés d'aménagement foncier et d'établissement rural) le soin d'éviter que des gens extérieurs à la profession ne s'emparent des terres agricoles. On produit, on surproduit, car la PAC est passée par là…

La Politique agricole commune

La PAC ! La politique agricole commune. Elle est mise en place en 1962, par l'Europe des six. Ses objectifs sont simples :

- ✔ Créer un marché agricole unique en supprimant les barrières douanières
- ✔ Harmoniser les règles sanitaires et les normes techniques
- ✔ Unifier les prix par des mécanismes régulateurs
- ✔ Instaurer une préférence communautaire en favorisant les produits de l'Europe des six
- ✔ Développer la solidarité financière : les ressources de la PAC, puisées dans le budget communautaire, sont utilisées pour des dépenses communes sans tenir compte du pourcentage des contributions versées par les États membres

Des progrès spectaculaires

À partir des années 1960, la PAC, permet à la France d'exporter sa production vers les autres pays de la Communauté sans se soucier des quantités produites : des cours élevés et la gestion des excédents sont assurés – grâce à un budget considérable qui permet aussi d'accorder de nombreuses subventions. Les exploitations les moins rentables peuvent alors survivre grâce à un fort accroissement de leurs rendements. La production agricole française va alors progresser de façon spectaculaire.

La diminution des aides

Cependant, peu à peu, la France, cliente de la PAC, va être concurrencée par les autres pays de la Communauté européenne qui s'agrandit : ceux de l'Europe du Nord pour l'élevage, ceux de l'Europe du Sud pour les fruits, les cultures maraîchères et les vins. Le malaise s'installe d'autant plus que la politique de la PAC conduit à une augmentation annuelle de la production de plus de 2 %, entre 1973 et 1988, alors que la consommation ne progresse que de 0,5 % par an ! De nombreuses mesures sont alors prises afin que le système d'aide au marché diminue. En 1992, une nouvelle PAC allant dans ce sens est mise en œuvre. À partir de 2000, le budget européen pour l'agriculture est encore jugé excessif, l'objectif tend vers une adaptation de l'Europe agricole aux prix mondiaux, afin de pouvoir exporter sans subventions.

Prémices et autres fruits de la terre

Attention : ne confondez pas les prémices et les prémisses ! Les prémices qui se terminent par les lettres *ces* désignent, dans l'antiquité, les premiers fruits de la terre, les premiers nés d'un troupeau destinés à des offrandes religieuses. Aujourd'hui, les prémices désignent plus généralement les premiers fruits, les premiers produits de la saison. Les prémisses – avec deux s – sont les deux premières propositions d'un syllogisme (un raisonnement logique) ; elles aboutissent à une conclusion (ex. : *Tout homme est mortel, or Socrate est un homme, donc Socrate est mortel*). Voyons donc ces prémices et autres fruits des terres françaises...

Veaux, vaches, cochons, couvée...

En son temps, Perrette, sous la plume de Jean de La Fontaine, énuméra cette liste, avec moins de réussite que les agriculteurs d'aujourd'hui...

Quotas laitiers, gel des terres...

Le risque est grand, en 1984, que la production soit excédentaire en tout, et en toute saison ! On décide alors d'appliquer sur le plan européen un système de prix réglementaires garantis jusqu'à un certain niveau de production. En cas de dépassement des limites prévues, les prix subissent une baisse dont le pourcentage est déterminé pour chaque produit. Ainsi sont mis en place les quotas laitiers : un nombre maximal de litres de lait est fixé pour chaque exploitation ; des pénalités financières sont appliquées en cas de dépassement de ce quota. Pour les autres productions, on pratique, à partir de 1988-1989, le gel des terres (la jachère) – 15 millions d'hectares sont concernés en dix ans. C'est souvent un coup dur porté au moral des agriculteurs qui ont fourni l'effort de modernisation – amélioration génétique du troupeau, meilleure alimentation des animaux, généralisation des stabulations libres, fort endettement à long terme.

Consommation et production

La consommation de viande – bœuf, porc, volaille – est passée de 50 kg par an en 1945, à 85 kg en 1975. Depuis, elle s'est stabilisée, malgré la crise de la vache folle. Par ailleurs, chaque Français consomme l'équivalent de 460 litres de lait par an. La production de lait a diminué : elle est passée de 30 600 hectolitres en 1974 à 25 600 en 2001 après un pic de 34 700 hectolitres en 1984, année de l'application des quotas laitiers.

La concurrence étrangère

La PAC a permis également le développement de la production de viande de porc et de celle de volailles. Ces élevages sont concentrés en Bretagne et dans le Nord-Pas-de-Calais pour le porc, et en Bretagne et Pays de la Loire pour les volailles. Cette production s'est souvent intégrée dans une chaîne agroalimentaire qui commence par le fournisseur d'aliments pour porcs ou volailles, qui se poursuit par l'élevage lui-même dans lequel l'agriculteur est devenu un salarié, et qui se termine par l'entreprise d'abattage avant la commercialisation. Tout cela fonctionnerait à merveille s'il n'y avait la concurrence des pays étrangers, notamment du Danemark ou des Pays-Bas qui produisent à moins cher, en concentrant davantage leurs élevages nourris d'aliments moins coûteux. Régulièrement, la crise du porc refait surface en France, la trésorerie des éleveurs étant fragilisée par un endettement important.

Faire du blé !

Faire du Blé ? Quel blé ? Il en existe de deux sortes :

- ✔ Le blé tendre qui fournit la farine destinée à la fabrication du pain, des pâtisseries, des viennoiseries ;
- ✔ Le blé dur qui sert à la fabrication de pâtes alimentaires – nouilles, macaronis, spaghettis…

Le blé tendre, semé en novembre, récolté en juillet, occupe 4,5 millions d'hectares – 7 millions en 1900. La moitié de la production nationale est assurée par quatre régions du Bassin parisien : l'Île-de-France (la Beauce, la Brie), le Centre, la Picardie, la Champagne-Ardenne – les rendements peuvent y dépasser les 100 quintaux à l'hectare ! Le blé dur, traditionnellement cultivé des Bouches-du-Rhône à la Haute-Garonne, occupe aussi maintenant des terres de la Beauce : le département d'Eure-et-Loir en est devenu le premier producteur.

Maïs, riz, avoine…

Autre céréale, le maïs dont la surface est passée de 330 000 hectares en 1950 à 2 millions aujourd'hui, est cultivé dans le Bassin aquitain (35 %) et dans le Bassin parisien (43 %). La culture du maïs fourrager, récolté vert afin d'en faire un ensilage, a permis d'enrichir l'alimentation des bovins, notamment dans les départements producteurs de lait. Céréale aussi : le riz ! En 1942, on commence à le cultiver en Camargue. Après une période faste, la production s'effondre, victime de la concurrence du riz italien, en 1974. Mais, en 1980, elle reprend vigueur. Aujourd'hui, elle dépasse les cent mille tonnes annuelles ! Céréale encore : l'avoine –le pétrole des chevaux – est en perte de vitesse, –sauf dans le Massif armoricain et en Lorraine. Céréales enfin, l'orge est encore cultivée pour la brasserie, et le seigle pour les petits pains que vous aimez…

La voilà, la jolie vigne !

1,5 million d'hectares de vignes en 1960, 850 000 aujourd'hui ! Plus d'un million de viticulteurs en 1960, 500 000 aujourd'hui ! 140 litres de vins par personne et par an en 1950, 60 litres aujourd'hui ! Vous pensez maintenant : le chiffre d'affaires a dû baisser considérablement, pendant les quarante dernières années. Eh bien non : il a augmenté de 90 % ! Par quel phénomène ? Les viticulteurs ont tout simplement privilégié la qualité, en respectant une réglementation rigoureuse qui rassure tous les acheteurs : les étrangers, les 75 millions de touristes qui visitent chaque année la France et en remportent ou en commandent les meilleurs crus, les investisseurs japonais ou américains ! La France se situe deuxième derrière l'Italie pour l'exportation mondiale en volume, mais elle est la première en valeur (le vin représente 45 % du total des exportations).

Le vin à l'export

En 2001, 16 millions d'hectolitres de vin ont été exportés. Les acheteurs ont privilégié, dans l'ordre : le bordeaux, le bourgogne, le beaujolais, le champagne et les côtes-du-rhône. Les meilleurs clients, vers qui s'en vont 75 % des ventes, sont l'Allemagne, les États-Unis, le Royaume-Uni, la Belgique, les Pays-bas, la Suisse et le Japon.

Les chênes qu'on abat

Il fut un temps où la Gaule presque entière était recouverte de forêts ; c'était au temps des druides qui y tenaient leurs assemblées générales – la réunionnite commençait déjà…

On déboise…

Une forêt ! C'est ce que découvre César lorsqu'il entre en Gaule, en – 58. Une immense forêt, plus immense encore que ce que vous imaginez, puisqu'elle couvre 85 % de ce que nous appelons aujourd'hui la France ! Aujourd'hui, elle n'occupe plus que 28 % du territoire national. Entre temps, on a déboisé ! On a déboisé au Moyen Âge, en suivant l'exemple des moines bûcherons qui gagnaient ainsi des terres nourricières pour leurs ouailles. En l'an mille, la forêt couvre 25 millions d'hectares ; 200 ans plus tard, on en est à 15 millions ; au temps de Louis XIV, la forêt s'est encore réduite : 10 millions d'hectares ; elle ne couvre plus que 5 millions d'hectares en 1800. On commence alors à comprendre que si aucune décision n'est prise, les oiseaux ne pourront plus se poser nulle part dans les campagnes…

On reboise...

Le reboisement commence sous le Second Empire : on reboise les Landes de Gascogne, la Sologne, la Champagne crayeuse, les Cévennes... Un fonds forestier national est créé en 1946, afin d'aider à la plantation d'arbres. La forêt regagne du terrain : elle couvre 15 millions d'hectares aujourd'hui. Chaque année, on reboise entre 25 000 et 30 000 hectares – beaucoup de ces surfaces sont constituées de terrains agricoles inutilisés. Les reboisements sont la plupart du temps effectués en résineux. Ceux-ci constituent 38 % de la forêt française aujourd'hui – 14 % seulement en 1900 ! À qui la forêt française appartient-elle ? Peut-être à vous... En effet, des particuliers s'en partagent 65 %, deux tiers d'entre eux ne possédant qu'une dizaine d'hectares. L'État et les collectivités locales se partagent les 35 % restants – respectivement 10 % et 25 %.

Les trois forêts

La forêt française peut être répartie en trois catégories :

- La forêt océanique : elle est composée de 40 % de feuillus, de 15 % de hêtres, de pins, de trembles, de charmes...

- La forêt de montagne : on y trouve des chênes, des hêtres jusqu'à 800 mètres, et des conifères jusqu'à 2 000 mètres : sapins, pins, mélèzes, épicéas.

- La forêt méditerranéenne : elle reste toujours verte, avec ses arbres au feuillage persistant : pins, sapins, chênes verts, chênes lièges...

Les travailleurs de la mer

Victor Hugo a 64 ans lorsqu'il publie, en 1866, son roman *Les Travailleurs de la mer* mettant en scène, dans ses premières pages, un armateur qui fait l'acquisition d'un des premiers bateaux à vapeur, et les pêcheurs qui voient d'un mauvais œil cette modernité en marche. Aujourd'hui, les travailleurs de la mer ont accepté la modernité...

La mer toujours recommencée

La mer, la mer toujours recommencée / Ô récompense après une pensée / Qu'un long regard sur le calme des dieux. Voilà trois beaux vers, certes, de notre Paul Valéry national, mais le marin qui s'embarque avant le lever du jour nourrit un rapport moins poétique avec l'océan. Pour lui, la mer, c'est avant tout l'économie, son bateau qu'il faut payer, la concurrence communautaire dans les zones de pêche, la concurrence mondiale aussi ; c'est l'épuisement des ressources dans certaines zones, la surpêche dans d'autres, avec la même conséquence... La pêche artisanale emploie 16 000 pêcheurs rémunérés à la part. Ils fournissent 75 % du poisson frais en France.

Les pêches...

Plusieurs types de pêche sont pratiqués en France :

- ✔ La pêche côtière qui dure entre 1 et 4 jours ; on en rapporte sardines, anchois, loup de mer (en Méditerranée), thons et crustacés en Atlantique.

- ✔ La pêche au large – entre 3 et 10 jours – en mer du Nord ou dans le golfe de Gascogne.

- ✔ La pêche à la morue, à Terre-Neuve ; à la langouste au large de l'Afrique ; au thon tropical dans l'Atlantique ou dans l'Océan indien. Il s'agit alors de la grande pêche industrielle qui emploie 1 500 personnes sur une centaine de bateaux.

Boulogne-sur-Mer et Lorient

Les deux plus grands ports de pêche – sur les 150 que compte le littoral français – sont Boulogne-sur-Mer et Lorient – la desserte par routes et autoroutes, par trains, permet de livrer du poisson frais en 24 h dans toute la France, ou presque. Le premier, fort bien placé près des zones de pêche de la mer du Nord, a développé au fil des années une industrie du froid qui lui permet de fabriquer des plats cuisinés ou de congeler le poisson préparé. Le deuxième, qui approvisionne la conserverie traditionnelle de la Bretagne sud, est aujourd'hui rattrapé, en valeur, par les ports du Guilvinec et de Concarneau.

Quotas batailleurs

Le merlu ? Il n'y en a plus ! La morue ? Il n'y en a plus ! Le cabillaud est à zéro ! Allons, mais non, pas encore ! Mais c'est ce qui risquerait d'arriver si la surexploitation des réserves se poursuit régulièrement dans le temps. La Commission européenne de la pêche s'est préoccupée de la situation, décidant de réduire l'effort de pêche par le retrait de près de 8 600 bateaux de la flotte européenne. Elle a aussi fixé des quotas : un nombre de jours de mer pour chaque espèce. Tout cela s'ajoute à une réglementation très stricte sur la nature des filets à employer pour les différents types de pêche L'application de ces mesures crée parfois des affrontements entre les marins sur une même zone, les uns accusant les autres d'être en infraction avec la législation européenne en vigueur ; les uns et les autres craignent surtout que soit menacé leur emploi, ou que leurs lourds investissements ne puissent être amortis.

Chapitre 23

France industrielle et industrieuse

● ●

Dans ce chapitre :

▶ Faites le point sur le présent et l'avenir de l'industrie française

▶ Vérifiez la solidité des trois piliers que sont la sidérurgie, le textile et l'automobile

▶ Faites toute la lumière sur l'aéronautique et l'agroalimentaire

▶ Soyez au courant de l'évolution du nucléaire

● ●

*E*ncourageant, l'avenir industriel français, et cela malgré les difficultés liées à la conjoncture. La situation géographique de la France, sa qualité de vie, son espace aménageable font partie des nombreux atouts qui lui permettent de demeurer confiante, malgré les crises traversées.

Industrie : faisons le point !

Palmarès de l'industrie mondiale : 1re place : les Etats-Unis ; 2e place, le Japon ; 3e place : l'Allemagne ; 4e place : la France ! Palmarès de l'industrie européenne : 1re : l'Allemagne ; 2e la France ! Et pourtant, on dit l'industrie française en déclin, on le dit si souvent qu'on l'imagine déjà dans les dernières places des classements, alors qu'elle se trouve toujours dans le peloton de tête !

Dans le peloton de tête ?

Mutations, restructurations ont-elles permis à l'industrie française de se maintenir au niveau de ses principaux concurrents ?

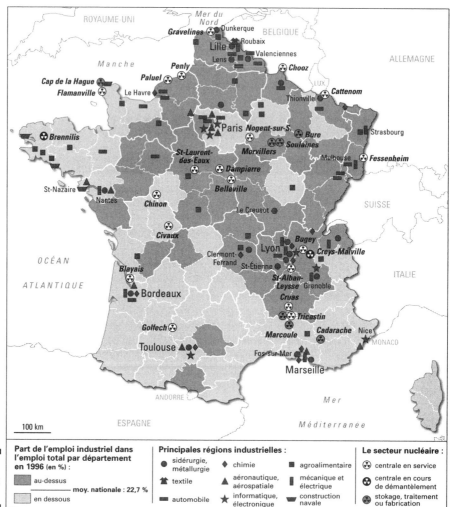

Figure 23-1 :
L'industrie en
France.

Part de l'emploi industriel dans l'emploi total par département en 1996 (en %) :
- au-dessus
- moy. nationale : 22,7 %
- en dessous

Principales régions industrielles :
- ● sidérurgie, métallurgie
- ♦ chimie
- ■ agroalimentaire
- textile
- ▲ aéronautique, aérospatiale
- mécanique et électrique
- ■ automobile
- ★ informatique, électronique
- construction navale

Le secteur nucléaire :
- centrale en service
- centrale en cours de démantèlement
- stockage, traitement ou fabrication

Des centaines de milliers de licenciements

Dans le peloton de tête après les multiples fermetures d'entreprises ? Dans le peloton de tête après le déclin de l'économie dans les vieilles régions industrielles, après la fin des Trente Glorieuses (expression de l'économiste Jean Fourastié, né en 1907, mort en 1990, et qui désigne la trentaine d'années qui a suivi la dernière guerre, de 1945 au 2ᵉ choc pétrolier, en 1973) ? Dans le peloton de tête après les centaines de milliers de licenciements dans les industries employant beaucoup de main-d'œuvre – on pense à Moulinex ?

Croissance et productivité

Oui, dans le peloton de tête, parce que ses profondes mutations, ses restructurations ont conduit à l'abandon de secteurs moins porteurs afin de favoriser ceux qui ont le vent en poupe ; parce que la baisse des effectifs a provoqué une croissance de la productivité ; parce que même si la part de l'industrie dans le produit intérieur brut (la valeur marchande totale des biens produits dans le pays en un an) a diminué, sa valeur ajoutée (la valeur des biens produits, moins la valeur de ce qui sert à les produire) a été multipliée par 2,5 depuis les années 80 !

Un avenir industriel encourageant

De national, le marché est devenu européen, un marché unique, avec la mise en place de l'euro. D'européen, il s'est transformé en mondial. Les mutations, les restrictions douloureuses sur le plan humain ont été le prix à payer pour demeurer dans la compétition internationale. Depuis, la France est devenue l'une des terres d'élection pour les capitaux étrangers (35 % du chiffre d'affaires de l'industrie provient de filiales étrangères qui garantissent 30 % de l'emploi). Son avenir industriel est servi par plusieurs atouts :

- La qualité des produits français est reconnue sur le plan international – en agroalimentaire, dans le domaine de l'automobile, de la pharmacie, de l'aéronautique.

- La maîtrise de l'inflation, la stabilité de la monnaie, la croissance de la productivité rendent les produits compétitifs.

- Une situation géographique privilégiée en Europe – infrastructure pour le transport intérieur, façade maritime importante, nombreux aéroports…

- La disponibilité d'un important espace aménageable.

- Une qualité de vie connue et reconnue depuis des lustres…

Les quatre piliers

La sidérurgie, le textile, l'automobile… Ces trois secteurs vitaux pour l'économie française ont dû s'adapter pour continuer de produire. Quant aux services qui ne pourraient se passer des trois précédents secteurs, ils occupent plus de 70% de la population active…

La sidérurgie mute

Devinette : depuis que les Celtes ont commencé à le fabriquer chez eux d'abord, en Asie centrale, puis dans ce qu'on appelle aujourd'hui l'Hexagone, on ne peut plus s'en passer ! De quoi s'agit-il ? Réponse ? Du fer ! Les premiers sidérurgistes étaient donc celtes ! Ils sont arrivés en – 800 (la sidérurgie est l'activité de transformation du minerai en métal, en portant celui-là à l'incandescence, afin que, liquide et en fusion, celui-ci coule et soit travaillé par le métallurgiste, avant complet refroidissement). Depuis, la sidérurgie n'a cessé de muter !

Minerai pauvre et charbon de bois

On trouve d'abord du minerai de fer un peu partout, un minerai souvent pauvre, qui sert à confectionner quelques dizaines de casques et d'épées. Puis la production se concentre, au fil des siècles, près de grandes forêts nécessaires à la fourniture du combustible – le charbon de bois –, dans le Périgord, le sud-est du Bassin parisien, les Ardennes et les marges du Massif armoricain – où de nombreux noms de lieux conservent la mémoire du fer – Louisfert, par exemple, qui vient du latin *Locus Feri* : le lieu du fer.

L'âge d'or de la Lorraine

La révolution industrielle au XIXᵉ siècle privilégie les bassins ferrifères situés près des bassins houillers – le charbon de bois utilisé pour traiter le minerai étant peu rentable. Les bassins du Nord – Denain-Valenciennes –, celui de Saint-Étienne, celui du Creusot, de Decazeville, et surtout le bassin lorrain, connaissent alors un fort développement – le chemin de fer absorbe une grande partie de la production. Jusqu'au milieu du XXᵉ siècle, la Lorraine assure plus de la moitié de la production sidérurgique. Mais son minerai est relativement pauvre, sa teneur en fer ne dépasse guère les 35 %. Peu à peu sont découverts, puis importés de Mauritanie, du Brésil, d'Australie, des minerais à forte teneur – plus de 60 % ! Le traitement de ces minerais va alors s'effectuer sur les littoraux, dans les ports de Dunkerque ou de Fos-sur-Mer, où on importe aussi le coke (charbon distillé).

Les riches minerais de l'étranger

Les importations de minerai étranger sont un coup dur pour les bassins français qui ne vont cesser de décliner, malgré la convention État-Sidérurgie, en 1966, qui accorde un prêt important pour moderniser les sites existants. Des restructurations sont opérées, mais malgré de nouveaux efforts de l'État qui prend à sa charge, en 1978, le déficit de la sidérurgie, les trop vieilles usines de Lorraine et du Massif central ne peuvent rivaliser avec Dunkerque et Fos – Le Creusot est acculé à la faillite en 1984. La sidérurgie est nationalisée en 1982, puis regroupée sous le nom d'Usinor en 1987. Les regroupements se poursuivent ensuite, afin d'éviter la mainmise de groupes étrangers sur de trop petites unités en France et en Europe.

Arcelor, 1ᵉʳ producteur mondial d'acier, mais...

✔ En 1998, Usinor absorbe le groupe belge Cockerill.

✔ En 2002, Usinor (France), Aceralia (Espagne) et Arbed (Luxembourg) fusionnent sous le nom d'Arcelor.

✔ En 2004, Arcelor est le premier producteur mondial d'acier, avec 46, 9 millions de tonnes.

Les projets de l'Indien Mittal

Le deuxième producteur mondial d'acier est — jusqu'en 2005... — avec 42,8 millions de tonnes, le groupe de l'Indien Lakshmi Mittal, — son passeport britannique lui permet d'être considéré comme l'homme le plus riche de Grande-Bretagne par la presse londonienne — ; sa société est basée aux Pays-Bas, ses usines sont situées aux États-Unis, en Europe de l'Est, et en France. En 2005, Mittal devient le premier producteur mondial d'acier, grâce à l'acquisition de la société américaine ISG et ses 16,1

millions de tonnes d'acier annuelles. C'est alors qu'il approche Arcelor afin d'en faire l'acquisition, le nouveau groupe produisant, en cas de fusion, plus de... 105 millions de tonnes d'acier, ce qui le placerait hors d'atteinte des groupes japonais Nippon Steel (32,4 millions de tonnes) JFE (31,6) ou du Coréen Posco (30, 2), à moins que ces trois-là... Le feuilleton des regroupements se poursuit sur fond de réserves mondiales épuisables : 70 milliards de tonnes (quand même !...).

Le nouveau visage de la sidérurgie

Aujourd'hui, en France, la mutation de la sidérurgie qui s'est opérée en une trentaine d'années a déplacé les centres de production de l'aciervers les ports :

✔ En 1974, la Lorraine assurait encore 50 % de la production sidérurgique, contre 18 % aujourd'hui (à Thionville et Pont-à-Mousson).

✔ La première région sidérurgique est désormais le Nord-Pas-de-Calais, principalement Dunkerque, qui assure 50 % de la production d'acier.

✔ La deuxième région sidérurgique, avec près de 30 % de la production, est le sud-est, dont le pôle phare est Fos-sur-Mer.

Le textile bute

Les beaux jours du textile en France s'éloignent de plus en plus. Le déclin, amorcé voilà un siècle, s'est accentué. Le secteur demeure fragile.

Une activité prospère, naguère...

70 % d'emplois en moins dans le secteur du textile depuis 1974 ! Plus de trente années de déclin qui atteignent surtout la main d'œuvre féminine – 80 % des emplois dans le textile et l'habillement. Pourtant, l'activité a été prospère, entre les deux guerres, lorsque seules les fibres naturelles étaient utilisées – la laine, le lin, le jute et le coton. Roubaix est alors un important centre lainier qui importe depuis le milieu du XIXe siècle, sa matière première, la production nationale ne suffisant plus ; Mazamet aussi – rappelez-vous, dans le Tarn, la capitale de la laine... – se met à importer ses laines fines (6 500 à 8 000 fibres par cm^2) ou fortes (800 à 1 000 fibres par cm^2) d'Australie, d'Argentine, de Nouvelle-Zélande...

Naissance de DMC

Au début du XXe siècle, le coton arrive d'Egypte, d'Inde, des États-Unis. Il est travaillé dans les vallées vosgiennes, à Mulhouse ; c'est là qu'est née, en 1746, une entreprise d'impression de tissus peints à la main, créée par Jean-Henri Dollfus. Son neveu épouse, en 1800, Anne-Marie Mieg. L'entreprise devient Dollfus-Mieg et Compagnie, le fameux DMC que vous connaissez... On importe aussi du jute du Pakistan oriental (le Bangladesh) ; à Dunkerque où il est débarqué, on en fait des bâches. On tisse la soie à Lyon – l'élevage du ver qui fournit le précieux fil date de Louis XI. Enfin, on produit du lin dans le pays de Caux, dans le Nord, afin d'en faire du linge de maison, des vêtements.

CÉLÉBRITÉ DU CRU

Marcel Boussac, l'empereur du textile

Près d'une petite usine de confection, à Châteauroux, naît, le mercredi 17 avril 1889, un petit garçon que son père, Monsieur Boussac, prénomme Marcel. Le petit Marcel grandit dans l'entreprise paternelle, parmi les coupons gris, les coupons noirs qu'il trouve bien tristes – les femmes et les hommes privilégient, depuis le Second Empire, ces deux couleurs austères. À 16 ans, l'adolescent Marcel commence à travailler avec son père qui l'initie aux techniques du travail des textiles et aux subtilités de la gestion. Châteauroux devient bientôt trop étroite pour Marcel qui file à Paris pour y créer son affaire. Une affaire de noir et de gris ? Point du tout : de la couleur et de la fantaisie ! Voilà le credo et le créneau Boussac Jeune ! C'est un succès, mieux : un triomphe ! La légende Boussac vient de commencer, déjà assortie d'une Rolls et de chevaux de course...

De juteux contrats pendant la guerre 1914-1918, le rachat à bas prix en 1919 de toiles d'avions inutilisées pour confectionner blouses et... pyjamas. La crise économique de 1929 lui permet de racheter nombre d'entreprises en faillite et de se hisser ainsi à la toute première place dans le secteur du textile. Après la guerre 1939-1945 – il n'est pas inquiété par l'épuration, malgré les compromissions qui lui ont permis de sauver ses usines –, il acquiert l'électroménager Bendix, les journaux l'Aurore, Paris-Turf, il lance Christian Dior, Yves Saint-Laurent, reçoit les célébrités, les hommes politiques du monde entier. Dans les années 50, il est au faîte de sa gloire... juste avant la décolonisation, l'arrivée des fibres synthétiques. Son empire est démantelé. Il meurt ruiné, à 91 ans, le vendredi 21 mars 1980.

De la viscose aux synthétiques

Tout cela – laine, coton, jute, soie et lin – est d'abord concurrencé dans les années 30 par les fibres artificielles (rayonne et fibranne) tirées de la viscose – elle-même issue de la pâte de bois à partir de laquelle, en 1884, le comte Hilaire de Chardonnet mit au point le premier fil de soie artificielle. Puis, dans les années 50, les fibres synthétiques apparaissent – avec chemises et bas nylon… – avant de s'imposer dans les années 70. Elles représentent aujourd'hui 65 % des fibres textiles utilisées en France, contre 35 % pour les fibres naturelles. La domination des fibres synthétiques a pénalisé les régions dont l'économie textile était fondée sur l'exploitation et le travail des fibres naturelles : Nord-Pas-de-Calais, est alsacien et lorrain.

La mort de l'accord multifibres

1er janvier 2005. La nouvelle année vient de naître, l'accord multifibres vient de mourir ! Qu'est-ce qu'était… – l'accord multifibres ? Signé en 1973 entre les pays en voie de développement et les pays développés, il fixait des quotas d'importation, par pays et par produit, pour le textile et l'habillement. Les conséquences de ce décès passé presque inaperçu n'ont pas tardé à se faire sentir : la Chine, nouvellement entrée dans l'Organisation Mondiale du Commerce (l'OMC), pays de la main-d'œuvre à très bas prix, a commencé à inonder le marché de vêtements fort peu chers qui bousculent les données dans le secteur de l'habillement en France – où la Turquie et le Mexique sont également très présents.

La fragilité du secteur

La fin de l'accord multifibres s'ajoute aux effets des multiples délocalisations opérées depuis quelques décennies vers le Maroc, la Tunisie, l'Asie du Sud-Est – qui ont tout à craindre aussi de l'entrée de la Chine dans l'OMC – : l'emploi s'est réduit comme une peau de chagrin. Cependant, le secteur résiste. Fort de plus de 5 000 petites et moyennes industries (PMI) et d'une trentaine de grandes firmes, il fournit encore près de 30 000 emplois en Île-de-France, 12 000 en Pays de la Loire, 11 000 dans le Nord-Pas-de-Calais, et 9 000 dans la région Centre – la haute couture, cependant, est durablement fragilisée, ayant perdu en 30 ans plus de 90 % de ses emplois qui sont passés de 20 000 à 1 700 !

L'automobile lutte

Toute une galaxie de métiers d'industries, d'artisanats, de sous-traitants contribuent à la naissance d'une automobile qui transporte sur ses quatre roues une grande partie des savoir-faire français (ou étrangers…).

De l'emploi et du rêve

Voiture ! Imaginez tout ce qui gravite autour de ce mot, toutes les activités qui le produisent, toutes celles qui en découlent. Le mot lui-même, la chose plutôt, met en œuvre combien d'industries, de ressources de tous genres, de savoir-faire, d'imaginaire, de rêve aussi !... La voiture automobile, c'est du métal – provient-il d'Australie, de Mauritanie, via Dunkerque ou Fos-sur-Mer ? C'est du verre, du textile, de la moquette, c'est du plastique, de la peinture, c'est du caoutchouc, ce sont des matériaux composites, de petits moteurs électriques un peu partout, c'est de la programmation informatique, c'est l'ingéniosité des ingénieurs, l'habileté des ouvriers, le talent des vendeurs, celui des assureurs, des réparateurs, et des banquiers... Bref, la voiture automobile, c'est de l'emploi, depuis des décennies, pour des centaines de milliers de personnes – 300 000 salariés travaillent directement dans la branche automobile.

Des noms

La voiture automobile, c'est aussi du suspense : jamais la profession n'est assurée de la progression de ses ventes, malgré de multiples innovations, l'apparition de nouveaux modèles – trop audacieux, ou prétentieux, parfois... – ; des années creuses (1975, 1981, 1985, 1990, 1996) alternent avec de confortables reprises (1997, par exemple, où se conjuguent une demande française et européenne). La voiture, c'est aussi toute une histoire, et ce sont des noms : Etienne Lenoir, l'inventeur du moteur à explosion, en 1840, Amédée Bollée – que vous avez rencontré dans la Sarthe ! –, Panhard et Levassor, les associés, Louis Renault le réservé, André Citroën l'exubérant qui inscrit son nom en lettres lumineuses du 3e au 2e étage de la tour Eiffel en 1925 !

La Simca 1000...

Vous rappelez-vous la Simca 1000 ? La petite voiture au moteur arrière nerveux, à la direction légère, au coffre avant minuscule ? Toute en angles, elle semblait sortie de l'hybridation d'une géométrie de classe de 3e et d'une algèbre pour séduisante inconnue... Elle avait tout de la petite boîte qu'on range facilement et qui transporte l'essentiel. On en voyait parfois, garées au bord de la route, un panache blanc sortant du moteur, boudant leur conducteur comme une élégante fumeuse de cinéma bouderait son metteur en scène qui la pousse à l'excès. Elles étaient sorties des usines SIMCA – sigle de Société Industrielle de Mécanique Automobile.

Cette firme était née de l'installation en France d'une branche de l'Italien Fiat, à Suresnes, puis Nanterre, à partir de 1934. Le succès est au rendez-vous, notamment avec la Topolino, la Simca 5 ; la firme dépasse Citroën dans les années 50 ! En 1954, SIMCA acquiert l'usine Ford de Poissy. En 1958, 200 000 voitures Simca sont produites. L'Américain Chrysler s'intéresse à la marque, en devient actionnaire majoritaire, puis propriétaire, avant de la céder à Peugeot en 1978. La Simca 1000 était sortie en 1961 – il y eut aussi l'Aronde en 1951, la Vedette, la Versailles, la Trianon, la Chambord et l'Ariane en 1957, la P60 en 1959, la 1300 en 1963, la 1100 en 1967, la Baghera – trois places à l'avant – en 1973, l'Horizon et la Rancho en 1978.

Reconvertir

La voiture automobile, c'est aussi un instrument qui produit de l'emploi industriel dans les campagnes désertées de l'ouest et du sud-ouest, dans les années 60, ou bien dans d'autres régions sinistrées par la faillite de certaines industries dans les années 70 – des milliers de reconversions s'opèrent ainsi en Lorraine, dans le Nord. Mais cette thérapie connaît ses limites lorsque, dans les années 80, on se rend compte que la déferlante nippone et ses petites voitures économes et robustes, auxquelles s'ajoutent les Opel, les Ford, risquent d'engloutir notre industrie à quatre roues ! Il faut alors moderniser l'outil.

Moderniser, regrouper

Et pour moderniser l'outil, il faut diminuer fortement le nombre d'ouvriers – pendant que celui des techniciens et des cadres augmente. Il faut robotiser, travailler en flux tendu. On ferme des usines jugées trop peu rentables, on restructure et on regroupe au fil des années – le groupe Renault, privatisé en 1994, devient le principal actionnaire du Japonais Nissan en 1999, acquérant ainsi une ouverture sur les marchés mondiaux ; Peugeot absorbe Citroën (1974-1976), puis Chrysler Europe – en France : Simca – (1978) dont la nouvelle marque – Talbot – disparaît de la circulation en 1980. PSA est alors devenu le 1er constructeur automobile européen, le 4e du monde – aujourd'hui, le 3e européen et le 6e du monde. Le groupe Renault-Nissan est le 4e constructeur mondial en nombre de véhicules vendus, avec 6,129 millions d'unités construites, derrière General Motors, Toyota et Ford.

La voiture en chiffres

✔ Aujourd'hui, une voiture sur dix vendues dans le monde est française.

✔ Une voiture sur quatre vendue en Europe est française.

✔ 5,5 millions de véhicules français ont été vendus dans le monde en 2004.

✔ Plus de 2 millions de voitures neuves sont vendues chaque année en France – 5 millions de voitures d'occasion.

✔ L'âge moyen d'un véhicule est de 7,3 années (6 ans en 1985).

✔ La France compte 30 millions de véhicules automobiles – 34 % de Peugeot-Citroën ; 33 % de Renault ; 33 % d'étrangères.

✔ Le nombre de voitures exportées classe l'Hexagone en 3e position mondiale, derrière le Japon et l'Allemagne.

✔ Plus de 2,5 millions de personnes vivent directement ou indirectement de l'automobile en France.

Le quatrième pilier : les services

Quatrième pilier, vraiment, les services en France ? Si on observe ce secteur à travers les chiffres de la population active (71%), du produit intérieur brut (72% du PIB), des exportations (40%), les services représentent le premier pilier de l'économie française – il s'agit de la quasi-totalité du secteur tertiaire. Étroitement liés aux autres secteurs à la disparition desquels ils ne survivraient pas, les services peuvent être répartis en deux catégories : les services marchands et les services non marchands :

Les services marchands

✔ La première catégorie des services marchands – soumis à la loi du marché – concerne les services financiers et leurs trois secteurs : les banques, la bourse et les assurances. Cet ensemble qui permet aux entreprises et aux particuliers de disposer des fonds nécessaires à toutes sortes d'investissements, emploie environ 600 000 personnes. En très forte progression depuis une vingtaine d'années, le secteur des assurances est de plus en plus présent dans le système bancaire.

✔ La deuxième catégorie des services marchands rassemble ce qu'on appelle aujourd'hui la distribution – le commerce intérieur. Profondément restructurée depuis la dernière guerre – disparition des petits commerces au profit des supermarchés et hypermarchés des périphéries urbaines, création de centrales d'achat, essor de la vente par correspondance... – la distribution fournit plus de 3 millions d'emplois.

Les services non marchands

✔ Première catégorie pour le nombre d'emplois : la fonction publique d'État, avec plus de trois millions de salariés ! Elle rassemble les 2,2 millions de fonctionnaires qui dépendent des ministères civils – 1,3 million pour l'Éducation nationale –; les presque 400 000 emplois fournis par le ministère de la Défense –; les 200 000 employés de la Sécurité Sociale, des Assedic ; ceux du CNRS, de l'ONF...

✔ Deuxième catégorie : le fonction publique territoriale – les employés des communes, des départements, des régions, des services d'incendie, ceux des Chambres d'agriculture, des Offices d'HLM –; les assistantes maternelles... Soit environ 1,7 million de salariés.

✔ Troisième catégorie : la fonction publique hospitalière (hôpitaux, centres de soins, maisons de retraite...) ; elle fournit environ 850 000 emplois.

Ce classement des services qui est le plus répandu actuellement est établi suivant les critères anglo-saxons. En France, dans le domaine statistique, on préfère parler du tertiaire marchand (transports, commerce, services aux entreprises, services aux particuliers, activités immobilières et financières), du tertiaire non marchand (éducation, santé, action sociale, administration…) –; le terme services s'applique alors, de façon plus restrictive, aux entreprises et aux particuliers.

Les deux phares

Deux secteurs de l'industrie française brillent à l'intérieur et à l'extérieur des frontières : l'aéronautique, notamment avec Airbus, et l'agroalimentaire.

L'aéronautique

Des avions civils et militaires, des hélicoptères, des équipements électroniques sophistiqués, des technologies de haut niveau… L'industrie aéronautique française – et européenne – se situe parmi les meilleures du monde.

Quelle vitrine !

27 avril 2005, 10 h 29… Sur tous les écrans du monde, une image : celle du plus gros avion du monde qui roule vers son destin ! Quelle émotion ! Certes, mais quelle vitrine, surtout ! En ce 27 avril, la société Airbus vient de présenter à des dizaines d'acheteurs potentiels, à des centaines de milliers de voyageurs, son nouveau produit : un avion dont le deuxième pont semble un accès direct vers le futur le plus prometteur – Air France a déjà utilisé des deux ponts : le Breguet 765 qui a volé jusqu'en 1971, sa capacité se limitait à… 100 passagers (800 pour l'A 380 !). Français, l'Airbus ? Pas seulement…

1970 : naissance d'Airbus

Airbus, c'est une longue histoire commencée en 1970. Cette année-là, les constructeurs aéronautiques européens décident de créer un Groupement d'intérêt économique – Airbus – qui rassemble l'Aérospatiale française – issue de Nord-aviation et Sud-aviation – et la Deutsche Airbus – regroupement de Messerschmitt et de VFW-Fokker. En 1971, l'Espagne rejoint le Groupement. Un premier avion naît de cette collaboration – qui inclut aussi l'Anglais Hawker-Siddeley pour la sous-traitance des ailes – : l'Airbus A 300 qui inaugure l'envol de la marque européenne le 28 octobre 1972. British Aerospace se joint au consortium en 1979.

De l'A 320 à l'A 3XX

En 1988 naît l'A 320, un moyen-courrier, premier avion civil à commandes électriques – aujourd'hui l'un des plus vendus au monde. La gamme des longs-courriers A 330 et A 340 apparaît quatre ans plus tard, en 1992. L'idée d'un très gros porteur germe alors au sein d'Airbus, un avion deux ponts, le plus haut, le plus gros, le plus puissant long courrier du monde, provisoirement nommé A 3XX ! Sa réalisation est décidée en 1993. Le 19 décembre 2000, l'A 3XX devient l'A 380 (73 m de long, 79,80 m d'envergure, 24,10 m de hauteur).

Du nom des Airbus

Le premier Airbus fut nommé A 300 en raison du nombre de passagers qui pouvaient y prendre place. On prend ensuite pour base A et 3. Le nouvel Airbus fabriqué sur la base de l'A 300 est appelé A 310. Il effectue son premier vol en avril 1982. Puis viennent les A 320, A 330, A 340. Logiquement, on eût pu s'attendre à ce que le très gros porteur s'appelât A 350... Non ! On pense d'abord à A 360, avec la symbolique de l'angle plein couvrant le monde de ses rayons. Mais finalement, c'est A 380 qui est retenu. Pourquoi 380 ? Est-ce à cause d'une ressemblance du 8 avec la superposition de deux hublots, le chiffre symbolisant les deux ponts ? Est-ce plutôt parce qu'en Chine, le 8 est un porte-bonheur – en Chine, le marché gros porteur ? Allez savoir...

2000 : naissance d'EADS

Quelques mois auparavant, le groupe industriel EADS (European Aeronautic Defence and Space company) qui rassemble l'allemand Daimler Chrysler Aerospace, le français Aérospatiale-Matra et l'espagnol Casa, a été créé afin de conduire le projet. Aujourd'hui, EADS est le n°1 de l'aéronautique et de l'espace en Europe. Il contrôle 80 % d'Airbus, Eurocopter dans sa totalité, 45,8 % de Dassault, 26, 7 % d'Arianespace.

En France, que construit-on ?

✔ Dassault construit les avions de combat Rafale, Mirage, et les avions d'affaires Falcon à Bordeaux-Mérignac.

✔ Les Airbus sont assemblés à Toulouse – à Nantes, Saint-Nazaire (en Loire-Atlantique) et Méaulte (dans la Somme) on en fabrique le nez et la partie centrale des fuselages.

✔ À Cannes, Alcatel Space fabrique des satellites artificiels.

✔ Les hélicoptères d'Eurocopter sont construits à Marignane.

✔ La Snecma (société nationale d'études et de constructions de moteurs d'aviation), récemment fusionnée avec la société Sagem pour former le groupe Safran, est installée le long de la Seine, dans ses quatre usines de Melin, Corbeil, Billancourt, et Les Mureaux.

✔ À Vernon, la Société européenne de propulsion (SEP) fabrique des éléments de moteurs pour fusées, notamment pour Ariane.

L'agroalimentaire

De l'eau – plate, pétillante, minérale, de source… –, du pain, des pâtes, des conserves de toutes sortes, l'agroalimentaire français a beaucoup d'appétit…

De l'eau ?

Avez-vous soif ? 50 000 salariés environ s'occupent de vous ! Ils vous préparent, vous conditionnent des boissons gazeuses, des eaux minérales, et même – avec modération – du vin, du champagne ou diverses boissons anisées ! Bilan : un excédent commercial (différence entre les exportations et les importations) de 2 milliards d'euros – parce que, ce que nous ne buvons pas, nous l'exportons… Avez-vous faim ? 85 000 salariés découpent pour vous et pour l'exportation, bovins, ovins, volailles, et tous animaux comestibles à deux ou quatre pattes !

Du pain ?

Un peu de pain, un peu de pâtes, de pâtisseries, un peu de tout ce qu'on peut faire avec de la farine ? Plus de 200 000 salariés vont vous chouchouter, sans oublier d'exporter, exportant si bien que l'excédent commercial dans cette branche dépasse le milliard d'euros ! Un yaourt ? Quelque autre produit laitier ? Voici Danone, voici Bongrain et Lactalis, et leurs 70 000 salariés. Excédent commercial ? Plus de 2 milliards d'euros ! Du sucre, de l'huile ? 71 000 salariés chez Saint-Louis, Beghin-Say ou Danone vous régalent, et concourent à produire un excédent commercial d'un milliard d'euros.

Des conserves ?

Des conserves ? On s'en occupe chez D'Aucy, Bonduelle ou Saupiquet… Bref, vous l'avez compris, le secteur de l'agroalimentaire se porte bien. Si vous avez parcouru les départements au fil des pages précédentes, vous avez peut-être remarqué que l'agroalimentaire y est partout – ou presque – représenté. Souvent les unités de production de ce secteur permettent de fixer l'emploi dans les zones rurales, à proximité de petites villes.

Quoi et où ?

- Les céréales et leurs dérivés, le sucre et les oléagineux occupent plutôt le centre du Bassin parisien et dans le Nord-Picardie (35 % de la production).
- La viande, le lait et les conserves se situent dans le Grand ouest (25 % de la production).
- Les produits laitiers dans le Rhône-Alpes (6 % de la production).
- Vins, fruits, légumes frais, au sud d'une ligne Bordeaux, Montluçon, Grenoble (3 % de la production).

Les transports

Longtemps, le grand corps du pays de France a souffert d'anémie, ses grandes artères, étroites, mal entretenues, ne permettant pas la circulation nécessaire de ce qui rendrait sa vie plus sûre, plus facile. Point de grandes artères, point non plus de veinules, de vaisseaux capillaires que sont les routes secondaires. Seules les diligences bancales et les voies fluviales assurent l'écoulement lent des marchandises et des gens… En 1650, il faut voyager pendant 17 jours pour aller de Paris à Marseille. En 1789, le même trajet prend onze jours ! Et puis, dans la deuxième moitié du XIXe siècle, voici le chemin de fer ! Il permet à la France d'ingurgiter la potion magique de la révolution industrielle. Avec la voie ferrée, le pays devient fort, se transforme : des villes se créent, d'autres s'agrandissent. Au début du XXe siècle, les transports vont exploser grâce au moteur à… explosion.

Par le fer

Vous rappelez-vous avoir traversé la Loire, dans les pages qui précèdent ? Vous y avez, entre autres, découvert la première voie ferrée en France, installée en 1827. À partir du Second Empire, six compagnies ferroviaires vont se partager le territoire français : la Compagnie du Nord, de l'Est, de l'Ouest, du Midi, du PLM (Paris-Lyon-Marseille), et du Paris-Orléans. Le 1er janvier 1938 est créée la SNCF qui regroupe ces six compagnies dont l'État détient 51 % du capital. En 1983, la totalité du capital est acquise par l'État, la SNCF devenant un établissement public à caractère industriel et commercial (EPIC). Le 1er janvier 1997, un nouvel EPIC est créé : Réseau ferré de France, chargé de l'entretien et du développement des voies ferrées.

Passant par Paris…

Paris ! Lorsque vous observez une carte des voies ferrées françaises, votre regard est inévitablement attiré vers les points d'où tout semble rayonner, vers lequel tout converge : Paris. Voulez-vous vous rendre à Lyon, partant de Nantes ? Vous passerez par Paris. Et de Toulouse à Brest ? Même étape capitale… Les voies ferrées ont été construites à partir des grandes gares parisiennes. Pour le transport des voyageurs, les lignes les plus fréquentées sont Paris-Lyon-Marseille, Paris-Lille, Paris-Orléans, Paris-Le Mans – le trafic décroît à mesure qu'on s'éloigne de la capitale. Les lignes transversales sont nettement moins fréquentées.

Des millions de tonnes de marchandises

Le trafic marchandises est important à l'est d'une ligne Le Havre-Marseille, tout en conservant son centre de rayonnement à Paris – Paris-Lille, Paris-Marseille et Paris-Strasbourg constituent les trois branches d'un éventail où des dizaines de millions de tonnes de marchandises sont annuellement transportées. Cependant, à l'est et au nord du pays, les lignes transversales Nancy-Dijon, Dunkerque-Thionville assurent un trafic marchandises considérable – ainsi qu'au sud-ouest, sur la ligne Bordeaux-Narbonne. Le ferroutage – transport de camions monoblocs ou de semi-remorques sur des plateaux de wagons, sans leur tracteur – se développe, notamment à la suite de graves accidents survenus dans les tunnels routiers où le trafic est trop important.

La France en grande vitesse

Vous rappelez-vous le grand titre de l'actualité, le dimanche 27 septembre 1981 ? Le voici : « Paris-Lyon en 2 heures 40 minutes, grâce au TGV, le train à grande vitesse ! » Après avoir été prolongée jusqu'à Valence, la ligne TGV permet de rejoindre aujourd'hui Nîmes et Marseille qui n'est plus qu'à 3 heures de Paris – contre, vous l'avez lu ci-dessus… 17 jours en 1650. Et l'ouest ? Il s'est mis sur les rails d'un développement économique accéléré depuis l'inauguration du TGV Atlantique, en 1989 – Nantes et Rennes sont désormais à 2 heures de Paris. Dans le sud-ouest, Bordeaux est aussi reliée à Paris par TGV. L'est ? L'inauguration de la ligne TGV-est – la LGV est-européenne – permet, en 2007, des liaisons TGV directes avec Paris pour les villes suivantes : Reims, Metz, Nancy, Strasbourg, Charleville-Mézières, Rethel, Sedan, Châlons-en-Champagne, Vitry-le-François, Bar-le-Duc, Thionville, Forbach, Epinal, Remiremont, Lunéville, Saint-Dié, Sarrebourg, Saverne, Colmar et Mulhouse. Cette nouvelle ligne qui autorise une vitesse de pointe de 320 km/h permettra à un voyageur partant de Strasbourg, de gagner l'aéroport Roissy-Charles-de-Gaulle en 2 heures 20 minutes, la ville de Lille en 3 heures 10 minutes, Nantes ou Rennes en 4 heures 55 minutes. Metz et Nancy ne seront plus qu'à 1 heure 30 minutes de la capitale ! L'Europe est le prolongement naturel de toutes ces Lignes à Grande Vitesse, avec Eurostar vers Londres, avec le Thalys vers Bruxelles ; demain vers l'Allemagne ; bientôt vers l'Espagne, l'Italie…

Décentraliser

Afin de pallier les inconvénients de la centralisation parisienne des transports voyageurs ou marchandises qui laisse dans l'ombre nombre de régions, une loi datant de 1995 prévoit qu'en 2015, aucun point du territoire français métropolitain ne sera situé à plus de 50 kilomètres, ou 45 minutes d'automobile d'une gare TGV (ou d'une entrée d'autoroute, ou d'une route à quatre voies). La politique de décentralisation est en route (en voie ferrée…) : grâce à des financements des conseils régionaux, les Trains express régionaux (TER) ont été maintenus en place sur des lignes déclarées non rentables. Beaucoup de petites villes peuvent ainsi espérer devenir le nouveau lieu de vie de citadins en quête de tranquillité.

La SNCF en chiffres

✔ Aujourd'hui, la SNCF assure la gestion du deuxième réseau de voyageurs en Europe (le premier étant le réseau ferré allemand, le troisième le réseau italien), avec plus de 900 millions de passagers sur le territoire tout entier, dont 550 millions environ, en région parisienne.

✔ Pour le transport des marchandises par voie ferrée, la France se classe 3e, avec 130 millions de tonnes de fret, derrière l'Allemagne et la Pologne (en 1972, avec 246 millions de tonnes, le chemin de fer occupait en France la première place dans le transport des marchandises).

✔ Le réseau français compte 31 200 kilomètres de voies ferrées – dont 15 000 électrifiées –, contre 41 200 kilomètres en 1952.

✔ 1 600 kilomètres de voies nouvelles ont été construites pour le TGV – qui utilise aussi 6 000 kilomètres de voies classiques.

Sur la route...

Des centaines de kilomètres d'asphalte qui se croisent, se recroisent, se chevauchent, disparaissent dans des tunnels, longent les côtes, franchissent les montagnes... Tout cela permet une circulation importante.

La route est longue...

Plus de 890 000 kilomètres ! Le réseau routier français est le plus long, l'un des plus denses d'Europe ! Les 11 000 kilomètres d'autoroutes assurent à eux seuls 20 % du trafic sur l'ensemble du réseau routier – 55 % du trafic sur le réseau routier national. 35 millions de véhicules circulent sur les routes et autoroutes de France – dont 29 millions de voitures particulières. Le parc automobile français qui a doublé en 20 ans est le cinquième du monde, le deuxième d'Europe, derrière l'Allemagne, devant l'Italie. La raison de cette croissance est simple : le lieu de travail est de plus en plus souvent éloigné du lieu de résidence, choisi pour sa qualité de vie, pour son coût souvent inférieur loin des grands centres. La voiture particulière assure à elle seule 84 % du trafic intérieur des voyageurs – le train, 10 % ; l'autobus et l'autocar 4,5 % ; et l'avion... 1,5 %.

La route, en France, ce sont :

✔ 11 000 km d'autoroutes (2e réseau autoroutier d'Europe, derrière l'Allemagne, devant l'Italie)

✔ 28 000 km de routes nationales

✔ 346 000 km de routes départementales

✔ 425 000 km de routes communales

✔ 35 millions de véhicules

Marchandises voyageuses

Même si le ferroutage est en progression en France, la majeure partie des marchandises est transportée par la route. Le tonnage par la route est cinq fois plus important que celui effectué par voie ferrée. Et que transporte-t-on ? Des matières premières, des produits agricoles, et des produits énergétiques – ce qui représente un total de 70 % du tonnage transporté. Les autoroutes demeurent les voies de circulation privilégiées pour le transport des marchandises. Leur réseau ne cesse de s'étendre.

Sus à la centralisation

Contrairement à celui de la SNCF, le réseau autoroutier évite d'accroître les effets d'une centralisation parisienne qui conduirait à la paralysie, et privilégie le contournement de la capitale. Ainsi, l'autoroute des estuaires, en grande partie réalisée, permettra de relier en continu Dunkerque à Bayonne sans passer par Paris – les estuaires longés par cette autoroute sont ceux de la Somme, de la Seine, de la Loire et de la Garonne. Ainsi, l'A 28 Rouen-Tours contourne Paris par l'ouest, le contournement par l'est étant assuré par la liaison Lille-Reims-Dijon. Ces nouveaux tracés assurent le désenclavement de nombreuses régions – le Massif central ou les Alpes du sud, par exemple.

Les transports routiers, ce sont :

- ✔ 330 000 emplois
- ✔ 43 000 sociétés
- ✔ 34 000 d'entre elles ne comptent pas plus de 5 salariés.
- ✔ 20 % de ces entreprises réalisent 80 % de l'activité totale du secteur – La Sernam et Geodis, deux filiales privatisées de la SNCF, sont les deux plus importantes.

Priorité au transport européen

Par ailleurs, d'importantes plaques tournantes autoroutières se sont constituées, notamment autour de Lyon qui se trouve à la croisée d'un trafic provenant d'Espagne, d'Italie, de Suisse, d'Allemagne, du Benelux ; autour de Lille, point de convergence des trafics provenant du Royaume-Uni, du Benelux, et… de France ; autour de Dijon dont les rayons autoroutiers rejoignent Lille, Metz, Mulhouse, Lyon, et Paris !

Sur l'eau

Que de fleuves et de rivières, en France ! Sur 14 932 kilomètres de voies d'eau, 8 500 kilomètres sont des voies navigables – le réseau le plus long d'Europe ! Et quelle façade maritime ! Que de ports à l'emplacement idéal ! Et pourtant, la France n'assure que 7 % du trafic européen par voie navigable, et les transports intérieurs sont fort peu concernés par les fleuves ou les canaux – 3 % des marchandises sont transportés sur l'eau, contre 15 % en Allemagne, et presque 50 % aux Pays-Bas !

Sur les cours d'eau : un gabarit insuffisant

Longeant au fil des pages précédentes les fleuves et rivières, les canaux qui les relient, vous avez découvert un réseau riche et varié, certes, mais aujourd'hui peu adapté au trafic. En effet, le gabarit autorisé par les voies navigables aujourd'hui en France ne dépasse guère les 350 tonnes ; les canaux dont la réalisation relevait de l'exploit au XVIIe siècle, et dont la plupart furent construits, améliorés ou aménagés au XIXe siècle, sont devenus vétustes, inadaptés. Le gabarit européen dépasse aujourd'hui les 1 400 tonnes ! Peu de voies navigables en France sont capables d'accueillir les bateaux de fort tonnage – mis à part la Seine, jusqu'à Bray, le canal de Dunkerque jusqu'à Valenciennes, la Moselle, jusqu'à Neuves-Maisons, au sud de Nancy, le Rhin, la Saône jusqu'à Saint-Jean de Losne, le Rhône.

GÉO-MOTS

Le gabarit Freycinet

Le 5 août 1879 est mise en place une loi programme qui porte le nom de Charles-Louis de Saulces de Freycinet (Foix, 1828, Paris, 1923). Ce polytechnicien fixe la longueur des sas d'écluses à 39 mètres de longueur pour 5,20 mètres de largeur. Ces dimensions les rendent franchissables par des péniches de 350 tonnes au maximum. Ainsi va naître la gabarit Freycinet : des bateaux qui ne peuvent dépasser 38,5 mètres de longueur pour 5,05 mètres de largeur. Ce gabarit Freycinet est celui d'une grande partie des voies navigables françaises aujourd'hui – 5 800 kilomètres de voies navigables répondent à ses normes. Cette situation entrave souvent la liaison entre les pays d'Europe et la France. Ainsi, la Meuse est soumise au gabarit Freycinet en France, mais dès la frontière belge franchie, elle s'élargit au gabarit européen.

Les principaux ports fluviaux

✔ Paris est le principal port fluvial français avec un trafic de 20 millions de tonnes environ – principalement des matériaux de construction, des hydrocarbures, du charbon, des céréales.

✔ Sur le Rhin, Strasbourg et Mulhouse assurent respectivement un trafic de 10 millions de tonnes et de 3,5 millions de tonnes.

✔ Sur la Moselle, à Metz, le trafic est de 2 millions de tonnes ; à Thionville, de 3,5 millions de tonnes ; à Mondelange, de 2 millions de tonnes ; à Frouard, de 1,5 million de tonnes.

✔ Sur la Seine – Paris mis à part – Le Havre, Poses et Rouen assurent un trafic important, entre 2 et 4 millions de tonnes.

Dans la flotte

1975 : la flotte marchande française se situe au 5e rang mondial, avec près de 15 millions de tonneaux de jauge brute (tjb) ; la jauge brute, mesure de capacité de transport d'un navire, vaut 100 pieds cubes ; le pied valant 30,48 centimètres, la jauge brute vaut donc – vous avez fait le calcul de tête… – 2,832 mètres cube. 2006 : avec 4 millions de tjb – dont 37 % de pétroliers –, la marine marchande française n'occupe plus que… la 29e place mondiale !

Les pavillons de complaisance

La diminution des échanges d'hydrocarbures a eu pour conséquence la réduction du nombre de pétroliers en service, à partir des années 80. Cette situation a entraîné une surcapacité de la flotte mondiale et une chute des prix du fret. Beaucoup de compagnies maritimes se sont alors mises à naviguer sous un pavillon de complaisance (un armateur étranger se place sous la juridiction d'un pays où le droit du travail auquel est soumis l'équipage est quasiment inexistant, le coût de la main-d'œuvre devient très faible). Pour éviter que les compagnies françaises se laissent tenter par ces pavillons étrangers, la France a créé elle-même son pavillon à législation spéciale – le pavillon des Kerguelen – qui permet d'employer des marins étrangers, et d'éviter des charges sociales élevées. Mais les navires français, malgré leur immatriculation aux Kerguelen, demeurent parmi les plus chers d'Europe.

Rivaliser avec les ports étrangers

La France compte trois façades maritimes importantes. Elle bénéficie d'une situation idéale à l'ouest de l'Europe marchande et active. Elle est ouverte sur la Manche, la voie maritime la plus fréquentée du monde ! Tous ces atouts conduisent à la réalisation d'importants travaux à partir des années soixante, afin de rivaliser avec les ports étrangers. Des navires géants peuvent aujourd'hui décharger leur cargaison d'hydrocarbures dans les ports de Fos, près de Marseille, ou d'Antifer – en Seine-Maritime, au nord du Havre ; Antifer comporte deux appontements pour les navires de 270 mètres ou 310 mètres, il est relié au port du Havre par un oléoduc de 26 kilomètres – non loin se trouve Le Havre 2000, inauguré en 2006, aménagé pour le déchargement de conteneurs. Les plus grands ports, Marseille – 1er port français –, Le Havre, Dunkerque, Calais, Nantes, Rouen, Bordeaux… sont équipés de plates-formes multimodales qui facilitent le transfert des conteneurs vers les moyens de transport terrestres et ferroviaires.

Aménager l'arrière-pays

Malgré les aménagements apportés aux principaux ports des trois façades maritimes – Manche, Atlantique et Méditerranée –, le trafic total des ports français équivaut environ à celui du port de Rotterdam, aux Pays-Bas. La concurrence des ports étrangers est d'autant plus importante que leur arrière-pays bénéficie d'aménagements suffisants pour la circulation des marchandises quelles qu'elles soient, non seulement à l'intérieur de leurs frontières mais aussi en Europe. La mise en conformité des voies navigables avec le gabarit européen permettrait d'accroître le trafic des ports français ; c'est ce qui était prévu pour le port de Marseille avec le projet de liaison Rhin-Rhône (vous avez déjà étudié la question en voyageant sur la Saône), mais le projet d'élargissement du canal Rhin-Rhône a été abandonné en 1998 – son coût se révélant élevé, et sa réalisation périlleuse pour l'équilibre écologique de la vallée du Doubs.

La marine marchande, de 1950 à 2006

- 1950 : 800 bateaux, 45 000 marins
- 1975 : 500 bateaux, 27 000 marins
- 1985 : 300 bateaux, 10 000 marins
- 2006 : 200 bateaux, 7 000 marins

En l'air

Que vous vouliez prendre un avion pour un vol intérieur ou un vol international, rien de plus simple, en France. Il existe toujours, non loin de chez vous (peut-être n'en soupçonnez-vous même pas l'existence…), un aéroport qui vous permettra d'accéder de façon directe ou indirecte, vers votre destination d'affaire, ou de rêve…

A 1 h 30 de Paris…

Vivez-vous dans une ville de plus de 50 000 habitants distante de plus de 300 kilomètres de Paris ? Vous disposez forcément – conformément à ce qui fut décidé voilà quelques décennies – d'un aéroport qui vous permettra de relier rapidement la capitale sans vous soucier du trafic routier. Ainsi, des villes mal desservies par la voie ferrée, ou par le réseau routier, trouvent dans la voie des airs une solution à leur enclavement. Le réseau aérien permet aussi de pallier les inconvénients de la centralisation du réseau ferré vers Paris. Les liaisons entre métropoles régionales sont nombreuses et continuent de se développer.

140 aéroports

Que vous habitiez Dijon, Bergerac ou Brest, Nogaro, Argenton-sur-Creuse ou Air-sur-L'Adour, Cholet ou Sarreguemines, Hagueneau ou Gray, et que vous vouliez partir d'urgence pour traiter quelque affaire à Lognes, Niort ou Castelsarrasin, ou bien encore dans l'un des 140 aéroports de l'Hexagone – plus de 600 aérodromes au total – un aéronef vous attend toujours quelque part. Cependant, concurrencé par la route ou le train, le réseau transversal demeure inégalement fréquenté ; les lignes les plus importantes rayonnent à partir de Paris : Paris-Ajaccio, Paris-Marseille, Paris-Nice, Paris-Toulouse, Paris-Bordeaux…

LE SAVIEZ-VOUS ?

Les grandes ailes d'Air France

30 août 1933 : cinq compagnies aériennes privées, associées à des constructeurs d'avions, et presque ruinées par la crise de 1929, se regroupent sous le nom d'Air France, pour répondre au souhait de l'État lourdement engagé dans l'aventure. Ce sont : Air Union, la Société Générale de Transport Aérien (S.G.T.A.), la Compagnie Internationale de Navigation Aérienne (C.I.D.N.A.), Air Orient et l'Aéropostale (qui est en faillite à cette époque). En 1938, avec 100 appareils, Air France transporte vers l'Afrique, l'Amérique, l'Atlantique sud et l'Extrême-Orient, plus de 100 000 passagers. En 1945, Air France devient la propriété de l'État. Quinze ans plus tard, l'aventure des jets commence avec la mise en service de la Caravelle et du Boeing 707. Huit heures suffisent alors pour rallier New York, contre 16 heures en 1946.

D'autres compagnies françaises se spécialisent à partir de 1946 dans le transport des passagers vers l'Asie et l'Afrique. Elles deviennent UTA (Union des Transports aériens) en 1963.

En 1954, à l'initiative d'un groupe de transporteurs et de banquiers, la compagnie intérieure Air Inter est créée – elle acquiert sa propre flotte en 1962. En 1992, Air France et UTA fusionnent. En 1997, Air Inter se joint à cet ensemble, et, en 1998, la Compagnie Nationale Air France devient la Société Air France – qui entre en bourse avec succès en 1999. Depuis, Air France a développé des alliances avec Aeromexico, Delta Air Lines, Korean Air, avec la compagnie tchèque CSA, Alitalia (en 2001). Cet ensemble assure plus de 8 000 vols quotidiens.

Roissy-Charles-de-Gaulle : 51 millions de passagers

2e aéroport européen pour le nombre de passagers, 1er rang européen, 7e rang mondial pour le tonnage de marchandises, l'aéroport Roissy-Charles-de-Gaulle (CDG) assure 75 % du trafic des aéroports parisiens – 51 millions de passagers. L'aéroport d'Orly accueille 24 millions de passagers. Au total, avec 75 millions de passagers, Paris se classe au 7e rang mondial, derrière Atlanta, Chicago, Londres, Tokyo, Los Angeles, Dallas. Plusieurs aéroports régionaux jouent un rôle international, parfois saisonnier : Lyon, Marseille, Nice, Toulouse, Nantes…

Les aéroports français au-dessus de 2 millions de passagers

- Roissy : 51 millions
- Orly : 24 millions
- Nice : 9,7 millions
- Lyon : 6,5 millions
- Marseille : 5,9 millions
- Toulouse : 5,7 millions
- Bâle-Mulhouse : 3,4 millions

> ✔ Bordeaux : 3 millions
>
> ✔ Nantes : 2,2 millions
>
> ✔ Strasbourg : 2 millions

(Beauvais, qui est devenu un centre important pour les compagnies à bas pris, atteint 1,9 million de passagers).

Le nucléaire

L'électricité disponible sans interruption à la prise de courant, la source semble inépuisable, naturelle. Remontons le fil de l'histoire...

Êtes-vous au courant ?

Trains, usines, moteurs de mille sortes, lumière, chaleur, froid, et toutes ces prises qui alimentent votre quotidien, le quotidien des 61 millions de Français... Jamais de pannes – ou presque –, jamais de pénurie, le courant court partout où on le demande, où on l'attend sans même penser qu'il existe ! D'où vient-il ? Des centrales hydroélectriques : 15 % ; des centrales thermiques : 5 %. Cela ne fait que 20 % au total, le cinquième des besoins ! Comment faire pour trouver les 80 % manquants ? C'est la question que se sont posées les responsables scientifiques, économiques et politiques dans les années 1950. Et ils ont apporté cette réponse : en l'an 2000, 80 % de l'électricité produite pourrait être d'origine nucléaire. Voilà qui est fait !

Réinventer l'eau chaude...

On a beaucoup cherché, beaucoup tâtonné pour mettre en œuvre la production d'électricité d'origine nucléaire. Des techniques et procédures ont été employées pour faire chauffer l'eau – car le nucléaire, c'est tout simplement un procédé pour obtenir de l'eau chaude, ou plutôt de la vapeur destinée à faire tourner des turbines qui vont produire l'électricité ! Et comment fait-on chauffer cette eau ? On utilise un réacteur nucléaire – avec tous les avantages et tous les inconvénients que cela suppose. Des hautes cheminées évasées à leur base qui caractérisent les centrales nucléaires s'envole un énorme panache blanc : de la vapeur d'eau issue du circuit de refroidissement. En raison de leur conception ou de leur vieillissement, plusieurs réacteurs nucléaires sont en cours de démantèlement en France – il faut trente années avant que le site retrouve son état initial.

Les centrales nucléaires en cours de démantèlement

✔ La centrale nucléaire de Brennilis en Bretagne

✔ Le réacteur A de Chooz dans les Ardennes

✔ Les 3 réacteurs A1, A2 et A3 de Chinon en Indre-et-Loire

✔ Les 2 réacteurs A1 et A2 de Saint-Laurent dans le Loir-et-Cher

✔ Le réacteur A de Bugey dans l'Ain

✔ Le surgénérateur Superphénix à Creys-Malville en Isère

Les centrales nucléaires en activité

✔ Belleville dans le Cher – Cattenom en Moselle – Chinon dans l'Indre-et-Loire : réacteurs Chinon B1, B2, B3 et B4 – Civaux dans la Vienne

✔ Cruas en Ardèche – Dampierre dans le Loiret – Fessenheim dans le Haut-Rhin – Flamanville dans la Manche

✔ Golfech dans le Tarn-et-Garonne – Gravelines dans le Nord – Le Blayais, commune de Braud-et-Saint-Louis en Gironde

✔ Nogent dans l'Aube – Paluel en Seine-Maritime – Penly au nord de Dieppe en Seine-Maritime –Saint-Maurice – Saint-Alban en Isère – Tricastin, commune de Pierrelatte dans la Drôme

Les sites où l'on gère les déchets

✔ Bure dans la Meuse : laboratoire d'études géologiques sur le stockage par enfouissement des déchets

✔ Cap de la Hague dans la Manche : centre de stockage de déchets, usine de retraitement de la Hague

✔ Marcoule dans le Gard : usine d'extraction du plutonium de Marcoule (UP1), centre de stockage des déchets

✔ Soulaines dans l'Aube : centre de stockage de déchets de faible et moyenne activité

✔ Morvilliers dans l'Aube : centre de stockage de déchets de très faible activité

Chapitre 24

Bleu, blanc, vert : le tourisme

Dans ce chapitre :

▶ Partez dans les sentiers, dans les forêts, dans le vert tourisme qui vous attend

▶ Courez vers les rivages, sur les plages du tourisme bleu

▶ Grimpez dans les montagnes, le tourisme blanc vous conduit aux sommets

ourism (prononcer : tou-ri-zm, à l'anglaise ; mais en français, le mot tourisme se prononce tou-ri-sme, avec un s comme celui qui commence le mot stupide) Le mot, apparu au milieu du XIXe siècle a d'abord désigné les voyages d'agrément qu'effectuaient les Anglais. Importé en France, le tourisme ne s'y développe vraiment que dans les années trente, et surtout dans les années cinquante, lors de l'apparition du tourisme de masse. Avec ses trois couleurs, vert, bleu, blanc, et sa palette culturelle, voyons où il en est…

Le tourisme vert

Le vert, c'est la forêt, c'est la prairie, ce sont les sous-bois, c'est la nature, c'est le printemps et c'est l'été. Et ce peut être toute l'année…

Parfum capiteux

Vert le chêne d'été, le sapin de toute saison, verte la prairie, vert le champ de blé, de novembre à juin, blondes les moissons de juillet, vert le bord de l'eau sous les ombrages, jaunes les colzas de mai au parfum capiteux (de *caput, capitis*, en latin : « la tête » ; *capiteux* signifie : « qui monte à la tête »), vert le tourisme qui se ramifie par mille sentiers de randonnée, jusqu'au cœur des terres tranquilles. Presque 30 % des séjours estivaux des français, 27 % des hivernaux, sont occupés par le tourisme vert.

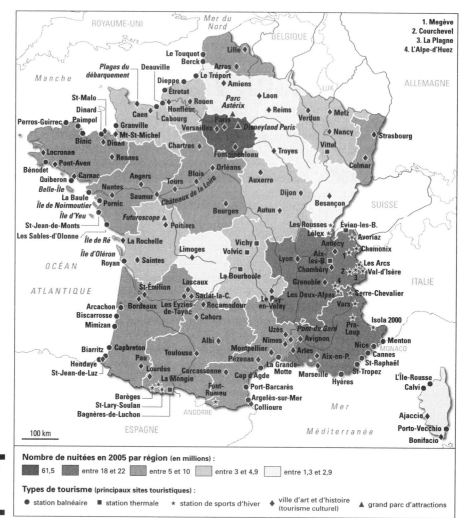

1. Megève
2. Courchevel
3. La Plagne
4. L'Alpe-d'Huez

Nombre de nuitées en 2005 par région (en millions) :

61,5   entre 18 et 22   entre 5 et 10   entre 3 et 4,9   entre 1,3 et 2,9

Types de tourisme (principaux sites touristiques) :

● station balnéaire   ■ station thermale   ★ station de sports d'hiver   ◆ ville d'art et d'histoire (tourisme culturel)   ▲ grand parc d'attractions

Figure 24-1 :
Le tourisme
en France.

Bonne promenade !

Où loger ? Où dormir ? Dans l'hôtellerie rurale, dans les logis ou auberges de France qui disposent de 400 000 lits. Chez l'habitant, dans les gîtes ruraux, les gîtes de chasse, de pêche, communaux ou privés, les fermes-auberges, autour d'une table d'hôte… ; plus de 450 000 lits y sont disponibles. Dans une maison familiale, un centre ou un village de vacances – 400 000 lits. À moins que vous préfériez le camping-caravaning : un million de places vous attendent, dont 150 000 à la ferme. Installé dans vos pénates bucoliques, à la campagne ou en moyenne montagne (Jura, Vosges, Massif central), vous ferez partie des 12 millions de randonneurs qui parcourent les 800 000 kilomètres de sentiers – balisés ou non – en France.

Les trois catégories des 120 000 kilomètres de sentiers balisés

- ✔ Les GR : sentiers de grande randonnée – 60 000 kilomètres –, balisés de marques blanches et rouges (c'est-à-dire de marques blanches et de marques rouges ; si les marques avaient à la fois du blanc et du rouge, on écrirait et on dirait : balisés de marques blanc et rouge ; fin de la minute grammaticale…).

- ✔ Les GR de pays sont balisés de jaune et rouge. Ils permettent de découvrir une région en une ou deux journées, tout en dégustant de délicieux produits du terroir !

- ✔ Les PR, sentiers de petite randonnée, balisés en jaune, sont à suivre par les marcheurs qui préfèrent ne pas user leurs semelles plus d'une journée, ou une demi-journée.

Quelques pistes…

- ✔ Le plus connu des GR est le GR 6 Alpes-Océan qui relie Saint-Paul dans les Alpes-de-Haute-Provence à Saint-Macaire en Gironde.

- ✔ Long, et fort varié, le G 5 relie la Hollande à la Méditerranée.

- ✔ Mythique, le GR 65 relie Le Puy-en-Velay à Saint-Jacques de Compostelle – la fin de son parcours français se situe à Saint-Jean-Pied-de-Port. L'empruntant, vous traverserez de superbes villages aux remarquables édifices religieux : Conques, Figeac, Rocamadour, Moissac…

Vous perdre en forêt…

Le tourisme vert, ce sont aussi les forêts ! Celles où l'on trouve des chênes, des hêtres, des charmes, des pins ou des sapins… Ainsi la forêt rousse de Fougères, à cause de ses hêtres en automne ; ainsi la forêt de Saint-Amand-Raismes dans le Nord ; celle du Huelgoat avec ses chaos de grès, ses gorges, et ses chemins balisés ; celle de Paimpont, la perle du massif forestier de Brocéliande, le berceau de la légende du roi Arthur et des chevaliers de la Table ronde – en Ille-et-Vilaine – ; celles des Vosges, du Jura ; celles du Quercy ; celles qui entourent Paris ; et puis les Bois de Boulogne, de Vincennes ; celles des Maures, de l'Esterel, celles de Corse… Tout pour vous perdre, et vous retrouver !

Le tourisme bleu

Le bleu, c'est l'océan, même si, miroir du ciel, il se fait parfois gris, ou, selon ses eaux, vert de mer. Plutôt la Méditerranée que l'Atlantique, le bleu… Mais un plaisir unique : celui de l'eau…

Né au XIXe siècle

Rappelez-vous tout ce qui fut construit avec le fer, au XIXe siècle... Des rails, des locomotives, des wagons... Tout cela pour aller où ? De ville en ville, certes, mais aussi, de villes en plages, en stations balnéaires ! C'est sous le Second Empire que l'attrait du Grand bleu crée les premières grandes stations de bord de mer : en 1854, Le Pouliguen, en Loire-Inférieure (Atlantique depuis le 9 mars 1957...) reçoit la bourgeoisie d'affaires qui apprécie les bains de mer, puis ce sera Pornichet cinq ans plus tard, avant La Baule en 1879 ; mêmes loisirs pour ceux qui vont choisir et développer Arcachon. Puis ce seront Deauville, Trouville, Cabourg dans les années 1860. On y pratique le golf, l'équitation, on y perd ou gagne des fortunes dans les casinos...

De la ruée de 1936 à celle de 2006

1936 ! Les congés payés ! C'est la ruée vers l'ouest, vers le nord et le sud ! La ruée vers la mer pour 3,5 millions de vacanciers. Soixante-dix ans plus tard, en 2006, ils sont... 35 millions, dix fois plus, qui font le voyage vers les plages ! On y bronze, on y joue, on y somnole, on peut aussi gagner le port de plaisance le plus proche et aller faire une promenade en bateau, celui qu'on a loué ou acheté – le nombre d'embarcations de plaisance est passé de 20 000 en 1950 à... 800 000 aujourd'hui ! Évidemment, il a fallu creuser des bassins, construire des quais flottants (Deauville), aménager des sites d'accueil pour ces voiliers, bateaux à moteur, et pour leurs nochers, tout en veillant à limiter les appétits en béton des promoteurs ! Ainsi, des sites ont été protégés, des parcs naturels régionaux créés, des lois votées, par exemple celle de 1986, sur l'aménagement et la protection du littoral.

Ce que dit la loi de 1986

✔ Il est interdit de construire à moins de 100 mètres du rivage.

✔ Tout le monde peut accéder librement à la plage.

✔ Toute construction doit être faite en continuité des agglomérations existantes.

✔ Les routes nouvelles doivent être distantes du littoral d'au moins 2 kilomètres.

✔ Le préfet a un droit de regard sur les Plans d'occupation des sols (POS).

Thalassa, la mer...

Évidemment, rien ni personne ne vous oblige – si vous pratiquez le tourisme bleu – à vous obstiner à faire passer votre épiderme du blanc aspirine au mat moderne ! Vous pouvez vous enfoncer dans l'arrière-pays, y pratiquer un tourisme gastronomique, culturel – les sites classés, les musées, les expositions, les spectacles –, ou bien partir pour les îles toutes proches, ou plus lointaines ; ou bien encore profiter de quelque centre de thalassothérapie.

Une thalasso ?

On vous y accueille avec un sourire limpide comme l'eau claire, on vous y masse, on vous y bouchonne, on vous y bichonne, on vous y déstresse, on vous y détend, on vous y attend…

- ✔ À Thalassa-le-Touquet, dans le Nord-Pas-de-Calais ; en Basse-Normandie, à Algotherm, Thalazur ou Prévithal…

- ✔ En Bretagne, aux thermes marins de Saint-Malo, à Thalassa de Dinard, à Thalassol de Perros-Guirec, à Thalass-santé de Douarnenez, à Thalasso de Carnac, Thalassa de Quiberon, Thalasso de Roscoff (la première créée en France)…

- ✔ En Pays-de-Loire, à Thalgo de La Baule, Daniel Jouvance de Pornichet, Alliance Pornic, aux thermes marins de Saint-Jean-de-Monts, à Thalassa des Sables d'Olonne…

- ✔ En Poitou-Charentes, en Aquitaine, en Languedoc-Roussillon, en Provence-Côte-d'Azur, en Corse…

- ✔ Maintenant, choisissez !

Le tourisme blanc

Evidemment, la neige est l'image même de ce qui est sans tache, immaculé ! Sans doute est-ce cette pureté que vont chercher en montagne les amateurs du tourisme blanc, la détente en plus…

Dans les montagnes

Faisons un peu de tourisme au moyen de la machine à remonter le temps… En une fraction de seconde, nous voici transportés 20 000 ans en arrière ! Surprise : tout est blanc, partout ou presque, enfoui sous des dizaines de mètres de glace ! C'est la dernière glaciation qui commence. Elle va durer 10 000 ans encore. En reste-t-il quelques vestiges aujourd'hui ? La réponse à cette question peut vous amener tout doucement au tourisme blanc, celui qui vous grimpe dans les montagnes. Nous voici par exemple à Chamonix où vous allez visiter le reste d'un gigantesque glacier de plus de mille mètres, qui couvrait toute la vallée !

La Mer de Glace

Aujourd'hui, ce qui reste de ce glacier s'appelle la Mer de Glace, sur le site du Montenvers, au-dessus de Chamonix. Au XVIIIe siècle, deux Anglais y organisent la première expédition. Au XIXe siècle, on y aménage un sentier pour la visite solennelle de Napoléon III et de l'impératrice Eugénie. Au début du XXe siècle, on construit une ligne de chemin de fer qui relie Chamonix au Montenvers – 5 kilomètres, 871 mètres de dénivelé, des pentes parfois à 22 %... –, et sur laquelle circule un petit train rouge du plus bel effet dans la montée verte et blanche ! Du haut, le spectacle est à vous couper le souffle, de même que la descente par l'escalier vers la Mer de Glace – le plus grand glacier de France – dont vous découvrez les grottes taillées à main d'hommes et pleines d'étonnantes sculptures.

Brève histoire du ski

Suède, Finlande, Norvège... C'est sur ces territoires qu'est apparue la pratique du ski – le mot ski vient du norvégien. On conserve, dans un musée suédois, une paire de skis qui daterait de 3 000 av. J.-C. Elle était composée alors d'un ski court et large pour la jambe droite, servant d'appui, tandis que la gauche portait un ski long et étroit pour glisser. Utilisés sans discontinuer dans le Grand Nord, les skis n'acquièrent leur renommée qu'en 1888, grâce à celle de l'explorateur Nansen qui traverse pour la première fois le Groenland.

Dans les Alpes françaises, on commence à les utiliser vers 1900, mais d'une façon qui aujourd'hui nous étonne : les deux planches pour chaque pied dépassent les... 2,50 mètres et le skieur n'utilise qu'un seul bâton qui mesure plus de 2 mètres, et se termine par une large raquette, ou un piolet ! Les chaussures sont de gros godillots cloutés ! Les progrès sont rapides cependant, le ski devenant un moyen de se distraire tout en pratiquant un sport qui est bientôt mis à la mode. Les premiers Jeux Olympiques d'hiver se déroulent en 1924, à Chamonix ; cette même année, naît la fédération internationale de ski. Depuis, il y eut Annie Famose en 1962, les sœurs Goitschel en 1964, Isabelle Mir, Jean-Claude Killy, Guy Périllat, à Grenoble, en 1968 Killy, Christian Clavier, dans *Les Bronzés font du ski*, en 1979...

Stations thermales

Qu'allez-vous visiter, après la Mer de Glace, maintenant que vous avez commencé à pratiquer le tourisme blanc ? Peut-être allez-vous regagner votre station de sport d'hiver – vous en avez déjà traversé plusieurs au fil des pages précédentes – ; vous allez surfer, skier, glisser, bref, faire du sport et vous éclater, à condition que cela demeure une métaphore et ne concerne ni vos tibias ni vos chevilles ! Cependant, au cas où vous auriez à vous remettre de quelque choc, les stations thermales de montagne contribueraient à vous remettre en forme – à Brides-les-Bains dans les Alpes, à Luchon, à Saint-Lary-Soulan ou à Cauterets dans les Pyrénées, au Mont Dore, à La Bourboule, dans le Massif central…

La palette culturelle

La France est la première destination touristique dans le monde : 75,1 millions de touristes étrangers l'ont visitée en 2005. 90,1 % d'entre eux venaient d'Europe, 5,6 % des Amériques, 3,1 % d'Asie et d'Océanie, 1,2 % d'Afrique. 2e destination touristique : l'Espagne, avec 53,6 millions de touristes ; 3e : les Etats-Unis avec 46,1 millions de visiteurs ; 4e la Chine ; 5e l'Italie ; 6e le Royaume-Uni ; 7e Hong-Kong ; 8e le Mexique ; 9e l'Allemagne ; 10e l'Autriche.

Palmarès des sites les plus visités en 2005

Prenez connaissance de ces deux listes. Faites-vous partie des 6 428 441 visiteurs de la tour Eiffel ? Ou bien des 2 853 976 paires d'yeux émerveillés de découvrir Versailles ? Que vous reste-t-il à visiter ou à revisiter ?

À Paris

- La cathédrale Notre-Dame : 13 000 000 visiteurs
- La basilique du Sacré-Cœur de Montmartre : 8 000 000
- Le musée du Louvre : 7 300 000
- La tour Eiffel : 6 428 441
- Le centre Georges-Pompidou : 5 341 064
- La Cité des sciences de La Villette : 3 186 000
- Le musée d'Orsay : 2 918 225
- L'arc de triomphe de l'Etoile : 1 255 104
- Le musée de l'Armée : 990 650

En dehors de Paris

- EuroDisney : 12 000 000 visiteurs
- Le mont Saint-Michel (Manche) : 3 250 000
- Le château de Versailles (Yvelines) : 2 853 976
- Le Futuroscope de Poitiers : 1 500 000

- ✔ La cathédrale de Reims : 1 500 000
- ✔ La cathédrale Notre-Dame de Chartres (Eure-et-Loir) : 1 500 000
- ✔ Le pont du Gard : 1 113 000
- ✔ La ville de Sarlat (Dordogne) : 1 000 000

Huitième partie
La partie des dix

Dans cette partie...

C'est l'heure de la récréation ! Pour avoir déjà parcouru les livres de cette collection, vous n'êtes pas sans savoir (voir le paragraphe intitulé « Chez les Maralpins », dans le département du Var, dans un chapitre précédent...) que l'ultime partie qui vous y est offerte porte le nom de partie des dix ! Si vous n'avez jamais feuilleté un Nul, sachez qu'en ces derniers chapitres vous sont proposés des thèmes précis que vous allez approfondir pour votre plaisir ou votre curiosité, devenant, sans même vous en apercevoir, un véritable expert des questions abordées ! Ainsi, après avoir lu les trois chapitres qui suivent, vous saurez tout sur les parcs naturels nationaux et régionaux, et vous pourrez, éclairé par la science du champion du monde des sommeliers, répondre à cette question capitale – et capiteuse... – : quels sont, en France, les dix vins divins ? Réponse...

Chapitre 25

Dix parcs nationaux

• •

Dans ce chapitre :

▶ Comprenez comment et pourquoi est née l'idée du parc national

▶ Visitez les sept parcs nationaux français les plus anciens

▶ Documentez-vous sur les deux parcs nationaux les plus récents

▶ Étudiez la possibilité de créer le dixième parc national français

• •

*L'*idée des parcs nationaux, importée d'outre-Atlantique, s'est parfaitement adaptée en France. En voici la déclinaison, aujourd'hui...

Les dix parcs nationaux

Dix parcs... ou presque ! Pour l'instant, ils sont sept. Le premier, celui de la Vanoise, fut créé en 1963. Le septième, celui de la Guadeloupe, date de 1989. Alors, pourquoi ce titre ci-dessus : les dix parcs nationaux ? Parce que, la formule ayant fait ses preuves, trois autres parcs nationaux vont naître : les Hauts de la Réunion et La Guyane sont prévus pour la fin de l'année 2006, Les Calanques de Marseille-Cassis verront le jour un peu plus tard.

Une étasunienne idée

Un parc national, qu'est-ce ? L'idée est née aux États-Unis, d'abord en 1863 pour la région de Yosémite, puis en 1870, dans le Wyoming, face à la dégradation de certains milieux naturels malmenés par l'homme. Aussi décide-t-on de créer, pour la première fois, des espaces naturels protégés, où la faune et la flore n'auront plus rien à craindre de leurs pires prédateurs : les humains ! Les séquoias de Yosémite sont mis sous surveillance en 1864, les sites de Yellowstone, en 1872. Ce n'était qu'un début, outre-Atlantique : de nombreuses autres régions ont ensuite fait l'objet d'un classement en parc national.

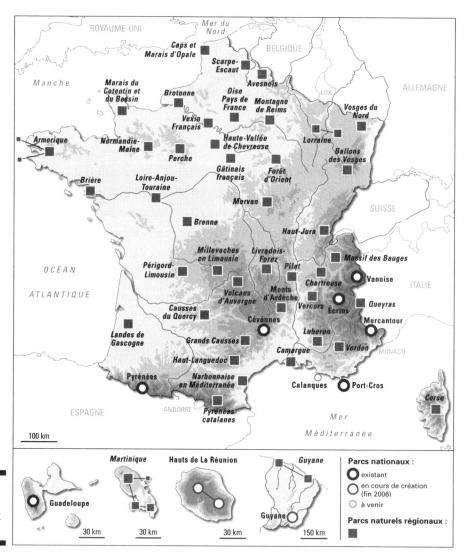

Figure 25-1 :
Les parcs
nationaux et
régionaux.

Une loi de 1960

En France, dans les années 1950, on commence à se préoccuper des
dégradations consécutives à la fréquentation plus ou moins sauvage des
sites de bord de mer ou de montagne. Flore et faune souffrent de la
désinvolture, de l'inconscience ou des excès ou de certains vacanciers, de
certains promeneurs, ou pêcheurs, ou chasseurs, ou promoteurs… Une loi

est donc votée le 22 juillet 1960 ; elle précise que tout territoire présentant un intérêt particulier, qu'il soit d'ordre biologique ou lié au caractère exceptionnel de son relief, de son aspect, en milieu terrestre ou marin, doit être protégé. Les parcs nationaux qui verront le jour mettront cette loi en application, créant une zone centrale hautement protégée, entourée d'une zone plus où moins étendue où les communes peuvent choisir ou refuser de soutenir le projet.

La Vanoise : bouquetins et chamois

Dans les Alpes du milieu du XXe siècle, les bouquetins ayant une fâcheuse tendance à se laisser observer à la lunette longue portée ajustée à une carabine, il fut décidé de créer le premier parc national, afin de les protéger. C'est ainsi que, le 6 juillet 1963, fut inauguré le parc national de la Vanoise – en Savoie. Aujourd'hui, le cœur de parc – c'est ainsi qu'on nomme désormais la zone centrale – couvre 53 000 hectares, et l'aire d'adhésion – la zone périphérique – rassemble 28 communes pour 30 500 habitants, sur 147 637 hectares. Le cœur du parc regroupe 5 réserves naturelles – l'ensemble est jumelé et contigu au parc national italien du Grand Paradis. On peut y compter 2 000 bouquetins, 5 500 chamois, 125 espèces d'oiseaux nicheurs parmi lesquels 20 couples d'aigles royaux. On y trouve, au fil de promenades botaniques, 1 200 espèces végétales, dont 107 sont protégées – la linnée boréale, par exemple, un arbrisseau fort rare.

Port-Cros : de Porquerolles au Cap Lardier

Port-Cros, le deuxième parc national – l'unique parc marin français – est inauguré la même année que celui de la Vanoise, en 1963 – le 14 décembre. Situé dans les îles d'Hyères, que vous avez visitées dans un chapitre précédent, son cœur de parc couvre 700 hectares terrestres et 1 300 hectares maritimes. La périphérie de ce cœur peuplé de 48 habitants rassemble plusieurs espaces protégés : l'île de Porquerolles (1 000 hectares), le domaine du Cap Lardier à La Croix-Valmer (300 hectares), la presqu'île de Giens (100 hectares), les salins d'Hyères (900 hectares). On y recense 500 espèces d'algues, 602 autres espèces végétales, 144 espèces d'oiseaux, 180 espèces de poissons. Son aire d'adhésion est mise en place consécutivement à la nouvelle loi sur les Parcs nationaux, votée en 2006. Les îles d'Hyères reçoivent plus d'1, 4 millions de visiteurs par an.

Les Pyrénées aux 6 000 isards

Un cirque, un hippodrome où Istambul, Tyr, Memphis, Londres, Rome, avec leurs millions d'hommes, pourraient s'asseoir, où Paris flotterait : Gavarnie – Un miracle ! Un rêve ! Architectures sans constructeurs connus, sans noms, sans signatures ! Vous n'êtes rien, palais, dômes, temples, tombeaux, devant ce Colisée inouï du chaos !... Tout est cyclopéen, vaste, stupéfiant. Le bord fait reculer le chamois défiant ; L'édifice, étageant ses marches que l'œil compte, blanchit de plus en plus à mesure qu'il monte…

Victor Hugo vient de vous présenter le cirque de Gavarnie qu'il a visité en août 1843. Ce cirque grandiose – Hugo fait tout ce qu'il peut pour que vous l'imaginiez ainsi… – se trouve à l'est de la longue bande étroite d'une centaine de km de longueur qui représente le cœur du parc des Pyrénées inauguré le 23 mars 1967 – 45 700 hectares dans les départements des Pyrénées-Atlantiques et des Hautes-Pyrénées. Son aire d'adhésion couvre 206 300 hectares et rassemble 86 communes pour 40 000 habitants. 160 espèces végétales y sont protégées, parmi lesquelles la vesce argentée, la pensée de Lapeyrouse ou la dioscorée des Pyrénées. 6 000 isards, 4 ours, 10 couples de gypaètes barbus, 300 couples de vautours fauves, 37 couples d'aigles royaux, y vivent en paix, pendant que croissent, entre 1 800 et 2 400 m, les plus hautes forêts de pins à crochets d'Europe.

Les Cévennes au patrimoine mondial

Dans le bleu du ciel cévenol, un aigle royal vole… vous le suivez des yeux, émerveillé ; voici maintenant un circaète jean-le-blanc, ses ailes étendues atteignent presque 2 mètres… Dans son bec, ce qui pend ?... Un serpent ! Il adore ! Regardez encore : un faucon pèlerin vole de conserve avec un grand duc, devant quelque vautour fauve ou moine… La faune est très abondante dans le parc national des Cévennes, situé au sud du Massif central, sur les départements de la Lozère, du Gard, et de l'Ardèche. Inauguré le 2 septembre 1970, son territoire est en cours de classement au patrimoine mondial de l'UNESCO. On y trouve 2 410 espèces animales, dont les deux tiers des espèces de mammifères de France ! La flore y est riche et variée – notamment une sorte de steppe unique sur les Causses, et bien sûr, nombre de châtaigneraies. Le cœur du parc des Cévennes couvre 91 300 hectares sur 52 communes, pour 6 000 habitants ; l'aire d'adhésion s'étend sur 229 700 hectares, elle comprend 65 communes pour 41 000 habitants.

Le parc national des écrins

Des marmottes, des hermines, des lièvres, des tétras-lyres – oiseaux proches du faisan, et dont la queue du mâle est en forme de lyre –, et puis des aigles royaux – 37 couples recensés, 12 000 chamois, 200 bouquetins – lors des réintroductions de bouquetins dans le parc, un jumelage a été effectué entre les sites de provenance des animaux, et le site d'accueil. Ainsi sensibilisés à l'arrivée de leurs nouveaux et sauvages voisins, les élèves et les parents en sont devenus les plus efficaces protecteurs. La flore du parc, ce sont 1 800 espèces végétales, dont une cinquantaine sont fort rares. Son relief est une alternance de falaises, d'éboulis, de cimes… Le parc national dans lequel nous nous promenons, en ce paragraphe, est celui des Ecrins, créé le 27 mars 1973. Son cœur s'étend sur 91 800 hectares, son aire d'adhésion, sur 178 400 hectares pour 61 communes et 30 000 habitants – seuls 3 habitants vivent dans le cœur du parc…

Le Mercantour et ses Merveilles, parc national

68 500 hectares au cœur, une aire d'adhésion de 143 600 hectares pour 28 communes et 18 000 habitants sur les départements des Alpes-Maritimes et des Alpes-de-Haute-Provence, tel est le parc du Mercantour, inauguré le 18 août 1979. Avec son voisin italien, le Parco delle Alpi Marittime – le parc naturel des Alpes-Maritimes –, il fut une réserve de chasse de sa majesté Victor-Emmanuel II qui unifia son pays assisté de Camillo Benso, comte de Cavour, fondateur de la banque de Turin. Quelles sont les merveilles qu'on découvre dans ce parc ? Justement… : la vallée des Merveilles qui porte sur ses parois rocheuses des milliers de gravures datant de la fin de la préhistoire. On découvre aussi 2 000 espèces de plantes dont 60 espèces d'orchidées sur les 79 identifiées en France ; 153 espèces d'oiseaux, dont la perdrix bartavelle, le lagopède alpin, la chouette de Sibérie ou le hibou petit-duc d'Afrique du Nord ; on comptabilise 10 000 espèces d'insectes sur les 36 000 répertoriés dans l'Hexagone, 19 espèces de chauves-souris, des cerfs, des sangliers, des chevreuils… ; on découvre des forêts de mélèzes, entre 1 800 et 2 400 mètres ; des mouflons, des bouquetins, des gypaètes, et… 9 meutes de loups.

La Guadeloupe, l'île aux belles eaux, parc national

Le premier parc national français d'outre-mer est inauguré le 20 février 1989, en Guadeloupe. Depuis 1994, il est classé « réserve de la biosphère mondiale » par l'UNESCO.

Grand-Cul-de-Sac et la mangrove

Le cœur du parc national de Guadeloupe couvre 17 300 hectares, son aire d'adhésion 16 200 hectares pour 11 communes et 22 000 habitants. Au cœur de son cœur, à la jonction de Grande-Terre et de Basse-Terre, la réserve maritime de Grand-Cul-de-Sac qui s'étend sur 2 200 hectares comprend une barrière corallienne et une mangrove – la mangrove est un type particulier de forêt littorale, constituée de palétuviers, enracinés dans de vastes surfaces vaseuses sur les littoraux tropicaux ; à marée basse, on y découvre un étonnant paysage de racines emmêlées. Crustacés, mollusques, oiseaux, poissons peuplent la mangrove – dont l'anabas ou perche grimpeuse, ou le périophtalme qui peut vivre hors de l'eau pendant plusieurs jours.

Le racoon, emblème du parc

Dans le parc entier, 300 kilomètres de traces – les sentiers – permettent de sillonner la forêt tropicale ou le littoral Grand-Cul-de-Sac-Marin, de contempler les chutes de la rivière du Grand Carbet. 816 espèces végétales ont été recensées, dont 100 espèces d'orchidées, 300 espèces d'arbres – le gommier, le mancenillier, le fromager, le courbaril, l'acajou, le bois de rose –, des dizaines d'espèces de plantes suspendues, et 70 de fougères, dont les fougères fluorescentes. La faune est composée de racoons – le racoon est l'autre nom du raton laveur, l'emblème du parc –, d'agoutis, de mangoustes, de lézards-geckos appelés aussi mabouyas… –, d'iguanes, de tortues, et de 33 espèces d'oiseaux dont le râle gris, le balbuzard pêcheur, la petite sterne, le pic noir des Antilles, ou tapeur. Tout cela dominé par les Deux mamelles (des pitons aux formes particulières, le piton de Petit-Bourg et le piton de Pigeon), la Soufrière, ses fumerolles, et ses 1 467 mètres d'altitude.

Les Hauts de la Réunion

Le décret d'application de la nouvelle loi sur les parcs nationaux, daté de juillet 2006, donne naissance à une nouvelle structure : l'établissement public Parc Nationaux de France – ou PNF pour sacrifier à la mode des sigles. Quelques mois plus tard, un nouveau parc national voit le jour : les Hauts de la Réunion. Son cœur comprend trois parties :

- ✔ Le cœur naturel d'une surface d'environ 100 450 hectares.

- ✔ Le cœur habité – les îlets habités de Mafate et les Trois-Salazes – qui couvrent 3 400 hectares.

- ✔ Le cœur cultivé d'une surface d'environ 1 600 hectares.

À ces trois parties, s'ajoute la zone de libre adhésion. De multiples paysages se succèdent dans ces zones désormais protégées : des traces abruptes et vertigineuses du relief volcanique, avec ses fascinantes cascades – Maniquet, Chaudron… –, aux hautes plaines, aux pentes apaisées qui rejoignent les plaines littorales. Y volent le busard de maillard ou papangue, l'échenilleur ou tuit-tuit, le pétrel noir de bourbon, le pétrel de barau, la caille patate, le tec-tec, l'oiseau blanc, le zozieau la vierge… ; y rampent des geckos verts de Manapany, les camélons ou endormis ; y nagent des truites arc-en-ciel, des tilapias ; y croissent toutes sortes d'arbres – bois de cabri rouge, bois de joli cœur… ; vous y attendent mille fruits exotiques…

Le parc amazonien en Guyane

300 000 sortes d'insectes – sans compter les dizaines de milliers d'autres qui ne sont pas répertoriés –, 1 600 espèces de vertébrés, 6 000 espèces végétales, au moins… Tout cela n'est qu'une évaluation basse de ce que vous découvrirez dans ce que François Mitterrand nomma – en annonçant ainsi le projet – le Grand Parc de la forêt tropicale guyanaise, lors du sommet de la Terre à Rio, en 1992. Quatorze ans plus tard, le parc s'ouvre au sud de la Guyane. Il couvre 36 000 km², dont 19 000 km² de cœur de parc. Une charte de préservation et d'aménagement du parc permet aux communes de s'intégrer à la zone de libre adhésion.

Les Calanques de Marseille-Cassis

Aux portes de la deuxième ville de France – Marseille – : les Calanques ! Evidemment, qui dit porte, dit sortie vers l'air pur des loisirs, vers la tranquillité si possible alliée à la beauté. On trouve tout cela dans les Calanques de Marseille – un massif calcaire de 5 000 hectares dont la bordure marine semble née de la colère des pierres et de celle des flots. Sur les 38 kilomètres qui relient la Pointe-Rouge à la baie de Cassis, on s'émerveille des falaises coiffées de pins, des à-pics plongeant dans l'écume des vagues, des plateaux entrecoupés de vallons, de crêtes, d'aiguilles… 900 espèces végétales sont recensées dans les Calanques, dont 50 sont protégées – ainsi qu'une trentaine d'espèces d'oiseaux, l'aigle de Bonelli par exemple, ou bien le martinet pâle. On y protège aussi la grotte découverte par Henri Cosquer, et qui porte son nom – les gravures et dessins datent de 18 000 à 28 000 ans, au temps où le niveau de la mer était de 130 mètres inférieur à celui d'aujourd'hui – la variation du niveau de la mer porte le nom d'eustatisme !

Mais on remarque également, dans les Calanques, tous les jours, mille espèces de grimpeurs, de randonneurs, de chasseurs, de plongeurs, de cabanoniers, pour la pêche, la pétanque, la détente… Beaucoup pensent que le projet de parc national Les Calanques de Marseille-Cassis permettrait de réglementer une fréquentation du site qu'ils estiment dangereuse pour l'environnement. Nombreux sont ceux qui, en revanche, s'opposent à ce projet, estimant que le classement des Calanques en parc national attirerait encore davantage de touristes ! Dès 1934, on s'est préoccupé de la protection du site, classé dans son ensemble en 1975. Est-ce suffisant aujourd'hui ? Seul le paysage peut répondre…

Chapitre 26

Dix parcs régionaux

• •

Dans ce chapitre :

▶ Soyez informé de l'actualité des parcs naturels régionaux français

▶ Promenez-vous dans la France des parcs naturels

▶ Faites mille projets de visites

• •

*P*eut-être vivez-vous à proximité d'un parc naturel régional. Peut-être pas. Dans l'un ou l'autre cas, pensez-vous à arpenter ces espaces préservés qui n'auront de raison d'exister et ne vivront que grâce à vos pas ? Allez, la nature est là-bas, qui vous invite et qui vous aime...

Dix parcs régionaux

Entretenue au fil des jours et des siècles par une abondante main-d'œuvre rurale, la campagne est désertée dans les années soixante. Presque abandonnée. Ceux qui restent consentent aux modifications du paysage, aux impératifs de la nouvelle agriculture. Cependant, beaucoup de zones rurales sont en péril : fragiles, elles sont menacées de déséquilibre de toutes sortes par manque de moyens, d'encadrement. La Direction de l'aménagement du territoire et de l'action régionale (DATAR) décide d'agir, en 1967, en proposant la création de parcs naturels régionaux.

12 % du territoire français

Créer un parc naturel régional, c'est organiser autour d'un projet la protection, la gestion et le développement de territoires ruraux fragiles, au patrimoine naturel et culturel riche. Créés et renouvelés sur l'initiative des Régions, les parcs régionaux, régis par une charte approuvée par l'État sont gérés par un syndicat mixte au moyen de fonds provenant des collectivités et de l'Etat. 7 millions d'hectares, plus de 3 millions d'habitants, 3 690 communes représentent 12 % du territoire français, voici les 44 parcs naturels régionaux disponibles à ce jour pour vos promenades, pour votre curiosité, pour votre souci de découvrir la nature, d'en goûter les charmes, mais aussi de la respecter, de la préserver :

- Armorique, Avesnois, Ballons des Vosges, Boucles de la Seine Normande, Brenne, Brière, Camargue, Caps et Marais d'Opale, Causses du Quercy, Chartreuse, Corse ;

- Forêt d'Orient, Gâtinais français, Grands Causses, Guyane, Haut-Jura, Haut-Languedoc, Haute-Vallée de Chevreuse, Landes de Gascogne, Livradois-Forez ;

- Loire-Anjou-Touraine, Lorraine, Luberon, Marais du Cotentin et du Bessin, Martinique, Massif des Bauges, Millevaches en Limousin, Montagne de Reims ;

- Monts d'Ardèche, Morvan, Narbonnaise en Méditerranée, Normandie-Maine, Oise- Pays de France, Perche, Périgord Limousin, Pilat ;

- Pyrénées Catalanes, Queyras, Scarpe-Escaut, Vercors, Verdon, Vexin Français, Volcans d'Auvergne, Vosges du Nord.

Le Parc naturel régional de Scarpe-Escaut

Le premier parc régional créé en 1968, dans le Nord-Pas-de-Calais, porte le nom de Parc naturel régional Scarpe-Escaut. Sur 43 240 hectares, il rassemble 48 communes pour 174 000 habitants. On s'y promène dans la vallée de la Scarpe, sur les berges de l'Escaut, dans les forêts de Marchiennes, de Raismes-Saint-Amand. On y découvre le terril Sabatier, au sommet duquel apparaît la chaîne d'autres terrils, montagnes de cailloux non combustibles, déposés là au temps de la mine. On y reconnaît le séneçon d'Afrique à ses petites fleurs jaunes, le machaon, papillon aux ailes jaune et noir, le criquet aux ailes bleues… On y flâne près des étangs miniers qui se sont affaissés au pied des terrils, et que les oiseaux ont choisis pour domicile – ainsi, la mare à Goriaux, réserve biologique de près de 300 hectares, halte pour les oiseaux migrateurs.

Le parc naturel régional naturel d'Armorique

Deux ans avant la création, en 1971, du ministère de la protection de la nature et de l'environnement, un décret du Premier ministre concrétise, en 1969, le projet de parc naturel régional d'Armorique – le classement par décret est renouvelable tous les dix ans. Le parc naturel d'Armorique couvre 172 000 hectares, dont 60 000 hectares en espace maritime. Il concerne 52 000 habitants pour 39 communes adhérentes auxquelles s'ajoutent Brest, et 4 communes associées : Landerneau, Carhaix, Châteauneuf du Faou et Le

Conquet. Si vous décidez de l'arpenter, vous devrez choisir – ou mieux, vous choisirez de tout visiter, tant opérera sur vous le légendaire charme armoricain… – :

✔ Les îles de la mer d'Iroise

✔ La presqu'île de Crozon

✔ L'Aulne maritime

✔ Les Monts d'Arrée

Le parc régional naturel du Pilat

Entre Lyon et Saint-Étienne, dans le département de la Loire et du Rhône, 63 000 hectares portent, depuis 1974, le nom de parc naturel régional du Pilat. Il englobe 47 communes rurales pour 50 000 habitants, sur 700 km². Le massif éponyme – qui donne son nom à l'ensemble – culmine à 1 432 mètres, au sommet du crêt de la Perdrix. Trois climats se rencontrent en cette zone au riche patrimoine naturel et culturel : la chaleur méditerranéenne, les contrastes continentaux et la douceur océanique. Cette rencontre permanente a donné naissance à cinq paysages :

✔ Le Haut-Pilat – il est formé de plateaux à 1 000 mètres d'altitude qui dominent le bassin stéphanois. Les prairies d'élevage y sont parsemées d'importantes fermes de granit, mais aussi de narcisses, de jonquilles, de crocus, de colchiques, de pensées…

✔ Le Pilat du Jarez – il est situé au nord du massif, et propose au visiteur ses paysages de landes, de pâturages, de gorges profondes, ses reliefs pour barrages, ses forêts de résineux.

✔ Le Piémont rhodanien – à cheval sur les départements du Rhône et de la Loire, c'est le pays des pommiers et des vignobles escarpés sur les coteaux le long du Rhône ; de ces lieux proviennent la côte-rôtie, le saint-joseph, le condrieu…, avec modération !

✔ Les Crêts – c'est le cœur du massif du Pilat ! On s'y promène dans le grandiose à travers de vastes éboulis rocheux – les chirats –, dans les forêts de hêtres, ou des étendues de landes ; à skis en hiver, pour de magnifiques randonnées au cours desquelles on aperçoit le Jura, les Alpes, et bien sûr, le Massif central !

Le Parc naturel régional du Vercors

Entre la vallée de l'Isère au nord et le Diois au sud : les 186 000 hectares du parc naturel régional du Vercors, créé le 16 octobre 1970 ! Gouffres, grottes, cirques, gorges profondes, taillés par l'eau dans le calcaire au fil des siècles, vous garantissent un spectacle sans pareil ! Que vous vous y promeniez à pied, à skis, à vélo, vos haltes vous raviront : celles qui vous feront faire un bond en arrière de 250 000 ans, dans les PME de taille de silex qui existaient à cette époque… ; haltes dans les sept régions naturelles du parc : les Quatre-montagnes, les Coulmes, le Vercors Drômois, le Royans, le Diois, le Trièves et la Gervanne ; haltes au fil de votre ascension du Vercors, afin de comprendre les étagements de la végétation.

L'ascension du Vercors

✔ De 200 à 900 mètres, les forêts de chêne pubescent et pin sylvestre sur les éboulis calcaires, les bois de pin noir d'Autriche, les forêts de chêne, de charme et de châtaignier ; dans le Diois et la Gervanne qui bordent le massif au sud, le chêne vert, le pistachier térébinthe, le thym, la lavande…

✔ Entre 900 et 1 600 mètres, voici le hêtre et le sapin, le pin sylvestre, et des coteaux ensoleillés.

✔ De 1 600 à 2 100 mètres, nous atteignons l'étage subalpin où se trouvent le sapin, le pin à crochets, l'épicéa. Plus haut, des rocailles pentues…

✔ De 2 100 à 2 341 mètres, voici l'étage alpin : plus d'arbres sur les crêtes. Du vent…

Partout, ce qui enchante…

Partout, dans le Vercors, riche flore – orchidées, primevères – et riche faune – vous attendent. Ce qui vole : la bondrée apivore, le circaète jean-le-blanc, l'hirondelle de cheminée, l'hirondelle de fenêtre, l'hirondelle des rochers, le martinet noir, le martinet alpin, la buse variable, la chouette hulotte, le rouge-queue noir. Ce qui court et vous fuit : bouquetin, mouflon, chamois, cerf, sanglier, chevreuil, blaireau, lièvre brun, écureuil, renard. Ce qui rampe : la couleuvre verte et jaune, la vipère aspic. Partout, ce qui enchante…

Le Parc naturel régional de Corse

Le cerf de Corse ? Un souvenir, sur l'île… C'est pour éviter que semblable situation ne se reproduise, pour protéger le mouflon de Corse, le balbuzard pêcheur, le gypaète barbu, ou bien les formations végétales fragiles, telles les pozzines, que le parc naturel régional de Corse a été créé en 1972. Il recouvre aujourd'hui plus du tiers de l'île avec ses 350 510 hectares, regroupant 145 communes sur les départements de Haute-Corse et de Corse-du-Sud. Voulez-vous le visiter ? Suivez le guide : voici le golfe de Porto et la réserve naturelle de Scandola, façade maritime classée sur la liste des sites naturels du patrimoine mondial de l'UNESCO. Classés aussi les plus hauts massifs : la grande Barrière qui s'étale du Monte Cintu au nord-ouest jusqu'aux aiguilles de Bavella, au sud-est. Partout on protège, partout on surveille afin que le patrimoine ne se dégrade pas, qu'il témoigne du soin et du respect que nourrissent les Corses pour leur passé. On entretient les bergeries, les moulins, les maisons anciennes, les chapelles romanes. On préserve les vestiges archéologiques – Pianu di Livia. Bref, on y attend tous ceux qui nourrissent le même amour pour la nature. Vous, par exemple.

Le parc naturel régional de la Brenne

Entre Poitiers et Châteauroux, aux confins du Berry, de la Touraine et du Poitou, voici le parc naturel régional de La Brenne ! Né en 1989, il a permis le référencement et la préservation de 2 000 espèces d'insectes, lépidoptères, coléoptères.

- ✔ Il vous permet de vous extasier devant 61 espèces de libellules, devant des populations de lucanes cerf-volant à l'impressionnant vrombissement dans les soirs de canicule.

- ✔ Il vous offre la contemplation de ses papillons : l'Azuré des mouillères, le Grand cuivré, le Damier de la succise...

- ✔ Il vous invite à la pêche à la lamproie, à la fréquentation des amphibiens : le rarissime Pélobate brun, le Sonneur à ventre jaune, les tritons marbrés et crêtés, les Rainettes vertes, les crapauds calamites et pélodytes ponctués...

- ✔ Il vous fait respecter la présence des vipères aspics, des couleuvres à collier.

- ✔ Il vous fait tendre le col pour observer les canards, les grèbes, les foulques, les cormorans, les grandes aigrettes, les vanneaux, les garots à œil d'or, les filigules nyroca... Les cerfs, les chevreuils, les sangliers croiseront votre sentier bordé de mille herbes et fleurs rares aux jolis noms de bruyères pour Apollinaire... Maintenant, perdez-vous dans la forêt du parc de la Brenne, vous ne pourrez que vous y retrouver !

Le Parc naturel régional de Martinique

Envie de bleu, de vert, de couleurs tropicales ? Envolons-nous pour les Antilles, atterrissons à Fort-de-France. Dirigeons-nous vers le domaine de Tivoli, ancienne exploitation datant du XVIIIe siècle, où on cultivait la canne à sucre, l'indigo et le cacao. C'est là qu'est implanté le siège du PNRM (Parc naturel régional de la Martinique...). On vous y apprendra que le parc couvre 64 000 hectares qui concernent directement les communes de Carbet, Saint-Pierre, Prêcheur, Fonds-Saint-Denis, Morne Vert, Morne Rouge, Ajoupa Bouillon, Basse Pointe, Macouba, Grand Rivière, Lorrain, Marin, Sainte Anne, Rivière Pilote, Trois Îlets, Anses d'Arlets et Diamant ; et en partie, les communes de Schoelcher, Case Pilote, Bellefontaine, Marigot, Gros Morne, Saint-Joseph, Trinité, Robert, François, Vauquelin, Saint-Esprit, Sainte-Luce, Lamentin, Ducos et Rivière Salée. Ces communes sont réparties dans l'île toute entière, mais la majeure partie se trouve au nord. Forêts tropicales, massifs volcaniques, presqu'île de la Caravelle, côte sud avec les salines et la forêt des pétrifications, région du Diamant... Pour visiter tous ces sites, la flore et la faune de l'île, 31 sentiers balisés vous attendent.

Le Parc naturel régional du Perche

À l'écomusée du Grand Moulin, à La Basoche-Gouët, vous saurez tout sur les mécanismes de la meunerie au XVIIe siècle ; l'espace Saint-Simon vous accueillera à la Ferté-Vidame – l'ombre de Louis de Rouvroy, duc de Saint-Simon (1675-1755), l'auteur des *Mémoires* aux mille portraits de cour, au style inimitable, y plane encore... ; au musée Alain, de Mortagne-au-Perche, vous saurez tout et le reste sur le philosophe natif du lieu : Emile Chartier, dit Alain ; à moins que vous ne préfériez visiter la Maison du filet, à la Perrière – noués, brodés ou perlés, ces filets, qui sont en réalité une fine dentelle, vous emporteront dans des rêveries grand siècle ; si vous privilégiez la promenade à pied, voici des châteaux, des manoirs, des églises, des abbayes, en grand nombre, qui déclinent à l'envi toutes les nuances des pierres alentour qui ont servi à leur construction ; partout le rappel des traditions populaires dans des cadres naturels séduisants ; partout le charme bucolique du Perche enchanteur, avec son cidre, ses rillettes, ses confitures, son miel...

Le Parc naturel régional de la Forêt d'Orient

Soit trois grands lacs, trois lacs immenses créés par l'homme pour réguler le cours de fleuves qui, parfois, débordent d'une générosité dont on se passe : la Seine et l'Aube.

✔ Le lac d'Orient, 2 500 hectares, mis en service en 1966. Il est destiné à réguler le cours de la Seine.

✔ Le lac du Temple, 1 800 hectares, mis en service en 1990.

✔ Le lac Amance, 500 hectares, mis en service en 1990, il est relié au lac du Temple par un canal. Ces deux lacs régulent le cours de l'Aube.

Soit, au total, 4 800 hectares qui accueillent les loisirs nautiques les plus variés : la baignade, la voile, la plongée, le motonautisme – le lac Amance est le plus grand lac d'Europe destiné au motonautisme. Soit tout autour de ces lacs une région où l'eau, la terre et la forêt se disputent habilement la place depuis des siècles, mêlant parfois leurs territoires au point d'emplir d'inquiétude l'homme qui se tire d'affaire en inventant des légendes.

Oies sauvages, grues cendrées...

Terre de mystère, la terre de la forêt d'Orient – on ne sait trop pourquoi elle porte ce nom, certains avancent une origine maçonnique... Mais terre de charme avant tout : à 25 kilomètres à l'est de Troyes, dans l'Aube, au sud de la région Champagne-Ardenne, 70 000 hectares, 20 000 habitants et 50 communes composent le parc naturel régional de la Forêt d'Orient – l'un des noms les plus attirants parmi tous les noms de parcs régionaux... Des milliers d'oiseaux en route pour leur migration vers le soleil, font escale sur les trois grands lacs : oies sauvages, grues cendrées, rapaces, canards, mais aussi la cigogne noire, le balbuzard pêcheur ou le pycargue.

Torchis et poils de vaches

Promenez-vous dans ce parc, à la découverte de la Champagne crayeuse gagnée sur la nature, de la Champagne humide, riche de son sol alluvionnaire, parsemée de petits étangs jadis creusés par les moines sans qu'on sache vraiment pourquoi ; pêchez-y la carpe, le brochet et le gardon. Attardez-vous dans les villages à l'architecture si particulière dont le chêne de la forêt d'Orient constitue l'ossature, dont le torchis est issu de l'argile prise dans le sol tout proche, dont les briques proviennent de briqueteries locales. Faites halte devant l'église Saint-Quentin, à Mathaux : son torchis est aussi composé de... poils de vaches ! D'autres églises anciennes vous attendent, et puis des auberges... Un exemple du choix des viandes dans le menu ? Soit : andouillette de Troyes AAAAA faite main par "M. Thierry", rattes et ratafia de Champagne ; selle d'agneau rôtie ail confite, navarin de légumes, huile de romarin ; mignon de Charolais à la plancha, vin rouge et échalotes confites ; pigeonneau flanc rôti, alicots confits, foie gras et cèpe... Bon appétit !

Le parc naturel du Vexin français

Terminons ce parcours de dix parcs naturels régionaux par le grenier... à blé de Paris : le Vexin français (les Véliocasses, tribu gauloise, ont donné leur nom au Vexin). Le Parc naturel régional du Vexin français, créé en 1995, couvre 66 000 hectares, 94 communes pour 79 000 habitants.

Rollon et Charles

Pourquoi cet adjectif qualificatif, épithète de Vexin : français ? Transportons-nous sur les bords de la rivière Epte, à Saint-Clair, près de Vernon, en 911 de notre ère : c'est là que se rencontrent le roi de France Charles le Simple et le chef des Normands qui mettent villes et campagnes à feu et à sang : Rollon. Ils décident de faire la paix. La rivière Epte servira de partage du Vexin : à l'est, le Vexin français, à l'ouest, le Vexin normand, et... la Normandie. Rien n'a changé depuis...

La Roche Guyon

Le temps passe, cent ans, deux cents ans… Nous voici au début du
XIIe siècle. Rien ne va plus entre les Anglais et les Français – depuis
longtemps déjà, et pour longtemps encore… Il faut donc penser à construire
de solides bastions afin de résister à d'éventuelles et perfides attaques. Voilà
pourquoi s'élève, en ce début du XIIe siècle, au bord de la Seine – tout près
de son affluent, l'Epte –, le château de la Roche Guyon.

Une voie rapide romaine…

Entrant aujourd'hui par l'ouest dans le parc naturel régional du Vexin
français, vous en découvrirez l'impressionnant donjon au sommet de la
colline qui domine la commune du même nom : La Roche Guyon. Beaucoup
d'autres châteaux vous attendent, datant pour la plupart des XVIIe et
XVIIIe siècles – Ennery, Montgeroult, Condécourt –, mais aussi des moulins,
des lavoirs, des colombiers, des églises… Préparez vos promenades en GR –
sentiers de grandes randonnées – dans la vallée du Sausseron, en passant
par Auvers-sur-Oise (où vécut Van Gogh, en 1890, chez le docteur Gachet) ; à
moins que vous ne préfériez la chaussée Jules César – la voie rapide romaine
Lutèce-Caracotinum (Paris-Harfleur), réhabilitée aujourd'hui, entre Pontoise
et Magny-en-Vexin. Et si la nuit vous surprend, tout est prévu : gîtes ruraux,
gîtes d'étape, campings, hôtels, chambres chez l'habitant, chambres
d'hôtes… Bon parc, et bonne nuit !

Chapitre 27

Dix vins divins !

• •

Dans ce chapitre :

▶ Faites connaissance avec la pensée de Brillat-Savarin

▶ Partagez la passion d'Eric Beaumard pour dix vins divins

• •

*L*e vin, la plus aimable des boissons, date de l'enfance du monde ! Peut-être avez-vous déjà rencontré, au fil de vos lectures, ce jugement sur le vin, signé Anthelme Brillat-Savarin – deux fois apparu dans ce livre. Rappelez-vous : Brillat-Savarin est l'enfant de Belley dans l'Ain. Député des Etats généraux en 1789, maire de Belley en 1793, exilé à New York en 1794 où il devient... premier violon au théâtre de la ville, commissaire du gouvernement sous l'Empire, conseiller à la cour de cassation ensuite... Brillat-Savarin demeure avant tout, dans la mémoire collective, le prince des gastronomes, l'auteur de *La Physiologie du goût* – ouvrage au succès fulgurant, paru en 1825. On y trouve aussi cette affirmation : *Ceux qui s'indigèrent ou qui s'enivrent ne savent ni boire ni manger.* Alors, aimable, le vin ? Oui, sans aucun doute, mais à la seule condition qu'on le consomme avec modération. Un verre, un seul, ou même un demi-verre, peut suffire au bonheur de la rencontre des saveurs que vous allez trouver ici mises en mots par un grand connaisseur : Eric Beaumard...

Le choix d'Eric Beaumard

Un pari, une gageure, une mission impossible : choisir dix vins dignes de figurer sur la carte de tous les dieux de tous les Olympes, dix vins parmi dix mille ou davantage, dix vins qui feraient halte dans ces pages après avoir connu les Phéniciens, les Grecs, les Romains, les rois et les empereurs ! Dix vins témoins des temps anciens et pleins de promesses d'avenir... Il fallait un grand spécialiste en œnologie pour répondre à ce défi, pour effectuer ce choix délicat. Il fallait un passionné d'histoire, de géologie, de géographie, de gastronomie, de sciences, de littérature – puisque l'étude du vin procède de la plus vaste des cultures ! Il fallait Eric Beaumard, meilleur sommelier de France en 1992, d'Europe en 1994, vice-champion du monde des sommeliers en 1998 ! Aujourd'hui chef du restaurant du George V à Paris, il a choisi les vins que voici...

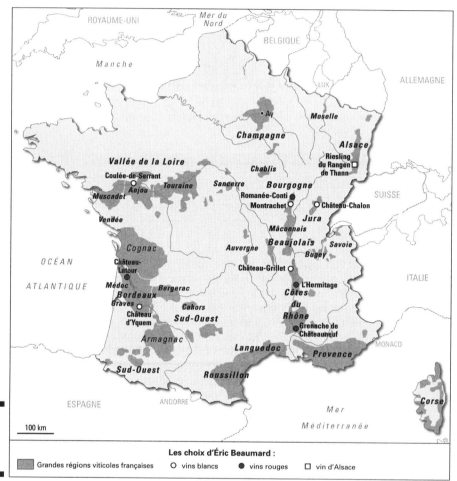

Figure 27-1 :
La France
des
vignobles.

Les choix d'Éric Beaumard :

Grandes régions viticoles françaises ○ vins blancs ● vins rouges ☐ vin d'Alsace

Les cinq très grands vins blancs

« Le seul fruit au monde à rendre la terre intelligente, c'est le raisin ! » Ainsi
parle Eric Beaumard, qui entre dans le vif du sujet en citant Curnonsky, le
prince des gastronomes – né à Angers, mais que vous rencontrâtes, rappelez-
vous, page 65 – « Curnonsky plaçait au rang des plus précieux bijoux de la
couronne cinq grands vins blancs : le Montrachet, le Savennières, le Château-
Grillet, le Château-Chalon et le Château Yquem… »

Le Montrachet

Le Montrachet (Eric Beaumard prononce mon-rachet ; vous entendrez aussi, mais moins souvent, la prononciation *mont* (avec le t audible) – *rachet* ; quelle est la meilleure ? les deux sont en usage au pays du montrachet...) trouve son origine en des temps fort lointains : au XIIIᵉ siècle, les moines cisterciens reçoivent quelques pieds de vigne en donation, sur le Mont Rachaz, ou Mont Chauve, entre Puligny-Montrachet et Chassagne-Montrachet, au sud-ouest de Beaune. L'écrivain Stendhal n'y a vu qu'une colline pauvre et maigre... Sans doute ! Mais savait-il que la vigne donne son meilleur résultat là où rien d'autre ne peut tenir ? Les grands propriétaires qui se sont succédé au fil des siècles en ce lieu ont su faire du Montrachet le roi des vins blancs ! Au Montrachet, on dit chapeau bas, comme le disait Alexandre Dumas ! Il se gorge de soleil, entre 9 heures et 21 heures, sur son coteau orienté à l'occidentale. Le Montrachet, c'est la richesse, c'est l'opulence, c'est le plus grand bourgogne blanc qui existe. Son vieillissement peut aller de quinze à vingt ans ; sa bouteille est immuable.

La Coulée de Serrant

Très grand vin blanc, la Coulée de Serrant, appellation Savennières ! Plus discret dans sa prime jeunesse, mais son vieillissement est fabuleux ! Le vignoble se trouve près de... Savennières, petite ville située à une quinzaine de kilomètres au sud-ouest d'Angers, à la limite de la géologie armoricaine. Il a été planté par des moines cisterciens au XIIIᵉ siècle. Leur monastère – qui existe toujours – était voisin du château de la Roche aux Moines où Jean sans Terre fut mis en déroute par le fils de Philippe Auguste, en 1214. Toujours en vigne jusqu'à ce jour, le coteau a souvent été placé sous la conduite des femmes : les bourgeois angevins achetaient à leurs épouses un vignoble pour qu'elles exercent leurs talents à produire du vin ! En ce lieu, près du coteau de Savennières, face à l'île Béhuard, le Layon rejoint la Loire ; celle-ci prend des rondeurs océanes, elle est plus large, le climat est d'une douceur idéale. La Coulée de Serrant est située plein sud, sept hectares sur sept géologies stratifiées ! C'est un des tout premiers vins blancs français.

Le Château-Grillet

Le Château-Grillet ! Un des plus beaux ambassadeurs aromatiques qu'on possède dans les grands vins français ! Sur un domaine unique de 3,74 hectares avec un seul propriétaire récoltant, ce vin est une micro appellation de Condrieu – la ville de Condrieu se situe à une quinzaine de kilomètres au sud-ouest de Vienne, une trentaine de kilomètres au sud de Lyon. Le Château-Grillet, c'est seulement dix mille bouteilles par an ! Il a été cristallisé, transformé en icône, ou presque, par Fernand Point (1897-1955), le père de la gastronomie moderne, en son illustrissime établissement : la Pyramide, à Vienne – Sacha Guitry n'affirmait-il pas : « Pour bien manger en France ? Un Point, c'est tout ! »...

Le Château-Grillet provient d'un cépage qui fut ramené des côtes de Dalmatie – une région de la Croatie – par les Grecs et les Phéniciens. Pline l'Ancien (23-79) célèbre déjà le vin viennois dans le volume XIV de son Histoire naturelle. Son neveu, Pline le Jeune (61-114) le mentionne dans ses lettres ! Comment le caractériser ? C'est un vin très aromatique, il s'y mêle des parfums d'abricot et de violette. Il est à la fois sec et doux. Exceptionnel !

Le Château-Chalon

Le Château-Chalon, c'est le grand vin jaune du Jura, produit près d'Arbois ! Il rappelle le vin de Xérès, ce qui nous remet en mémoire que les Espagnols occupèrent assez longtemps la Franche-Comté, y apportant la technique du vieillissement appliquée au vin jaune. Ce vin a besoin d'un climat très sec, presque continental, afin que, dans les barriques, s'effectue une importante évaporation liée à la qualité de son vieillissement. Cette évaporation atteint 40 % ! Le vin reste six ans et trois mois en fût de chêne, sans soutirage. Une levure se développe à sa surface et le protège de l'oxydation ; ainsi, sa concentration devient incomparable.

Louis Pasteur, né à Dôle en 1822, mais venu s'installer avec sa famille à Arbois en 1827, fut très tôt intrigué par ces moisissures ; c'est là qu'est née sa vocation de biologiste ; et grâce à ses travaux, l'œnologie moderne est née ! Lorsque son vieillissement est terminé, le vin jaune est mis dans une bouteille spécifique de 62 centilitres, seule autorisée pour son conditionnement : le clavelin – le plus ancien clavelin débouché voici quelques années datait de... 1774 ; et le vin qu'il contenait ravit les papilles des privilégiés qui le goûtèrent !

Le Château d'Yquem

Le Château d'Yquem est un grand sauternes, le grand sauternes ! Sauternes se situe en Gironde, à quelques kilomètres de Langon. Yquem est un château féodal qui domine le vignoble de sauternes. Yquem, c'est 123 hectares d'un seul tenant ! Pour comprendre un grand sauternes, il faut effectuer une progression dans la dégustation : goûter d'abord des appellations latérales périphériques, puis de jeunes sauternes, et enfin, on est prêt pour le Grand Liquoreux ! Le site viticole de Sauternes a la chance d'avoir ses meilleures expositions côté est, ce qui est très important à cause des argiles en surface, qui donnent des vins très concentrés, très profonds, assez sévères, presque tanniques au demeurant !

Imaginez : on est dans les premières brumes d'octobre, à proximité d'une petite rivière qui s'appelle le Ciron ; la terre est chaude, l'humidité forte ; le matin, on est dans la brume totale : l'humidité se dépose sur les raisins. Cela crée alors un début de pourriture qui est stoppée net l'après-midi par un vent d'est ! Le soir, tout se refroidit, et le processus recommence le lendemain. Cette pourriture noble va suffisamment atteindre la peau des raisins pour que l'évaporation de l'eau s'effectue, en même temps que le sucre se concentre. Ainsi se forme le caractère unique des grands vins liquoreux, dont le Château d'Eyquem représente un majestueux équilibre !

Les champagnes d'Aÿ-Champagne

Impossible d'écrire ce chapitre sans mentionner l'un des vins français les plus renommés dans le monde : le champagne ! L'un des grands berceaux du champagne, Aÿ-Champagne regarde la Marne, en face d'Epernay. C'est là le berceau des grands pinots noirs qui donnent des vins séveux, des grands champagnes vineux, corsés, de long vieillissement, qui ont du corps. Pendant longtemps, les vins issus de ces coteaux étaient vendus comme vins tranquilles qui avaient spontanément tendance à devenir pétillants. Les celliers des monastères les ont alors tra-vaillés avec du sucre et des levures pour recréer les fermentations. Mais il fallait un verre plus épais pour contenir la pression du liquide. Ce verre épais a pu être produit en Angleterre au XIXe siècle, lorsqu'on a découvert comment monter à de très hautes températures avec les hauts fourneaux. En même temps, l'Angleterre concluait des contrats avec le Portugal pour la fourniture de liège destinés à faire des bouchons ! Le vin, c'est de la géographie, mais c'est aussi toute une histoire…

Quatre grands vins rouges

La Romanée-Conti, le Château-Latour, l'Hermitage, la Grenache de Châteauneuf, quatre joyaux que l'histoire et la géographie ont conduit jusqu'à nous…

La Romanée-Conti

Située entre Gevrey et Vougeot, la Romanée-Conti, c'est l'épicentre du pinot noir, le grand cépage noble de Bourgogne ! La Romanée-Conti allie noblesse et finesse. On la vendange en grappes entières avec le bois qui tient les raisins. La terre sur laquelle elle croît possède une géologie fabuleuse avec des sols argilo-calcaires, des socles et des blocs calcaires en profondeur !

Son exposition majeure se situe à 230 mètres d'altitude, sur des panneaux solaires pas trop pentus, assez riches en terres de surfaces pour que la vigne ne souffre pas.

Au XVIIIe siècle – en 1760, exactement –, le prince de Conti achète le domaine de la Romanée qui devient donc la Romanée-Conti, mais qui eût pu s'appeler la Romanée-Pompadour, la marquise, favorite de Louis XV, convoitant aussi le mythique coteau ! Son 1,8 hectare vaut une fortune – on ne compte que huit propriétaires depuis la Révolution ! La Romanée-Conti s'acquiert en caisse de douze bouteilles dont une seule de… Romanée-Conti ! Les onze autres proviennent de domaines voisins. La Romanée-Conti, c'est la perfection d'un grand vin unique !

Le Château-Latour

Le terroir du Château-Latour est unique. Il possède des qualités hydromorphiques remarquables. On trouve là-bas des collines appelées *croupes*, ou *moutons*, ou bien encore *lafites* – pensez à mouton-rotschild, à Château-Lafite – ; si on se penche un peu sur la toponymie, on se rend compte que ces mots *mouton* ou *lafite* sont issus du parler médocain : le mothon (mouton) et la lahite (lafite) désignent tout simplement la colline ! Ces élévations et les marais qui les bordent ont été drainés par les Hollandais au XVIIIe siècle. L'eau est recueillie dans des jales, de petits cours d'eau, qui s'en vont directement dans l'estuaire de la Gironde.

Le vignoble de Château-Latour est le plus proche de l'estuaire, il ne gèle pas. Situé sur des graves guntziennes (des graviers mêlés de sable et d'argile, qui datent de la glaciation de Gunz, il y a un million d'années) en surface, et de l'argile bleue en profondeur, il est à la fois solaire et océanique. Et cela fournit au cabernet sauvignon – dont le Château-Latour est issu – l'un de ses plus beaux écrins, au bouquet immuable, un vin qui tient entre trente et soixante ans, avec des bouquets et un équilibre fabuleux. Un grand Pauillac !

L'Hermitage

L'Hermitage ! On a longtemps écrit le nom de ce vin sans la lettre h initiale. Et on avait raison : en 1224, le chevalier Gaspard de Stérinberg demanda à Blanche de Castille de se retirer en ce lieu afin de faire pénitence après la croisade contre les cathares ; il y fit construire un ermitage. La vigne y était déjà présente. L'emplacement du vignoble de l'hermitage est remarquable : c'est une avancée du Massif central qui essaie d'embrasser le Vercors ! La forme du coteau est unique : il s'agit d'un piton rocheux découpé par le Rhône. Ce piton a longtemps bloqué les sédiments et les alluvions provenant des Alpes. Côté ouest, il est granitique et appartient au Massif central. Côté est, ce sont des poudingues – graviers ou pierres arrondis – liés par une espèce de ciment calcaire.

Le vignoble de l'Hermitage est coincé entre le Rhône et l'autoroute – à Tain-l'Hermitage, dans la Drôme, à 15 kilomètres au nord de Valence. Ses 135 hectares ne s'augmenteront donc pas de nouvelles surfaces… 30 hectares sont consacrés au vin blanc, dans la partie est du coteau. Tout le reste, à l'ouest, donne naissance à un grand vin rouge, profond, racé, unique, légèrement épicé, avec un bouquet de fruits rouges exceptionnel, des arômes de sous-bois avec l'évolution dans le temps. Les grands gibiers lui vont merveilleusement !

La Grenache de Châteauneuf

Un jour, Philippe le Bel se fâcha contre le pape de Rome, Boniface VIII. Un premier pape français fut alors élu, Bertrand de Got, qui devint Clément V en 1305 et s'installa à Avignon en 1309. Son successeur, Jacques Duèse, ancien évêque d'Avignon, prit le nom de Jean XXII. Cet épicurien fait venir tout exprès son poisson frais de Bourgogne par la Saône et le Rhône. Le dimanche, il se promène avec sa mule – qui garde sept ans ses coups de pied ; relisez Daudet… Pendant son pontificat, entre 1316 et 1334, il va donner à la vigne de Châteauneuf son véritable essor.

Les deux maturités

Á Châteauneuf, on se trouve en limite climatique de maturité du cépage utilisé – qui, dès l'origine, vient d'Espagne, par le couloir commercial gallo-romain qu'était la Narbonnaise. Plus la maturité est longue – de la floraison au mois de juin jusqu'à la vendange à la fin d'octobre –, plus le vin sera grand ! On a deux maturités dans le raisin : celle du jus concerne le sucre pour l'alcool, et celle des peaux et des pépins qui vont donner les tanins – des substances végétales qui donnent l'impression de rugosité sur les muqueuses, lors de la consommation. Plus le climat permet d'avoir une maturité des tanins, sans pour autant obtenir des degrés élevés en alcool, plus on aura un grand vin. Il faut prendre son temps avec la vigne, en lui en donnant.

Parfum de cerise noire…

À Châteauneuf, on est dans la partie nord du grenache, et l'une des plus belles parcelles est celle de la Crau, entre Bédarrides et Châteauneuf. On est sur des galets roulés, sur un socle de calcaires villafranchiens, c'est une conduite de vigne méditerranéenne, en forme de gobelet, très basse. Elle donne un grenache au parfum de cerise noire légèrement kirschée, poivrée. On y trouve aussi des notes boisées comme le bois de santal, des notes légèrement épicées… À tendance douce, le Grenache de Châteauneuf est très ample. C'est l'un des plus grands vins solaires européens !

Un grand vin blanc d'Alsace

Le Riesling ne laisse jamais indifférent, il donne au palais tant de saveurs, tant de soleil qu'on en conserve un lumineux souvenir...

Le Riesling du Rangen de Thann

Le Riesling est le seul terroir volcanique alsacien. Il est situé dans la partie sud des grands crus d'Alsace. Sa déclivité est de l'ordre de 50 % – on travaille au treuil ! Le Riesling est peut-être le plus grand cépage au monde ! Il est aromatique, possède une droiture hors du commun. Sa résistance au climat très froid est exceptionnelle – grâce à sa peau épaisse ! Le Riesling du Rangen de Thann possède un caractère qui mêle des notes d'agrumes, de fruits très mûrs, et d'autres notes légèrement pétrolées en raison de la minéralité du sol. C'est un vin cristallin, de type gothique. Autant on peut parler de type roman pour le Montrachet, ample, ventru, épaulé, à la très grande carrure, autant le Riesling est un grand gothique, toujours très tendu, filiforme, comme le cristal ! On est sur la contrebasse ou le violoncelle avec le Montrachet. Le Riesling du Rangen de Thann, c'est du violon, du stradivarius !

Chapitre 28

Dix des plus beaux villages de France

Dans ce chapitre :

▶ Laissez-vous imprégner par la beauté de dix villages d'exception

▶ Prévoyez déjà d'allonger cette liste à votre façon

*B*ien sûr, le plus beau village de France ou d'ailleurs est, en général, celui où on a eu la chance de naître, de grandir. Mais la vie nous réserve plusieurs naissances à la beauté… Et la France recèle mille et mille berceaux pour les accueillir : mille et mille petites villes serties dans les brumes matutinales, heureuses dans leur silence végétal, ou triomphantes sur quelque éperon rocheux. Mille occasions de naître, de renaître à la contemplation ! Voici dix des plus beaux villages de France, choisis dans tout le territoire, afin que chacun d'eux puisse devenir, pour vous, le premier nom d'une liste que vous enrichirez au fil de vos voyages.

Riquewihr en Alsace

Vin chaud, pain d'épice, musique, spectacles de rue, petits chalets de bois blond qui sentent bon le pin, petits objets qu'on achète, ravis d'imaginer le grand sourire de celle ou celui qui les découvrira, dans ses chaussons… C'est Noël ! Depuis le début de décembre, Riquewihr, 12 kilomètres au nord-ouest de Colmar, au nord du département du Haut-Rhin, clignote de toutes ses guirlandes, de toutes les couleurs, de toutes les façons ! Vous qui cherchez l'un des plus beaux marchés de Noël de France, le voici !

Mais Riquewihr, c'est aussi le printemps, c'est l'été – 20 000 spectateurs s'y pressent chaque jour pour le somptueux son et lumière de juillet et août ! –, c'est l'automne et ses vendanges pendant lesquelles caves et cours bruissent de toutes les gaietés. Et, toute l'année, Riquewihr offre le charme de ses rues aux maisons à colombages colorés où sont suspendues des enseignes métalliques – de véritables œuvres d'art ! Certaines façades possèdent un oriel – avancée en encorbellement (en saillie supportée par une poutre reposant sur une avancée de pierre ou de bois : le corbeau).

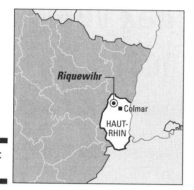

Figure 28-1 : Riquewihr.

Dans les cours intérieures, des puits, des fontaines allient artistement la pierre, le bois et l'élégance. Au coin des façades, des poteaux sculptés indiquent le métier de l'artisan qui vivait là, sans doute dès le XVIe siècle, lorsque la ville acquit le visage qu'elle a conservé intact jusqu'à aujourd'hui ! La perle du vignoble alsacien – vous goûtâtes quelque jour, sûrement, son riesling ! – vous propose son musée de la diligence, son musée Hansi – le dessinateur Jean-Jacques Waltz, dit Hansi, qui a représenté au début du siècle l'Alsace et l'Alsacienne, dans sa simplicité souriante…

Sarlat-la-Canéda en Dordogne

Vous qui êtes cruciverbiste et qui peinez sur les grands mots croisés du *Journal du Dimanche*, sachez que si vous vous fussiez promené à Sarlat-la-Canéda dans les années 60 et 70, vous eussiez pu approcher le responsable de la torture dominicale de vos méninges : Max Favalelli (1905-1989), juge arbitre de l'émission de la 2e chaîne de télévision – *Des chiffres et des Lettres* – auteur de définitions pleines d'humour, telle celle-ci : « vide les baignoires et remplit les lavabos »… : l'entracte ! Max était un Sarladais amoureux de tous les trésors de sa ville, de la mémoire de ses murs : on y découvre la maison natale d'Etienne de la Boétie – (1530 1563), l'ami de cœur de Montaigne (*Si on me presse de dire pourquoy je l'aymoys, je sens que cela ne se peut exprimer, qu'en respondant : Par ce que c'estoit luy, par ce que c'estoit moy.*) ; on s'y arrête pour rêver le passé, devant ses magnifiques hôtels particuliers, bâtis de pierre blonde, aux XVe et XVIe siècles, dont la toiture est faite de lauzes, larges pierres plates de la région.

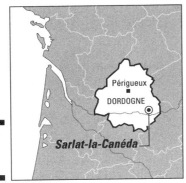

La capitale du Périgord noir, et son marché couvert aménagé dans l'église gothique Sainte-Marie, vous attendent avec du foie gras d'oie et de canard, des truffes, des pâtés, des rillettes, des confits, des magrets... Rendez-vous en novembre pour le festival du cinéma qui se déroule à Sarlat depuis 1991 – du 8 au 12 novembre en 2006. Rendez-vous aussi en juillet et août pour le festival annuel des jeux du théâtre – 55 éditions ! Rendez-vous à Sarlat, en toute saison !

Locronan en Finistère

130 vaisseaux, 30 000 hommes dont 20 000 soldats, des chevaux, des mules, un hôpital de campagne, telle est l'Invincible Armada qui lève l'ancre en juillet 1588, commandée par le roi Philippe II d'Espagne. Objectif : envahir l'Angleterre, ni plus, ni moins ! Gros plan sur les voiles des bateaux qui cinglent vers la perfide Albion... Savez-vous d'où viennent ces toiles résistantes que le vent gonfle comme un poumon qui ne manque pas d'air ? De Locronan, en Finistère !

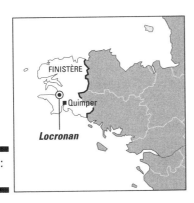

Terre, terre !

Depuis le XIVe siècle, à Locronan, on s'est spécialisé dans la fabrication de grandes pièces de chanvre qui peuvent équiper les plus grands navires de l'époque. Le 12 octobre 1492, lorsque la vigie de la caravelle de Christophe Colomb crie « Terre, terre… », la voile, tout près de lui, vient de Locronan ! La compagnie des Indes, lancée par Colbert en 1664, s'équipe en voiles… de Locronan ! La belle histoire se termine à la fin du XVIIIe siècle. Les bateaux sont devenus trop grands pour les métiers de Locronan ; on fabriquera alors des vêtements pour les marins, des sacs, des hamacs, presque rien au regard des années de la marine royale, des années de gloire !

Le nemeton

Locronan est inscrite depuis fort longtemps dans le passé, depuis le temps des Celtes qui ont tracé sur son sol le nemeton, un quadrilatère de 12 kilomètres de pourtour, dans lequel le parcours des astres est représenté. Douze points particuliers représentent, dans le nemeton, les douze mois de l'année celte. Ronan, l'évangélisateur, transforme en procession religieuse ce parcours effectué encore aujourd'hui sous le nom de Grande Troménie – douze kilomètres, douze croix et douze stations – tous les six ans (au XXIe siècle : 2001, 2007, 2013…) ; on peut aussi suivre la petite troménie annuelle de 6 kilomètres. Tout cela dans l'indicible beauté du granit bleuté des demeures, ornées de fleurs, et des champs proches caressés par le vent qui ne s'est pas déshabitué des voiles de chanvre, de Locronan !

Clisson en Loire-Atlantique

Figure 28-4 :
Clisson.

Du seigle, de l'orge, de l'avoine, du blé, des moutons, des vaches et des cochons… Des champs de chanvre, de lin, et des moulins pour casser les tiges, d'autres pour la fabrication du papier… Des ateliers pour le tissage des étoffes, 14 tanneries, une manufacture d'amidon… Telle était Clisson, tranquille, à l'ombre de son château où vécut Olivier IV, connétable de France qui succéda à du Guesclin, son compagnon d'armes ; où François II, duc de Bretagne, épousa, en 1471, Marguerite de Foix – de leur union, naquit Anne de Bretagne.

Plus tard, vint la Révolution. En 1797, après trois ans de massacres, la vallée de Clisson a tout perdu, ses moulins sur l'eau, ses champs de lin, ses ateliers. Tout est dévasté. C'est alors qu'arrivent les frères Cacault, tous deux natifs de Nantes où leur père est faïencier, place Viarme, tous deux amoureux de l'Italie pour y avoir séjourné, tous deux bouleversés par le martyre de la vallée de Clisson, et par sa beauté. Ils veulent reconstruire la ville, mais ils la veulent semblable à celles qu'ils ont aimées, en Italie !

Un sculpteur lyonnais qui a aussi séjourné à Rome – la statue d'Henri IV sur le Pont-Neuf, à Paris, est l'une de ses œuvres –, François-Frédéric Lemot, se joint aux frères Cacault en 1805. Deux ans plus tard, il achète les ruines du château ! Ainsi renaît Clisson qui peut aujourd'hui mettre en apposition à son nom le titre de *ville la plus italienne de France* ! En juillet, chaque année, tout Clisson s'installe dans l'harmonie des musiques d'Italie. En août, le château oublie ses blessures anciennes, pendant les journées médiévales, tout près des champs d'orge, d'avoine, de blé, tout près des moutons, des vaches dans les prés…

Les Baux-de-Provence en Bouches-du-Rhône

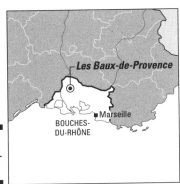

Figure 28-5 : Les Baux-de-Provence.

Aux Baux-de-Provence, dans les Alpilles, la cité morte domine le Val d'Enfer. Puissance des mots, n'est-ce pas : la cité morte, le Val d'Enfer… On frissonne de peur. Faites maintenant le voyage jusqu'au village. Frisson toujours… mais de bonheur ! Frisson dans l'indécis : la pierre claire, calcaire, aux reflets d'or, soutient-elle coûte que coûte la forme que lui donnèrent les hommes au fil des âges, ou bien reprend-elle son dû ? On dirait le temps suspendu, l'histoire close dans le château de partout écrêté.

Le château des seigneurs des Baux – chanté par Angelo Branduardi, en 1980 – fut construit du XIe au XIIIe siècle. Deux siècles durant, les princes du lieu maintiennent la population des environs sous leur ferme domination, et tiennent une cour d'autant plus brillante qu'ils sont persuadés de descendre des rois mages ! Plus précisément de Balthazar. De sorte qu'ils avaient choisi pour emblème l'étoile à 16 branches – celle qui avait guidé les rois mages vers Bethléem –, et pour devise : « Au hasard Balthazar ! »

La gloire passée, les Baux sont rattachés à la France en 1481. Le village actuel se développe à la Renaissance. Aujourd'hui, dans ses rues pentues, on longe avec délices les façades d'hôtels anciens, tel celui de Manville dont les fenêtres à meneaux (montants ou traverses de pierres dans les fenêtres du Moyen Âge) continuent de filtrer la lumière comme aux temps raffinés des damoiseaux énamourés... Halte : vous voici arrivé devant l'Oustaù de Baumanière ! Poussez la porte de cette demeure de la Renaissance où s'est installé, en 1945, Raymond Thullier. Asseyez-vous. Les plats qu'on vous prépare dans ce restaurant à la réputation mondiale, ont été appréciés par les plus grands artistes, les chefs d'Etat... Ne repartez pas sans avoir visité le Val d'Enfer, profonde et vaste galerie naturelle, devenue par la magie de la technique, une cathédrale d'images. Le Val d'Enfer, au paradis des Baux !...

Sant Antonio

Figure 28-6 : Sant Antonio.

Guido Savelli ! Oui ? La mission que je te confie, en ce début du IXe siècle, c'est de quitter Rome et de te rendre dans l'Île de Beauté (on la nommait sûrement ainsi, déjà à cette époque...), et d'en chasser les Sarrasins qui s'y sont installés ! Ainsi parla – à quelques mots près... –, le pape Léon III à Guido Savelli. Celui-ci sauta aussitôt dans un bateau, arriva à Bastia, ou bien à Aléria, ou à Porto-Vecchio, on ne sait plus trop, mais ce qui est certain, c'est qu'il s'acquitta de sa tâche, chassa les Sarrasins, puis s'installa en Balagne, au nord-ouest de l'île. Il y construisit une forteresse en un lieu élevé, un nid d'aigle pour abriter la population en cas de danger. De cette forteresse régulièrement agrandie par les Savelli, comtes de Balagne – riche région jadis, au point d'être nommée « le jardin de la Corse » –, il ne reste aujourd'hui que les vestiges d'une tour. Le village – le plus ancien de l'île – conserve d'étonnants passages voûtés au fil de ses rues en dédales. À mesure que vous gravissez le piton rocheux sur lequel s'est perché le village, collines et mer vous offrent leur harmonie, leur quiétude – vous pouvez même faire l'ascension à dos d'âne. Vous êtes parvenu en haut de Sant Antonio ? Plus un mot ? C'est normal, c'est trop beau…

Pradelles et la bête du Gévaudan

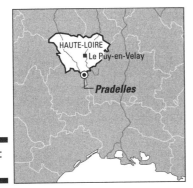

Figure 28-7 : Pradelles.

Venez les yeux en pleurs, / Écoutez je vous prie, / Le récit des horreurs / D'une bête en furie / Lorsqu'elle tient sa proie, / Cette cruelle bête / En dévore le foie / Le cœur avec la tête. / Monstre funeste, / Cet animal dévorant / À craindre comme la peste / Ne s'abreuve que du sang. / Sa grande cruauté / L'a fait voir à Pradelles, / Où elle a dévoré / Plusieurs jeunes pucelles…

La guerre, la peste

Pauvres pucelles, pauvre Pradelles ! C'était au temps de la bête du Gévaudan ! Depuis juin 1764, le village de Pradelles, situé à 1 000 mètres d'altitude sur un plateau aux confins du Velay, du Vivarais, et… du Gévaudan, subissait dans ses parages les attaques de la bête mystérieuse, un monstre qui fut abattu en 1767. Auparavant, le village – étapes des pèlerins vers Compostelle – assiégé pendant les guerres de religion, en 1588, avait été sauvé par… une jeune fille, Jeanne de la Verdette : voyant s'avancer vers elle le capitaine assaillant, elle lui avait lancé sur le casque une si grosse pierre qu'il en fut assommé – aujourd'hui le nom d'une des portes de la ville. Puis, Pradelles échappa de peu à la peste en 1721 : l'épidémie remontant la vallée du Rhône, les habitants avaient sollicité les conseils de carabins – des étudiants en médecine. Conseils qui se résumaient à cette ordonnance : faites des fumigations. Les Pradellains en firent tant et tant... qu'ils incendièrent une partie du village ! Ce qui le sauva du fléau, la flamme étant un puissant désinfectant.

Mandrin, Stevenson...

Pradelles fut aussi l'une des haltes favorites de Mandrin et de sa bande – Mandrin que vous avez rencontré dans la Drôme, en 1755... Un siècle et quelques années plus tard – en 1878 –, l'auteur de *L'Île au trésor*, Robert-Louis Stevenson, passe par Pradelles au cours du périple qu'il raconte dans son livre : *Voyage avec un âne dans les Cévennes*. Vous pouvez suivre les traces de cet écrivain écossais – qui tentait de soigner sa tuberculose par le bon air cévenol, en compagnie de son ânesse Modestine – en empruntant le sentier GR 70. Il passe par Pradelles.

Aujourd'hui, Pradelles occupe toujours la place qui fut choisie par ses fondateurs romains, au temps du Castrum Pratellae ; on pouvait y surveiller le territoire s'étendant au-delà de la vallée de l'Allier, jusqu'aux crêtes du Mont-Lozère. On le peut encore, aujourd'hui : après avoir parcouru la ville, sa place de la halle entourée d'arcades, ses portes et ses portails, son ancienne tour d'enceinte, on atteint le jardin public du Calvaire où se trouve une table d'orientation. Installez-vous. Tout est si beau, il fait si bon... Demeurez là, n'en bougez plus ! On dira pour vous que la vue était si belle que vous vous êtes fait sentinelle, afin de préserver Pradelles de quelque invasion !

Gerberoy, la cité des roses

Cinq fois détruite ! Cinq fois reconstruite ! Gerberoy ne trouva la paix qu'après le démantèlement de son château et de ses remparts. Située entre Normandie et Picardie, la petite ville avait subi les assauts de Guillaume le Conquérant, de Jean sans Terre, et de toutes les armées de la guerre de Cent Ans ! Depuis, la petite ville de 600 habitants s'est laissé doucement conquérir par le silence végétal. Des fleurs ont remplacé les remparts. La verdure est partout, qui orne les façades de brique, grimpe discrètement contre les murs de bois et torchis, se laisse tomber en abondance des auvents de bois, des charpentes soutenant un toit qui protège un puits... En 1903, le peintre Henri le Sidaner (1862-1939) s'installe à Gerberoy, séduit par la lumière du cœur de l'Oise normande. Des centaines de rosiers sont déjà plantés depuis quelques décennies dans le village. Il en ajoute des milliers. En 1928, il crée la fête des roses, qui existe encore aujourd'hui – vous pouvez y assister le 3e dimanche de juin, en repartir avec des plants de rosiers, par centaines, si vous voulez, mais n'oubliez pas de visiter le musée où sont exposées les œuvres de le Sidaner ; vous y contemplerez l'étonnante *Table aux lanternes*, ou bien *Les Roses sous la tonnelle*, ou bien encore *La Table au soleil*, un festin de lumière.

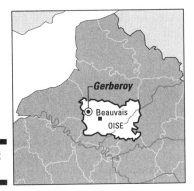

Figure 28-8 :
Gerberoy.

Ars-en-Ré, Charlotte et Amandine

Préparez-vous à faire la rencontre de trois beautés de l'île de Ré qui vont vous séduire. À moins que ce ne soit déjà fait...

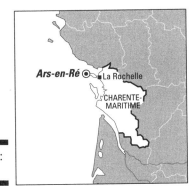

Figure 28-9 :
Ars-en-Ré.

Charlotte et Amandine

Sur le marché, voici charlotte, voici amandine ! Un peu plus loin, une starlette ! Toutes les trois sont convoitées par des regards pleins d'appétits... On s'imagine en leur compagnie, à quelque table – celle du restaurant Le Commerce, par exemple –, les dévorant des yeux, puis, les dévorant tout court, tout entières ! Comment cela ? Tout simplement en les découpant au couteau... Charlotte, amandine et la starlette découpées au couteau ? Bien sûr : ce sont des pommes de terre ! Parmi les meilleures au monde – les Arsais ôtent la préposition *parmi*... À ces trois variétés s'ajoutent l'alcmaria, la roseval. En 1998, la pomme de terre de l'île de Ré a obtenu son appellation d'origine contrôlée ! Goûtez-la avec une autre spécialité locale, décrite par

Rabelais dans le *Tiers-Livre* ; il s'agit, écrit-il, d'une friandise à base de cochon qui est rissolée et confite dans sa graisse de cuisson, présentée en dés ; on l'appelle le rillé – aujourd'hui, le grillon.

Un peu de sel ?

Tout cela ne manquerait-il pas d'un peu de sel ?... En voici : Ars-en-Ré qui est situé au milieu des marais, non loin du Fier – une mer intérieure –, et bénéficie d'un ensoleillement exceptionnel, fait le commerce du sel depuis des temps fort anciens. Des siècles durant, on vint de loin s'approvisionner en sel réthain, de Hollande, de Scandinavie... Aujourd'hui, les paludiers de l'île de Ré produisent toujours un sel réputé pour sa qualité, pendant que les oiseaux, par milliers, font halte au bord des œillets ! Ars-en Ré, c'est aussi un clocher, un peu penché, noir et blanc, qui sert d'amer (repère) aux marins – ce clocher coiffe une église au portail roman, construite sans doute au XIᵉ siècle – ; Ars, ce sont des rues si étroites qu'il a fallu, en certains endroits, tailler les murs d'angles pour permettre la circulation des attelages ; Ars, ce sont de petits jardins clos qui prolongent les maisons aux volets peints ; Ars, c'est la douceur et l'intimité ; on en tombe amoureux, puis on l'épouse, en lui donnant l'anneau... de son bateau !

Bonjour Montrésor...

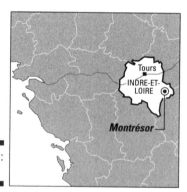

Figure 28-10 :
Montrésor.

Bonjour Montrésor ! Comment vas-tu, Montrésor ? As-tu bien dormi, Montrésor ? Aurais-tu un peu d'argent, Montrésor ?... Avec ce nom à mi-chemin entre le cœur et le coffre-fort, on peut l'espérer ! Mais dis-nous d'abord... Quand es-tu né, Montrésor ? Au temps où je n'étais que champs et coteau verdoyants, Gontran, le fils du roi, vint à passer avec son écuyer. C'était en l'an 561. Clotaire, son père, venait de lui léguer la Bourgogne qui, vous le savez, s'étendait bien plus à l'ouest qu'aujourd'hui. Gontran s'y promenait donc, et visitait la frontière occidentale de sa province, entre les villes qu'on appelle aujourd'hui Blois et Châteauroux. Soudain, au bord d'une rivière – l'Indrois, affluent de l'Indre – Gontran éprouva une grande fatigue. Il décida de se reposer. Son écuyer s'assit, jambes allongées. Gontran y posa sa tête et s'endormit. C'est alors qu'un rêve traversa son esprit : il vit une grotte, toute proche, et qui renfermait un fabuleux trésor. Au même moment, le doux écuyer remarqua un petit lézard qui rampait sur le visage de son prince. Il le suivit du regard… Le lézard courut vers le coteau, et en revint couvert d'or ! Gontran réveillé, informé de ce prodige, décida de faire fouiller le coteau, puis d'y construire un château ! Je venais de naître…

La forteresse de Foulques

Plus tard, au IXe siècle, les seigneurs de Montrésor sont installés sur le coteau dont s'empare, au XIe siècle, Foulques Nerra – le faucon noir – comte d'Anjou (970-1040). Il y fait construire en 1055 une forteresse dont il reste aujourd'hui quelques murs et tours. À la fin du XVe siècle, Ymbert de Bastarnay, dit Monseigneur du Bouchage, fait construire le château renaissance dont ne demeure que l'aile principale qui domine l'Indrois – Monseigneur du Bouchage est le conseiller de Louis XI, Charles VIII, Louis XII et François Ier, et surtout le grand-père de la belle Diane de Poitiers, maîtresse de François Ier puis de son fils Henri II…

Le songe et le travail

En 1849, un aristocrate polonais, le comte Branicki, ami de Napoléon III et fondateur du Crédit foncier de France, acquiert le château, le restaure, et y installe de nombreuses œuvres d'art. Il dote aussi la collégiale Saint-Jean-Baptiste d'une œuvre de Philippe de Champaigne (XVIIe siècle) : *L'Annonciation*. Alors, vu, tout cela ? Il vous reste maintenant à descendre jusqu'au lavoir situé au fond d'une impasse appelée l'Huissette (la petite porte) ; regardez sur le sol… Qu'y voyez-vous gravé ? Un lézard ! Le lézard de la légende, afin que nul n'oublie que c'est le songe, le travail et… le hasard (riche rime avec lézard !) qui font naître les richesses, bâtir villes et villages, comme Montrésor.

Annexe

Connaissez-vous vos départements ?

Ce peut être pour vous un jeu d'apprendre cette liste par cœur – pourquoi pas ? Ce peut être un moyen de lutter contre l'inévitable usure de la mémoire – si on ne prend pas le soin de l'entretenir… Ce peut être le désir de mieux connaître villes, petites, moyennes ou grandes, de bien les situer dans l'Hexagone. Ce peut être du plaisir, tout simplement…

Des mots pour comprendre

- On appelle aussi la préfecture le chef-lieu de département ; la sous-préfecture le chef-lieu d'arrondissement.
- Le préfet est le représentant de l'Etat dans le département ; le sous-préfet, dans la sous-préfecture.
- Un département compte plusieurs arrondissements.
- L'élu principal du département – au suffrage indirect, c'est-à-dire par d'autres élus ; dans ce cas, par les conseillers généraux – est le président du conseil général.
- Chaque département est divisé en plusieurs arrondissements, et en plusieurs circonscriptions électorales.
- L'élu d'une circonscription électorale est le député. Il est élu au suffrage direct, c'est-à-dire par les citoyens inscrits sur les listes électorales et qui ont exprimé leur suffrage.
- Un arrondissement compte plusieurs cantons. Chaque canton compte plusieurs communes.
- L'élu du canton est le conseiller général, élu au suffrage direct.
- L'élu de la commune – élu au suffrage indirect par les conseillers municipaux – est le maire.

Liste des départements, de leurs préfectures et de leurs sous-préfectures.

Dans la liste qui suit, vous trouvez le numéro du département, le nom du département, puis sa préfecture ou chef-lieu de département (entre tirets) ; viennent ensuite les sous-préfectures, ou chefs-lieux d'arrondissements. Voulez-vous les apprendre par cœur ? Commencez par les dizaines (le 10 : l'Aube ; le 20 : la Corse – 2A et 2B ; le 30, le Gard, etc.). Continuez par les numéros composés de deux chiffres identiques (11 : Aude ; 22 : Côtes d'Armor ; 33 : Gironde ; 44 : Loire-Atlantique ; 55 : Meuse…). Apprenez ensuite les multiples de 5. Puis, avec le petit bagage que vous avez acquis, apprenez-les, dans l'ordre, dix par dix.

01 – Ain – Bourg-en-Bresse – Belley, Gex, Nantua

02 – Aisne – Laon – Château-Thierry, Saint-Quentin, Soissons, Vervins

03 – Allier – Moulins – Montluçon, Vichy

04 – Alpes-de-Haute-Provence – Digne-les-Bains – Barcelonnette, Castellane, Forcalquier

05 – Hautes-Alpes – Gap – Briançon

06 – Alpes-Maritimes – Nice – Grasse

07 – Ardèche – Privas – Largentière, Tournon-sur-Rhône

08 – Ardennes – Charleville-Mézières, Rethel, Sedan, Vouziers

09 – Ariège – Foix – Pamiers, Saint-Girons

10 – Aube – Troyes – Bar-sur-Aube, Nogent-sur-Seine

11 – Aude – Carcassonne – Limoux, Narbonne

12 – Aveyron – Rodez – Millau, Villefranche-de-Rouergue

13 – Bouches-du-Rhône – Marseille – Aix-en-Provence, Arles, Istres

14 – Calvados – Caen – Bayeux, Lisieux, Vire

15 – Cantal – Aurillac – Mauriac, Saint-Flour

16 – Charente – Angoulême – Cognac, Confolens

17 – Charente-Maritime – La Rochelle – Jonzac, Rochefort, Saintes, Saint-Jean-d'Angély

18 – Cher – Bourges – Saint-Amand-Montrond, Vierzon

19 – Corrèze – Tulle – Brive-la-Gaillarde, Ussel

2A – Corse-du-Sud – Ajaccio – Sartène

2B – Haute-Corse – Bastia – Calvi, Corte

21 – Côte-d'Or – Dijon – Beaune, Montbard

22 – Côtes-d'Armor – Saint-Brieuc – Dinan, Guingamp, Lannion

23 – Creuse – Guéret – Aubusson

24 – Dordogne – Périgueux – Bergerac, Nontron, Sarlat-la-Canéda

25 – Doubs – Besançon – Montbéliard, Pontarlier

26 – Drôme – Valence – Die, Nyons

27 – Eure – Evreux – Les Andelys, Bernay

28 – Eure-et-Loir – Chartres – Châteaudun, Dreux, Nogent-le-Rotrou

29 – Finistère – Quimper – Brest, Châteaulun, Morlaix

30 – Gard – Nîmes – Alès, Le Vigan

31 – Haute-Garonne – Toulouse – Muret, Saint-Gaudens

32 – Gers – Auch – Condom, Mirande

33 – Gironde – Bordeaux – Blaye, Langon, Lesparre-Médoc, Libourne

34 – Hérault – Montpellier – Béziers, Lodève

35 – Ille-et-Vilaine – Rennes – Fougères, Redon, Saint-Malo

36 – Indre – Châteauroux – Le Blanc, La Châtre, Issoudun

37 – Indre-et-Loire – Tours – Chinon, Loches

38 – Isère – Grenoble – La-Tour-du-Pin, Vienne

39 – Jura – Lons-le-Saunier – Dole, Saint-Claude

40 – Landes – Mont-de-Marsan – Dax

41 – Loir-et-Cher – Blois – Romorantin-Lanthenay, Vendôme

42 – Loire – Saint-Étienne – Montbrison, Roanne

43 – Haute-Loire – Le Puy-en-Velay – Brioude, Yssingeaux

44 – Loire-Atlantique – Nantes – Ancenis, Châteaubriant, Saint-Nazaire

45 – Loiret – Orléans – Montargis, Pithiviers

46 – Lot – Cahors – Figeac, Gourdon

47 – Lot-et-Garonne – Agen – Marmande, Nérac, Villeneuve-sur-Lot

48 – Lozère – Mende – Florac

49 – Maine-et-Loire – Angers – Cholet, Saumur, Segré

50 – Manche – Saint-Lô – Avranches, Cherbourg, Coutances

51 – Marne – Châlons-en-Champagne – Epernay, Reims, Sainte-Menehould, Vitry-le-François

52 – Haute-Marne – Chaumont – Langres, Saint-Dizier

53 – Mayenne – Laval – Mayenne, Château-Gontier

54 – Meurthe-et-Moselle – Nancy – Briey, Lunéville, Toul

55 – Meuse – Bar-le-Duc – Commercy, Verdun

56 – Morbihan – Vannes – Lorient, Pontivy

57 – Moselle – Metz – Boulay-Moselle, Château-Salins, Forbach, Sarrebourg, Sarreguemines, Thionville

58 – Nièvre – Nevers – Château-Chinon, Clamecy, Cosne-Cours-sur-Loire

59 – Nord – Lille – Avesnes-sur-Helpe, Cambrai, Douai, Dunkerque, Valenciennes

60 – Oise – Beauvais – Clermont, Compiègne, Senlis

61 – Orne – Alençon – Argentan, Mortagne-au-Perche

62 – Pas-de-Calais – Arras – Béthune, Boulogne-sur-Mer, Calais, Lens, Montreuil, Saint-Omer

63 – Puy-de-Dôme – Clermont-Ferrand – Ambert, Issoire, Riom, Thiers

64 – Pyrénées-Atlantiques – Pau – Bayonne, Oloron-Sainte-Marie

65 – Hautes-Pyrénées – Tarbes – Argelès-Gazost, Bagnères-de-Bigorre

66 – Pyrénées-Orientales – Perpignan – Cérét, Prades

67 – Bas-Rhin – Strasbourg – Hagueneau, Molsheim, Saverne, Sélestat, Wissembourg

68 – Haut-Rhin – Colmar – Altkirch, Guebwiller, Mulhouse, Ribeauvillé, Thann

69 – Rhône – Lyon – Villefranche-sur-Saône

70 – Haute-Saône – Vesoul – Lure

71 – Saône-et-Loire – Mâcon – Autun, Chalon-sur-Saône, Charolles, Louhans

72 – Sarthe – Le Mans – La Flèche, Mamers

73 – Savoie – Chambéry – Albertville, Saint-Jean-de-Maurienne

74 – Haute-Savoie – Annecy – Bonneville, Thonon-les-Bains, Saint-Julien-en-Genevois

75 – Ville de Paris – Paris

76 – Seine-Maritime – Rouen – Dieppe, Le Havre

77 – Seine-et-Marne – Melun – Fontainebleau, Meaux, Provins

78 – Yvelines – Versailles – Mantes-la-Jolie, Rambouillet, Saint-Germain-en-Laye

79 – Deux-Sèvres – Niort – Bressuire, Parthenay

80 – Somme – Amiens – Abbeville, Montdidier, Péronne

81 – Tarn – Albi – Castres

82 – Tarn-et-Garonne – Montauban – Castelsarrasin

83 – Var – Toulon – Brignoles, Draguignan

84 – Vaucluse – Avignon – Apt, Carpentras

85 – Vendée – La Roche-sur-Yon – Fontenay-le-Comte, Les Sables-d'Olonne

86 – Vienne – Poitiers – Châtellerault, Montmorillon

87 – Haute-Vienne – Limoges – Bellac, Rochechouart

88 – Vosges – Epinal – Neufchâteau, Saint-Dié

89 – Yonne – Auxerre – Avallon, Sens

90 – Territoire de Belfort – Belfort –

91 – Essonne – Evry – Etampes, Palaiseau

92 – Hauts-de-Seine – Nanterre – Antony, Boulogne-Billancourt

93 – Seine-Saint-Denis – Bobigny – Le Raincy, Saint-Denis

94 – Val-de-Marne – Créteil – L'Haÿ-les-Roses, Nogent-sur-Marne

95 – Val-d'Oise Pontoise – Argenteuil, Montmorency

971 – Guadeloupe – Basse-Terre – Pointe-à-Pitre, Marigot

972 – Martinique – Fort-de-France – Le Marin, La Trinité

973 – Guyane – Cayenne – Saint-Laurent-du-Maroni

974 – La Réunion – Saint-Denis – Saint-Benoît, Saint-Paul, Saint-Pierre

Lexique

Aber : en Bretagne, dernière partie d'une rivière qui forme un estuaire tracé et façonné par la mer, voilà dix mille ans.

Accroissement naturel : il s'agit de la variation – en pourcentage – du nombre d'habitants ; cette progression ou régression représente la différence entre le nombre des naissances et celui des décès.

Accroissement total de la population : variation du nombre total d'habitants au cours d'une année – le calcul de l'accroissement total comprend l'accroissement naturel et le solde migratoire.

AOC : appellation d'origine contrôlée. Les produits qui obtiennent une AOC sont soumis à un cahier des charges précis et rigoureux – culture, élevage, protocole de fabrication, stockage, etc. , tout cela dans un terroir particulier – qui garantit leur origine et leur qualité.

Atoll : île basse, en forme d'anneau, issue d'une formation corallienne, et qui entoure une lagune – ou lagon. Le lagon peut communiquer avec la mer par des *passes*.

Conchyliculture (prononcer : con-ki-li-culture) : la conchyliculture désigne l'élevage des mollusques ; elle comprend l'ostréiculture – élevage des huîtres –, la mytiliculture – élevage des moules –, la vérériculture – élevage des palourdes.

Densité de population : la densité de population est obtenue en divisant le nombre total d'habitants d'une région, d'un pays, par le nombre de km² qu'ils occupent.

Émigration : action de quitter le pays qu'on habite pour un autre pays.

Estran : espace côtier découvert entre la haute mer et la basse mer.

Eustatisme : variation du niveau de la mer.

Immigration : entrée d'étrangers dans un pays où ils viennent s'installer.

Industries agricoles et alimentaires (IAA) : les IAA regroupent les industries de la viande et du lait et les autres industries agricoles et alimentaires.

IUFM : Institut universitaire de formation des maîtres.

IUT : Institut universitaire de technologie.

Jachère : terre labourable qu'on laisse sans culture pendant une ou plusieurs années afin qu'elle retrouve sa fertilité initiale.

Lagon : étendue d'eau peu profonde, située au centre d'un atoll, ou le long d'une côte, et qui communique avec la mer.

Malthusianisme : doctrine du pasteur anglais Thomas-Robert Malthus (1766-1834) qui conseillait la limitation des naissances pour diminuer la pauvreté.

Mangrove : formation d'arbres et d'arbustes – essentiellement des palétuviers – dans les zones intertropicales, implantée dans les baies où se sont déposés limons et boues.

Mariage mixte : dans le couple, un seul des conjoints est étranger.

Pacs (Pacte civil de solidarité) : la loi du 15 novembre 1999 crée le pacte civil de solidarité, contrat entre deux personnes majeures, de sexe différent ou de même sexe, pour organiser leur vie en commun.

Population active : la population active comprend les personnes ayant un emploi, ainsi que les chômeurs.

Premier degré : dans le domaine scolaire, le premier degré regroupe l'enseignement pré-élémentaire, avant le cours préparatoire, et l'enseignement élémentaire ou enseignement primaire.

Produit intérieur brut : résultat final, valeur de tout ce qui est produit dans le pays – biens et services.

Produit national brut (PIB) : valeur de tout ce qui est produit par les entreprises du pays – dans le pays même ou à l'étranger.

Quota : mesure qui vise à limiter impérativement les productions jugées trop abondantes.

Ria : dernière partie d'une rivière qui forme un estuaire tracé et façonné par la mer, voilà dix mille ans (aber, en Bretagne).

Second degré : enseignement dispensé dans les collèges, les lycées, et dans les établissements régionaux d'enseignement adapté (EREA).

Secteur industriel : on compte trois catégories pour l'industrie :

- ✔ *les industries de base, ou de biens intermédiaires* : elles transforment les produits bruts en produits de base ; elles concernent l'extraction (charbon, minerai), le raffinage pétrolier, la fabrication du verre, de l'aluminium, la chimie de base, le papier carton.

- ✔ *les industries de biens de consommation courante* – ou industries de main-d'œuvre – : cuir et chaussure, textile, habillement, ameublement, chimie fine (pharmacie, cosmétiques)…

- ✔ *les industries de biens d'équipement* : automobile, matériel ferroviaire, équipement électrique, industrie aéronautique, électronique, armement…

Secteur primaire : ce secteur rassemble l'agriculture, la pêche, l'exploitation des forêts, des mines et des gisements.

Secteur secondaire : ce secteur concerne la transformation des matières premières par l'intermédiaire des industries manufacturières, du secteur de la construction…

Secteur tertiaire : ce secteur regroupe tout ce qui concerne l'administration, le commerce, les transports, les activités financières, immobilières, l'éducation, la santé, l'action sociale, les services aux particuliers, aux entreprises…

Solde migratoire : différence entre le nombre de personnes entrées sur le territoire, et le nombre de personnes qui l'ont quitté – indépendamment du concept de nationalité.

Taux d'accroissement naturel : différence entre le taux de natalité et le taux de mortalité.

Taux de chômage : proportion de chômeurs dans la population active.

Taux de fécondité : il correspond au nombre de naissances annuelles par rapport au nombre de femmes en âge de procréer – entre 15 et 50 ans pour la France. Ce taux est exprimé en ‰.

Taux de mortalité : rapport du nombre de décès à la population totale du pays, dans une année.

Taux de mortalité infantile : rapport entre le nombre d'enfants décédés à moins d'un an et l'ensemble des enfants nés vivants.

Taux de natalité : rapport du nombre de naissances à la population totale du pays, dans une année.

Taux de nuptialité : nombre de mariages rapporté à la population moyenne, dans une année.

Technopole (de *polis*, en grec : ville, cité) : ville où les activités de haute technologie constituent une importante source d'activités.

Technopôle (de *polos*, en grec : pivot, centre) : parc de haute technologie où sont concentrées des activités de recherche et leurs supports – universités, laboratoires…

Taxe sur la valeur ajoutée (TVA) : la TVA est un impôt payé par le consommateur. Il est calculé sur le prix de vente hors-taxe de tous les biens et services. Les entreprises – commerçants, fabricants… – encaissent la TVA lorsqu'elles effectuent une vente, puis la reversent à l'État – déduction faite de la TVA qu'elles ont elles-mêmes versée lors de l'achat de matières premières ou de produits.

Index alphabétique

A

Aa, 145
ADN, 16
Adour, 145
Aéronautique, 531
Aéroports, 540
Agen, 413
Agly, 153
Agriculture, 511
Agroalimentaire, 533
Aigues-Mortes, 134
Aiguilles rouges, 52
Ain, 365
Air France, 541
Airbus, 240, 437, 531
Aisne, 244
Aix, île d', 91
Aix, Pays d', 394
Ajaccio, 406
Albâtre, Côte d', 82
Albertville, 374
Albi, 434
Alençon, 205, 206
Aliénor d'Aquitaine, 66
Allier, 101, 348
Alpes de Haute-Provence, 386
Alpes-Maritimes, 399
Alsace, 69, 298
Altanus, 166
Amance, lac, 109
Amiens, 239
Amour, Côte d', 89
Andouillette, 286, 287
André, Maurice, 454
Angers, 316
Cadre Noir, 217
Angles, Les, 181
Angoulême, 226
Annecy, 367
Anticlinal, 20
Anticlinal, 48
Aquitain, bassin, 63
Aquitaine, 409
Ardèche, 131, 381
Ardèche, 381
Ardennes, 278

Arduina, 41
Argens, 153
Argent, Côte d', 91
Arguenon, 149
Ariane, 473
Ariège, 444
Arles, 134
Armada, 145
Armagnac, 67
Arminvilliers, forêt d', 63
Armoricain, massif, 39
Armorique, 40
    parc naturel régional d', 564
Arras, 247
Arsenal, bassin de l', 113
Ars-en-Ré, 587
Atmosphère, 16
Aube, 285
Aubrac, 31
Auch, 439
Aude, 143, 457
Aulne, 150
Aunis, 230
Aurigny, 83
Aurillac, 356
Australes, archipel des, 491
Authie, 146
Automobile, 527
Autoroutes, 536
Auvergne, 347
Auxerre, 304
Aven, 33
Aveyron, 428
Aviation, 540
Avignon, 389, 390
Avoriaz, 178
Aÿ-Champagne, 575
Azur, Côte d', 93

B

Baby-boom, 505
Baby-flap, 505
Banyuls, 460
Barcelonnette, 387
Bar-le-Duc, 289
Baronnies, 52

Barrage, 129
Bas-Rhin, 299
Basse-Normandie, 197
Basse-Terre, 467
Bassin aquitain, 63
Bassin parisien, 57
Bastia, 403
Batica, 18
Batz, île de, 87
Bauges, 52
Baux-de-Provence, 583
Beauce, 254
Beaufortain, 52
Beaujolais, 371
Beaumard, Eric, 571
Beaune, 310
Bécaud, Gilbert, 398
Belfort, Territoire de, 317
Bellay, Joachim du, 104
Belledonne, massif de, 53
Belle-Île, 89
Béniguet, 86
Berlioz, Hector, 378
Besançon, 319
Béthune, 147
Beuvron, 103
Bidassoa, 151
Bief, 132
Bienvenüe, Fulgence, 191
Blanc-Nez, cap, 81
Blavet, 150
Blaye, 67
Blé, 517
Blois, 331
Bocage, 223
Boli, Basile, 394
Bordeaux, 415
Bories, 389
Bornes, 52
Bouches-du-Rhône, 392
Boudigau, 151
Boudin, 279
Boulogne, 258
Bounty, 489
Bourges, 338
Bourget, 269

Bourgogne, 303
 canal de, 111
Bourville, 236
Boussac, Marcel, 526
Bréhat, 86
Brenne, parc naturel régional de la, 567
Bresle, 146
Bresse, 72
Bresse, poulet de, 72
Bretagne, 186
Briare, canal de, 101
Brière, 80
Brongniart, Alexandre, 48
Bruant, Aristide, 331

C

Cadou, René Guy, 214
Caen, 201
Cahors, 426
Caillé, René, 224
Calanques, 79
Calédonien, cycle, 19
Calissons, 394
Calvados, 201
Camargue, 132
Cambrai, bêtises de, 251
Cambrien, 16
Canal, 150
Canche, 146
Cantal, 36, 356
Canyon, 33
Carbonifère, 19
Carcassonne, 457
Cassoulet, 438
Casteret, Norbert, 119
Causses, 32
Caux, pays de, 60
Cayenne, 473
Cénozoïque, 23
Centre, 325
Centre, canal du, 100
Cerces, 53
Cergy-Pontoise, 272
Cévennes, les, 31
 parc national des, 558
Cézallier, 36
Cézanne, Paul, 395
Cézembre, 85
Chablais, 52
Châlons-en-Champagne, 278
Chambéry, 373
Chamfort, Sébastien-Roche Nicolas de, 352
Chamonix, 178
Champ du Feu, 39
Champagne, 61, 281
Champagne-Ardenne, 277

Champlain, Samuel de, 231
Champollion, Jean-François, 427
Chantiers de l'Atlantique, 106
Chantiers navals, 105
Chantilly (crème), 244
Chantilly, forêt de, 63
Charentaises, 228
Charente, 144
Charente, 226
Charente-Maritime, 229
Charleville-Mézières, 278
Chartres, 326
Chateaubriand, François-René de, 197
Château-Chalon, 574
Château-Grillet, 573
Château-Latour, 576
Châteauneuf, Grenache de, 577
Châteauneuf-du-pape, 390
Châteauroux, 336
Chaumont, 284
Chausey, 83
Cher, 103
Cher, 338
Chéreau, Patrice, 218
Cheverny, 103
Chicons, 251
Chômage, 504
Chorégies, les, 390
Cigogne, 69
Cirrus, 163
Cité, île de la, 112
Clain, 103
Clermont-Ferrand, 350
Climat, 158
Clipperton, 491
Clisson, 582
Clusaz, La, 178
Cluse, 48
Cognac, 226
Colette, 304
Colmar, 301
Combe, 48
Comté, 322
Concurrence, 517
Condrieu, 74
Consommation, 516
Contamines-Montjoie, Les, 178
Continents, dérive des, 15, 17
Corbière, Tristan, 188
Corduan, phare de, 124
Corrèze, 345
Corse, 53, 402
 parc naturel régional de, 566
Corse-du-Sud, 406
Côte, 77, 78
Côte-de-bourg, 67
Côte-d'Or, 309

Cotentin, presqu'île du, 83
Côtes-d'Armor, 189
Couesnon, 148
Coulée de Serrant, 573
Courant marin, 159
Crédo, tunnel du, 129
Crêt de la Neige, 47
Crêt, 49
Crétacé, 21, 103, 343
Croissance, 503
Croissant fertile, 507
Crozet, Iles, 481
Crues, 154
Culturel, tourisme, 551
Cumulonimbus, 163
Cumulus, 163
Curnonsky, 65, 572
Cygnes, allée des, 112

D

Dac, Pierre, 282
De montagne, climat, 160
Deauville, 203
Décentralisation, 535
Défense, La, 256
Delpech, Michel, 332
Démographie, 495
Densité, 500
Der-Chantecoq, lac du, 109
Deschamps, Didier, 424
Désirade, La, 470
Deux-Sèvres, 222
Dévoluy, Le, 178
Dévonien, 19
Diagonale du vide, 507
Diderot, Denis, 285
Digne-les-Bains, 386
Dijon, 309
Dinosaure, 22
Diois, 52
Disneyland, 265
Dives, 147
Doline, 33
DOM-TOM, 463
Donon, 39
Dordogne (département), 410
Dordogne, 122
Douarnenez, 187
Doubs, 319
Douve, 148
Drôme, 131, 379
Dumont d'Urville, Jules Sébastien César, 204
Durance, 131, 385
Duras, Marguerite, 414
Dzaoudzi, 477

E

EADS, 532
Eaux, 296
Écrins, massif des, 53
Écrins, parc national des, 558
EDF, 99
Einstein, 12
Électronique, 190
Émeraude, Côte d', 83
Émigration, 498
Ensoleillement, 164
Entre-deux-Mers, 67
Éocène, 25
Épinal, 295
Escaut, 141
Espérance de vie, 496
Essonne, 111, 253
Esterel, 43
Esterel, massif de l', 44
Estran, 78
Estuaire, 122
Étrangers, 499
Eure, 111, 237
Eure-et-Loir, 326
Évreux, 237
Evry, 253
Eyre, 151
Ezies-de-Tayac, Les, 411

F

Faisans, île des, 151
Faizant, Jacques, 358
Fauré, Gabriel, 446
Ferrière, forêt de, 63
Feuillère, Edwige, 316
Finistère, 186
Flaubert, Gustave, 405
Fleurie, Côte, 82
Foehn, 166
Foix, 444
Follereau, Raoul, 308
Fontainebleau, forêt de, 63
Font-Romeu, 181
Forêt, 517
Forêt d'Orient,
    Parc naturel régional de la, 568
Forez, canal du, 100
Fort Boyard, 91
Fort-de-France, 472
Fourme, 365
Franche-Comté, 314
François Ier, 333
Fréhel, cap, 83
Freycinet, gabarit, 538
Friedmann, Alexandre, 12
Fronsac, 67, 417

Funès, Louis de, 259
Futuroscope, 226

G

Galerie des Glaces, 274
Galiléo, 438
Gambier, archipel des, 491
Gamov, George, 12
Gap, 384
Garabit, viaduc de, 357
Gard, 131, 451
Gard, Pont du, 453
Garonne, 117
Gascogne, 67
    golfe du, 46
Gavarnie, cirque de, 558
Gensfleisch, Johannes, 301
Géosynclinal, 20
Gerberoy, 586
Gerbier-de-Jonc, 98
Gers, 439
Gévaudan, 31
    bête du, 449
Gironde, 415
    estuaire de la, 122
Glénan, île de, 88
Goëlo, Côte du, 85
Golo, 153
Gondwana, 18
Gorge, 33
Gouët, 149
GR, 547
Grâce, Côte de la, 82
Grand-Bé, 85
Grande Chartreuse, 52
Grande, Île, 86
Granit rose, Côte de, 86
Grenoble, 375
Stendhal, 376
Groix, île de, 88
Guadeloupe, 467
    parc national de, 559
Guer, 149
Guéret, 343
Guerres mondiales, 498
Guic, 149
Guignol, 372
Guimard, Hector, 284, 373
Gulf Stream, 161
Guyane, 473
    parc amazonien de, 561
Guyenne, 66

H

Halatte, forêt d', 63
Haute-Corse, 403
Haute-Garonne, 436

Haute-Loire, 354
Haute-Marne, 283
Haute-Normandie, 233
Hautes-Alpes, 384
Haute-Saône, 315
Haute-Savoie, 367
Hautes-Pyrénées, 442
Haute-Vienne, 340
Haut-Rhin, 301
Hauts-de-Seine, 256
Havre, Le, 236
Hérault, 152, 454
Herbu, 80
Hercynien, cycle, 19
Hercyniens, plissements, 19
Hermitage, 576
Hoëdic, île de, 89
Holocène, 25
Hospices de Beaune, 310
Houat, île de, 89
Houches, Les, 178
Hoyle, Fred, 12
Hum, 33
Hyères, îles d', 93

I

Île-de-France, 62, 253
Ille-et-Vilaine, 194
Immigration, 498
Indre, 103, 336
Indre-et-Loire, 334
Industrie, 521
Isère, 131, 376
Isle-Adam, forêt de l', 63

J

Jade, Côte de, 90
Jarnac, 226
Jeux olympiques, 374
Jura, 47, 321
Jurançon, 424
Jurassique, 21

K

Karst, 32
Kerguelen, Les, 481
Kouglof, 303

L

Labrador, courant du, 162
Laïta, 150
Lamartine, Alphonse de, 375
Landes, 419
Landes, les, 68
Langres, 285
Languedoc-Roussillon, 447
Laon, 244

Lapiaz, 33
Lapiez, 33
Lapointe, Boby, 456
Larousse, 306
Lascaux, 64
Latitude, 161
Laurentia, 18
Laval, 207
Lavezzi, îles, 94
Le Guilvinec, 187
Le Mans, 210
Légendes, Côte des, 87
Lemaître, abbé, 11
Léman, lac, 125
Lérins, île de, 93
Liane, 146
Licenciements, 522
Lille, 249
Limagne, 34, 74
Limoges, 340
Limons, 58
Limousin, 339
L'Isle, Rouget de, 323
Littoral, 78
Locronan, 581
Logodex, 86
Loing, 111
    canal du, 101
Loir, 104
Loire (région), 362
Loire, 97
Loire-Atlantique, 212
Loiret, 103, 329
Loir-et-Cher, 331
Londres, Albert, 350
Longitude, 161
Longo, Jeannie, 369
Lons-le-Saunier, 322
Lorient, 192
Lorraine, 288
Lot, 426
Lot-et-Garonne, 413
Lourdes, 444
Louviers, 237
Lozère, 448
    mont, 31
Lune, 14
Luz-Ardiden, 180
Lyon, 370

M
Mâcon, 311
Madiran, 424
Magny-Cours, 308
Maine, 104
Maine-et-Loire, 216
Maisons-Alfort, 271

Manche, 146
Manche, La, 199
Mandrin, Louis, 380
Marais maritimes, 80
Marais, Jean, 198
Mariac, 441
Mariani, Angelo, 404
Marie-Galante, 470
Marne, 110, 280
Marne-la-Vallée, 266
Marquises, archipel des, 490
Marseillaise, La, 323
Marseille, 392
Marseille-Cassis, Calanques de, 561
Martinique, La, 471
    parc naturel régional de, 567
Massif armoricain, 39
Massif central, 30
Massifs, 59
Maupassant, Guy de, 200
Maures, 43
Mayenne, 104, 207
Mayotte, 476
Méditerranéen, climat, 160
Médoc, 67
Megève, 178
Melliflu, 172
Melun, 263
Mende, 448
Menton, 400
Mer de Glace, 550
Mer, 77
Mercantour, 53, 559
Méridien, 161
Mésozoïque, 21
Messian, Olivier, 391
Météo France, 162
Metz, 291
Meudon, forêt de, 63
Meurthe-et-Moselle, 293
Meuse, 140, 289
Mézenc, mont, 98
Michelin, 353
Midi, canal du, 121
Midi-Pyrénées, 425
Migration, 501
Millau, viaduc de, 430
Miocène, 25
Mistral, 170
Mistral, Frédéric, 171
Moines, île aux, 88
Molières, 80
Monbazillac, 66
Mongie, La, 180
Monnet, Jean, 229
Mont Blanc, 50
Mont Lozère, 37

Mont, 48
Montagne Noire, la, 36
Montagne, 29
Montaigne, 66, 77
Montauban, 431
Mont-de-Marsan, 419
Montgenèvre, 179
Montpellier, 455
Montpezat-sous-Bauzon, 99
Montrachet, 573
Montrésor, 588
Mont-Saint-Michel, 83, 148, 200
Morbihan, 192
Mortalité infantile, 496
Morue, brandade de, 452
Moselle, 291
Moulins, 348
Moutarde, 311
Mouton-Duvernet, 355

N
Nacre, Côte de, 82
Nancy, 293
Nantes, 212
Napoléon, 408
Nevers, 307
Nice, 399
Niépce, Nicéphore, 313
Nièvre, 307
Nîmes, 451
Niort, 222
Nivelle, 152
Nivernais, canal du, 101
Nogent, 110
Nohant, 337
Noirmoutier, île de, 90
Nord, 249
Nord-Pas-de-Calais, 246
Normandie, 59
    pont de, 113
Nougaro, Claude, 439
Nouméa, 485
Nouvelle-Amsterdam, 480
Nouvelle-Calédonie, 485
Nucléaire, 542

O
Océanie, 483
Océanique, climat, 160
Odet, 150
Ognon, 130
Oise, 110, 241
Oléron, île d', 91
Oligocène, 25
Opale, Côte d', 81
Orange, 390
Orb, 152

Orcières-Merlette, 179
Ordovicien, 18
Orge, 111
Orient, lac d', 109
Orléans, 329
Orléans, canal d', 101
Orne, 147, 204
Orres, Les, 178
Ouessant, île d', 87
Ourcq, canal de l', 113
Ouvala, 33
Ouvriers, 503

P
Paléocène, 25
Palu, 80
Pangée, la, 20
Pannecière, lac de, 109
Papeete, 489
Parallèle, 161
Parcs nationaux, 555
Parcs régionaux, 563
Paris, 111
Paris, 259
Pas-de-Calais, 247
Pau, 421
Pays de la Loire, 207
Pêche, 519
Péguy, Charles, 327
Pellerin, Jean-Charles, 297
Pelletier, Narcisse, 220
Penthièvre, Côte de, 85
Perche, col de la, 46
Perche, Parc naturel régional du, 568
Périgeux, 410
Périgord, 64
Permien, 19
Perpignan, 459
Perret, Pierre, 432
Pertuis, 90
Petite-Terre, 470
Peugeot, 320
Phare, 124
Philipe, Gérard, 401
Photosynthèse, 16
Picard, 239, 252
Picardie, 58
Pierre, abbé, 503
Pierre, Robert, 110
Pilat, dune du, 417
     parc régional du, 565
Plaine Commune, 267
Plaques, tectonique des, 26
Plein emploi, 504
Pléistocène, 25
Pleumeur-Bodou, 191
Pliocène, 25

Plomb de Cantal, 37
Pluie, 164
Poincaré, Henri, 295
Pointe-à-Pitre, 470
Poitiers, 224
Poitou-Charentes, 221
Politique agricole commune, 515
Poljé, 33
Polynésie française, 487
Polytechnique, 255
Pomerol, 67, 417
Ponor, 33
Pont, 113
Ponthieu, 239
Population, 494
     active, 510
Port-Cros, 557
Pradelles, 585
Préalpes, 52
Précambrien, 16
Précarité, 504
Précipitations, 174
Primaire, ère, 18
Production, 516
Provence-Alpes-Côte-d'Azur, 384
Provins, rose de, 266
Puy de Dôme, 37
Puy de Sancy, 37
Puy-de-Dôme, 350
Puy-en-Velay, 354
Puys, 36
Puy-Saint-Vincent, 179
Pyramide des âges, 505
Pyrénées, 45, 117
     parc national des, 558
Pyrénées-Atlantiques, 421
Pyrénées-Orientales, 459

Q
Quercy, 34, 66
Queyras, 53
Quiberon, 88
Quimper, 186
Quotas, 520

R
Racine, Jean, 244
Radôme, 191
Rambouillet, 274
     forêt de, 63
Rance, 149
Raz, pointe du, 186
Ré, île de, 91
Reclus, Jacques-Elisée, 418
Réfugiés politiques, 498
Rennes, 194
Résurgence, 33

Réunion, 477
     Hauts de la, 560
Rhin, 137
Rhin-Rhône, canal, 130
Rhône, 125, 370
Rhône-Alpes, 361
Riesling du Rangen du Thann, 578
Rillettes, 335
Rimbaud, Arthur, 241, 279
Riquet, canal de, 121
Riquewihr, 579
Risoul, 179
Rivage, 78
Rizzanese, 154
Roanne, canal de, 100
Rochelle, La, 229
Roche-sur-Yon, La, 219
Rocheuses, 78
Rodez, 429
Roissy-Charles-de-Gaulle, 269, 541
Romanée-Conti, 575
Rostand, Edmond, 68
Rouaud, Jean, 214
Roubion, 131
Rouen, 234
Rousseau, Henri Julien Félix, 209
Routes, 536
Roux, Guy, 304
Rungis, 270
Ruz, 48

S
Sableuses, 79
Saint-Barthélémy, 466
Saint-Brieuc, 189
Saint-Denis, 477
Saint-Denis, abbaye de, 268
Sainte-Marguerite, île de, 94
Saint-émilion, 67, 417
Saintes, Les, 470
Saintes-Maries-de-la-Mer, 134
Saint-Etienne, 362
Saint-Germain, forêt de, 63
Saint-Germain-Source-de-Seine, 108
Saint-Gildas, 86
Saint-Lary, 181
Saint-Lô, 198
Saint-Louis, île, 112
Saint-Marcouf, 83
Saint-Martin, 466
Saint-Martin, canal, 113
Saint-Maudez, 86
Saintonge, 230
Saint-Paul, 480
Saint-Pierre, 463
Saint-Pierre-et-Miquelon, 463
Saint-Quentin-en-Yvelines, 275

Saint-Tropez, 43
Sand, George, 337
Sanguinaires, îles, 94
Sant Antonio, 584
Santerre, 239
Saône, 129
    plaine de la, 71
Saône-et-Loire, 311
Sarlat-la-Canéda, 580
Sarthe, 104, 210
Sauvage, Côte, 88
Savoie, 373
Scarpe-Escaut, parc naturel régional de, 564
Schorre, 80
Sée, 148
Ségur, comtesse de, 114
Sein, île de, 87
Seine, 107
    baie de, 114
Seine-et-Marne, 263
Seine-Maritime, 234
Seine-Saint-Denis, 266
Sélune, 148
Semi-continental, climat, 160
Sénart Ville Nouvelle, 265
Sénart, forêt de, 63
Sept-Îles, archipel des, 86
Serre-Chevalier, 179
Serres, Michel, 415
Services, 530
Seudre, 151
Seulles, 147
Sèvre niortaise, 151
Sidérurgie, 524
Sienne, 148
Sillon rhodanien, 73
Silurien, 18
Simca, 528
Ski, 549
Slack, 146
Slikke, 80
SNCF, 536
Société, archipel de la, 489
Solde migratoire, 498
Sologne, 339
Somme, 142, 239
Sophia Antipolis, 400
Sotch, 33
Soubirous, Bernadette, 444
Stade de France, 268
Strasbourg, 298
Stratus, 163
Supernova, 13
Surrection, 38
Synclinal, 20, 48

T

Tancarville, pont de, 113
Tarbes, 442
Tarn, 433
Tarn-et-Garonne, 431
Tatihou, 83
Tautavel, homme de, 461
Taux de mortalité, 496
Tavignano, 154
Tech, 153
Températures moyennes, 164
Temple, lac du, 109
Terre Adélie, 482
Terre, 11
Terres australes et antarctiques françaises, 479
Têt, 152
Téthys, 21
Textile, 525
TGV, 535
Thermales, stations, 550
Theviec, île de, 88
Thiou, 154
Tonnerre, 163
Toulon, 396
Toulouse, 436
Toulouse-Lautrec, Henri de, 435
Touques, 147
Tourisme, 545
    blanc, 549
    bleu, 547
    vert, 545
Tours, 334
Trait de côte, 78
Tramontane, 170
Transhumance, 179
Transports, 534
Trenet, Charles, 459
Trente Glorieuses, 522
Trias, 21
Trieux, 149
Trilobites, 18
Troyes, 285
Tuamotu, archipel des, 490
Tulle, 345
Tunnel sous la Manche, 248

U

Uderzo, Albert, 283
Univers, 11

V

Vaison-la-Romaine, 390
Val d'Aran, 124
Val de Loire, 103
Val, 48
Val-de-Marne, 269

Val-d'Oise, 272
Valence, 74, 379
Vannes, 192
Vanoise, 557
    massif de la, 53
Var, 152, 396
Varisque, 19
Vars, 179
Vasière, 80
Vaucluse, 388
Vautrin, 249
Velay, 36
Vendée Globe, 221
Vendée, 219
Ventoux, 388
    mont, 52
Vercors, 52
    parc naturel régional du, 565
Verdun, 289
Vermeille, Côte, 92
Verne, Jules, 214
Versailles, 273
Vesoul, 315
Veules, 147
Vexin, 62
    français, parc naturel du, 569
Vidocq, 249
Vidourle, 153
Vieillissement, 497
Vienne, 103
Vienne, 2241
Vignes, 309, 517
Vilaine, 143
Villerest, barrage de, 100
Villette, bassin de la, 113
Vimereux, 146
Vingt-Quatre Heures du Mans, 211
Vire, 147
Voie lactée, 13
Voies navigables, 537
Volcans, 34, 480
Vosges, 37, 295

W

Wallis et Futuna, 486
Wegener, Alfred, 26
Weinberg, Steven, 12

Y

Yeu, île d', 91
Yonne, 111
Yonne, 304
Yquem, Château d', 574
Yser, 145
Yvelines, 273

Crédits photographiques

Cahier 1 : Géographie physique

p. 2, de haut en bas, de gauche à droite : © Stefano Amantini / Corbis, © Michael Busselle / Corbis, © Michael Busselle / Corbis, © Nik Wheeler / Corbis.

p. 3, de haut en bas, de gauche à droite : © Tibor Bognar / Corbis, © José Fuste Raga / zefa / corbis, © Robert Harding World Imagery / Corbis, © Chris Lisle / Corbis, © Frans Lemmeur / zefa / Corbis.

p. 4, de haut en bas, de gauche à droite : © Robert Harding World Imagery / Corbis, © Ray Juno / Corbis, © Adam Woolfitt/ Corbis, © Richard Klune / Corbis, © Nik Wheeler / Corbis.

Cahier 2 : Régions et patrimoine

p.1, de haut en bas, de gauche à droite : © Charles E. Rotkin / Corbis, © Annebicque Bernard / Corbis sygma, © Robert Harding World Imagery / Corbis, © Richard Klune / Corbis.

p. 2, de haut en bas, de gauche à droite : © Jose Fuste Raga / Corbis, © Gail Mooney / Corbis, © Bryan F. Peterson / Corbis, © José Fuste Raga / Corbis.

p. 3, de haut en bas, de gauche à droite : © Robert Holmes / Corbis, © Gérard Boutin / zefa / Corbis, © Paul Almary / Corbis, © Archivo Iconografico, S.A. / Corbis.

p. 4, de haut en bas, de gauche à droite : © Paul Almary / Corbis, © Ludovic Maisant / Corbis, © Robert Estall / Corbis, © Sandro Vannini / Corbis

Cahier 3 : Population, économie

p. 1, de haut en bas, de gauche à droite : © Blaine Harrington III / Corbis, © Bernard Bisson / Corbis sygma, © Owen Franken / Corbis, © Poppy Berry / zefa / Corbis.

p. 2, de haut en bas, de gauche à droite : © Robert Estall / Corbis, © Thierry Prat / Sygma / Corbis, © Michael Busselle / Corbis, © Marc Garanger / Corbis, © Chris Lisle / Corbis.

p. 3, de haut en bas, de gauche à droite : © Charles O'Rear/ Corbis, © Royalty-free/ Corbis, © Catherine Calind / Corbis, © Julia Waterlow; Eye Ubiquitous / Corbis, © Jacques Pavlovsky / Sygma / Corbis.

p. 4, de haut en bas, de gauche à droite : © Terres du sud / Corbis Sygma, © Sandro Vannini / Corbis, © Tom Stewart / Corbis, © Richard T. Nowitz / Corbis, © Tibor Bognar / Corbis.

Cahier 4 : La partie des dix

p. 1, de haut en bas, de gauche à droite : © Richard Broadwell / Beatworks / Corbis, © Owen Franken / Corbis, © Tim Thompson / Corbis, © O. Alamancy & E. Vicens / Corbis, © Ludovic Maisant / Corbis.

p. 2, de haut en bas, de gauche à droite : © Frédérik Astier / Sygma / Corbis, © Richard Klune / Corbis, © Michael Busselle / Corbis, © Robert von der Hilst / Corbis.

p. 3, de haut en bas, de gauche à droite : © Owen Franken / Corbis, © Adam Woolfitt / Corbis, © Bo Zaunders / Corbis, © Charles O'Rear / Corbis.

p. 4, de haut en bas, de gauche à droite : © Arthur Thévenant / Corbis, © Michael Busselle / Corbis, © Marc Garanger / Corbis, © Nik Wheeler / Corbis, © Gail Mooney / Corbis.